ITA

CW00543034

1: 300 000

ATLANTE STRADALE e TURISTICO
TOURIST and MOTORING ATLAS
ATLAS ROUTIER et TOURISTIQUE
STRASSEN- und REISEATLAS
TOERISTISCHE WEGENATLAS
ATLAS DE CARRETERAS y TURÍSTICO

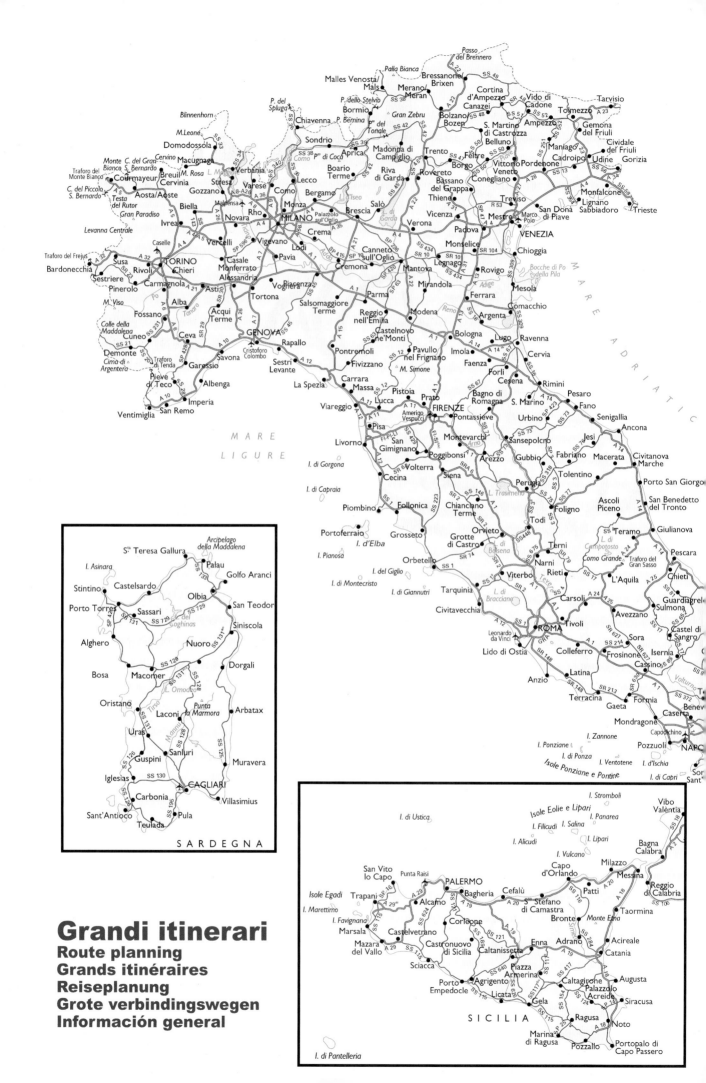

Grandi itinerari
Route planning
Grands itinéraires
Reiseplanung
Grote verbindingswegen
Información general

SARDEGNA

SICILIA

Sommario

Contents / Sommaire / Inhaltsübersicht / Inhoud / Sumario

Copertina interna: Quadro d'insieme
Inside front cover: Key to map pages
Intérieur de couverture : Tableau d'assemblage / Umschlaginnenseite: Übersicht
Binnenzijde van het omslag: Overzichtskaart / Portada interior: Mapa índice

1

Legenda

Key / Légende / Zeichenerklärung / Verklaring van de tekens / Signos convencionales

2 - 121

Italia 1: 300 000 · 2 - 91

Italy / Italie / Italien / Italië / Italia

Sicilia 1: 300 000 · 92 - 107

Sicily / Sicile / Sicilien / Sicilië / Sicilia

Sardegna 1: 300 000 · 108 - 121

Sardinia / Sardaigne / Sardinien / Sardinië / Cerdeña

122 - 156

Indice completo

Index of place names / Index des localités / Ortsverzeichnis / Plaatsnamenregister / Índice

157 - 208

Piante di città

Town plans / Plans de ville / Stadtpläne
Stadsplattegronden / Planos de ciudades

Alla fine del volume: distanze

Back of the guide: distances
En fin d'atlas : distances
Am Ende des Buches: Entfernungen
Achter in het boek: afstanden
No fim do volume: distâncias

Que pensez-vous de nos produits ?
Tell us what you think about our products.
Déposez votre avis
Give us your opinion: satisfaction.michelin.com

Legenda | Key | Légende

Strade | Roads | Routes

Autostrada	Motorway	Autoroute
Doppia carreggiata di tipo autostradale	Dual carriageway with motorway characteristics	Double chaussée de type autoroutier
Svincoli: completo, parziale	Interchanges : complete, limited	Échangeurs : complet, partiels
Svincoli numerati	Interchange numbers	Numéros d'échangeurs
Area di servizio - Alberghi	Service area - Hotels	Aire de service - Hôtels
Restaurant o zelfbediening	Restaurant or self-service	Restaurant ou libre-service
Strada di collegamento internazionale o nazionale	International and national road network	Route de liaison internationale ou nationale
Strada di collegamento interregionale o di disimpegno	Interregional and less congested road	Route de liaison interrégionale ou de dégagement
Strada rivestita - non rivestita	Road surfaced - unsurfaced	Route revêtue - non revêtue
Strada per carri, sentiero	Rough track, footpath	Chemin d'exploitation, sentier
Autostrada, strada in costruzione (data di apertura prevista)	Motorway, road under construction (when available: with scheduled opening date)	Autoroute, route en construction (le cas échéant : date de mise en service prévue)

Larghezza delle strade | Road widths | Largeur des routes

Carreggiate separate	Dual carriageway	Chaussées séparées
4 corsie - 2 corsie larghe	4 lanes - 2 wide lanes	4 voies - 2 voies larges
2 o più corsie - 2 corsie strette	2 or more lanes - 2 narrow lanes	2 voies ou plus - 2 voies étroites

Distanze | Distances | Distances

(totali e parziali) | (total and intermediate) | (totalisées et partielles)

tratto a pedaggio su autostrada	Toll roads on motorway	Section à péage sur autoroute
tratto esente da pedaggio su autostrada	Toll-free section on motorway	Section libre sur autoroute
Su strada	on road	sur route

Numerazione - Segnaletica | Numbering - Signs | Numérotation - Signalisation

Strada europea - Autostrada E 54 A 96	European route - Motorway E 54 A 96	Route européenne - Autoroute E 54 A 96
Strada federale SS 36 SR 25 SP 25	Federal road SS 36 SR 25 SP 25	Route fédérale SS 36 SR 25 SP 25

Ostacoli | Obstacles | Obstacles

Forte pendenza (salita nel senso della freccia) 7-12% +12%	Steep hill (ascent in direction of the arrow) 7-12% +12%	Forte déclivité (flèches dans le sens de la montée) 7-12% +12%
Passo - Altitudine 793 (560)	Pass and its height above sea level - Altitude 793 (560)	Col et sa cote d'altitude - Altitude 793 (560)
Percorso difficile o pericoloso	Difficult or dangerous section of road	Parcours difficile ou dangereux
Passaggi della strada: a livello, cavalcavia, sottopassaggio	Level crossing: railway passing, under road, over road	Passages de la route: à niveau, supérieur, inférieur
Casello - Strada a senso unico	Toll barrier - One way road	Barrière de péage - Route à sens unique
Strada vietata - Strada a circolazione regolamentata	Prohibited road - Road subject to restrictions	Route interdite - Route réglementée
Innevamento: probabile periodo di chiusura 12-5	Snowbound, impassable road during the period shown 12-5	Enneigement : période probable de fermeture 12-5
Strada con divieto di accesso per le roulottes	Caravans prohibited on this road	Route interdite aux caravanes

Trasporti | Transportation | Transports

Ferrovia	Railway	Voie ferrée
Aeroporto - Aerodromo	Airport - Airfield	Aéroport - Aérodrome
Trasporto auto: (stagionale in rosso)	Transportation of vehicles: (seasonal services in red)	Transport des autos : (liaison saisonnière en rouge)
su traghetto	by boat	par bateau
su chiatta (carico massimo in t.) 15	by ferry (load limit in tons) 15	par bac (charge maximum en tonnes) 15
Traghetto per pedoni e biciclette	Ferry (passengers and cycles only)	Bac pour piétons et cycles

Risorse - Amministrazione | Accommodation - Administration | Hébergement - Administration

Capoluogo amministrativo R P	Administrative district seat R P	Capitale de division administrative R P
Confini amministrativi	Administrative boundaries	Limites administratives
Zona franca	Free zone	Zone franche
Frontiera: Dogana - Dogana con limitazioni	National boundary: Customs post - Secondary customs post	Frontière : Douane - Douane avec restriction

Sport - Divertimento | Sport & Recreation Facilities | Sports - Loisirs

Golf - Ippodromo	Golf course - Horse racetrack	Golf - Hippodrome
Circuito Automobilistico - Porto turistico	Racing circuit - Pleasure boat harbour	Circuit automobile - Port de plaisance
Spiaggia - Parco divertimenti	Beach - Country park	Plage - Parc récréatif
Parco con animali, zoo	Safari park, zoo	Parc animalier, zoo
Albergo isolato	Secluded hotel or restaurant	Hôtel ou restaurant isolé
Rifugio - Campeggio	Mountain refuge hut - Caravan and camping sites	Refuge de montagne - Camping, caravaning
Funicolare, funivia, seggiovia	Funicular, cable car, chairlift	Funiculaire, téléphérique, télésiège
Ferrovia a cremagliera	Rack railway	Voie à crémaillère

Mete e luoghi d'interesse | Sights | Curiosités

Principali luoghi d'interesse, vedere LA GUIDA VERDE	Principal sights: see THE GREEN GUIDE	Principales curiosités : voir LE GUIDE VERT
{ Chioggia (▲) { Malcesine O	{ Chioggia (▲) { Malcesine O	{ Chioggia (▲) { Malcesine O
Località o siti interessanti, luoghi di soggiorno	Towns or places of interest, Places to stay	Localités ou sites intéressants, lieux de séjour
Edificio religioso - Castello, fortezza	Religious building - Historic house, castle	Édifice religieux - Château, forteresse
Rovine - Monumento megalitico	Ruins - Prehistoric monument	Ruines - Monument mégalithique
Grotta - Ossario - Necropoli etrusca	Cave - Ossuary - Etruscan necropolis	Grotte - Ossuaire - Nécropole étrusque
Giardino, parco - Altri luoghi d'interesse	Garden, park - Other places of interest	Jardin, parc - Autres curiosités
Palazzo, villa - Vestigia greco-romane	Palace, villa - Greek or roman ruins	Palais, villa - Vestiges gréco-romains
Scavi archeologici - Nuraghe	Archaeological excavations - Nuraghe	Fouilles archéologiques - Nuraghe
Panorama - Vista	Panoramic view - Viewpoint	Panorama - Point de vue
Percorso pittoresco	Scenic route	Parcours pittoresque

Simboli vari | Other signs | Signes divers

Teleferica industriale	Industrial cable way	Transporteur industriel aérien
Industrie	Industrial activity	Industries
Torre o pilone per telecomunicazioni - Raffineria	Telecommunications tower or mast - Refinery	Tour ou pylône de télécommunications - Raffinerie
Pozzo petrolifero o gas naturale - Centrale elettrica	Oil or gas well - Power station	Puits de pétrole ou de gaz - Centrale électrique
Miniera - Cava - Faro	Mine - Quarry - Lighthouse	Mine - Carrière - Phare
Diga - Cimitero militare	Dam - Military cemetery	Barrage - Cimetière militaire
Parco nazionale - Parco naturale	National park - Nature park	Parc national - Parc naturel

Zeichenerklärung	Verklaring van de tekens	Signos convencionales

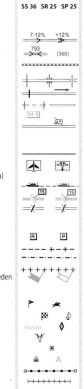

Straßen / Wegen / Carreteras

Autobahn	Autosnelweg	Autopista
Schnellstraße mit getrennten Fahrbahnen	Gescheiden rijbanen van het type autosnelweg	Autovía
Anschlussstellen: Voll- bzw. Teilanschlussstellen	Aansluitingen: volledig, gedeeltelijk	Enlaces: completo, parciales
Anschlussstellennummern	Afritnummers	Números de los accesos
Tankstelle mit Raststätte - Hotel Restaurant / SB-Restaurant	Serviceplaats - Hotels Restaurant of zelfbediening	Áreas de servicio - Hotel Restaurant o auto servicio
Internationale bzw.nationale Hauptverkehrsstraße	Internationale of nationale verbindingsweg	Carretera de comunicación internacional o nacional
Überregionale Verbindungsstraße oder Umleitungsstrecke	Interregionale verbindingsweg	Carretera de comunicación interregional o alternativo
Straße mit Belag - ohne Belag	Verharde weg - onverharde weg	Carretera asfaltada - sin asfaltar
Wirtschaftsweg, Pfad	Landbouwweg, pad	Camino agrícola, sendero
Autobahn, Straße im Bau (ggf. voraussichtliches Datum der Verkehrsfreigabe)	Autosnelweg in aanleg, weg in aanleg (indien bekend: datum openstelling)	Autopista, carretera en construcción (en su caso: fecha prevista de entrada en servicio)

Straßenbreiten / Breedte van de wegen / Ancho de las carreteras

Getrennte Fahrbahnen	Gescheiden rijbanen	Calzadas separadas
4 Fahrspuren - 2 breite Fahrspuren	4 rijstroken - 2 brede rijstroken	Cuatro carriles - Dos carriles anchos
2 oder mehr Fahrspuren - 2 schmale Fahrspuren	2 of meer rijstroken - 2 smalle rijstroken	Dos carriles o más - Dos carriles estrechos

Straßenentfernungen / Afstanden / Distancias

(Gesamt- und Teilentfernungen)	(totaal en gedeeltelijk)	(totales y parciales)
Mautstrecke auf der Autobahn	Gedeelte met tol op autosnelwegen	Tramo de peaje en autopista
Mautfreie Strecke auf der Autobahn	Tolvrij gedeelte op autosnelwegen	Tramo libre en autopista
auf der Straße	op andere wegen	en carretera

Nummerierung - Wegweisung / Wegnummers - Bewegwijzering / Numeración - Señalización

Europastraße - Autobahn	Europaweg - Autosnelweg	Carretera europea - Autopista
E 54 A 96	**E 54 A 96**	**E 54 A 96**
Bundesstraße	Federale weg	Carretera federal
SS 36 SR 25 SP 25	**SS 36 SR 25 SP 25**	**SS 36 SR 25 SP 25**

Verkehrshindernisse / Hindernissen / Obstáculos

Starke Steigung (Steigung in Pfeilrichtung)	Steile helling (pijlen in de richting van de helling)	Pendiente Pronunciada (las flechas indican el sentido del ascenso)
Pass mit Höhenangabe - Höhe	Bergpas en hoogte boven de zeespiegel - Hoogte	Puerto - Altitud
Schwierige oder gefährliche Strecke	Moeilijk of gevaarlijk traject	Recorrido difícil o peligroso
Bahnübergänge: schnienengleich - Unterführung - Überführung	Wegovergangen: gelijkvloers, overheen, onderdoor	Pasos de la carretera: a nivel, superior, inferior
Mautstelle - Einbahnstraße	Tol - Weg met eenrichtingverkeer	Barrera de peaje - Carretera de sentido único
Gesperrte Straße - Straße mit Verkehrsbeschränkungen	Verboden weg - Beperkt opengestelde weg	Tramo prohibido - Carretera restringida
Eingeschneite Straße: voraussichtl.Wintersperre	Sneeuw: vermoedelijke sluitingsperiode	Nevada: Período probable de cierre
Für Wohnanhänger gesperrt	Verboden voor caravans	Carretera prohibida a las caravanas

Verkehrsmittel / Vervoer / Transportes

Bahnlinie	Spoorweg	Línea férrea
Flughafen - Flugplatz	Luchthaven - Vliegveld	Aeropuerto - Aeródromo
Autotransport: (rotes Zeichen: saisonbedingte Verbindung)	Vervoer van auto's: (tijdens het seizoen: rood teken)	Transporte de coches: (Enlace de temporada: signo rojo)
per Schiff	per boot	por barco
per Fähre (Höchstbelastung in t)	per veerpont (maximum draagvermogen in t.)	por barcaza (carga máxima en toneladas)
Fähre für Personen und Fahrräder	Veerpont voor voetgangers en fietsers	Barcaza para el paso de peatones

Unterkunft - Verwaltung / Verblijf - Administratie / Alojamiento - Administración

Verwaltungshauptstadt	Hoofdplaats van administratief gebied	Capital de división administrativa
Verwaltungsgrenzen	Administratieve grenzen	Limites administrativos
Freizone	Vrije zone	Zona franca
Staatsgrenze: Zoll - Zollstation mit Einschränkungen	Staatsgrens: Douanekantoor - Douanekantoor met beperkte bevoegdheden	Frontera: Aduanas - Aduana con restricciones

Sport - Freizeit / Sport - Recreatie / Deportes - Ocio

Golfplatz - Pferderennbahn	Golfterrein - Renbaan	Golf - Hipódromo
Rennstrecke - Yachthafen	Autocircuit - Jachthaven	Circuito de velocidad - Puerto deportivo
Badestrand - Erholungspark	Strand - Recreatiepark	Playa - Zona recreativa
Tierpark, Zoo Fernwanderweg	Safaripark, dierentuin	Reserva de animales, zoo
Abgelegenes Hotel oder Restaurant	Afgelegen hotel	Hotel aislado
Schutzhütte - Campingplatz	Berghut - Kampeerterrein	Refugio de montaña - Camping
Standseilbahn, Seilbahn, Sessellift	Kabelspoor, kabelbaan, stoeltjeslift	Funicular, Teleférico, telesilla
Zahnradbahn	Tandradbaan	Línea de cremallera

Sehenswürdigkeiten / Bezienswaardigheden / Curiosidades

Hauptsehenswürdigkeiten: siehe GRÜNER REISEFÜHRER	Belangrijkste bezienswaardigheden: zie DE GROENE GIDS	Principales curiosidades: ver LA GUÍA VERDE
Chioggia (▲) **Malcesine** ○	**Chioggia** (▲) **Malcesine** ○	**Chioggia** (▲) **Malcesine** ○
Sehenswerte Orte, Ferienorte	Interessante steden of plaatsen, vakantieoorden	Localidad o lugar interesante, lugar para quedarse
Sakral-Bau - Schloss, Burg, Festung	Kerkelijk gebouw - Kasteel, vesting	Edificio religioso - Castillo, fortaleza
Ruine - Vorgeschichtliches Steindenkmal	Ruïne - Megaliet	Ruinas - Monumento megalítico
Höhle - Ossarium - Etruskiche Nekropole	Grot - Ossuarium - Etruskische necropool	Cueva - Osario - Necrópolis etrusca
Garten, Park - Sonstige Sehenswürdigkeit	Tuin, park - Andere bezienswaardigheden	Jardín, parque - Curiosidades diversas
Palast, Villa - Griechische, römische Ruinen	Paleis, villa - Grieks-Romeinse overblijfselen	Palacio, villa - Vestigios grecorromanos
Ausgrabungen - Nuraghe	Archeologische opgravingen - Nuraghe	Restos arqueologicos - Nuraghe
Rundblick - Aussichtspunkt	Panorama - Uitzichtpunt	Vista panorámica - Vista parcial
Landschaftlich schöne Streck	Schilderachtig traject	Recorrido pintoresco

Sonstige Zeichen / Diverse tekens / Signos diversos

Industrieschwebebahn	Kabelvrachtvervoer	Transportador industrial aéreo
Industrieanlagen	Industrie	Industrias
Funk-, Sendeturm - Raffinerie	Telecommunicatietoren of -mast - Raffinaderij	Torreta o poste de telecomunicación - Refinería
Erdöl-, Erdgasförderstelle - Kraftwerk	Olie- of gasput - Elektriciteitscentrale	Pozos de petróleo o de gas - Central eléctrica
Bergwerk - Steinbruch - Leuchtturm	Mijn - Steengroeve - Vuurtoren	Mina - Cantera - Faro
Staudamm - Soldatenfriedhof	Stuwdam - Militaire begraafplaats	Presa - Cementerio militar
Nationalpark - Naturpark	Nationaal park - Natuurpark	Parco nacional - Parque natural

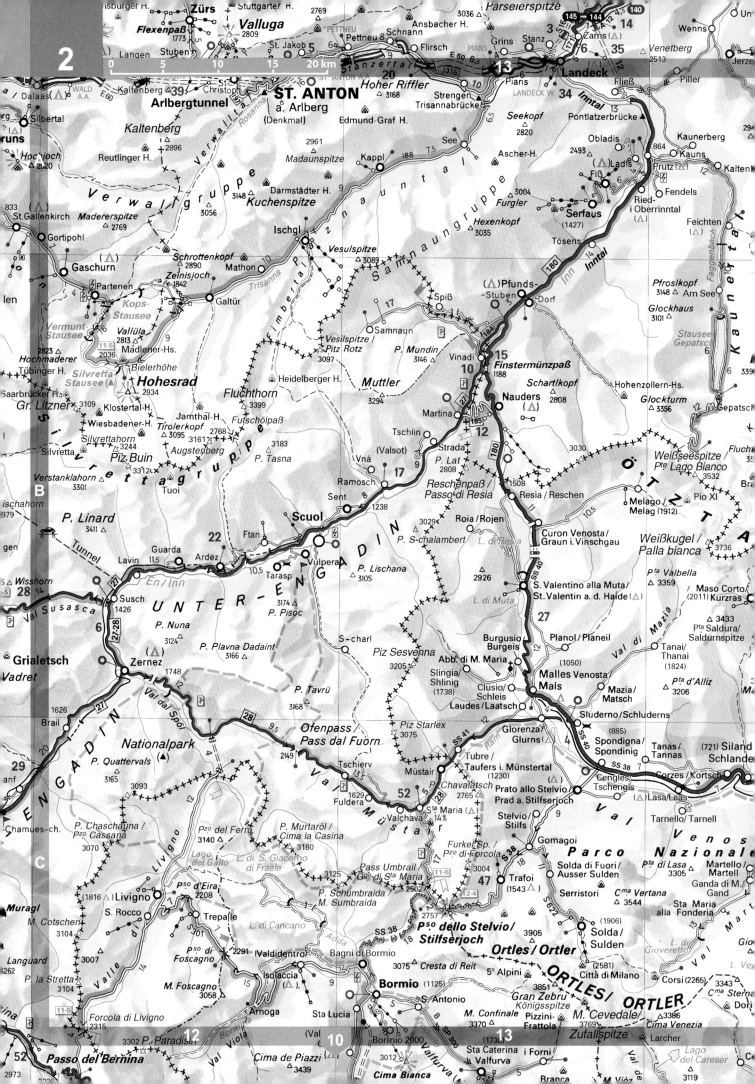

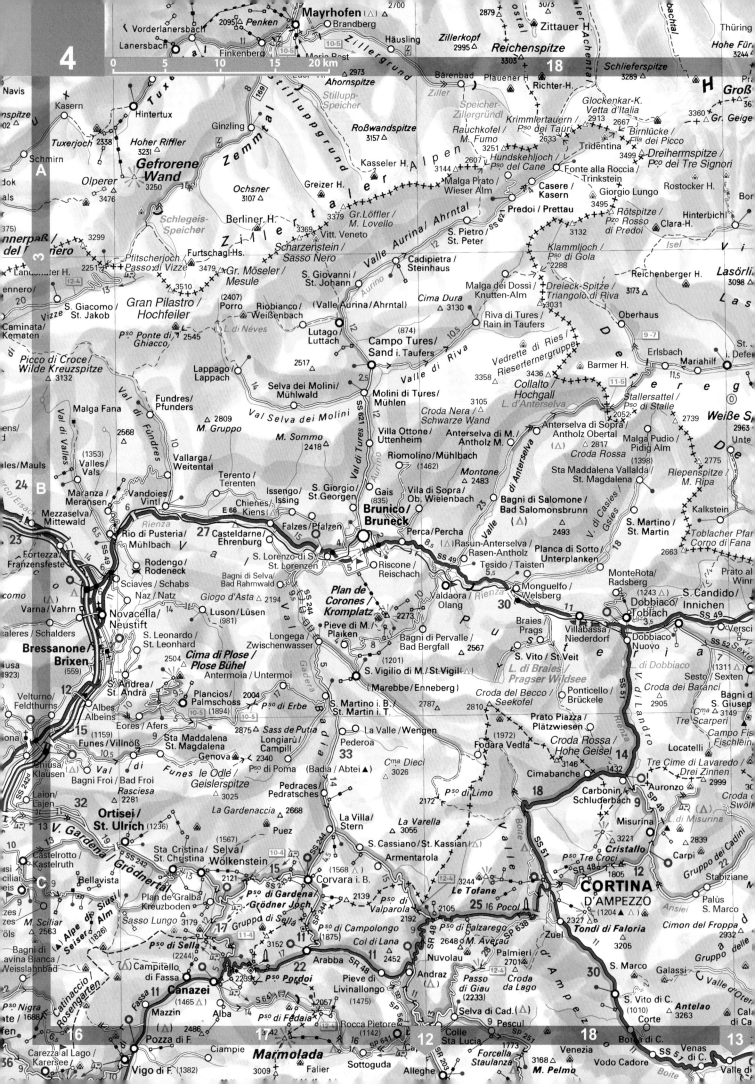

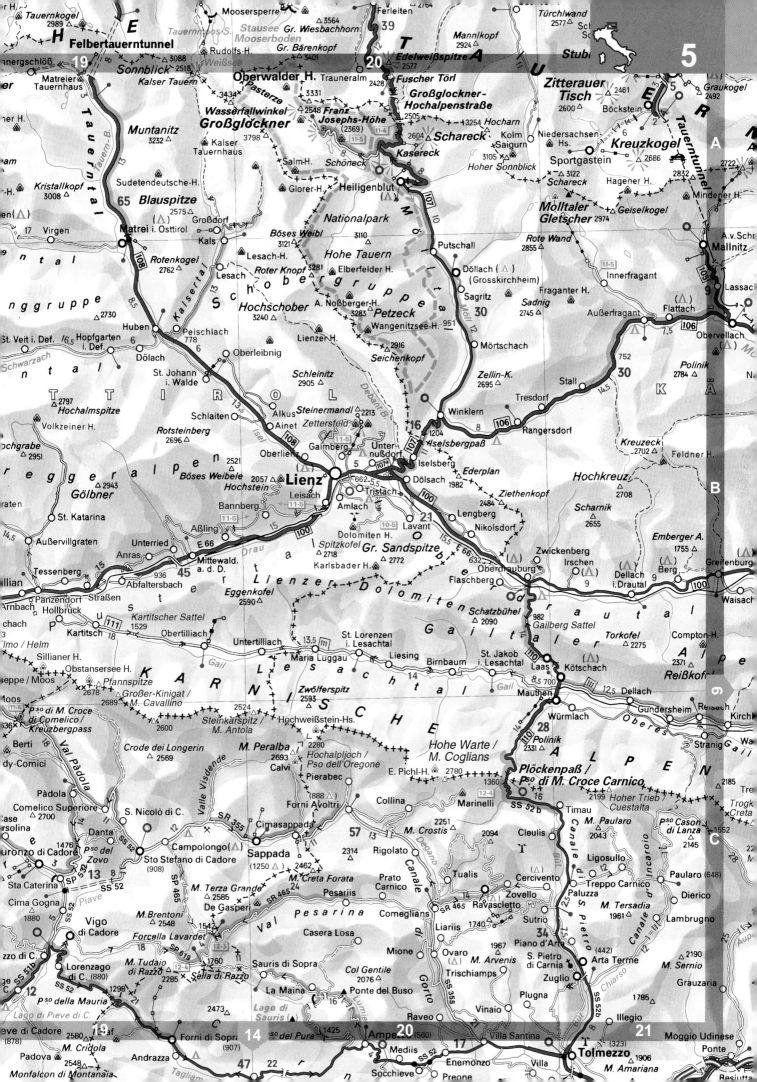

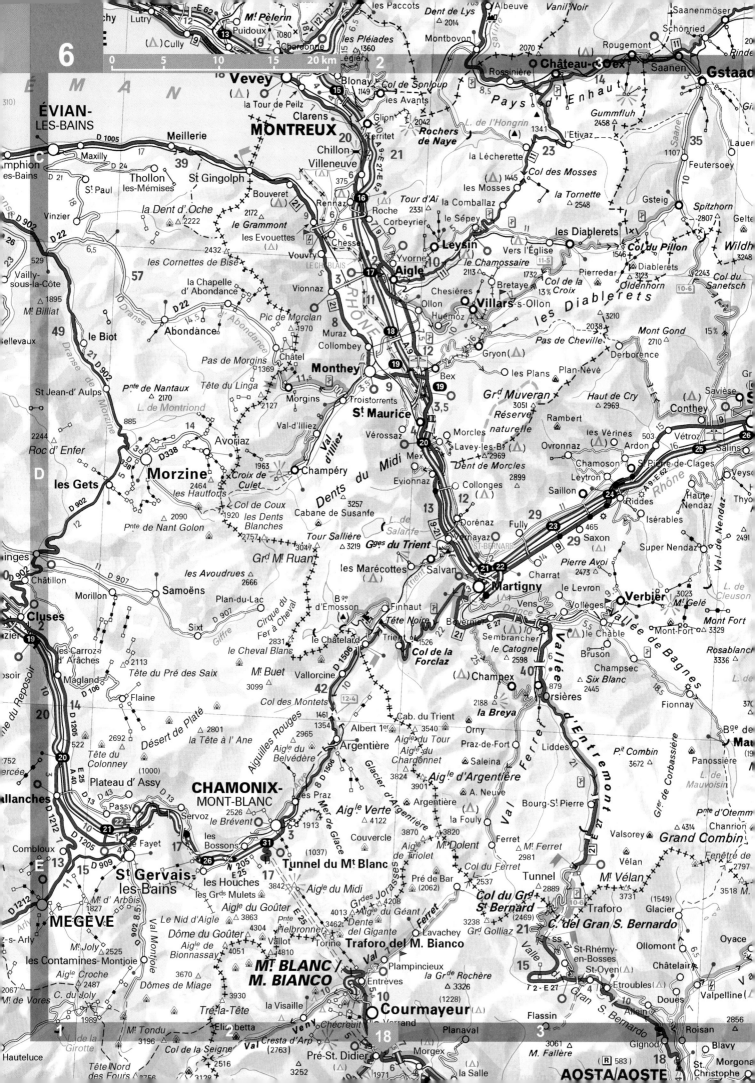

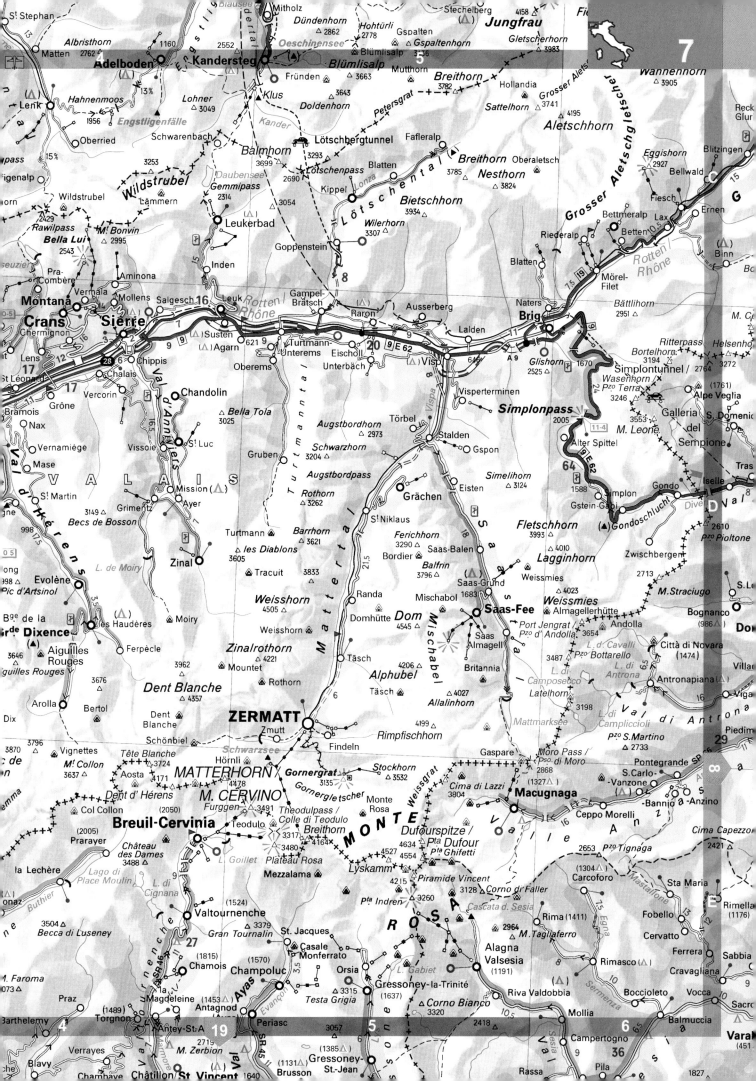

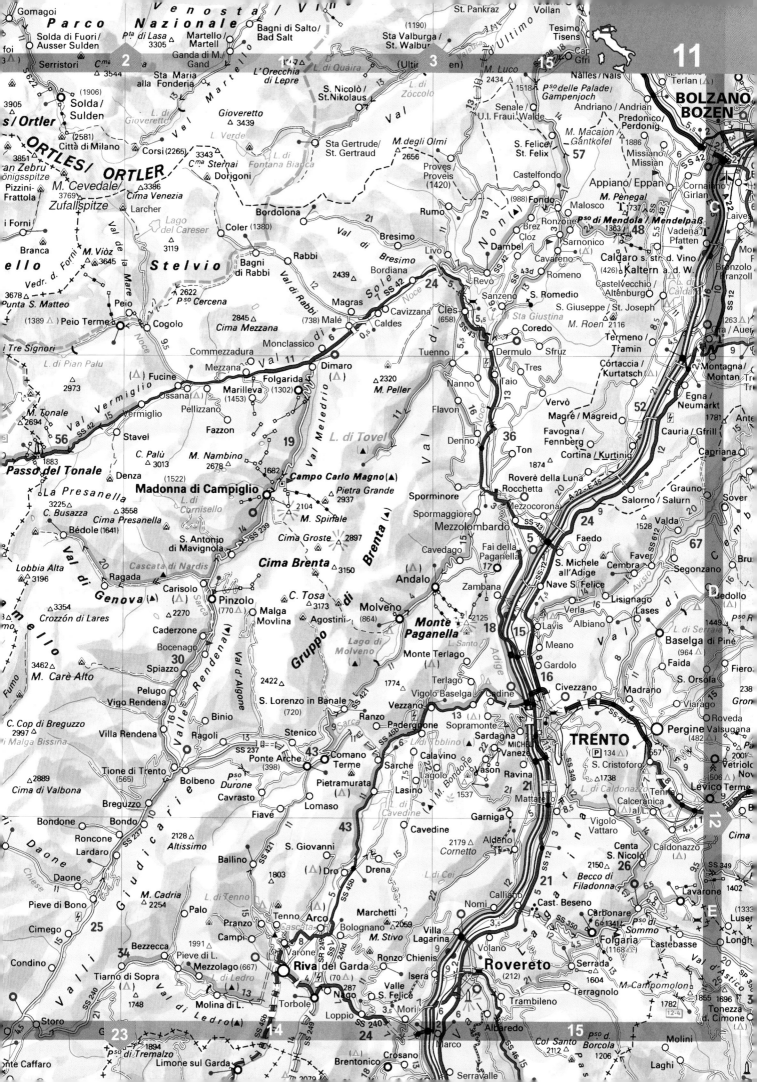

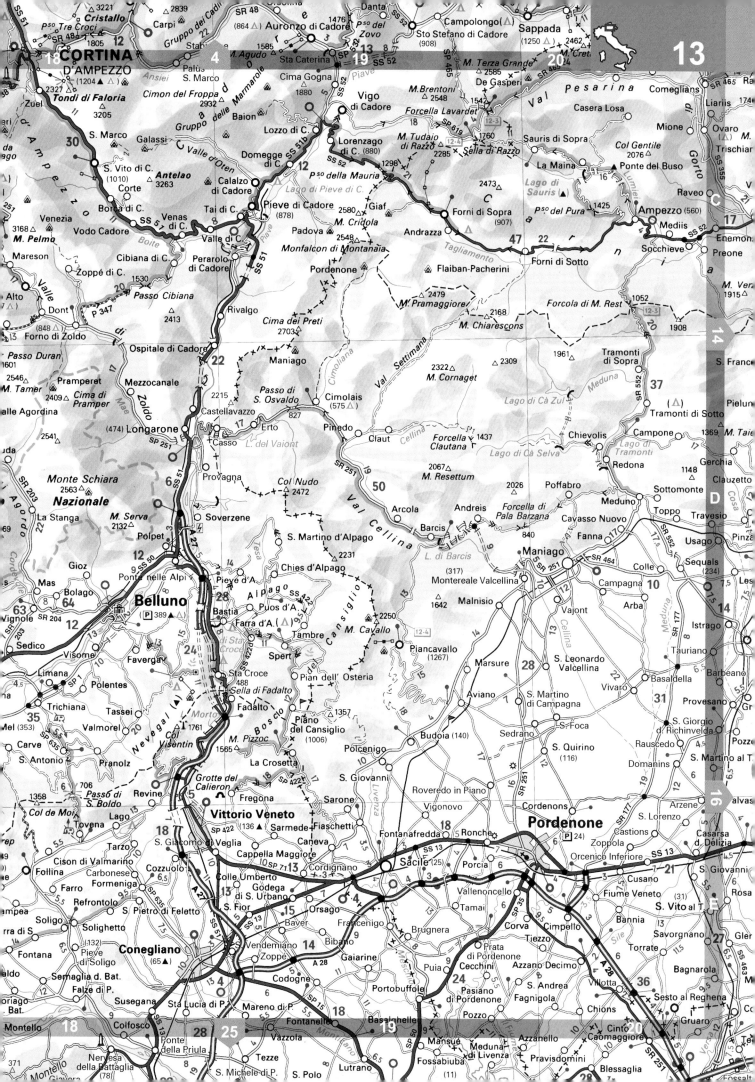

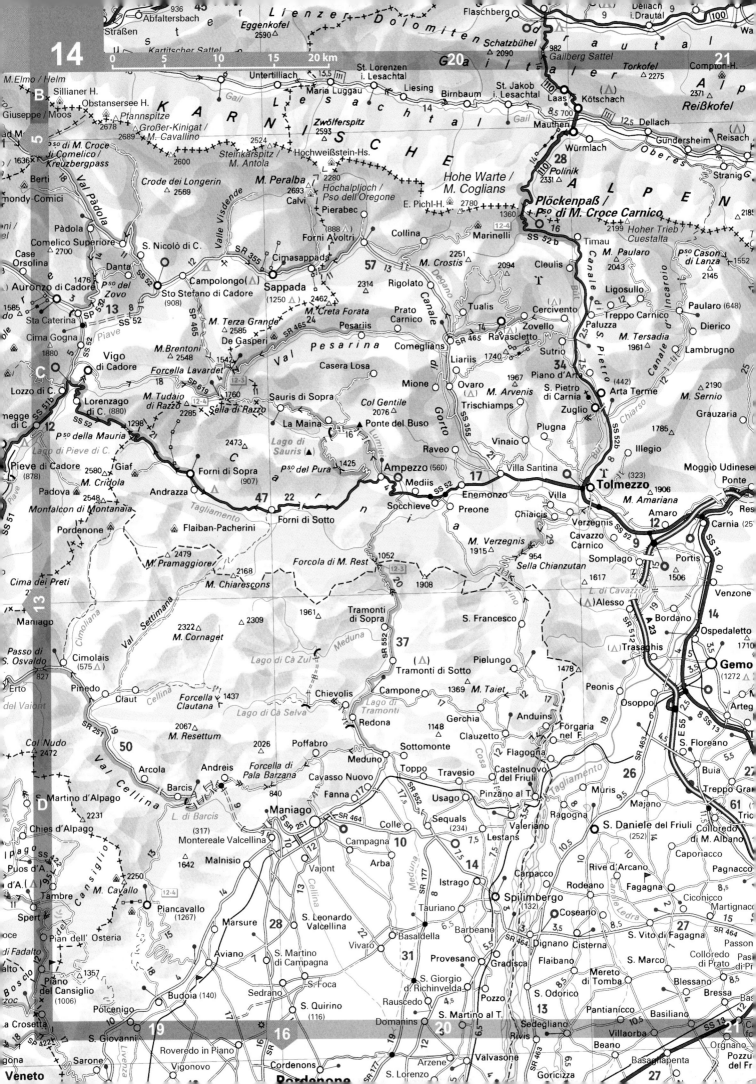

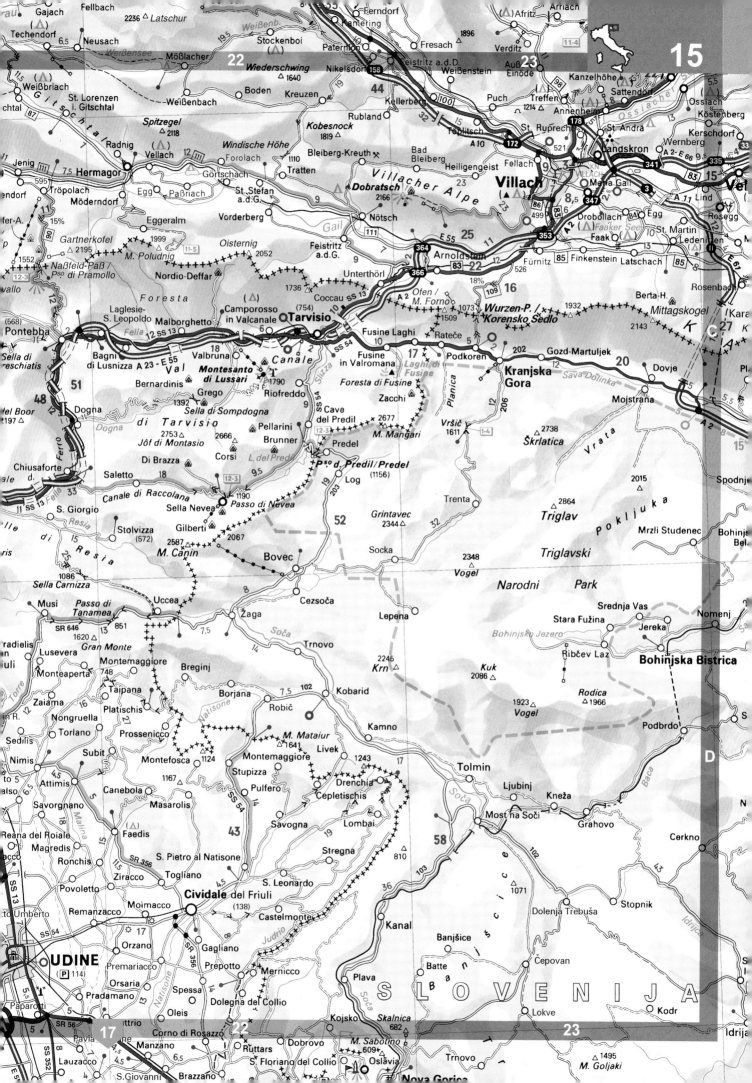

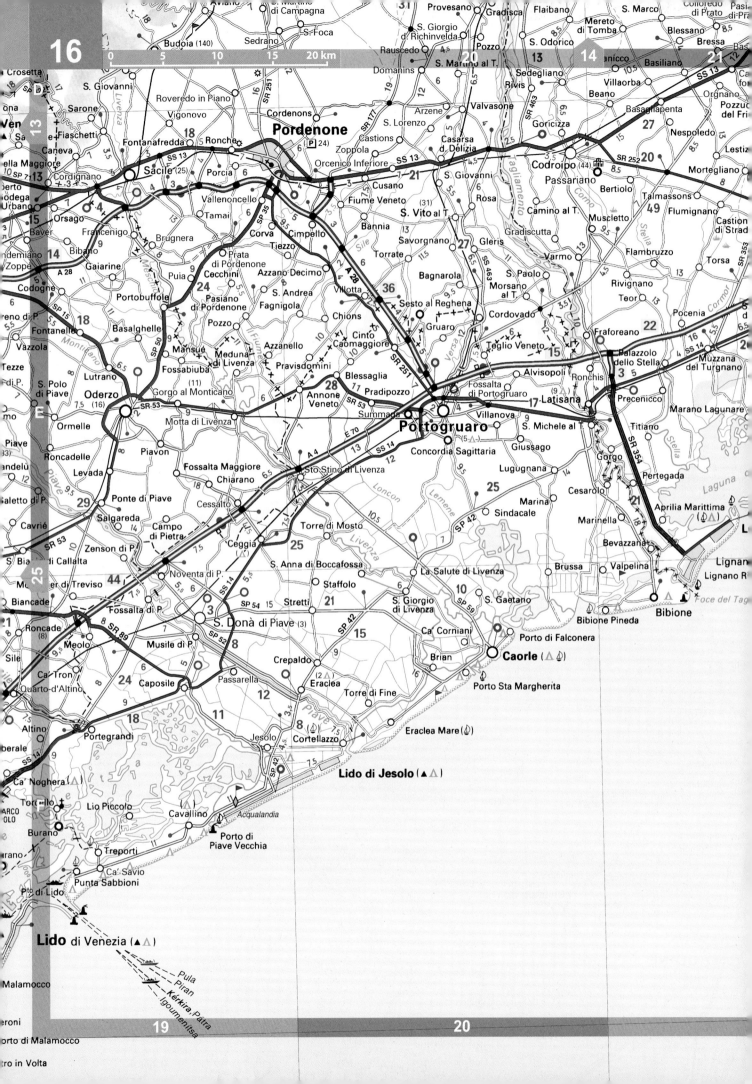

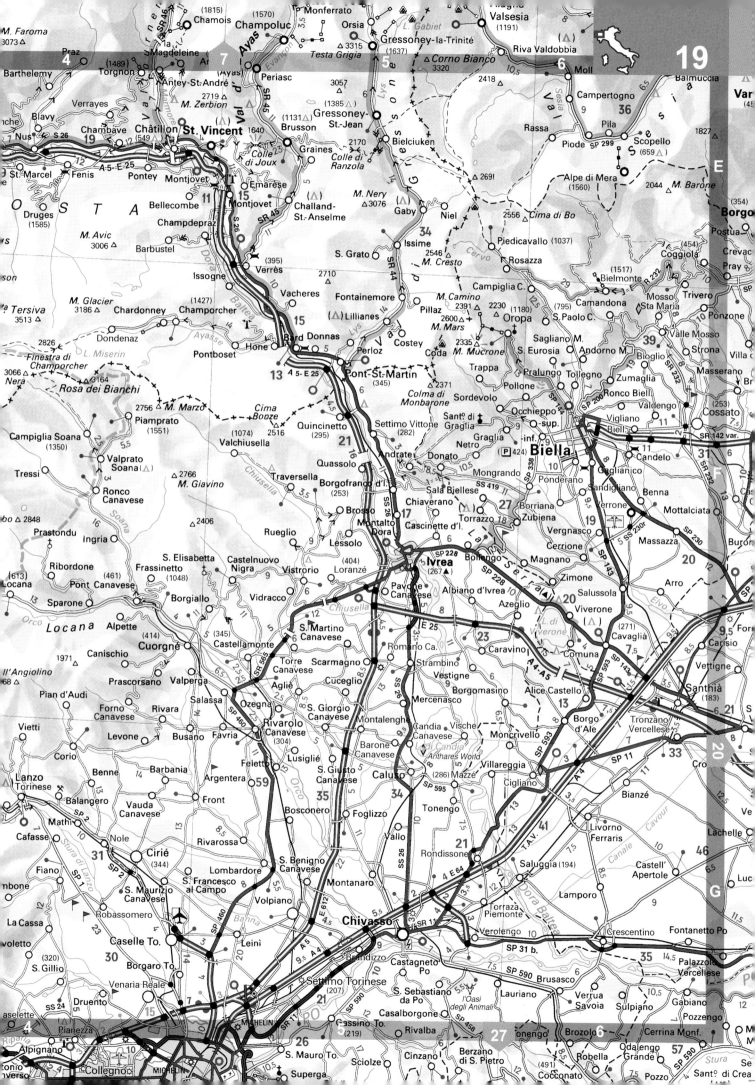

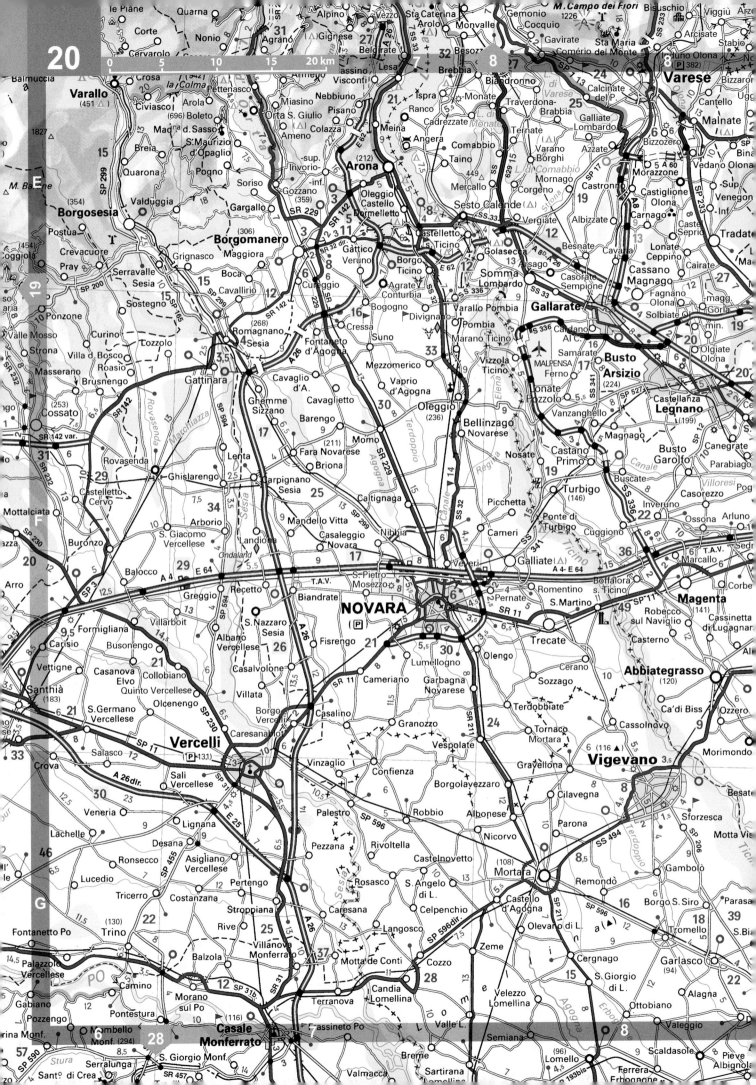

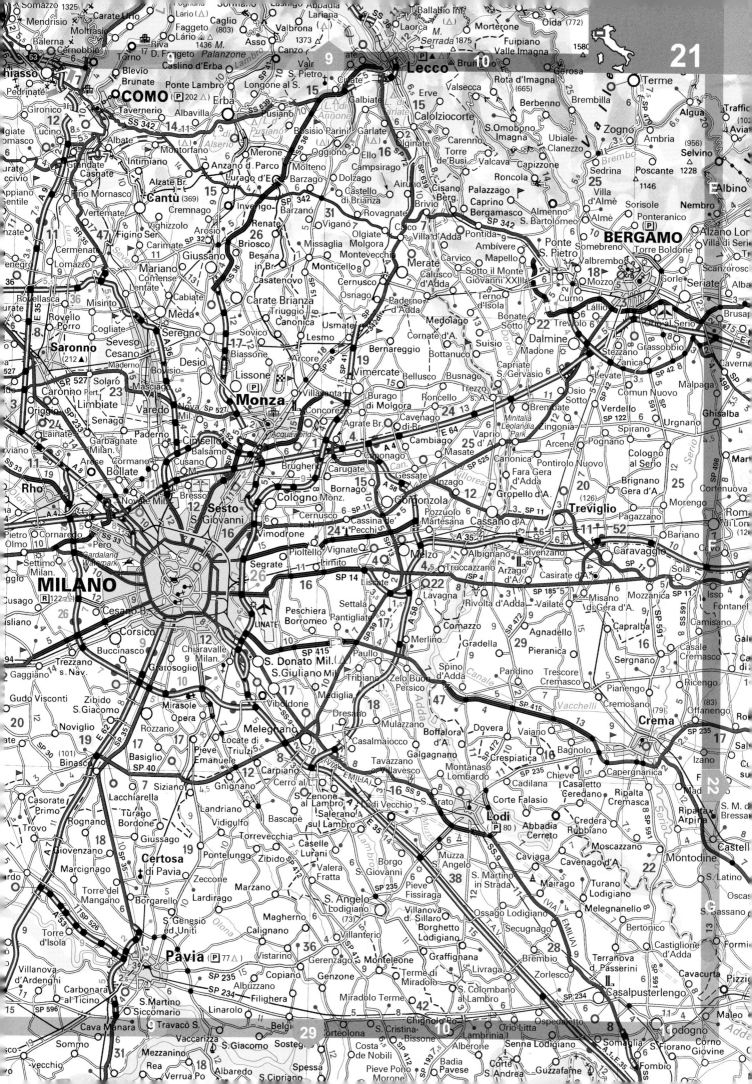

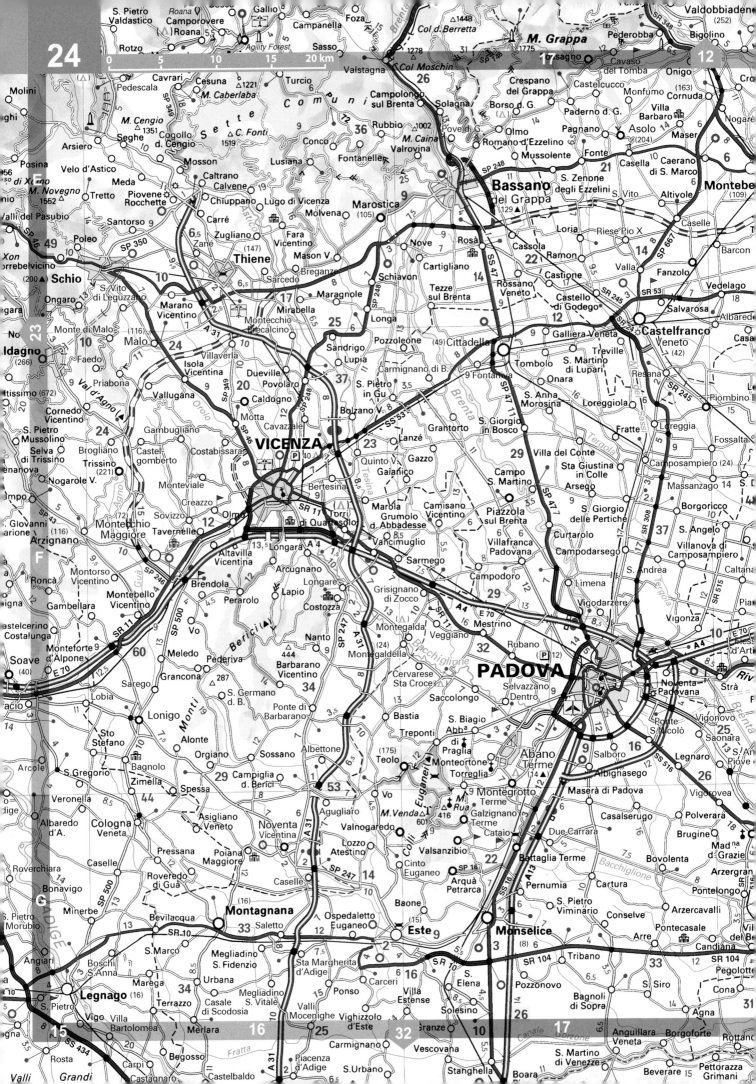

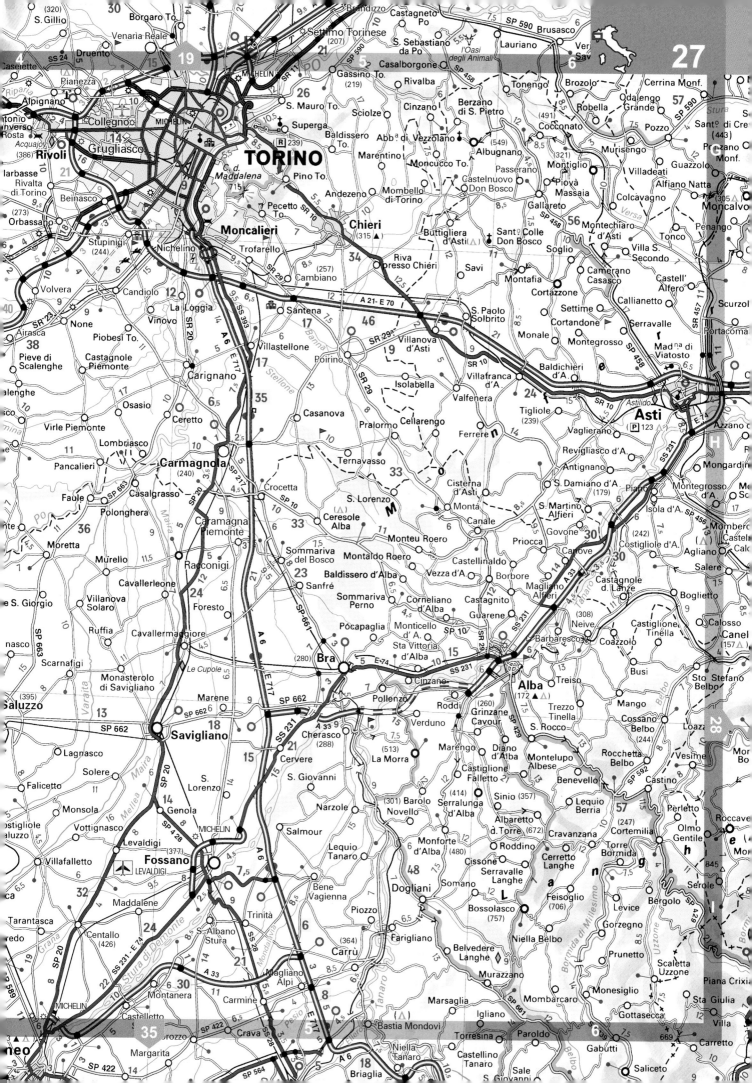

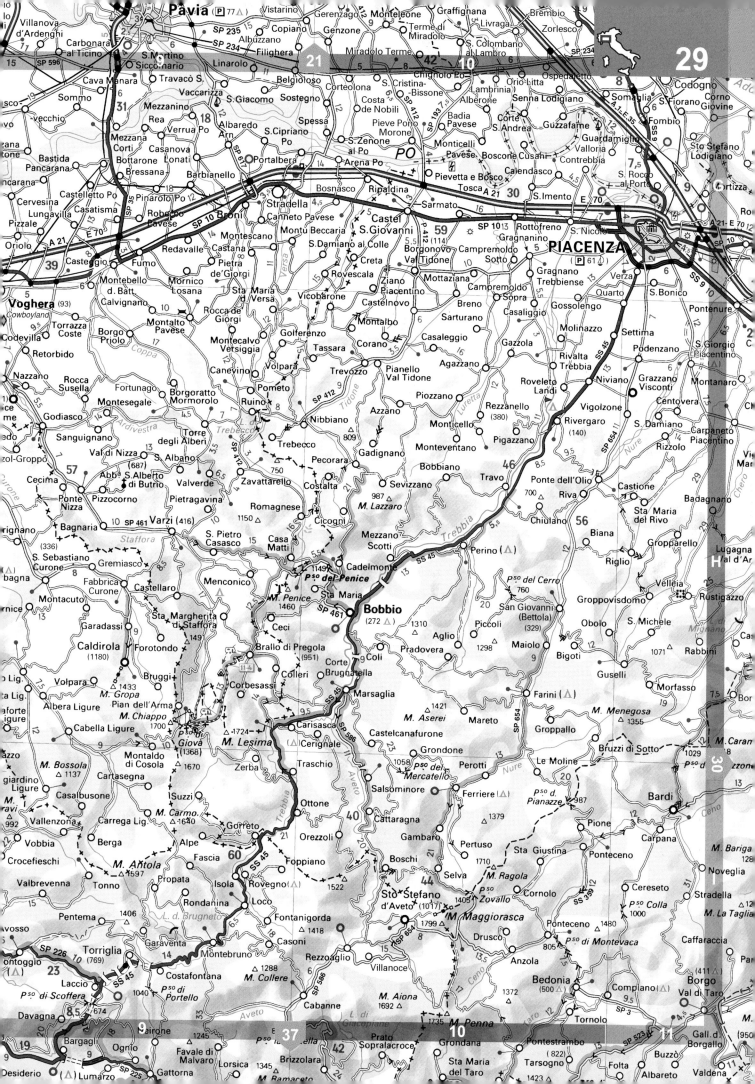

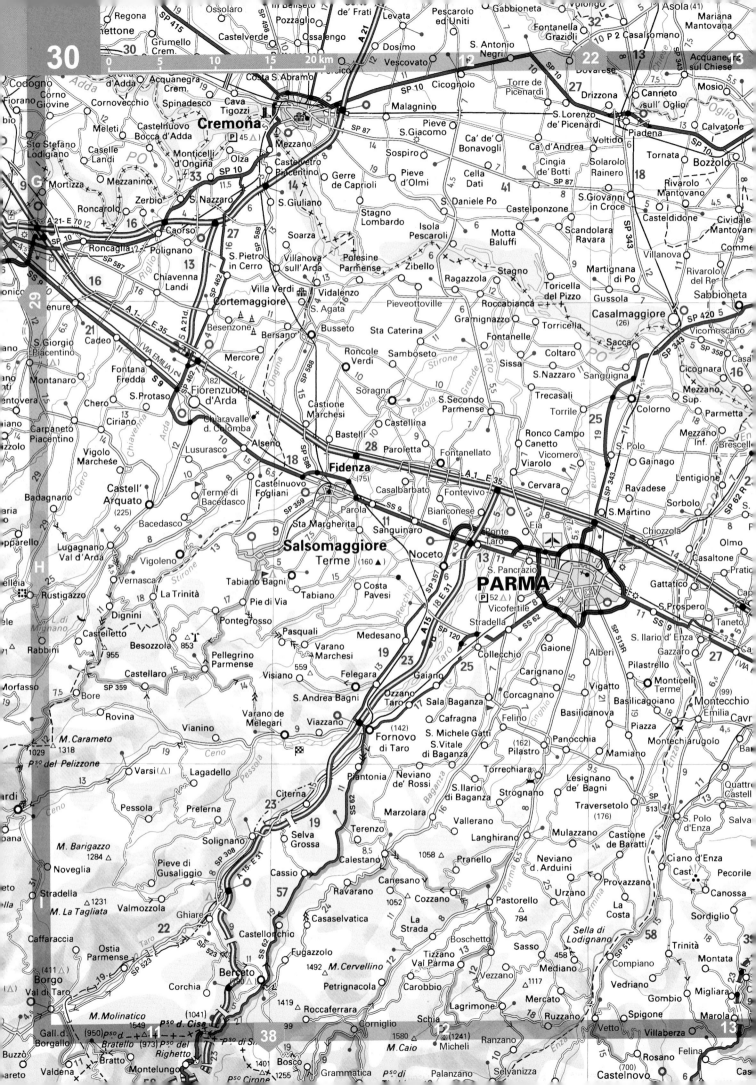

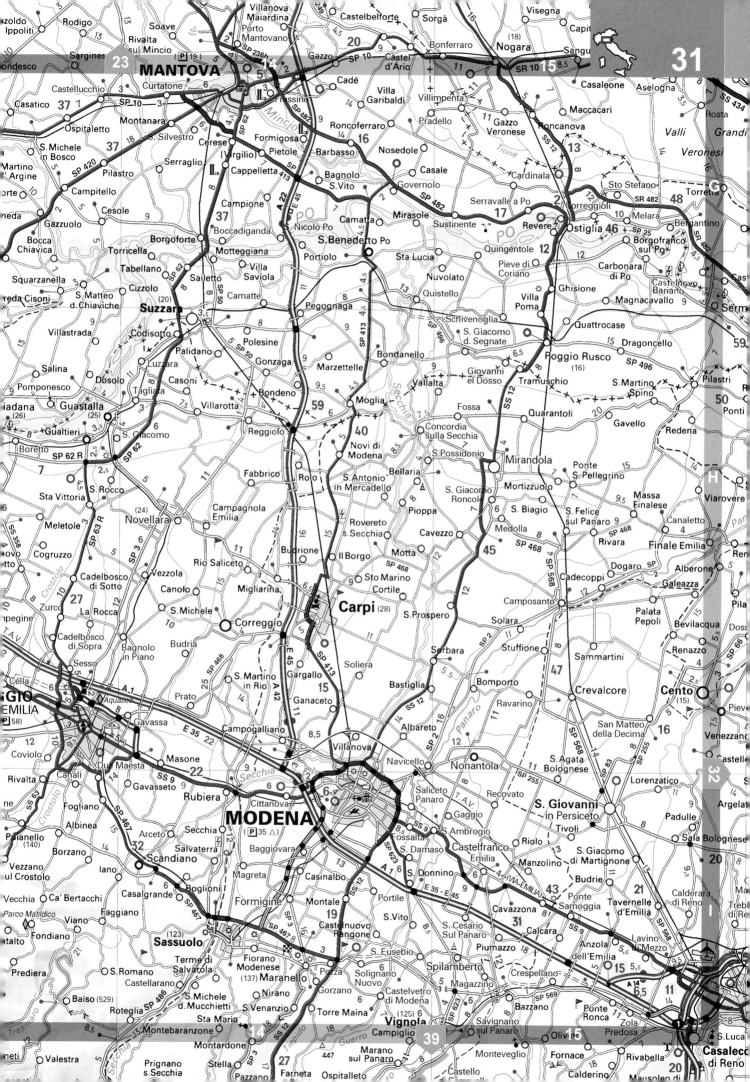

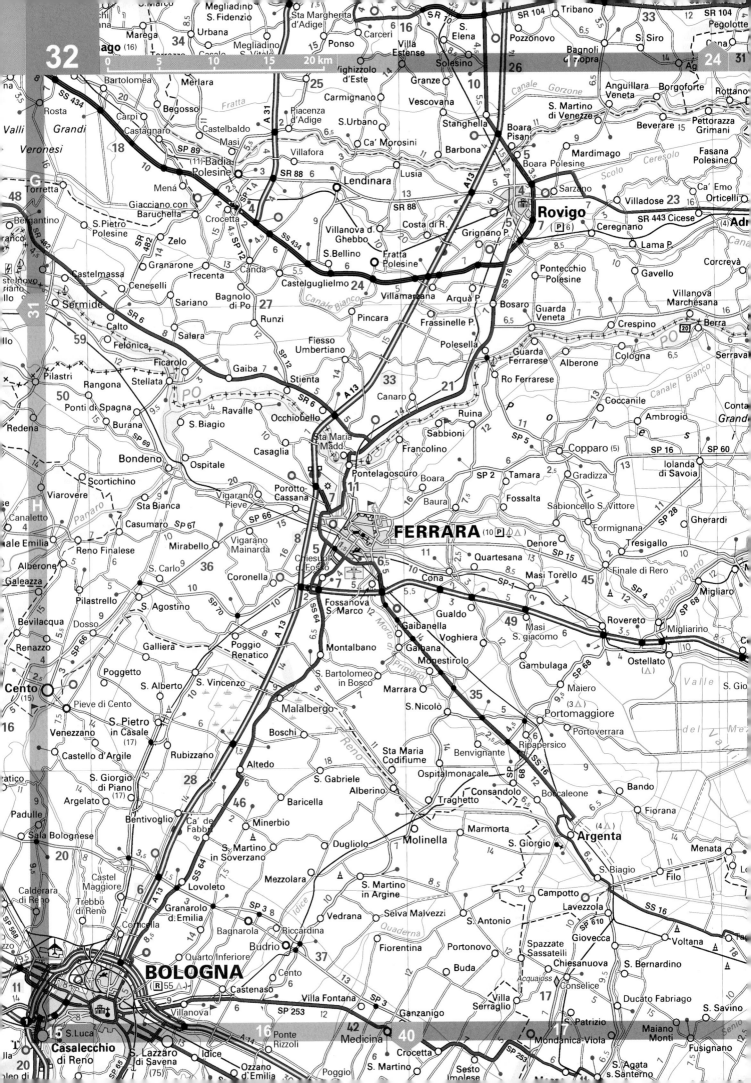

Cantarana
Ca' Bianca
Foce d. Brenta
Isola V
Foce d. Adige
Martinelle
17
S. Anna
Rosapineta
ADIGE
16
Rosolina Mare (▲ △)
S-Pietro
Cavanella
d'Adige
Ca'
Briani
Caleri
Tornova
Isola Albarella
Norge
Polesine
Rosolina
Albarella
Loreo
Foce del Po
di Levante
15
SP 45
Ca'
Cappello
Po di Levante
Cavanella-Po
Donada
Porto Levante
Foce del Po
di Maistra
Bottrighe
Scanarello
Mazzorno
Porto Viro
Contarina (2 ⚓)
Taglio di Po
Boccasette
Isola
d'Ariano
Piano
Bocche d. Po
d. Pila
31
28
Ca' Venier
Ca' Zuliani
Pila
Ariano nel Polesine (4)
Tolle
Po di Pila
Riva
Porto Tolle (△)
Polesine Camerini
Massenzatica
Segalare
Isola
della
Ca' Mello
Isola di Polesine
Ferrarese
Mesola
Donzella
Scardovari
Italba
Bosco
Mesola
Gnocca
Sacca d.
Scardovari
Oca
Cassella
Bonelli
Goro
Abb.a di
Pomposa
Bosco d.
Mesola
Gnocchetta
Codigoro (4)
Taglio d. Falce
Bocca del Po
delle Tolle
Volano
Gorino
Vaccolino
Lido di Volano
Bocche del Po
di Gnocca
Marozzo
Valle
Bertuzzi
Bacucco
Bocca del Po
di Goro
16
Lagosanto
Lido d. Nazioni
Volania
S. Giuseppe
Lido di Pomposa
Lidi Ferraresi (▲)
Comacchio
Lido d. Scacchi
Porto Garibaldi
Saline
Lido d. Estensi
Lido di Spina
Foce del Reno
Comacchio
Cippo di A. Garibaldi
Mandriole
S. Alberto
Casal Borsetti (⚓)
Cruser
Savarna
Marina Romea (⚓)
Porto Corsini
Torri
Marina di Ravenna

Carmerlona
Borgo
Fusara
Punta Marina

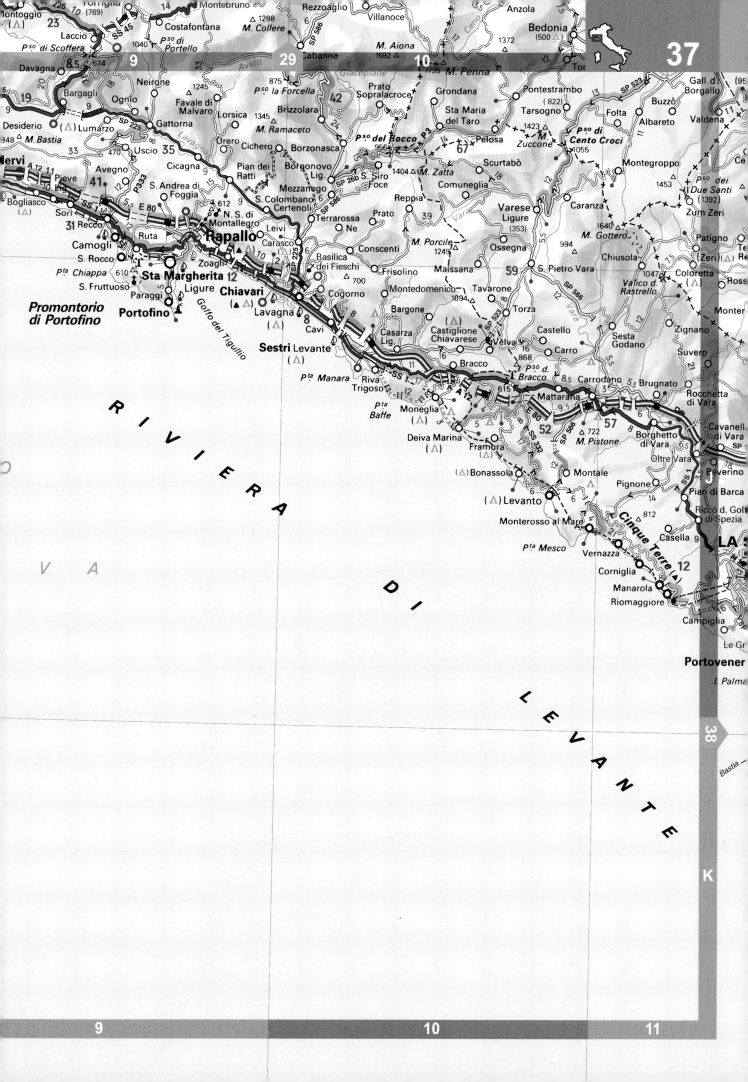

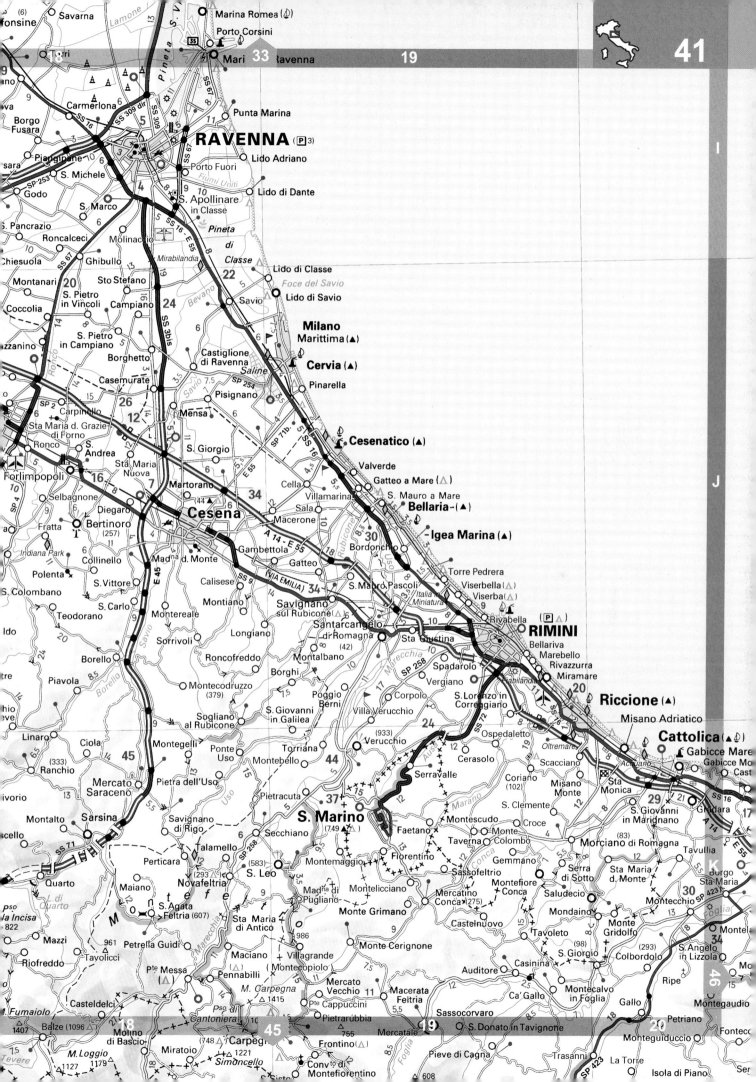

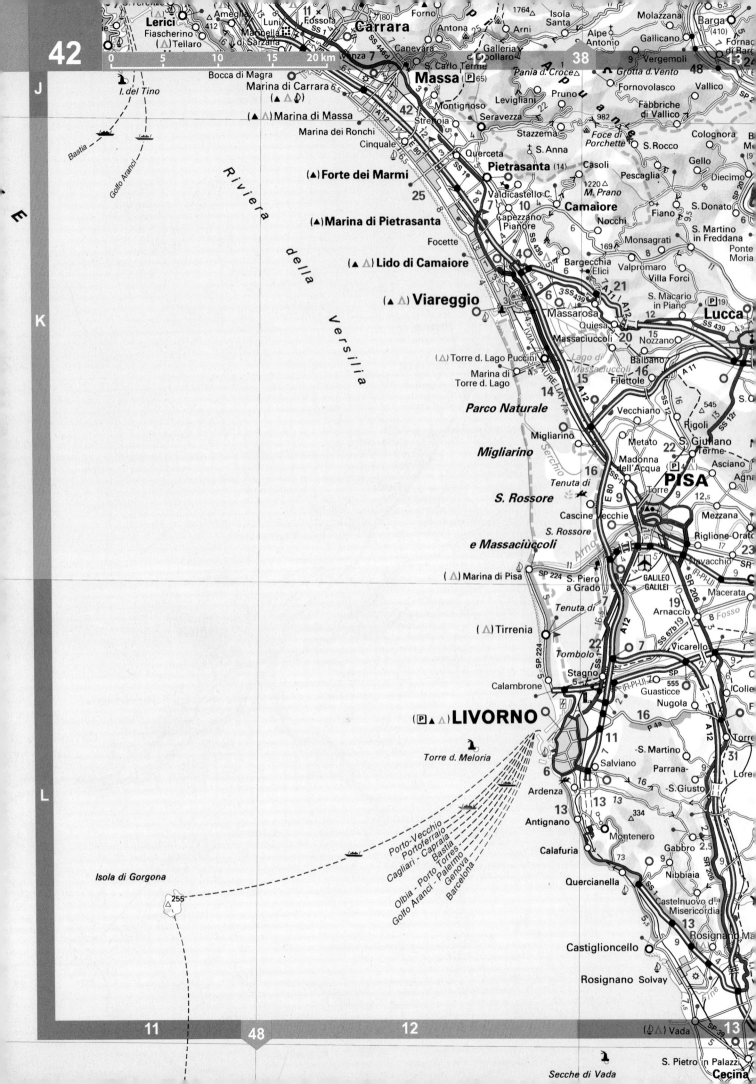

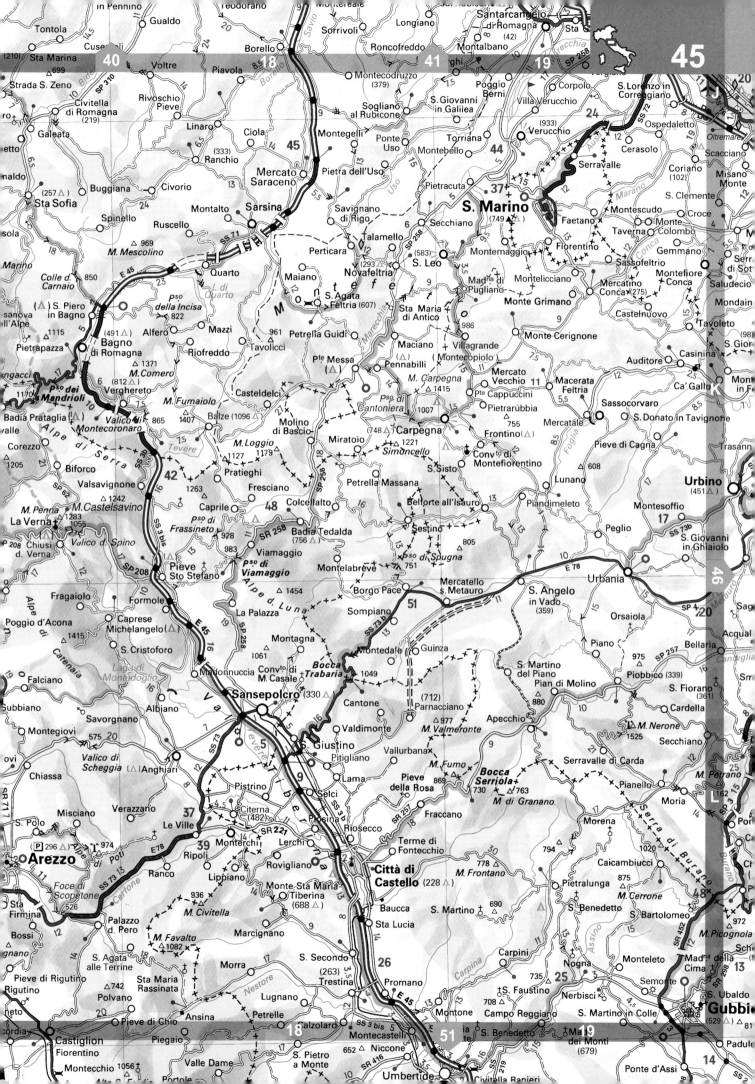

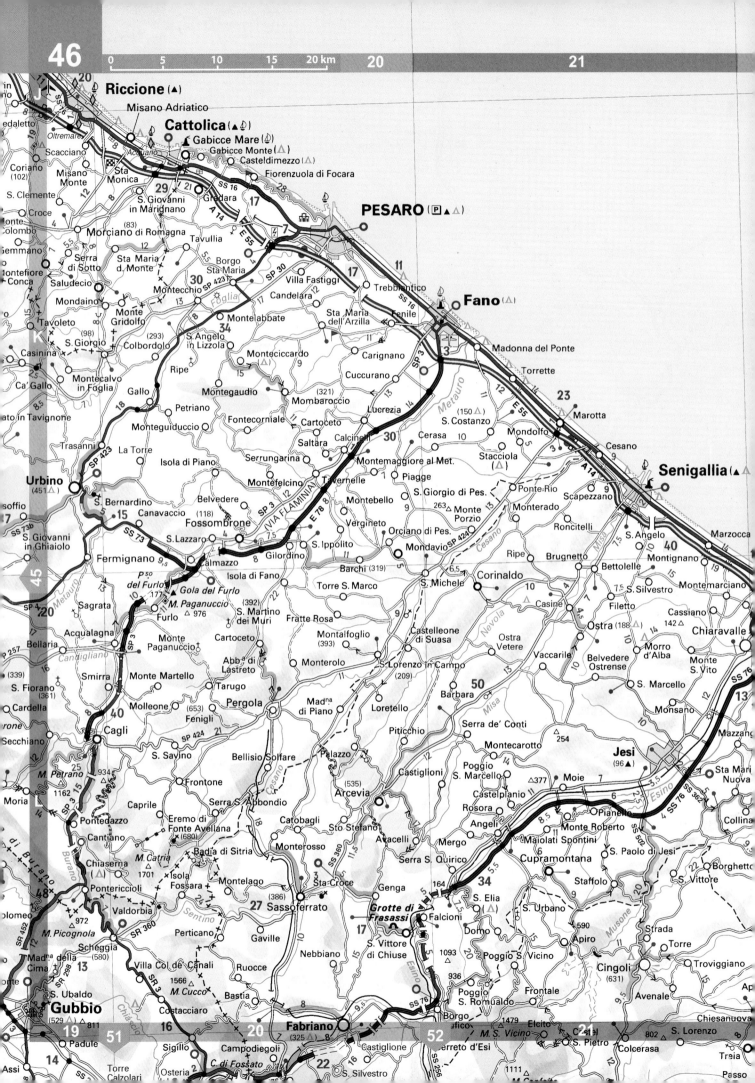

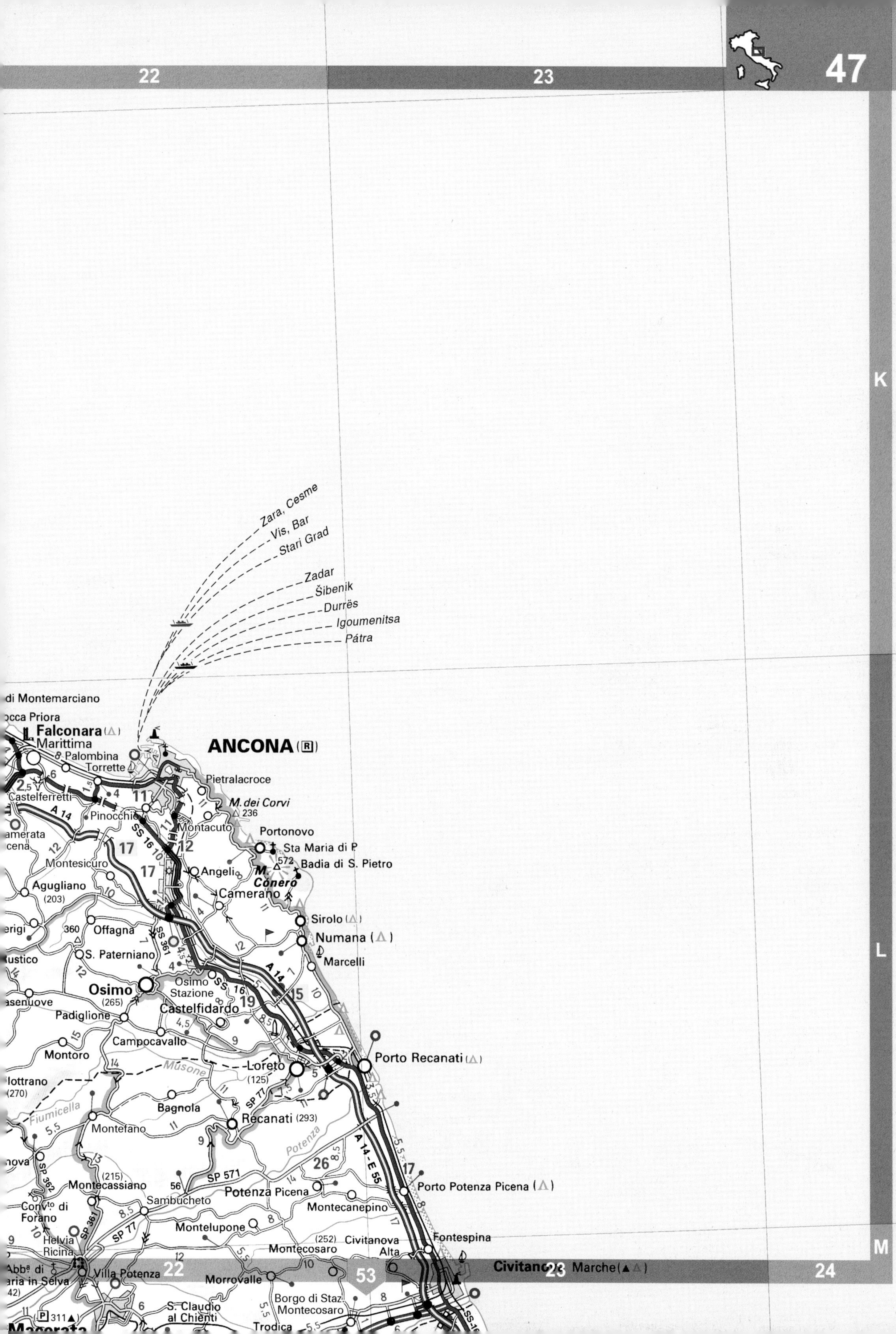

K

Zara, Cesme
Vis, Bar
Stari Grad

Zadar
Šibenik
Durrës
Igoumenitsa
Pátra

di Montemarciano
Rocca Priora
Falconara (△)
Marittima
& Palombina
Torrette
2,5 V
Castelferretti
6
1,5
4
11
Pietralacroce
ANCONA (R)
M. dei Corvi
△ 236
Pinocchio
Camerata
Montacuto
Portonovo
cena
12
17
12
Sta Maria di P
Montesicuro
572 Badia di S. Pietro
17
Angeli
M.
Conero
Aggliano
(203)
10
Camerano
erigi
360
Offagna
SS 361
Sirolo (△)
Rustico
7
12
Numana (△)
S. Paterniano
Marcelli
12
A 14
Osimo
Osimo
Stazione
16
(265)
19
15
10
senuove
Castelfidardo
Padiglione
4,5
Campocavallo
9
8,5
Montoro
15
Porto Recanati (△)
14
Loreto
5
ottrano
Fiumicella
(125)
SP 77
(270)
Bagnola
Recanati (293)
5,5
Montefano
9
Potenza
nova
13
26
17
SP 362
(215)
8,5
Montecassiano
56
SP 571
Porto Potenza Picena (△)
Conv.to di
Sambucheto
Montecanepino
Forano
SP 361
8,5
SP 77
Montelupone
8
Helvia
10
Fontespina
Ricina
(252)
Civitanova
12
10
Montecosaro
Alta
Abb.a di
22
53
Civitanova Marche (▲ △)
24
aria in Selva
Villa Potenza
Morrovalle
8
P 311 ▲
6
Borgo di Staz.
Macerata
S. Claudio
Montecosaro
al Chienti
Trodica

M

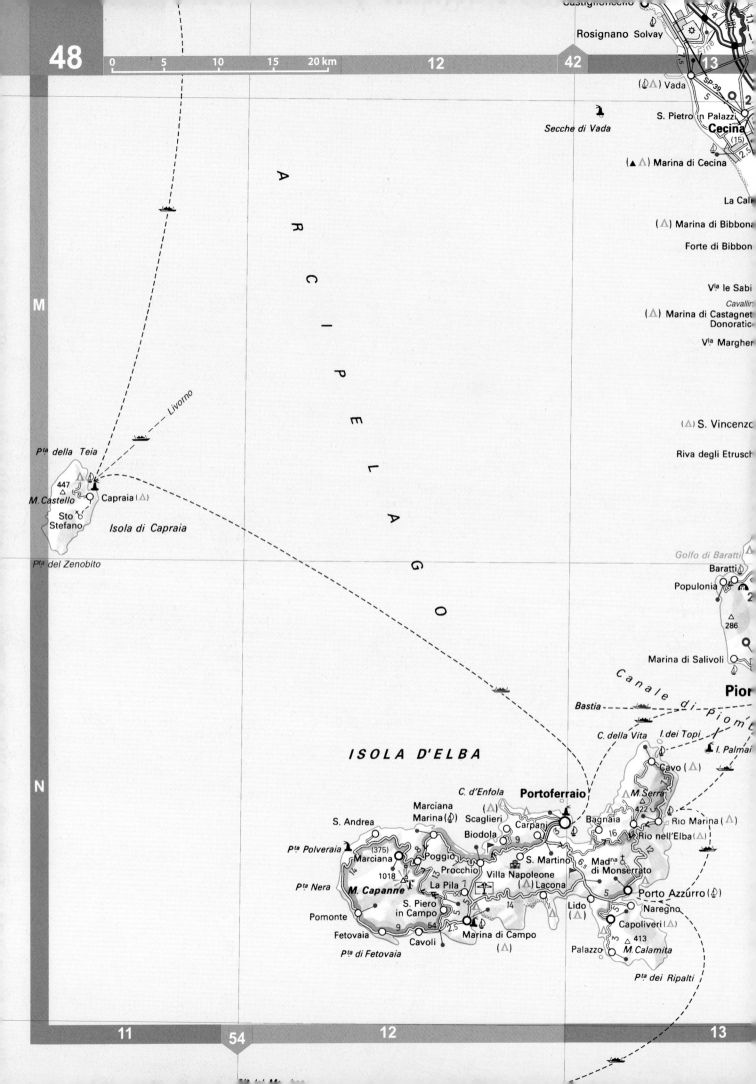

0   5   10   15   20 km

Castiglioncello
Rosignano Solvay

(⊓△) Vada

S. Pietro in Palazzi

Secche di Vada

Cecina
(15)

(▲△) Marina di Cecina

La Cal

(△) Marina di Bibbona

Forte di Bibbon

V^la le Sabi

Cavalli

(△) Marina di Castagnet
Donoratic

V^la Margher

A
R
C
I
P
E
L
A
G
O

— Livorno

(△) S. Vincenzo

Riva degli Etrusch

P^ta della Teia

447
△
M. Castello   ⚓   Capraia (△)

Sto
Stefano

Isola di Capraia

Golfo di Baratti

Baratti
Populonia

286
△

P^ta del Zenobito

Marina di Salivoli

Pior

C
a
n
a
l
e   d
i   P
i
o
m

Bastia

C. della Vita   I. dei Topi   I. Palmai

ISOLA D'ELBA

Cavo (△)

C. d'Enfola   **Portoferraio**

M. Serra
422

Marciana
Marina (⚓)   Scaglieri   Carpani   Bagnaia   Rio Marina (△)

S. Andrea   Biodola   Rio nell'Elba (△)

P^ta Polveraia   (375)   Poggio   S. Martino   16
Marciana   Procchio   Mad^na   di Monserrato
1018   Villa Napoleone
P^ta Nera   La Pila   Lacona   **Porto Azzurro** (⚓)
M. Capanne   S. Piero   Lido   Naregno
in Campo   (△)
Pomonte   Capoliveri (△)
Fetovaia   54
Cavoli   Marina di Campo   413
P^ta di Fetovaia   (△)   Palazzo   M. Calamita

P^ta dei Ripalti

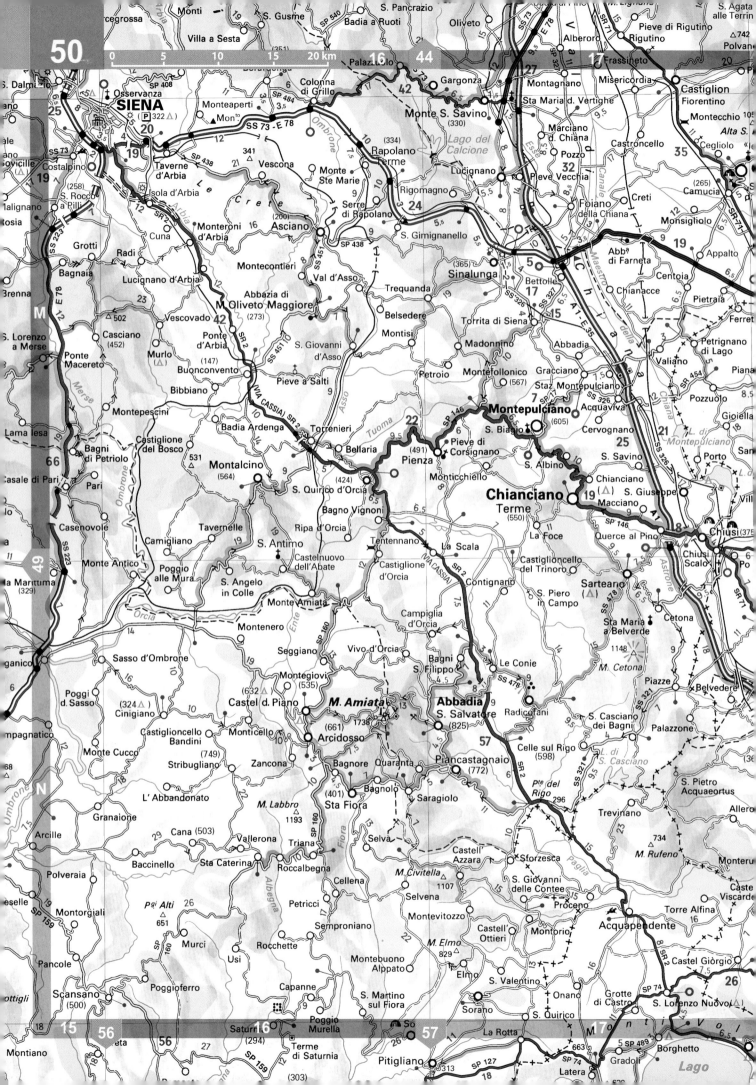

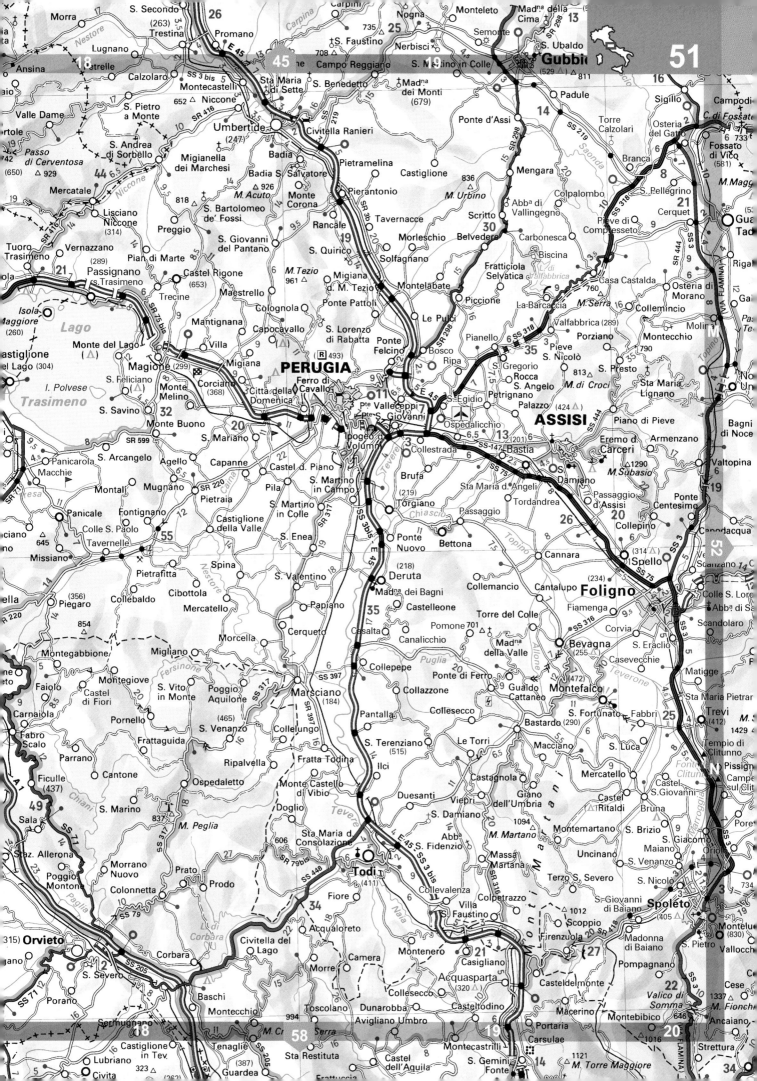

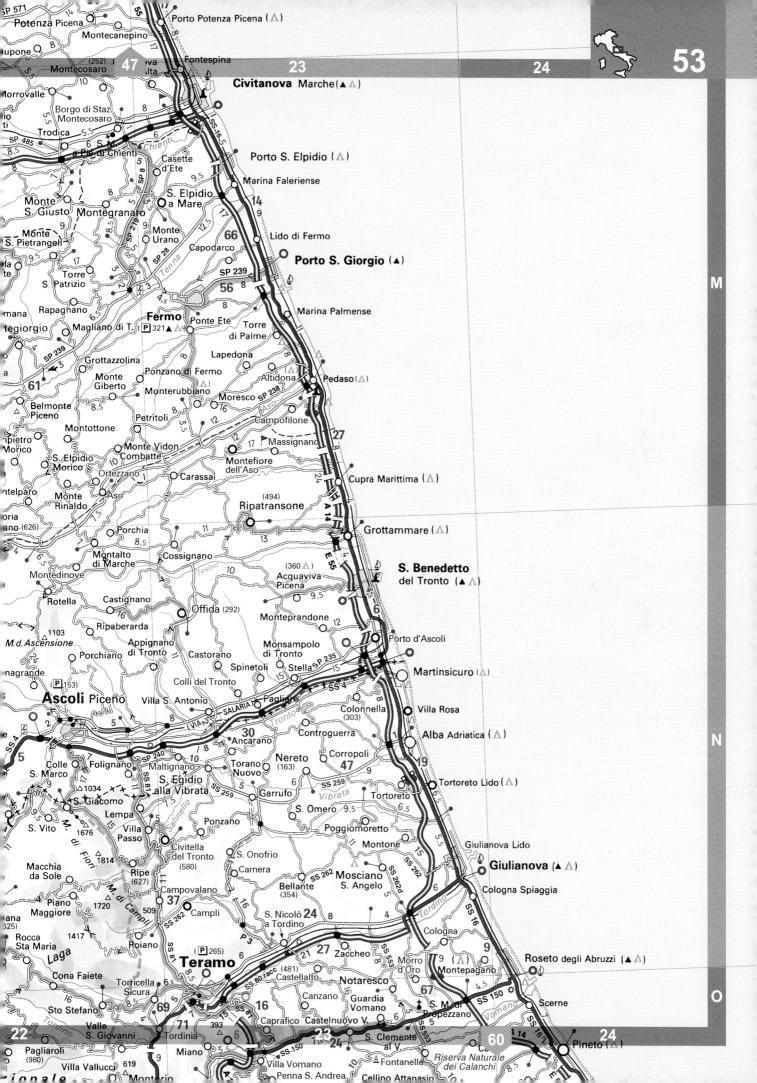

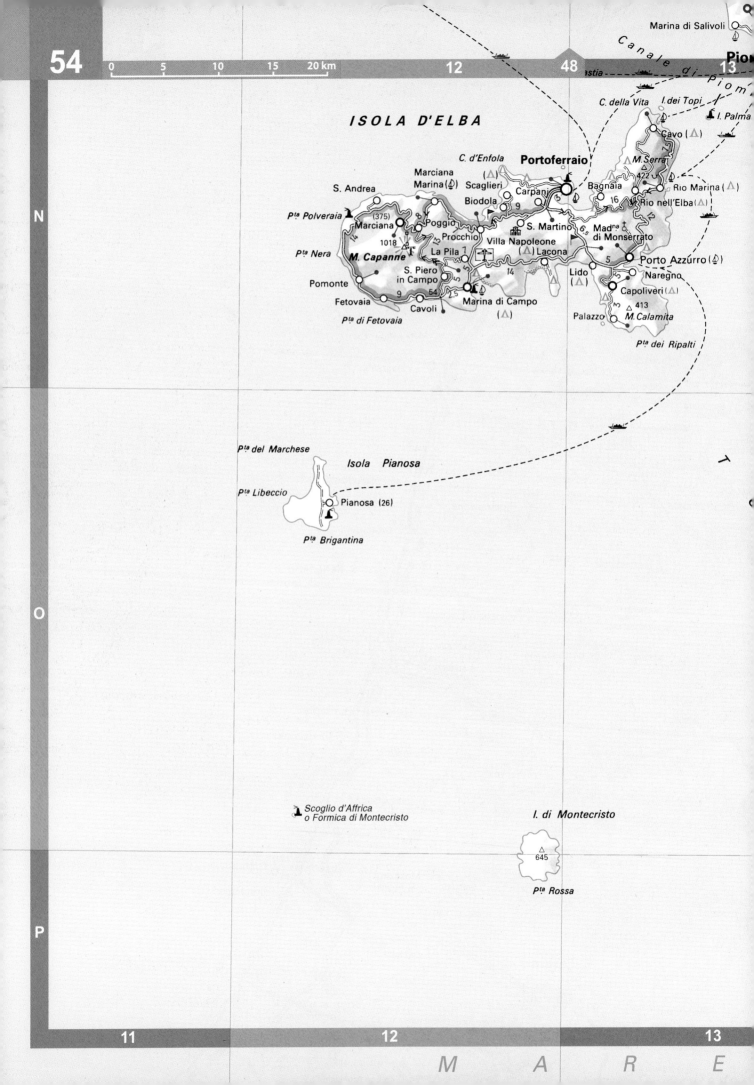

0   5   10   15   20 km

N

O

P

Marina di Salivoli

Canale di Piom

Pio

Bastia

ISOLA D'ELBA

C. della Vita
I. dei Topi
I. Palma
Cavo (△)
M. Serra
422
C. d'Enfola
(△)
Portoferraio
Marciana
Marina (⚓)
Scaglieri
Bagnaia
Rio Marina (⚓)
S. Andrea
Carpani
16
Rio nell'Elba (△)
Biodola
9
Pᵗᵃ Polveraia
(375)
Marciana
8
Poggio
5
S. Martino
Mad.ⁿᵃ
di Monserrato
1018
Procchio
Villa Napoleone
6,5
Pᵗᵃ Nera
M. Capanne
La Pila
1
(△)
Lacona
Porto Azzurro (⚓)
S. Piero
in Campo
5
5
5
Naregno
Pomonte
14
Lido
(△)
5
Capoliveri (△)
9
54
Fetovaia
Cavoli
Marina di Campo
413
Pᵗᵃ di Fetovaia
(△)
Palazzo
M. Calamita

Pᵗᵃ dei Ripalti

Pᵗᵃ del Marchese

Isola Pianosa

Pᵗᵃ Libeccio

Pianosa (26)

Pᵗᵃ Brigantina

Scoglio d'Affrica
o Formica di Montecristo

I. di Montecristo

△
645

Pᵗᵃ Rossa

M A R E

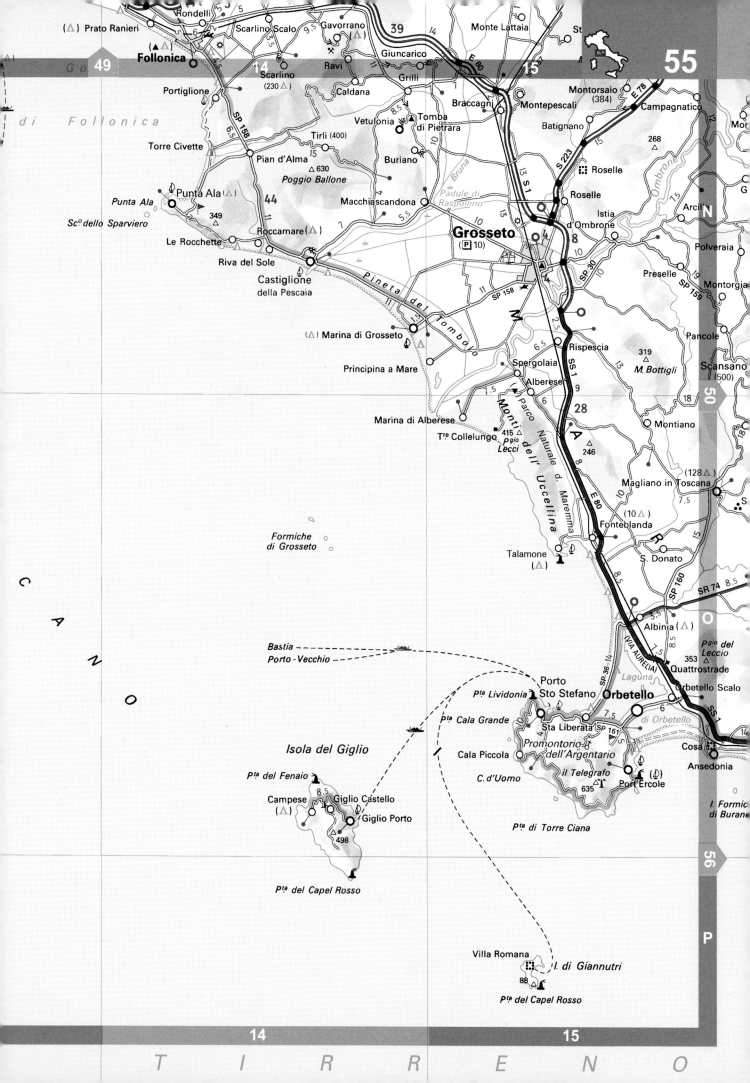

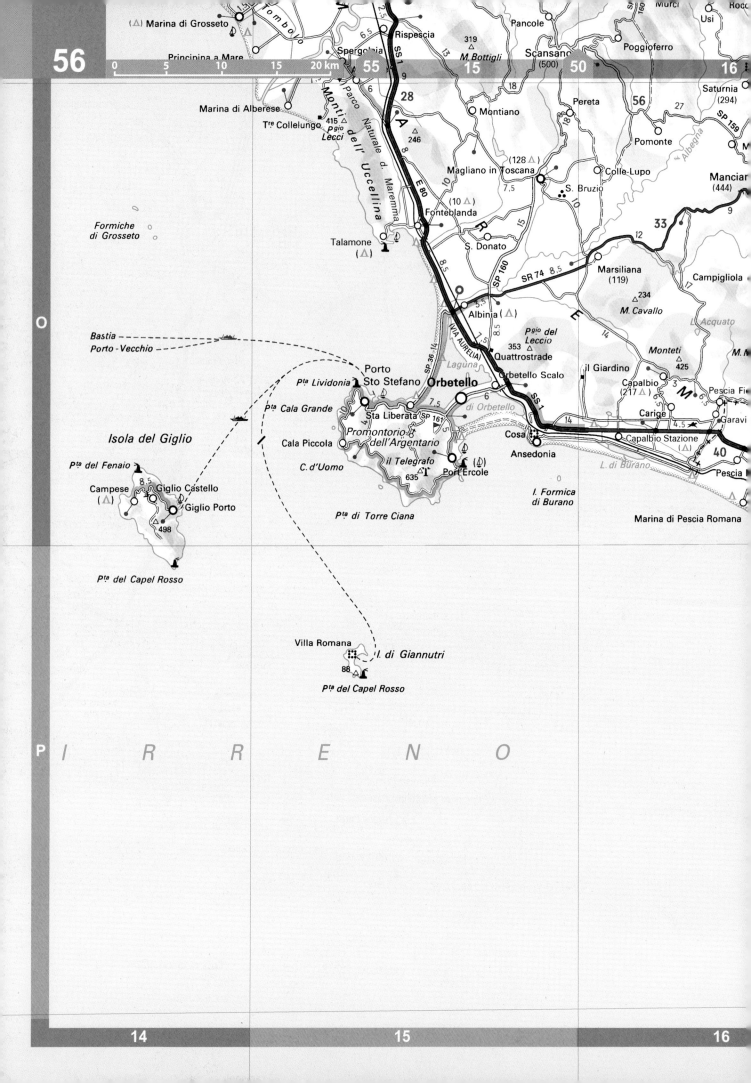

O

...ina di S. Vito (△ ♨)

...Vito Chietino

19

...anni   S. Giovanni in Venere

Fossacesia Marina

Fossacesia

Torino di Sangro Marina (△)

4

Lido di Casalbordino

Torino di Sangro

Villalfonsina

Porto di Vasto

Porto di Vasto

28

Paglieta

Casalbordino

(203 △)

Pollutri

△ 314

Vasto (144 ▲ △)

Scerni

32

Marina di Vasto

S. Giacomo

Monteodorisio

6

SS 16

S. Salvo Marina

Marina di Montenero

Cupello

Petacciato Marina

24

S. Salvo

Termoli

(▲ △)

Casalanguida

SP 212

22

A 14

Gissi

SP 163

Petacciato

Furci

Lentella

634

Carpineto Sinello

591

S. Buono

S. Giacomo degli Schiavoni

Lido di Campomarino (△)

Guilmi

Fresagrandinaria

Q

Monti

dei

...tazzoli

(740) Liscia

Palmoli

Mafalda

(273 △)

Montenero di Bisaccia

Campomarino

Marina di

Dogliola

705

Guglionesi

Portocannone

Cliternia Nuova

SS 16

Fraine

109

Carunchio

Tufillo

Tavenna

S. Felice del Molise

Palata

Mon...ilfone

27

SP 161

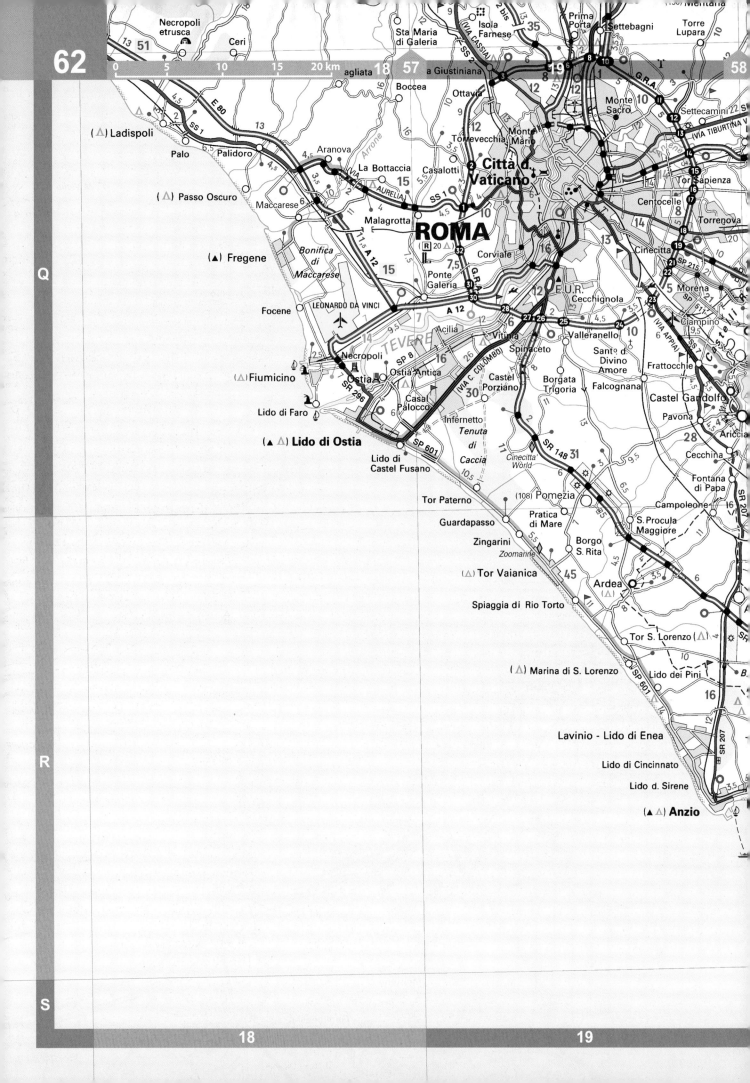

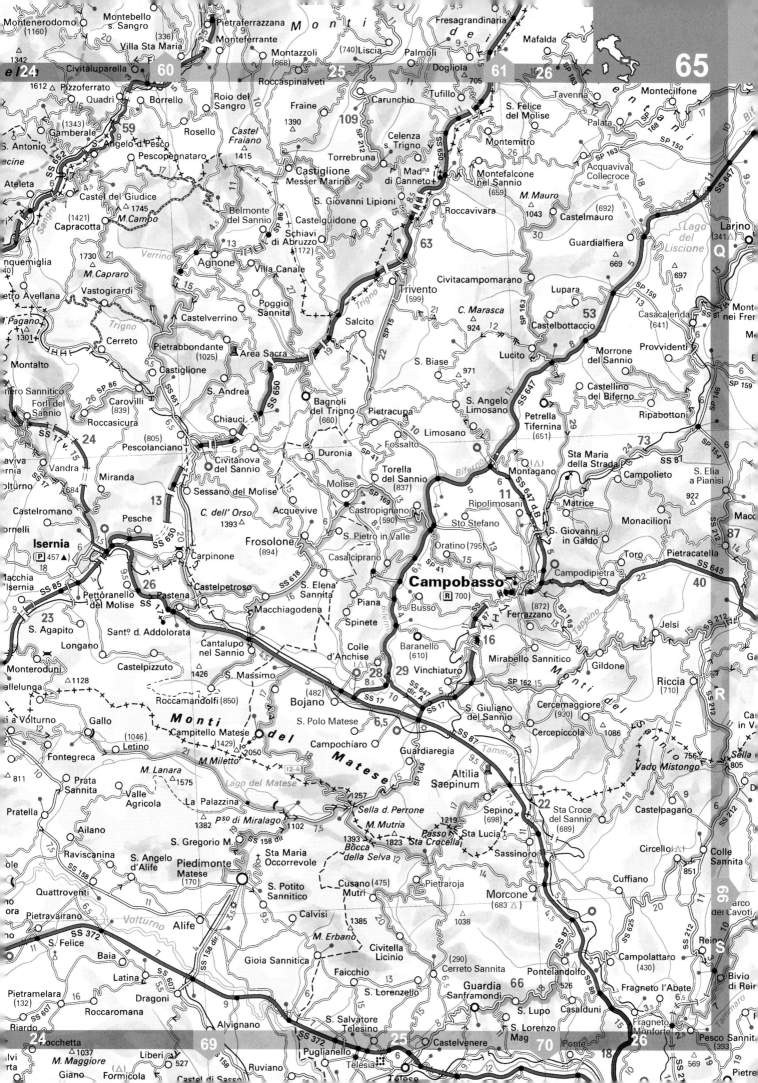

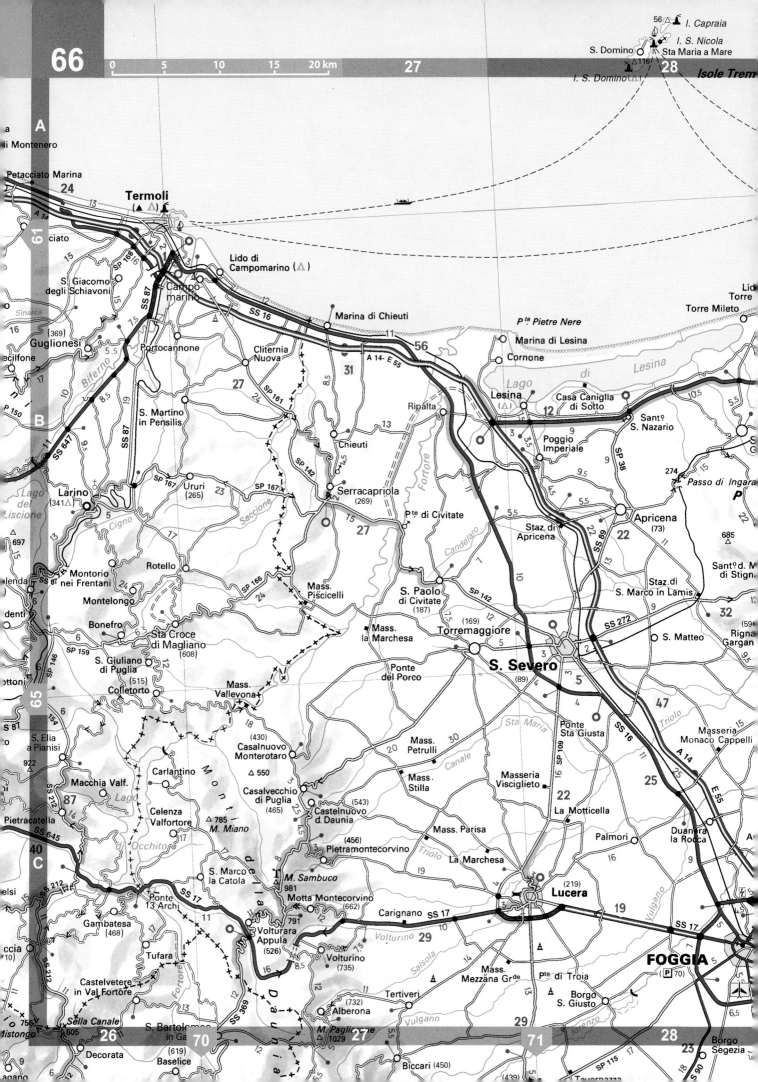

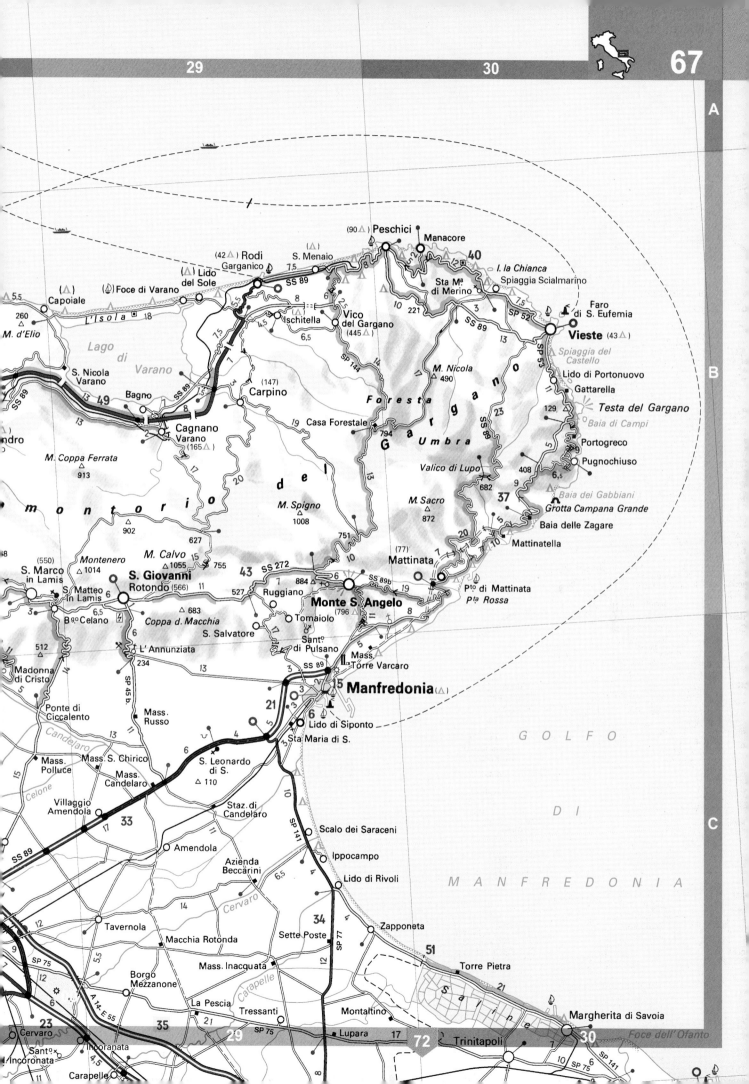

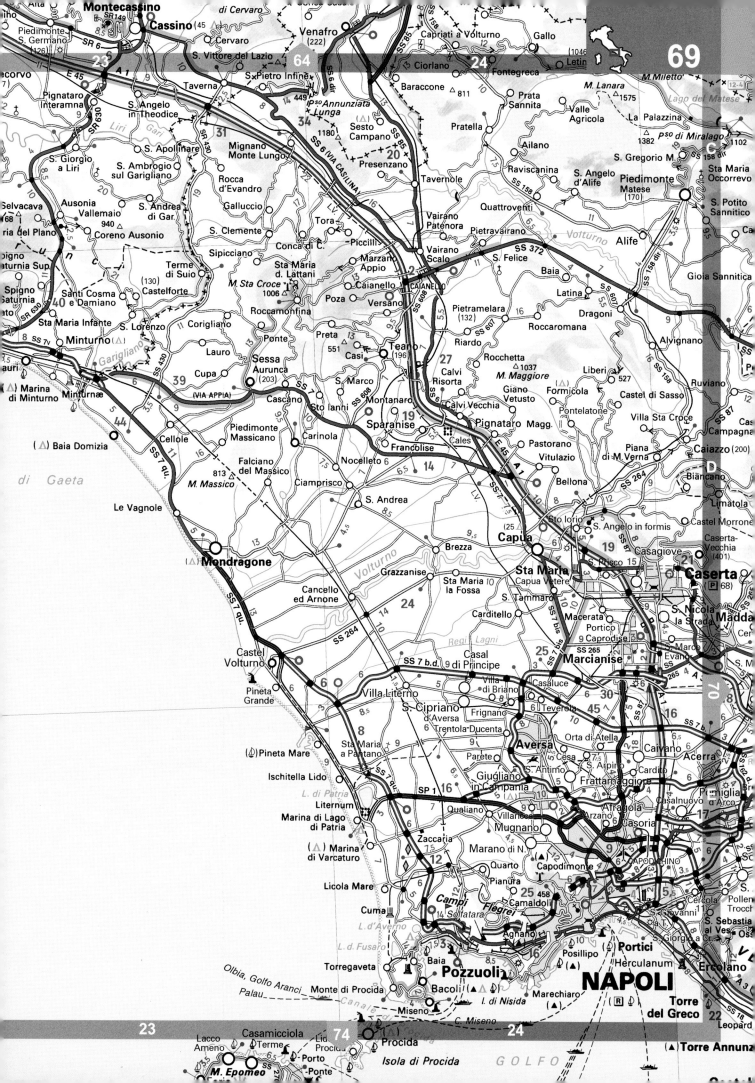

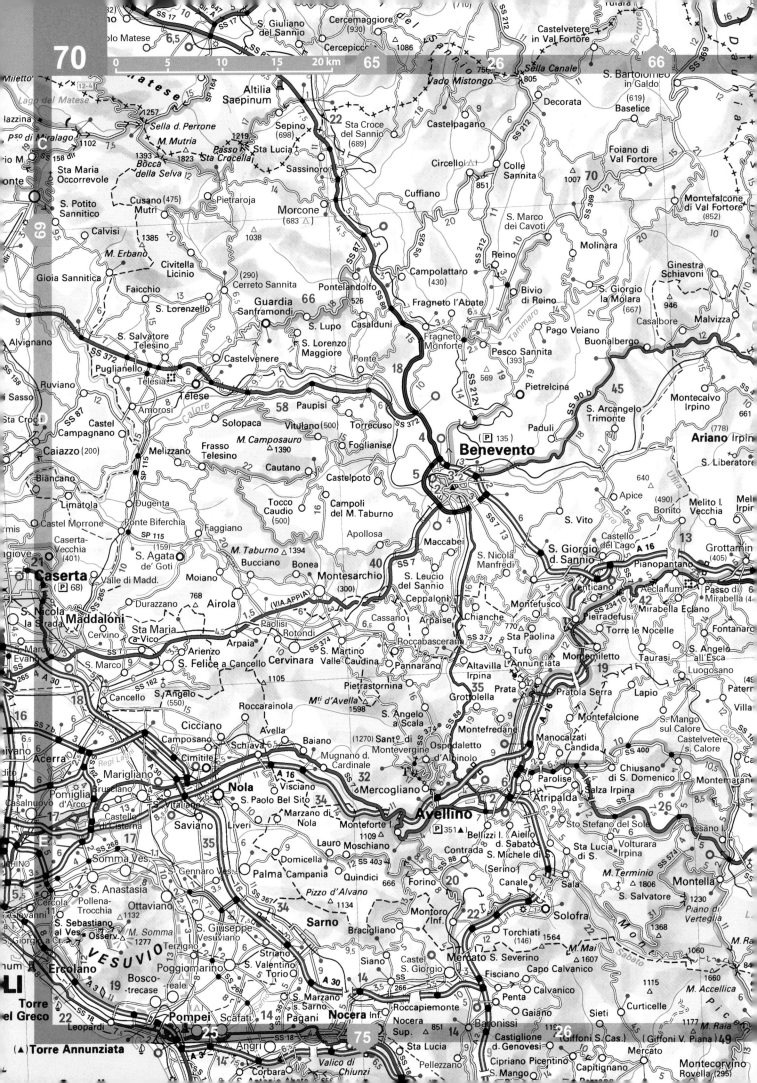

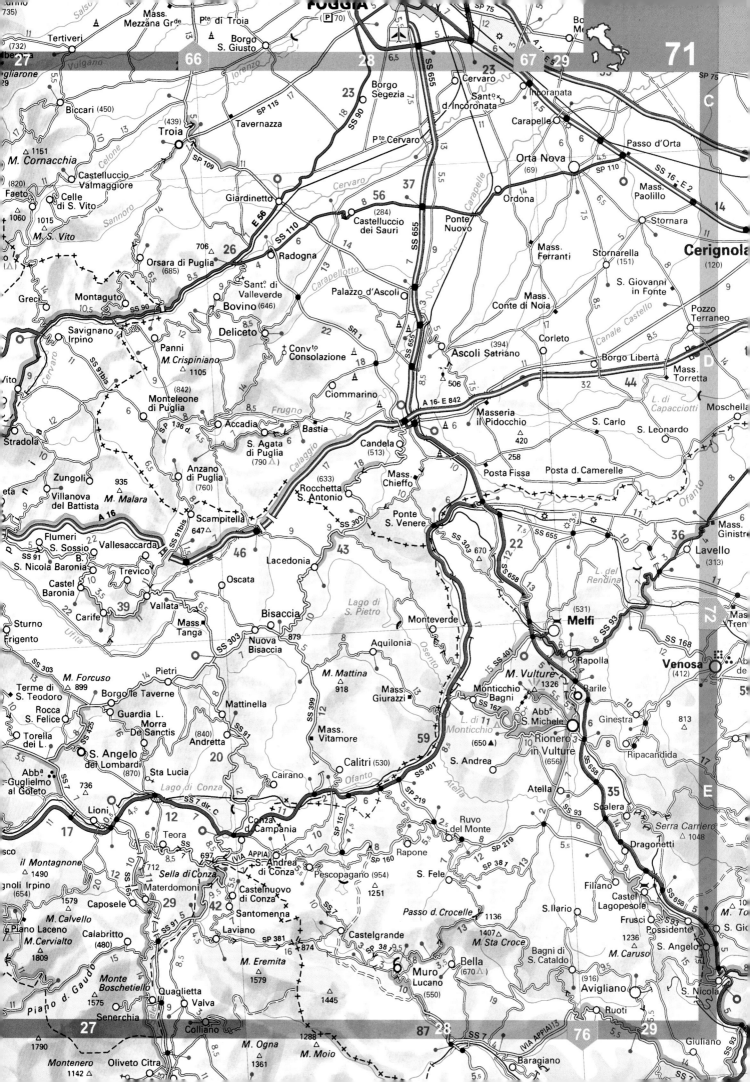

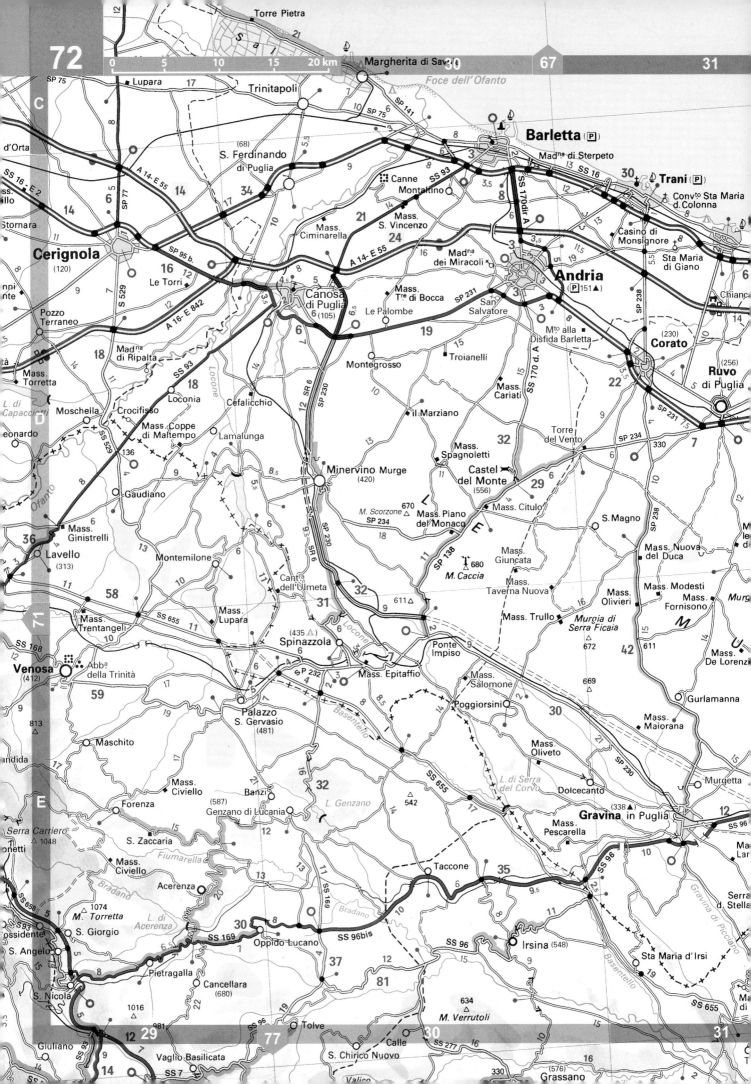

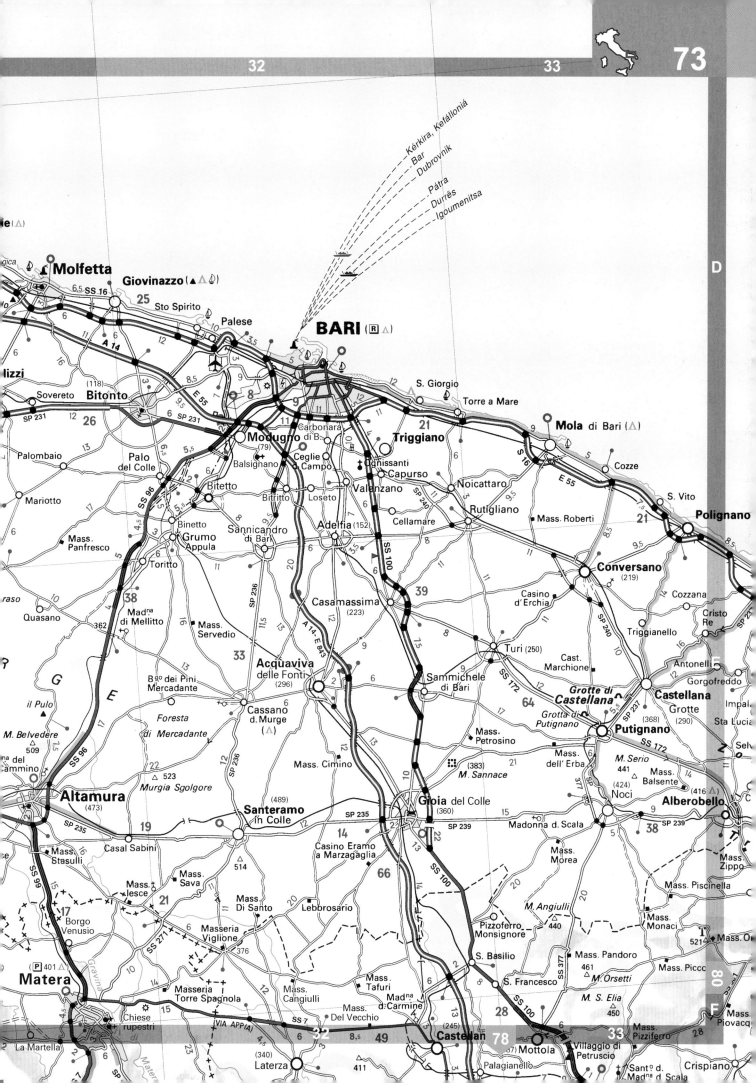

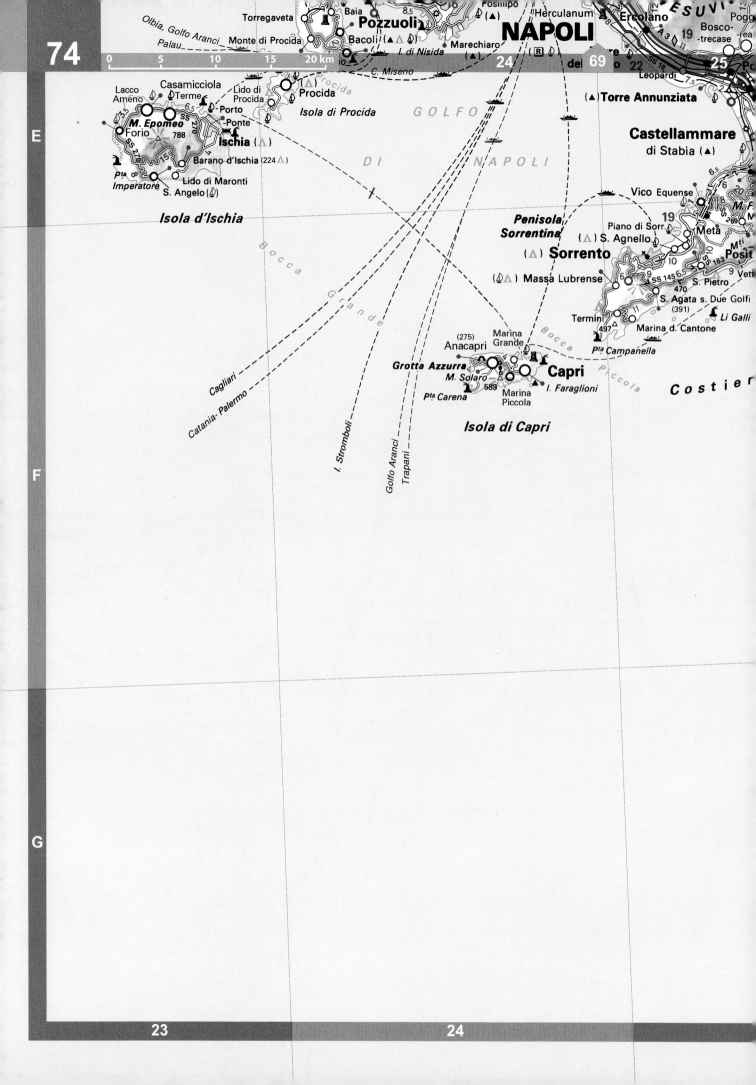

Torregaveta · Baia · Posilipo · Herculanum · Ercolano · Bosco-trecase · Poggi

Pozzuoli

Olbia, Golfo Aranci · Monte di Procida · **NAPOLI**

Palau

Bacoli (▲ ⚲) · Marechiaro · del **69**

I. di Nisida

C. Miseno

24 · 22 · 25

Leopardi · 7,5

GOLFO

(▲) **Torre Annunziata**

Lacco · Casamicciola · Lido di Procida · **Procida**

Ameno · ⌂ Terme · Isola di Procida

Castellammare
di Stabia (▲)

6,5 · SS · ⌂ Porto

M. Epomeo · SS 270 · Ponte

DI

Forio · △ · 788 · **Ischia** (△)

NAPOLI

Vico Equense · M. F

E

Barano d'Ischia (224 △) · SS 15 · SS 270

19 · Meta · 269

P.ta · SS 270

Imperatore · Lido di Maronti · **Penisola**

(△) S. Agnello · 10 · Posit

S. Angelo (⚲) · **Sorrentina**

SS 163 · 6,5

Isola d'Ischia

(△) **Sorrento** · SS 145 · S. Pietro · 9 · Vett

(⚲ △) Massa Lubrense · 6 · 470

Bocca · S. Agata s. Due Golfi · Li Galli

(391)

Termini · Marina d. Cantone

Grande · 497 · P.ta Campanella

(275) · Marina

Anacapri · Grande · Bocca

Grotta Azzurra · **Capri**

M. Solaro · Piccola · **C o s t i e r**

F

Cagliari · 589 · I. Faraglioni

P.ta Carena · Marina

Catania-Palermo · Piccola

Isola di Capri

I. Stromboli

Golfo Aranci
Trapani

G

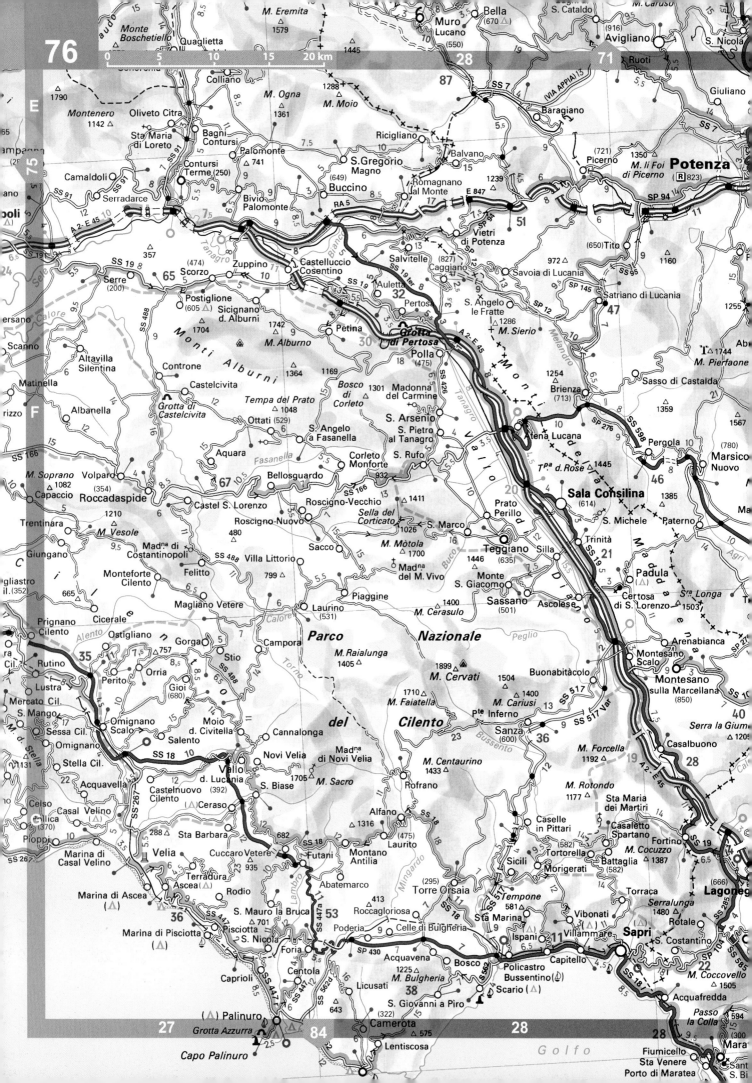

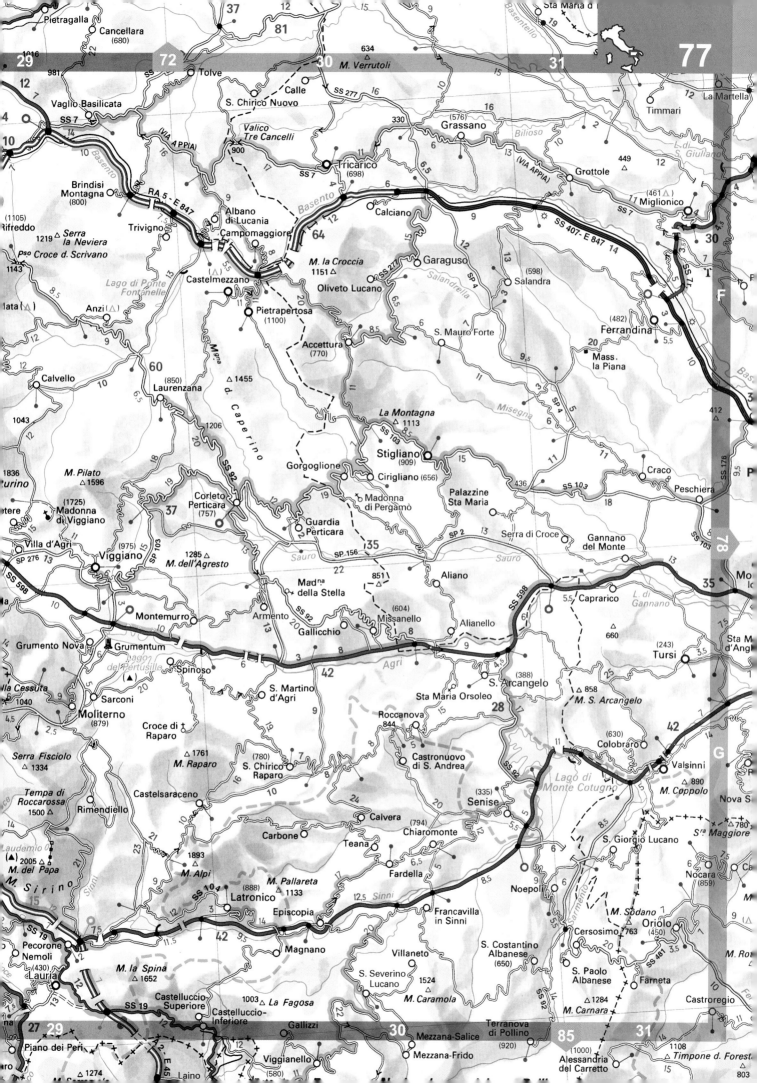

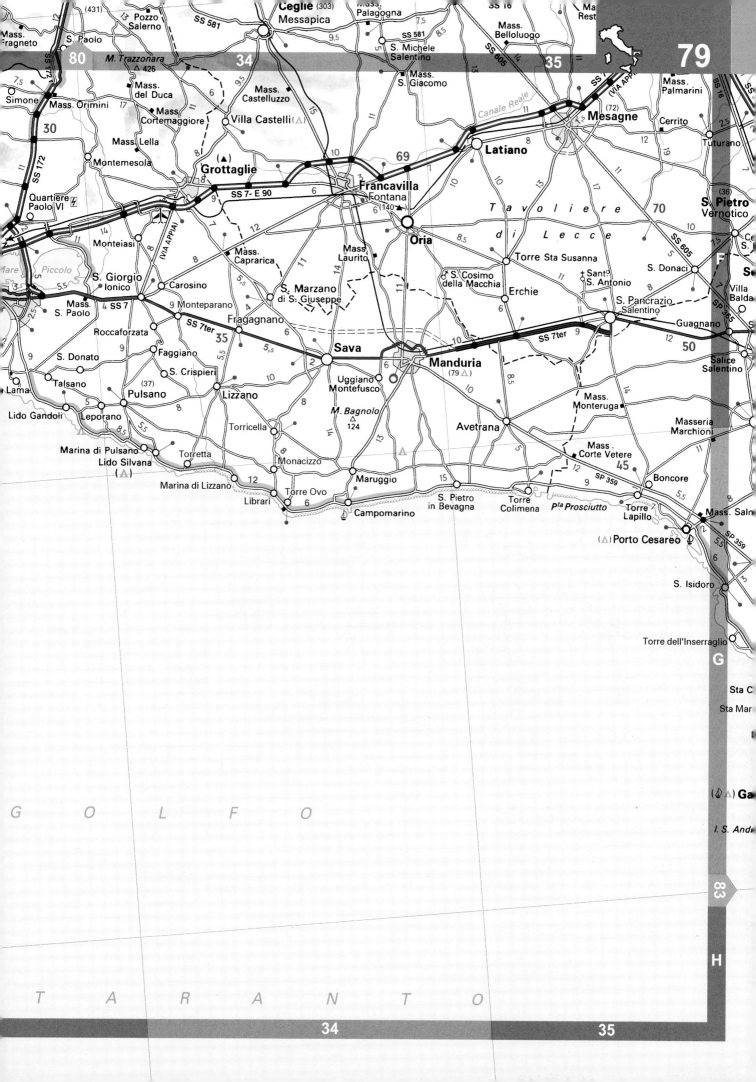

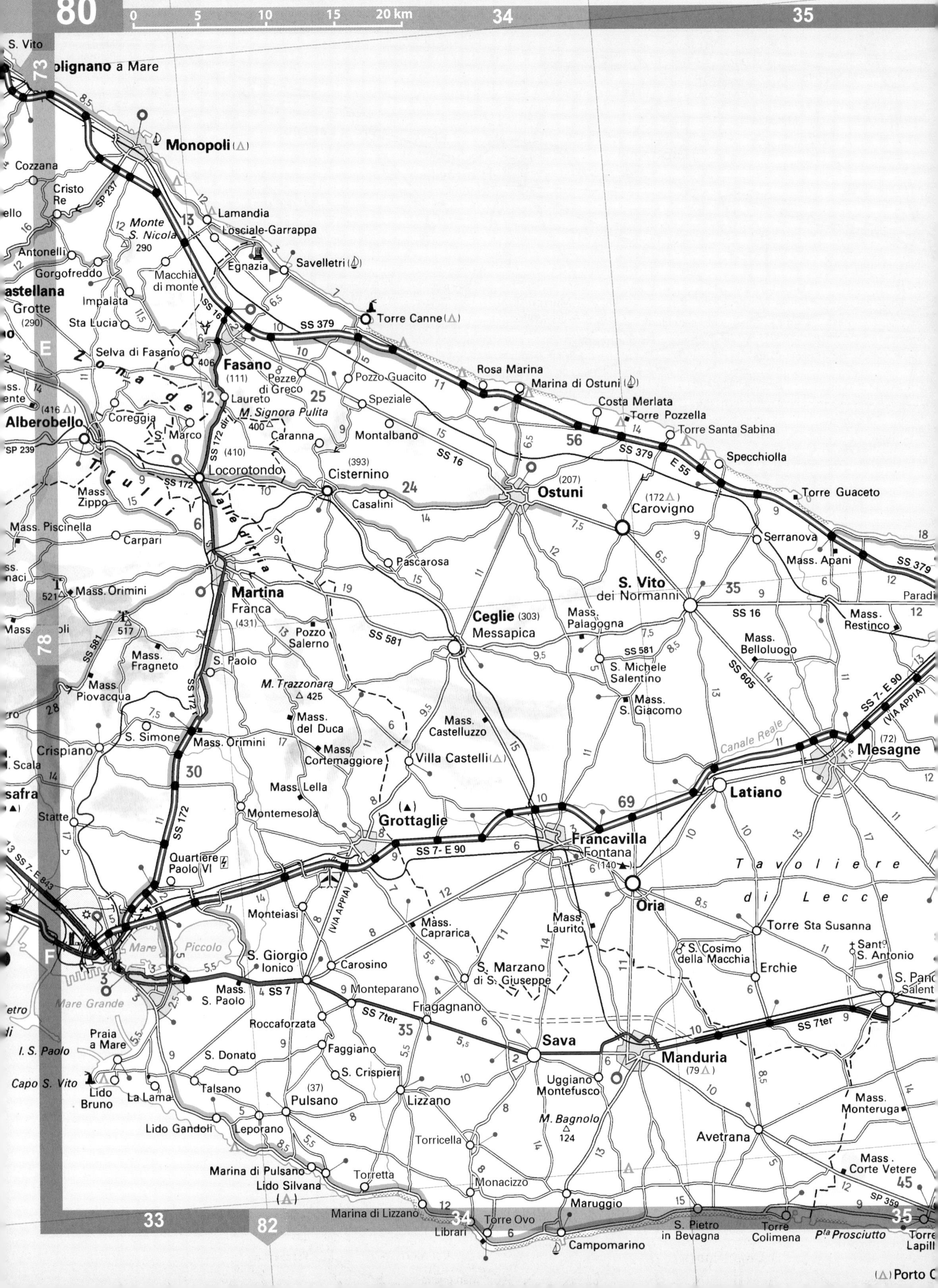

0 5 10 15 20 km

S. Vito

olignano a Mare

8.5

Cozzana

Monopoli (△)

Cristo
Re

SP 237

Monte
S. Nicola
290

13 Lamandia

Losciale-Garrappa

Egnazia

Savelletri (⚓)

ello

16

Antonelli

12

Gorgofreddo

Macchia
di monte

6.5

7

astellana
Grotte
(290)

Impalata

Sta Lucia

115

SS 16

3

SS 379

Torre Canne (△)

E

ss.

14

Selva di Fasano

406

Fasano
(111)

Pezze
di Greco

Pozzo-Guacito

Rosa Marina

Marina di Ostuni (⚓)

ente

(416 △)

12 Laureto

M. Signora Pulita
400 △

25

Speziale

Costa Merlata
Torre Pozzella

Alberobello

Coreggia

S. Marco

SS 172 dir

Caranna

9

Montalbano

15

56

SS 379

E 55

Torre Santa Sabina

Specchiolla

SP 239

(410)

Locorotondo

SS 172

Cisternino
(393)

24

SS 16

6.5

Ostuni
(207)

Torre Guaceto

T
r
u
l
l
i

9

Mass.
Zippo

15

6

10

Casalini

14

Carovigno
(172 △)

7,5

Serranova

18

Mass. Piscinella

Carpari

9

Pascarosa

11

12

6,5

Mass. Apani

SS 379

naci

521 △

Mass. Orimini

15

Martina
Franca
(431)

19

15

S. Vito
dei Normanni

35

SS 16

9

Parad

Mass.
Restinco

12

Mass.

oli

517

13

Pozzo
Salerno

SS 581

Ceglie
(303)
Messapica

Mass.
Palagogna

7,5

Mass.
Belloluogo

F

safra

28

Mass.
Fragneto

M. Trazzonara
△ 425

9,5

SS 581

8,5

SS 605

12

SS 7 - E 90
(VIA APPIA)

ro

Mass.
Piovacqua

S. Paolo

Mass.
del Duca

6

9,5

Mass.
Castelluzzo

15

S. Michele
Salentino

13

11

Scala

14

7,5

S. Simone

Mass. Orimini

17

Mass
Cortemaggiore

11

Villa Castelli (△)

Mass.
S. Giacomo

Canale Reale

11

(72)

Mesagne

12

Crispiano

30

Mass. Lella

8

15

10

69

Latiano

Statte

Montemesola

(▲)

Grottaglie

SS 7 - E 90

6

Francavilla
Fontana

10

11

SS 7 - E 90
(VIA APPIA)

ssa

SS 7 - E 843

8

9

7

12

3

6
(140 △)

Oria

8,5

T **a** **v** **o** **l** **i** **e** **r** **e**

d **i**   **L** **e** **c** **e**

Quartiere
Paolo VI

14

Monteiasi

(VIA APPIA)

Mass.
Caprarica

12

Mass.
Laurito

14

Torre Sta Susanna

11

Sant°

tro

Mare
Piccolo

3

S. Giorgio
Ionico

Carosino

8

5,5

S. Marzano
di S. Giuseppe

11

S. Cosimo
della Macchia

Erchie

S. Antonio

S. Pan
Salent

etro

Mare Grande

2,5

Mass.
S. Paolo

4 SS 7

Monteparano

4

Fragagnano

SS 7ter

10

SS 7ter

di

Praia
a Mare

5,5

Roccaforzata

SS 7ter

35

5,5

5,5

Sava

2

10

Manduria
(79 △)

8,5

I. S. Paolo

Faggiano

Uggiano
Montefusco

6

Mass.
Monteruga

Capo S. Vito

Lido
Bruno

La Lama

Talsano

S. Donato

S. Crispieri

(37)

Pulsano

Lizzano

10

M. Bagnolo
△ 124

Avetrana

Mass.
Corte Vetere

Lido Gandoli

Leporano

5,5

8,5

Torricella

4

13

14

SP 359

45

Marina di Pulsano
Lido Silvana
(△)

Torretta

Monacizzo

8

Maruggio

15

9

Marina di Lizzano

12

Librari

Torre Ovo

6

Campomarino

S. Pietro
in Bevagna

Torre
Colimena

P.la Prosciutto

Torre
Lapill

(△) Porto

Kefállonía
Igoumenítsa
Pátra
Kérkira

Brindisi (Ⓟ ▲ ⚓)

I. S. Andrea

Capo Bianco

C. di Torre Cavallo

Pta d. Contessa

Mass. Villanova

Torre Mattarelle

Lido Cerano

SS 16

SS 613

Tuturano

2.5

Torre S. Gennaro

14

Lindinuso

38

Casalabate

Tre Rinalda

S. Pietro Vernotico

(36)

Torchiarolo

4.5

5.5

8

Tre Chianca

10

Cellino S. Marco

7.5

Abbª Stª Maria di Cerrate

3.5

Case Simini

Frigole

Squinzano

SP 357

8

SS 613

6

7

5

Villa Baldassarri

Trepuzzi

5

9

4

Borgo Piave

13

SP 365

Campi Salentina

SS 7ter

4

SP 357

7

Surbo

5.5

5

8

12

7

S. Cataldo

SP 364

2

agnano

Salice Salentino

Novoli

6

Acaia

13

Lecce (Ⓟ 51 △)

Vanze

Torre Specchia

Carmiano

5

Arnesano

11

13

Merine

Struda

SP 366

S. Foca

Monteroni di Lecce

6.5

(49)

Lequile

Cavallino

Pisignano

Acquarica di Lecce

10

Roca Vecchia

Veglie

3.5

S. Pietro in Lama

Lizzanello

Vernole

15

Torre dell'Orso

Leverano

15

S. Cesario di Lecce

9

Capràrica di L.

Castri di L.

Melendugno (△) 35

SS 101

SS 16

S. Donato di 36

Galugnano

Calimera

S. Andrea 37

Mass. Salmenta

SP 35

Copertino (34)

Martignano

Frassanito

organe

83

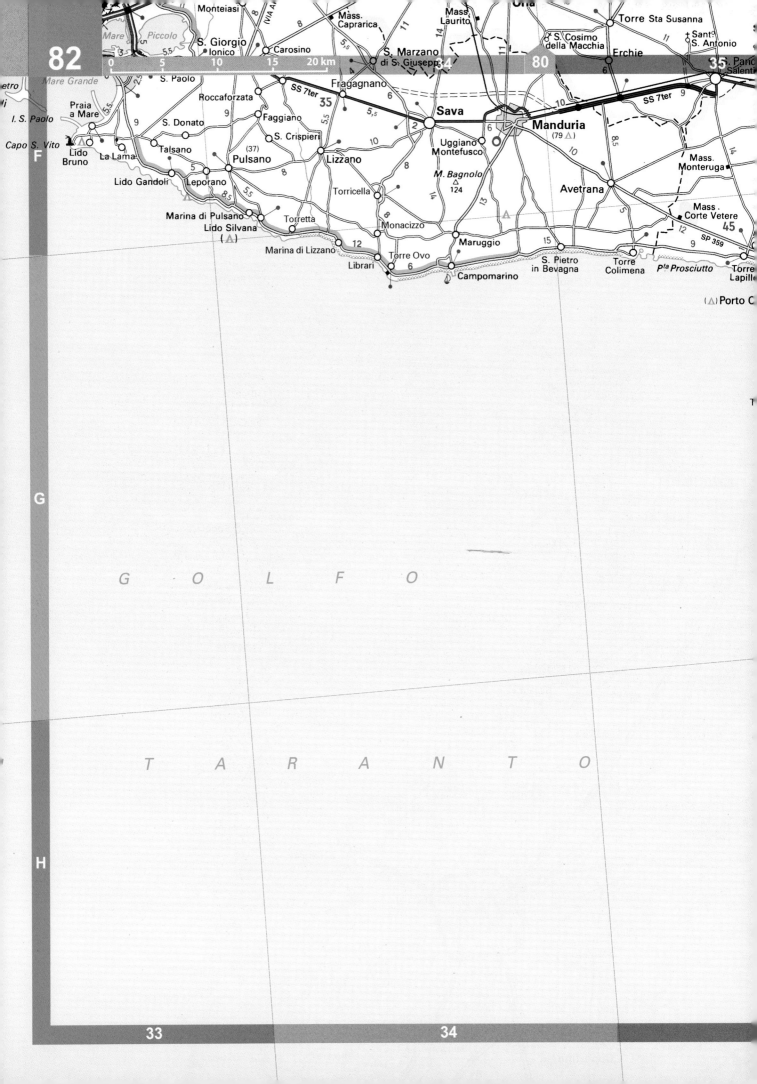

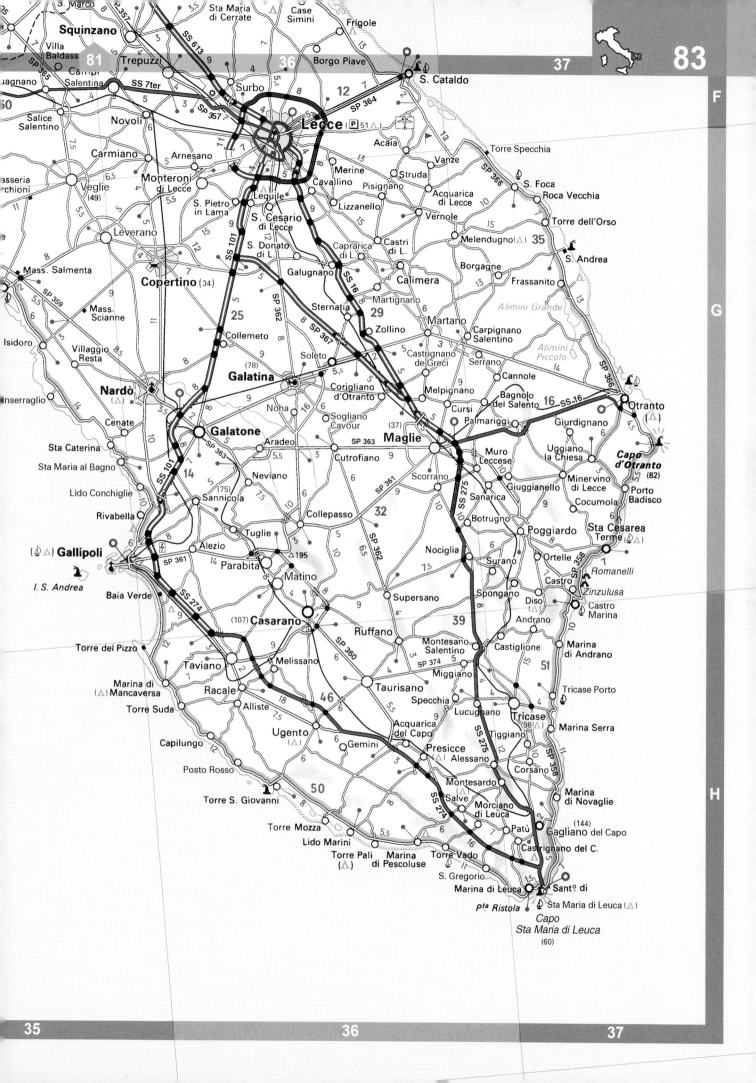

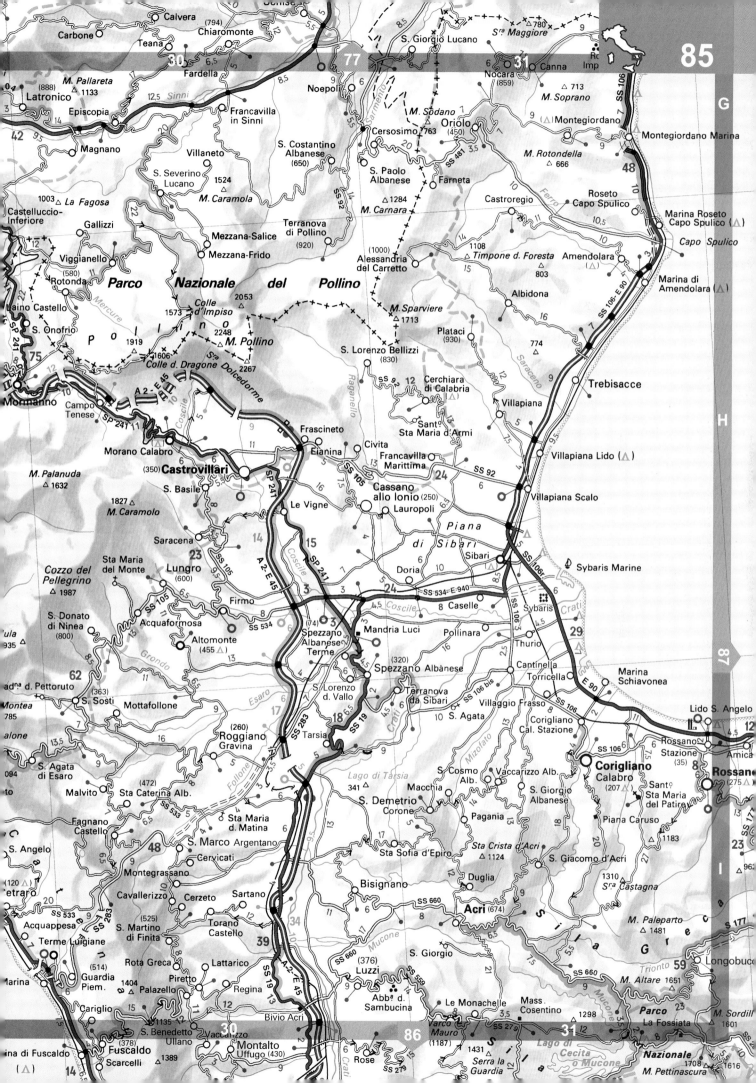

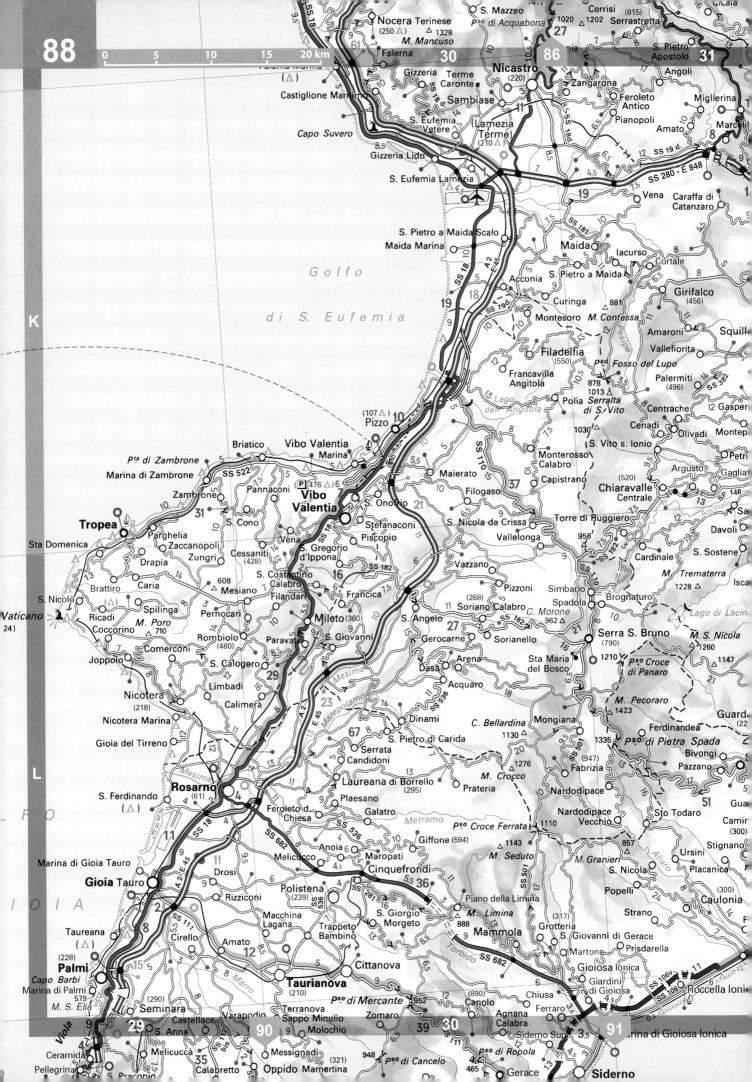

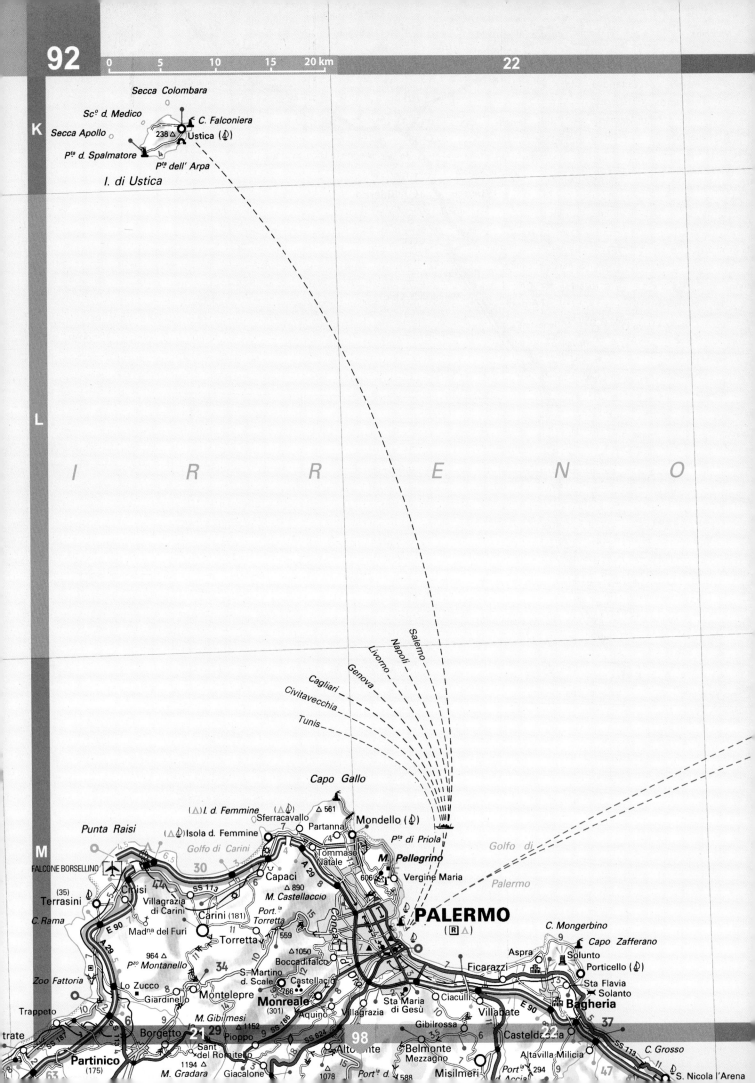

0   5   10   15   20 km

K

Secca Colombara

Sc° d. Medico
Secca Apollo
P.ta d. Spalmatore
238 △
C. Falconiera
Ustica (⚓)
P.ta dell' Arpa

I. di Ustica

L

I R R E N O

Salerno
Napoli
Livorno
Genova
Cagliari
Civitavecchia
Tunis

Capo Gallo

(△) I. d. Femmine   (△⚓)   △ 561
Sferracavallo
(△⚓) Isola d. Femmine   Partanna   Mondello (⚓)
7   4
Punta Raisi   P.ta di Priola

Golfo di Carini   4   Tommaso   Golfo di
M   Natale
FALCONE BORSELLINO   30   A 29   8   M. Pellegrino   Palermo
4.5   5   6.5   3   606
Cinisi   44   Capaci   Vergine Maria
(35)   SS 113   △ 890
Terrasini   Villagrazia   M. Castellaccio
C. Rama   di Carini   Carini (181)   Port.la   15
Mad.na del Furi   Torretta   PALERMO   C. Mongerbino
E 90   11   559   (Ⓡ △)   9   Capo Zafferano
964 △   △ 1050   Aspra   Solunto
P.zo Montanello   34   Boccadifalco   7   Ficarazzi   Porticello (⚓)
Zoo Fattoria   S. Martino   766   Castellacio   Sta Flavia
Lo Zucco   d. Scale   Villagrazia   Ciaculli   Villabate   Solanto
Giardinello   Montelepre   Aquino   Sta Maria   E 90   Bagheria
Trappeto   14   Monreale   di Gesù
10   M. Gibilmesi   (301)   Gibilrossa   Casteldaccia   37
21   29   1152   SS 186   Altofonte   Belmonte   Altavilla Milicia   C. Grosso
Borgetto   Pioppo   98   SS 624   Mezzagno   294   9   47
Partinico   Sant'   SS 113
(175)   del Romitello   Giacalone   1078   Port.la d.   588   Misilmeri   Port.la   S. Nicola l'Arena
M. Gradara   Accia

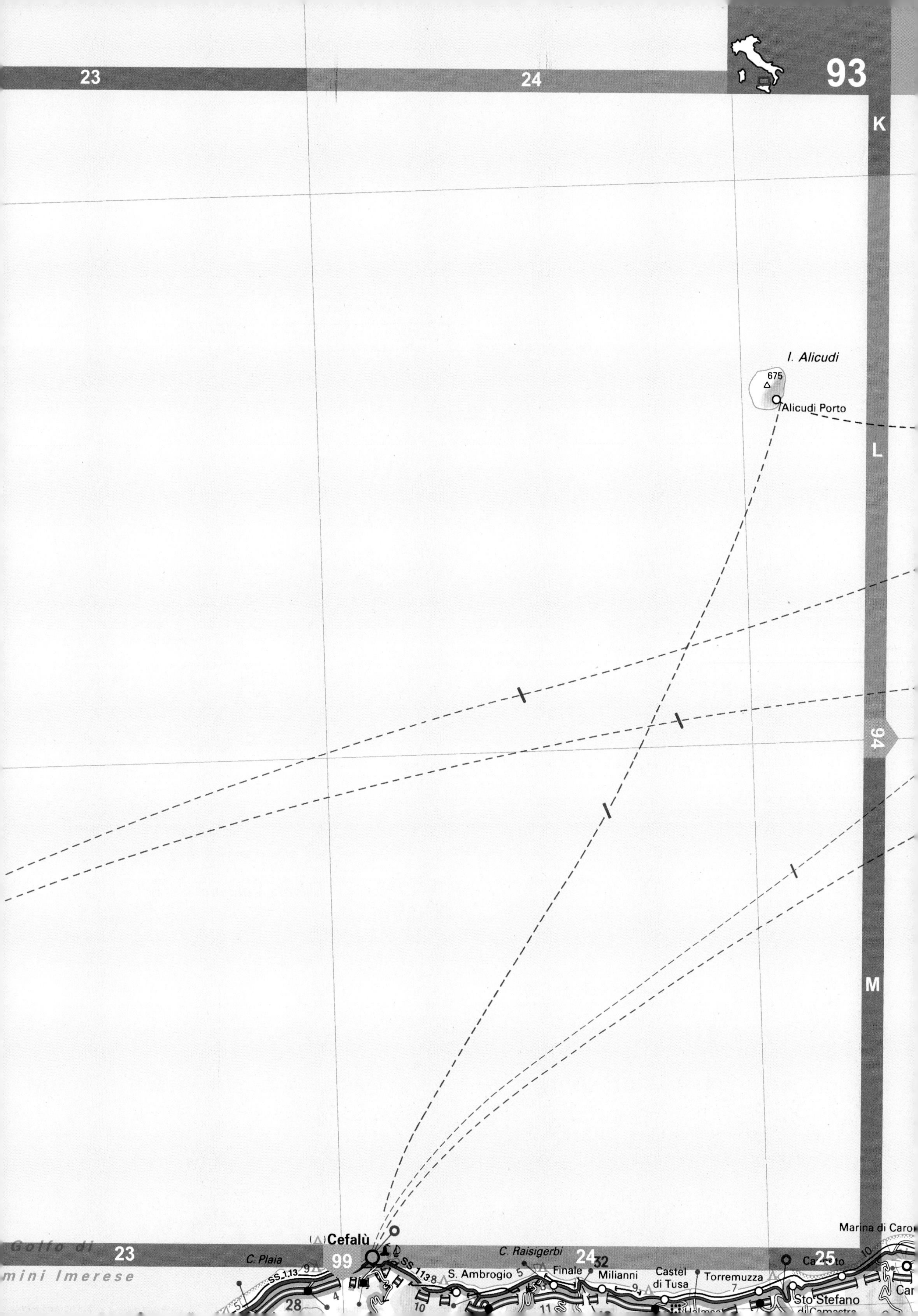

I. Alicudi

675
△

○ Alicudi Porto

L

94

M

Marina di Caro

Golfo di

C. Plaia

99

(△)**Cefalù**

SS.1.13

SS 1138

S. Ambrogio 5

C. Raisigerbi

Finale · Milianni

24

32

Castel
di Tusa

Torremuzza

25

Sto Stefano
di Camastra

Car

mini Imerese

28

Holmo

Car

0   5   10   15   20 km

K

93

Livorno

Napoli

420 △   S. Pietro

I. Panarea

P.ta Milazzese

Isola Salina

I. Filicudi

Canna

P.ta di Perciato   Malfa   C. Faro

Pollara

Fossa Felci
△ 773

Filicudi Porto

Valdichiesa (⌂)

860 △

Pecorini   C. Graziano

Leni

△ 962

Sta Marina Salina

cudi

(△)Rinella

M. Fossa d. Felci

Lingua

P.ta Grottazza

P.ta Castagna

Porto

Acquacalda

Canale della Salina

Quattropani

Isola Lipari

M. S. Angelo

15

△ 594

Canneto (△)

Pianoconte

239

L

Terme di
S. Calogero

Lipari (△)

ISOLE EOLIE O LIPARI

369

Bocche di Vulcano

123 △ *M. Vulcanello*

Porto di Ponente

Porto di Levante (⌂)

391

C. Testa Grossa

Gran Cratere

65

P.ta Bandiera

Isola Vulcano

Gelso

M

Golfo d'

C. Calava

Gioiosa
Marea

S. Giorgio (△)

C. d'Orlando

SS 113

Marina
di Patti

C. Tindari

(△)po d'Orlando

Brolo

Piraino

Tyndar

E 90

Montagnareale

Patti

Olive

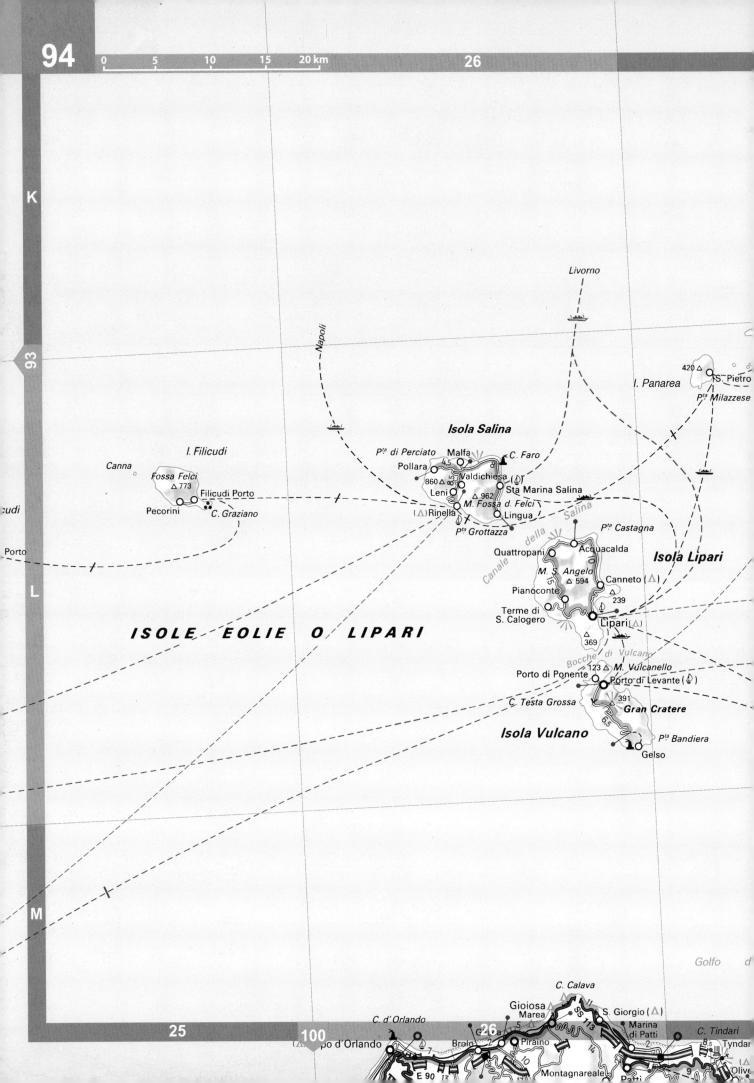

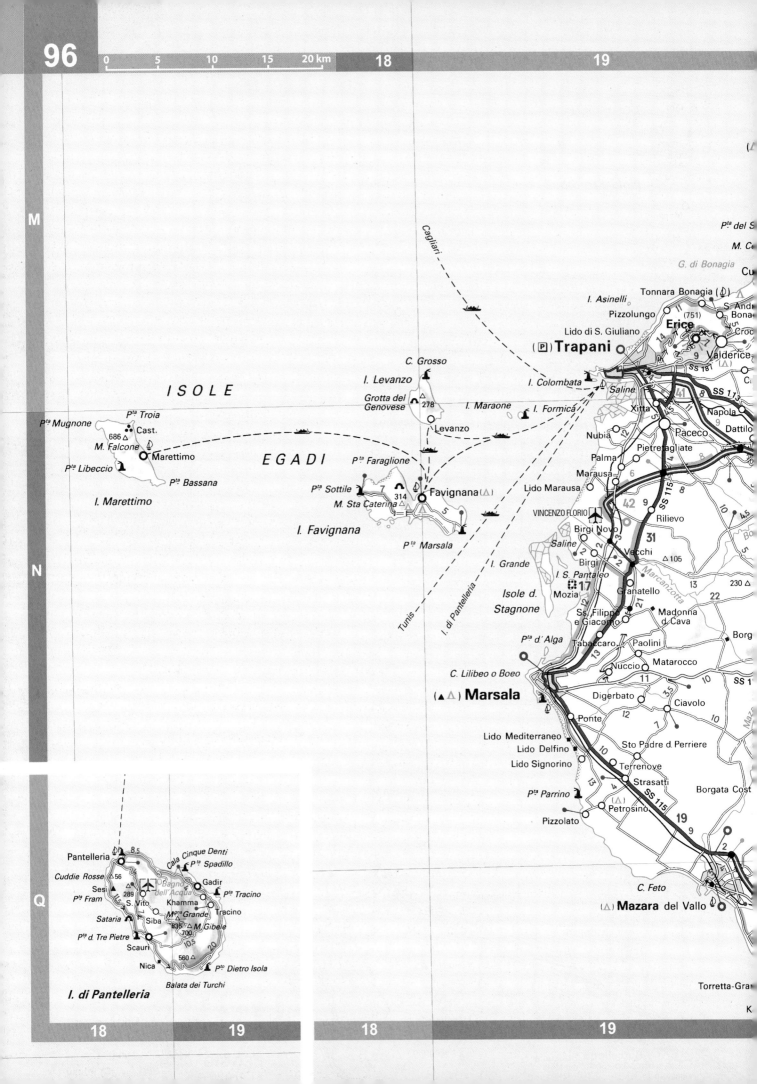

0   5   10   15   20 km   **18**   **19**

M

I S O L E

Cagliari

G. di Bonagia   Cu

I. Asinelli   Tonnara Bonagia (⚓)
Pizzolungo   S. Andr
(751)   Bona
Lido di S. Giuliano   **Erice**   Croc
(P) **Trapani**   9 **Valderice**
C. Grosso   (△)   SS 18?   Ca
I. Levanzo   I. Colombata   Saline   SS 113
Grotta del   278   Xitta   8
Genovese   I. Maraone   I. Formica   Napola
P.ta Troia   Levanzo   Nubia   12   Paceco   Dattilo
P.ta Mugnone   Cast.   Pietretagliate
686 △   E G A D I   Palma   6   10   4.5
M. Falcone   P.ta Faraglione   Marausa   SS 115
P.ta Libeccio   Marettimo   P.ta Sottile   7   Lido Marausa   42   9   Rilievo   10   Bo
P.ta Bassana   M. Sta Caterina   314   Favignana (△)   VINCENZO FLORIO   31
I. Marettimo   5   Birgi Novo   2   2
Saline   Vecchi   △ 105
I. Favignana   Birgi   21   13   230 △
P.ta Marsala   Isole d.   I. S. Pantaleo   Granatello   22
Stagnone   Mozia   **17**   Madonna
I. Grande   Ss. Filippo   d'Cava
e Giacomo   Borg
P.ta d'Alga   Tabaccaro   Paolini
Tunis   I. di Pantelleria   13   Nuccio   Matarocco
C. Lilibeo o Boeo   Digerbato   11   10   SS 1
(▲ △) **Marsala**   12   3.5   Ciavolo
Ponte   7   10
Lido Mediterraneo   Sto Padre d. Perriere
Lido Delfino   10   Terrenove
Lido Signorino   13   4   Strasatti
P.ta Parrino   (△)   SS 115
Petrosino   **19**
Pizzolato   9
2

N

Q

C. Feto

18   **19**
Pantelleria   8.5   (△) **Mazara** del Vallo
Cala Cinque Denti
Cuddie Rosse △ 56   P.ta Spadillo
Sesi   Bagno   Gadir
P.ta Fram   289   dell'Acqua   P.ta Tracino
S. Vito   Khamma   Tracino
Sataria   M.na Grande
Siba   835   M. Gibele
P.ta d. Tre Pietre   700
Scauri   10.5   20
Nica   560 △   P.to Dietro Isola
Balata dei Turchi   Torretta-Gra
I. di Pantelleria
K
18   **19**   **18**   **19**

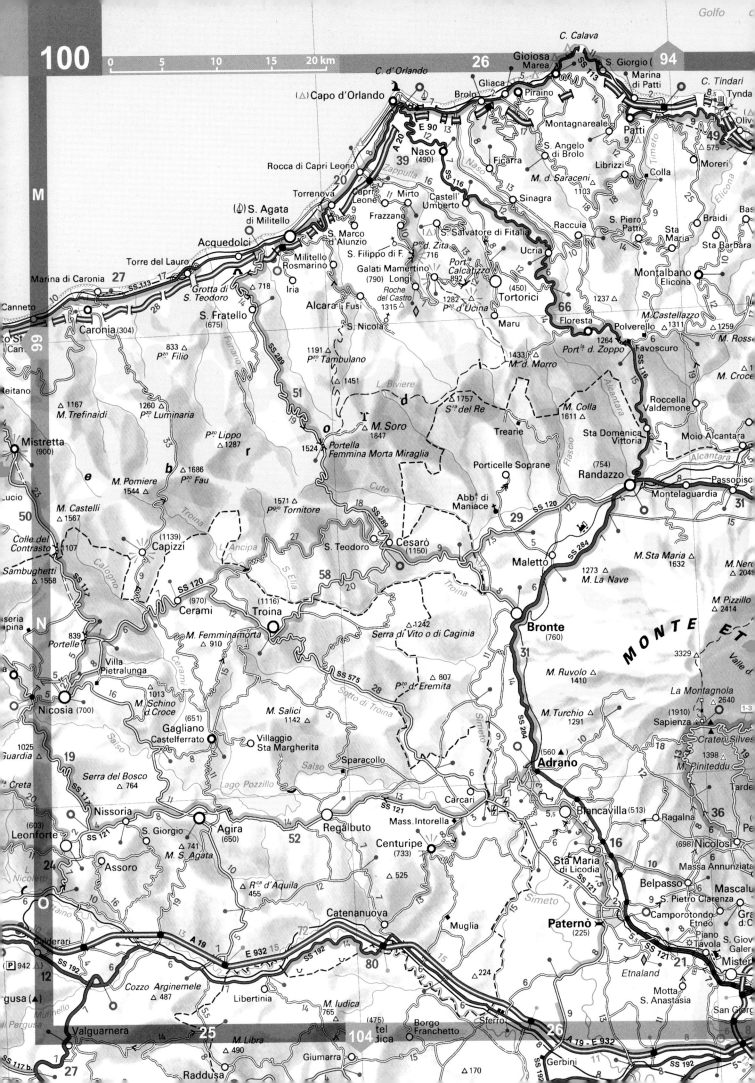

O

P

Q

R A N E O

ISOLE PELÁGIE

Porto Palo

M. Cirami
516 △

SS 624

14

6.5

7

Telegrafo
△ 950

Burgio

Villafranca Sicula

(949)

R.ca Ficuzza

Caltabellotta

S. Anna

327 △

L. Favara

21

98

22

Licca Sicula

△ 519
M. S. Nicola
(533)

△ 910
P.zo la Menta

Lago di Magazzolo

Alessandria della Roc...

△ 1246
P.zo d. Rondine

Port.la Tanabuto
544 △

Monte Kronio

386 △

S. Calogero

S. Giorgio

C. S. Marco

Sciacca
(60)

76 △

12

7

4

10

15

16

SS 115

Secca Grande

Borgo Bonsignore

Eraclea Minoa

C. Bianco

8.5

6

3

E 931

4

4

4

Bivio Tamburello

Calamonaci

8

Cast.

(233 △)

Ribera

22

5

9.5

Laghetto Gorgo

Montallegro

Bovo Marina

△ 428
M. Sedita

△ 362

47

11

SS 386

S. 386

9

12

10

596

434 △
M. Sara

(180)

10

21

9

253

Cianciana

S. Biagio
Platani

SS 118

Platani

M. Iazzo Vecchio △ 587

M Giafaglione

(390)

29

△ 674

(420)

Raffadali

M. Suzza
509 △

Port.la Milione

Giardina Gall...

Montaperto

16

S. Angelo Muxaro

△ 653
M. le Fosse

S. El...

11

5

10

Ioppo Gianc...

C. S...

V...

83

(△) Siculiana Marina

Siculiana

SS 115

△ 338

P 326 △

Realmonte

19

Capo Rossello
P.ta Grande

Porto Empedocle
(⚓)

Agrigento

Villaseta

Lido

S. L...

Porto Empedocle

P.ta Paranzello

195 M. Vulcano
△

Linosa △
P.ta Calcarella

I. di Linosa

Lampedusa

12°40

Linosa

I. di Lampione

I. di Lampedusa

Linosa

Sc.o del Sacramento

M. Albero Sole

C. Ponente

133

C. Grecale

I. dei Conigli

Mad.na di Porto Salvo

P.ta Sottile

Lampedusa (△)

12°20

M. Carrubba 535 △
510 △
Pedagaggi
870 △ M. Sta Venere
Sortino
(438)
Zucceri
Ferla
Cassaro
Necropoli di Pantalica
914 △ Contessa
Buscemi
(697) △ Palazzolo d'Acreide
Akrai
SS 124
SS 287
717 △ S.ta Vetrano
△ 678
Rigolizia
30
S. Giacomo
Bellocozzo
Fatt.a Iudica
639
rigintini
Gianforma
Castelluccio
Mass. Granieri
300 △ M. Renna
(159) **Noto**
il Prainito
42
Cava d'Ispica
(154) Rosolini
SS 115
E 45
SS 115 E 45 10
Ispica
Villa Modica
opula
do
Pozzallo (△)
Marza
P.ta Ciriga

Melilli
(310)
Megara Hyblaea
di Augusta
Priolo Gargallo
(30)
Monti Climiti
20
416 △
Solarino
Floridia
(111)
36
Monasteri
Canicattini Bagni
13,5
38
SP 14
10,5
13,5
Testa dell'Acqua
Villa Vela
△ 480
18,5
Cassibile
32
Noto Antica
S. Corrado d.Fuori
16,5
9
Avola
Marina di Avola (⚓)
V.la Romana d.Tellaro
5,5
Calabernardo
Golfo
Lido di Noto
56
Eloro
S. Paolo
A18·E45
SP 19
Bimmisca
103 △
I.Vendicari
Pant.o Roveto
di
Fatt.a S. Lorenzo
S. Lorenzo Vecchio
Burgio
Marzamemi (△)
Pant.o Gariffi
Pant.o Longarini
Pachino (65 △)
Noto
Maucini
Portopalo di C. Passero
C. Passero
I.di Capo Passero
P.ta delle Formiche
I.delle Correnti

Thapsos
Penisola Magnisi
24
Marina di Melilli
SS 114·E 45
Sta Panagia
C. Sta Panagia
SS 114
Belvedere
Eurialo
6
SS 124
SIRACUSA (P) △
P.to Grande
Penisola della Maddalena
E 45
12
Terrauzza
C. Murro di Porco
Arenella
SS 115
Cassibile
Ognina
C. Ognina
Fontane Bianche (△)
P.ta del Cane

Golfo
di
Augusta

uella (Malta)

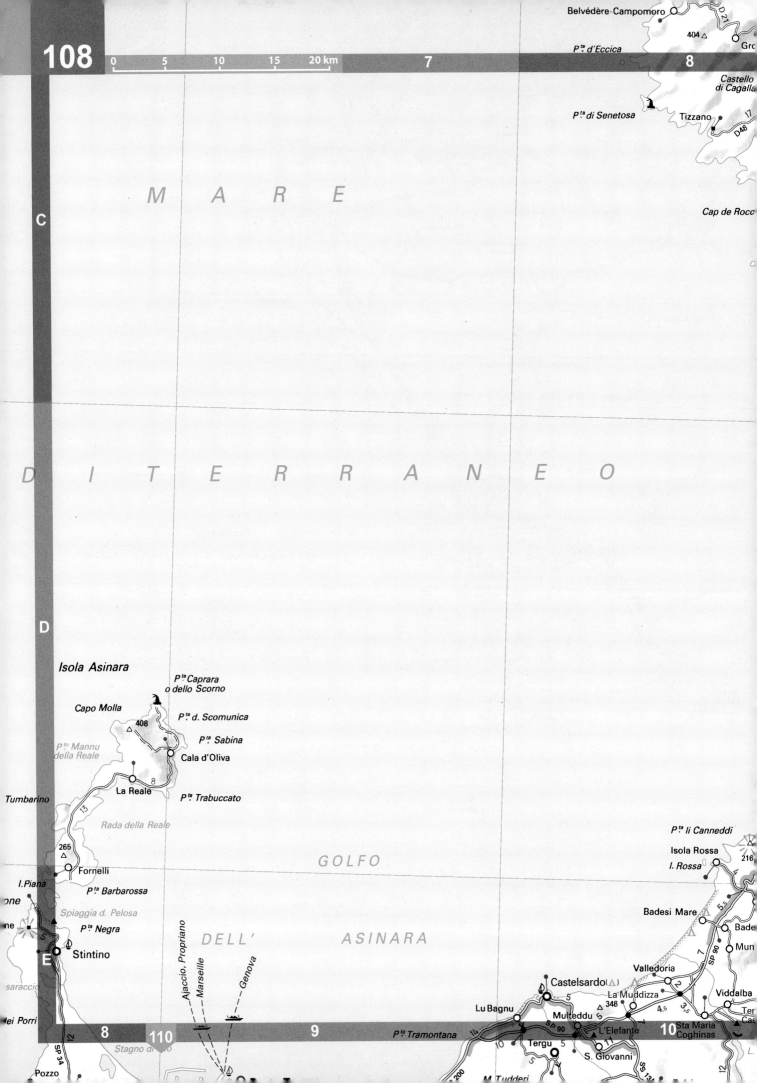

Belvédère-Campomoro

404 △

Gro

P.ta d'Eccica

0   5   10   15   20 km

Castello
di Cagalla

P.ta di Senetosa

Tizzano

D48

M   A   R   E

C

Cap de Rocc

D   I   T   E   R   R   A   N   E   O

D

Isola Asinara

P.ta Caprara
o dello Scorno

Capo Molla

P.ta d. Scomunica

408 △

P.ta Sabina

P.to Mannu
della Reale

Cala d'Oliva

8

La Reale

P.ta Trabuccato

Tumbarino

13

Rada della Reale

P.ta li Canneddi

265 △

Isola Rossa

GOLFO

I. Rossa

216

Fornelli

I. Piana

P.ta Barbarossa

one

Badesi Mare

Bade

Spiaggia d. Pelosa

P.ta Negra

DELL'

ASINARA

Mun

saraccio

E

Stintino

Ajaccio, Propriano

Marseille

Genova

Valledoria

Castelsardo (△)

Viddalba

La Muddizza

Ter

Cas

Lu Bagnu

348 △

Mei Porri

P.ta Tramontana

Multeddu

L'Elefante

Sta Maria
Coghinas

SP 34

Stagno di

Tergu

S. Giovanni

Pozzo

M Tudderi

Sartène

699
D65
Foce-Bilzese
Col de Bacinu
809
la Trinité
Cala Rossa
P.ta Capicciola
Liv
Palau

Montagne de Cagna
D65
P.ta di Compole
1300
9
Porto-Vecchio
D 368
P.nte de la Chiappa
Golfe de Porto-Vecchio

Giuncheto
P.ta Ovace
1339
11
D 859
P.ta di u Cerchio
323
Piccovagia
9.5

Gianuccio
D 59
Sotta
Iles Cerbicale

Canella
Pruno
25
D 22
Saparelli
16
P.ta d'Arcivale
352
28
Golfe de S.ta Giulia

Monacia-d'Aullène
D 50
Poggiale
D 59
T 10
I. di u toro

Pianottoli-Caldarello
68
15
Figari
6
P.ta di Rondinara

I. Bruzzi
B.de de Figari
12
P.nte de Capicciola
104
Golfe de Santa Manza

Golfe de Ventilegne
239
M.te Corbo
T 40
D 58
6
Gurgazu

Capo di Feno
Bonifacio
Ile Cavallo

Capo Pertusato
Iles Lavezzi

Parc Marin
Ecueil de Lavezzi
I. la Presa
Porto-Vecchio
Genova

Bocche di Bonifacio
I. Razzoli
I. Sta Maria

International
Parco Nationale
P.ta Marginetto

Sta Teresa Gallura
P.ta Falcone
I. Budelli
Punta Abbatoggià
dell' Arcipelago
P.ta Galera
Arcipelago della Maddalena

Capo Testa
127
La Ficaccia
I. La Marmorata
I. Spargi
155
I. Maddalena
I. Caprera
Isole Monaci

Sta Reparata
Marazzino
Conca Verde
La Maddalena
Moneta
Casa di Garibaldi

Buoncammino
18
P.ta Sardegna
Porto Raphael
S.to Stefano
Stagnali
della Maddalena

SP 90
Val di Mela
Porto Pozzo
SS 133 b
Palau
Capo d'Orso
P.ta Rossa
I. delle Bisce

Ciuchesu
S. Pasquale
6
Barrabisà
Capannaccia
5.5
SS 133
Baia Sardinia
Capo Ferro

Cala Vall'Alta
P.ta di li Francesi
S.ta Pauloni
361
9
M.Canu
396
17
La Conia
Poltu Quatu
M. Moro
422
Porto Cervo

Portobello di Gallura
Vignola Mare
19
Campovaglio
6
Cannigione
Capo Capaccia

4.5
P.ta Cappeddu
314
Bassacutena
Liscia
M.Ruiu
260
P.ta Occhione
387
14
Abbiadori
Capriccioli

SP 90
5
Baldu
Arzachena
(83)
SP 59
I. Mortorio

P.ta Cruzitta
267
9.5
Aglientu
(417)
10
14
Tomba di li Lolghi
6.5
Albucciu
S. Pantaleo
(169)
Portisco
I. Soffi

81
S. Pancrazio
640
Luogosanto
17
Tomba di Lu Coddu Ecchju
3
27
P.ta della Volpe

ta Paradiso
41
9
M. Padru
587
Pirazzolu
18
650
Porto Rotondo
P.ta del Canigione

M. Abbalata
636
S.ta di lu Tassu
765
SS 133
462
M. S. Pietro
502
S. Antonio di Gallura
642
P.ta Cugnana
SS 125
11
16
340
Capo F

S. Pietro di Ruda
Izzana
L.della Liscia
(350)
P.ta Littu Petrosu
52
M. sa Curi
415
Golfo Aranci

S. Filippo
14
Luras
13
Carana
M. Pinu
743
Santo Nuragico Cabu Abbas
Golfo
Olbia

Salici
(514)
Aggius
Maiori
Nuchis
Priatu
Olbia
12
Lido di Pittulongu
Sa Testa

911
6
(518)
Calangianus
M. Tundu
831
SS 127
234
M. Telti
Lido d Sole
218
Porto Istana

112
ortigiadas
Tempio Pausania
(566)
9
22
113
SS 125
10
Porto S. Paolo

SS 127
Scala Ruia
7.5
M.la Eltica
598
Telti
S. Simone
Murta Maria
Capo Ceras

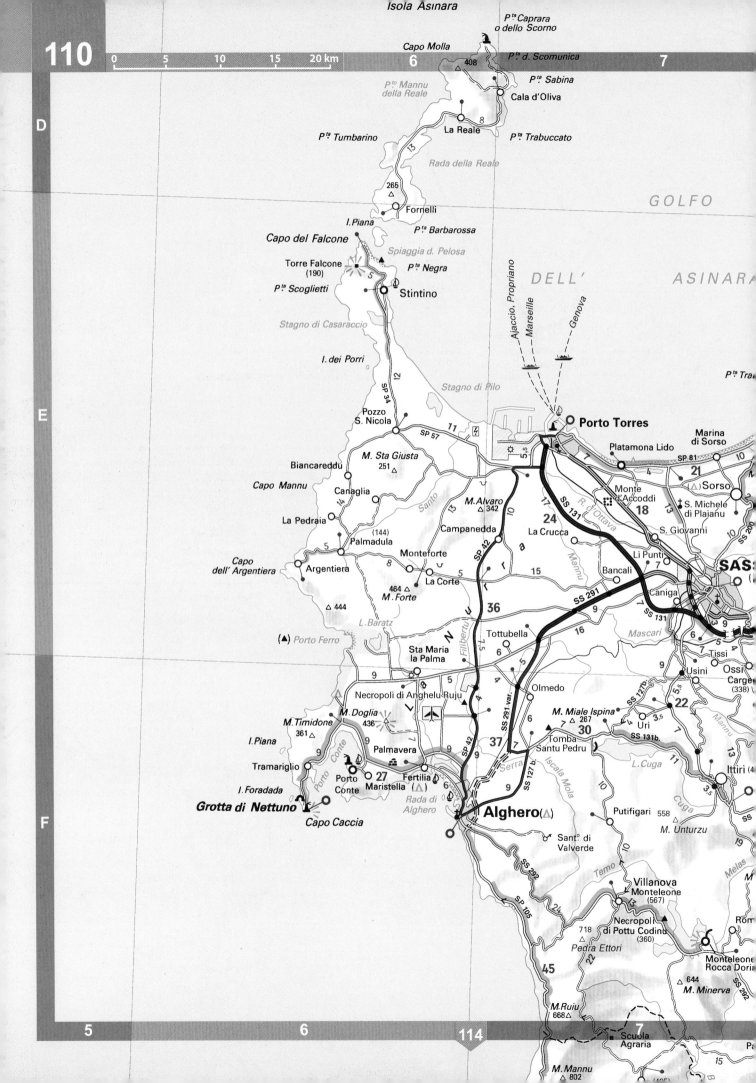

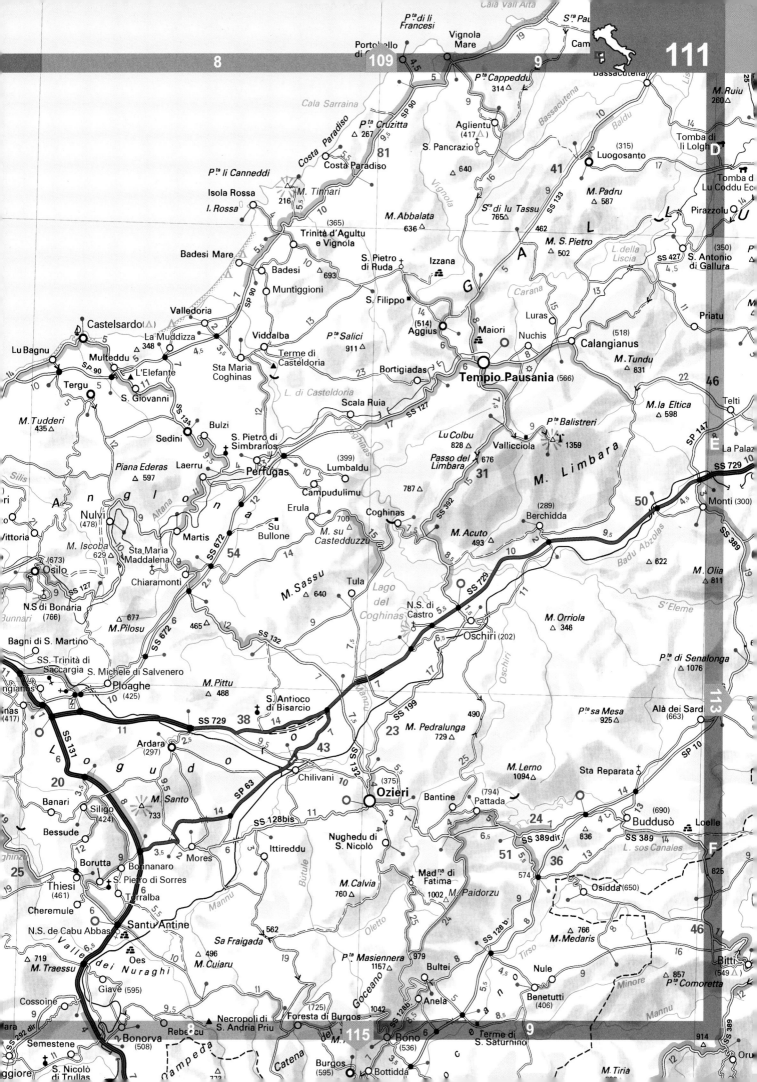

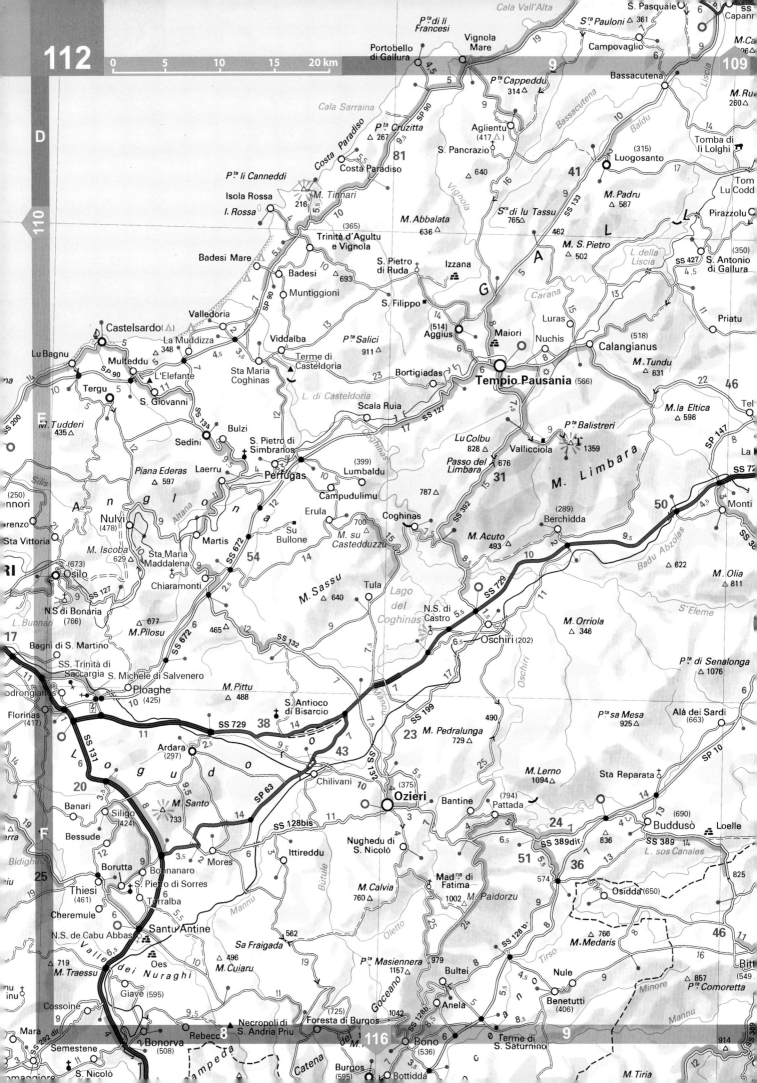

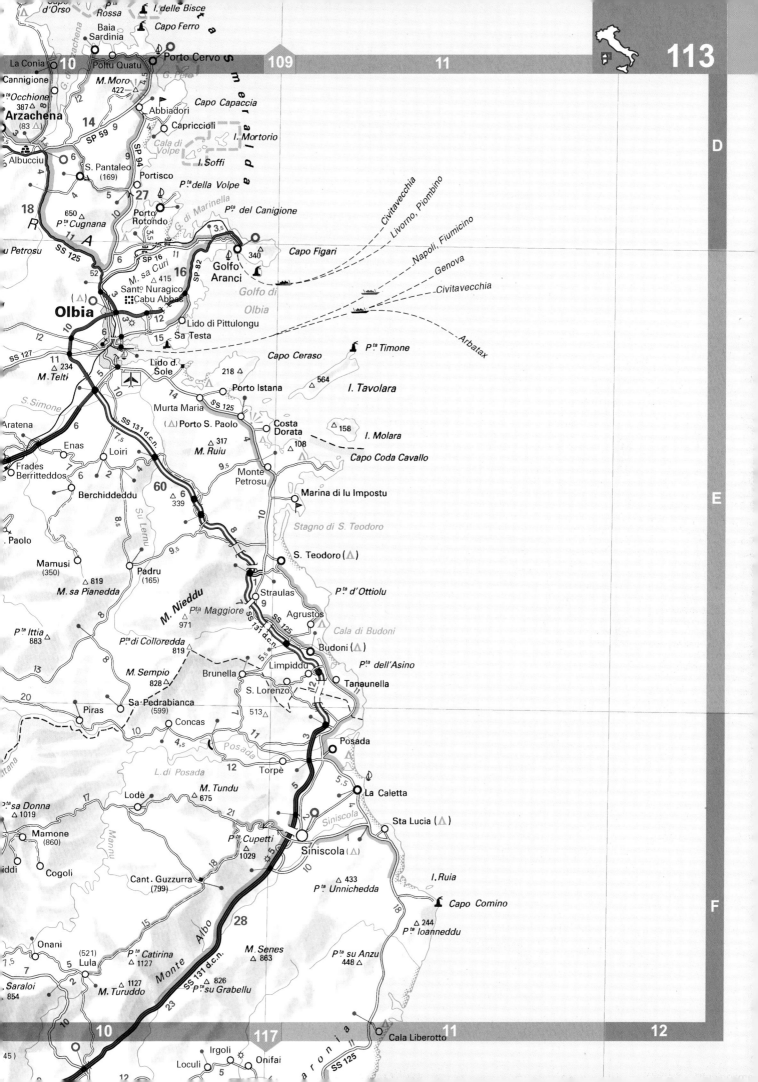

Monteleone
Rocca Doria

△ 644
M. Minerva

45 22

M.Ruiu
668△

Scuola
Agraria

SS 292

Pac

M. Mannu
△ 802

(405)
Montresta

15

Badu Craboli

SP 49

I. sa Pagliosa

M. Pittada
788 △

520

Capo Marargiu

16

Temo

Nuradeo

Corte

21

Bosa (△)

Bosa Marina
S. Pietro

I. Rossa

2

Modolo 7

Suni

29

Magomadas

6

Tinnura

9

Porto Alabe

6

Tresnuraghes
(257)

Sagama

11

(△) Sennariolo

Scand

△ 276

(479)

Cuglieri

6 5

S. Le
de Siete

Torre

P.ta di Foghe

Mannu

SS 292

15

SP 19

M. Urtigu
1050 △

Sta Caterina

M. Ferru

Sta Caterina
di Pittinuri

Fattoria Pilli

Cornus

M. Mesu 'e
584 △ Roccas

S' Archittu

63

SS 292

12

7.5

Seneghe

Cala su Pallosu

Narbolia
(△)

Rocca Tunda

Capo Mannu

Stagno
de is Benas

N.ghe s'Urachi

S. Ver
Milis

Porto Mandriola

Putzu Idu

12

6

Cala
Saline

7

Tra

I. di Mal di Ventre

Stagno
Sale Porcus

Riola Sardo

Zeddia

17

Baratili
S. Pietro

Mari Ermi

Nurachi

S i n i s

Stagno di
Cabras

Donigala
Fenughedu

Massama

P.ta is Arutas

Sili

S. Salvatore

(△)

Cabras

Solanas

6

2

21

8

5

Stagno di
Mistras

Marina di
Torre Grande
(△)

P

Sta Gi

I. Catalano

Oristano

S. Giovanni
di Sinis

Tharros

Foce
del Tirso

Stagno di
Sta Giusta

Capo S. Marco

Golfo

d i

O r i s t a n o

S'Ungroni

Capo d. Frasca

Arborea
Lido

4.5

Arborea

SP 49

13

9

Tanca
Marchese

S. Antonio
di Santadi

Marceddi

Terralba

Stagno di
Marceddi

S. Nicolò

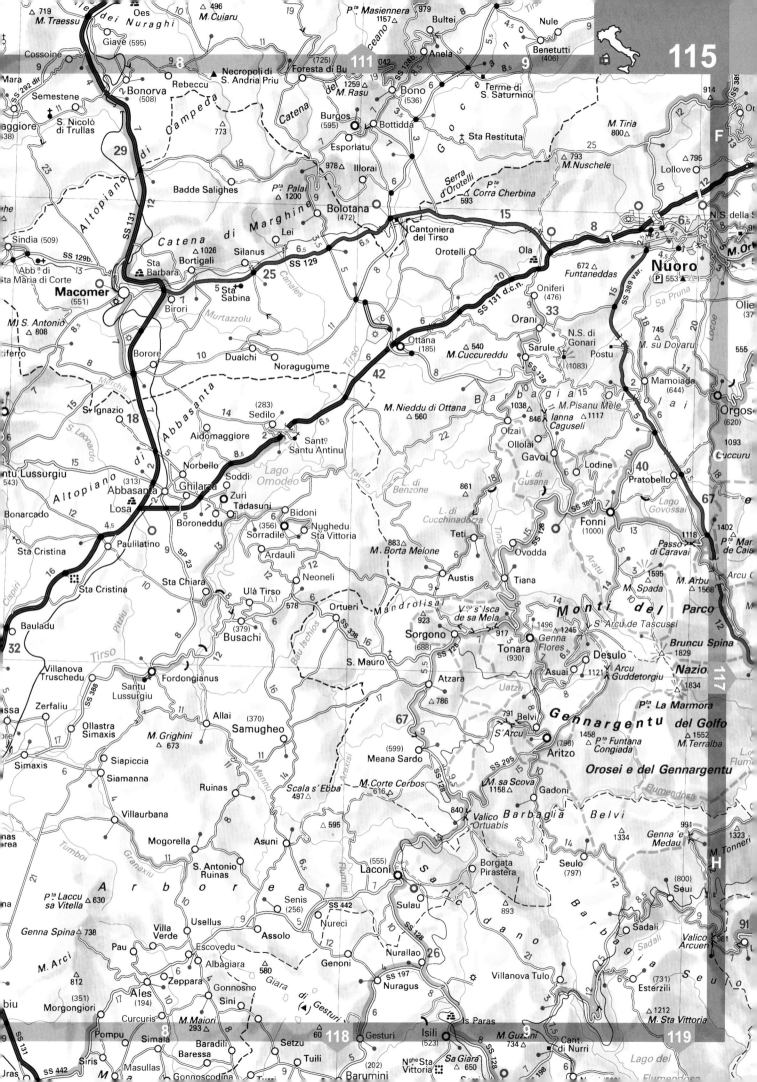

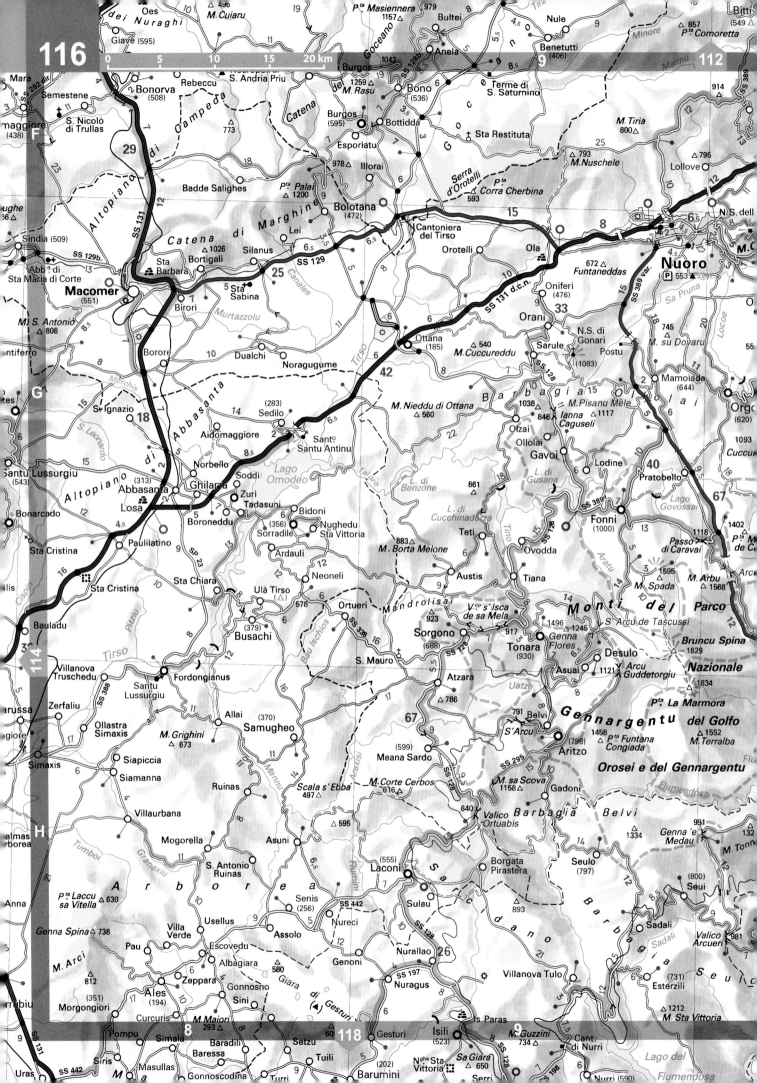

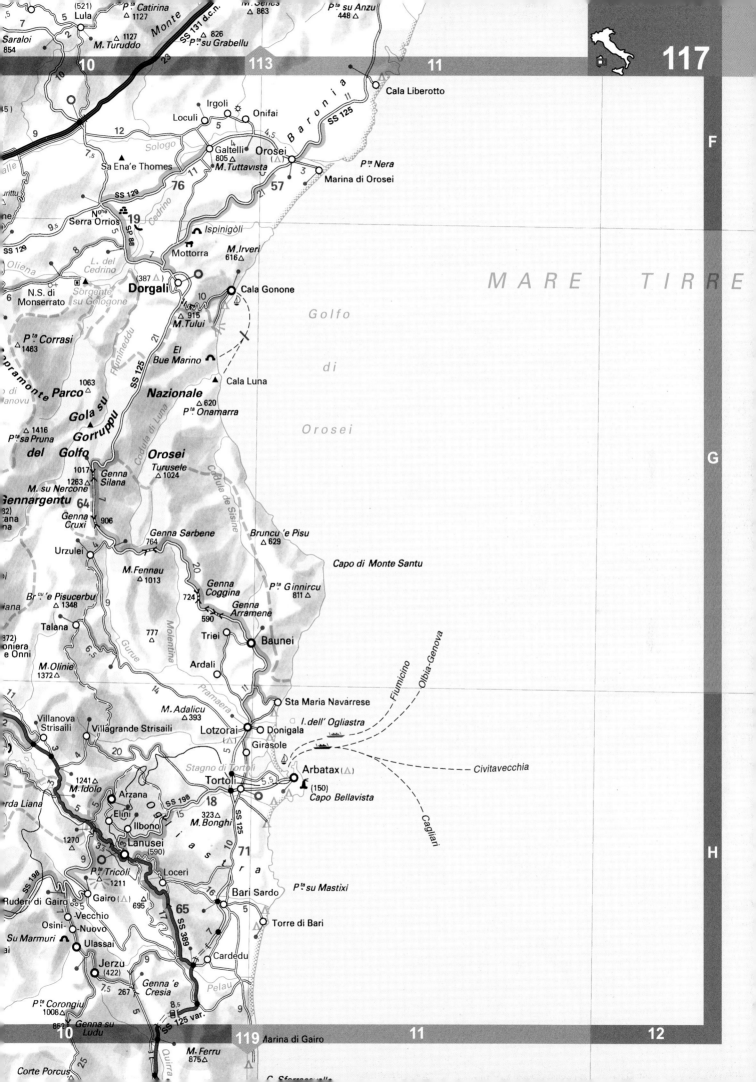

Saraloi
854

(521)
Lula
1127 M. Turuddo
Monte
P.ta Catirina
1127
826
P.ta su Grabellu
M. Senes
863
P.ta su Anzu
448

SS 131 d.c.n.

Baronia
Cala Liberotto

Irgoli
Loculi
Onifai
SS 125

Sologo
Galtelli
805
Orosei

Sa Ena'e Thomes
M. Tuttavista
Marina di Orosei
P.ta Nera

SS 129
76
57
Cedrino
21

N.ghe
Serra Orrios
19
SP 88

SS 129

Ispinigòli

Oliena
L. del Cedrino
Mottorra
M. Irveri
616

N.S. di Monserrato
Sòrgente su Gologone
(387)
Dorgali
10
Cala Gonone

P.ta Corrasi
1463
915
M. Tului

Supramonte
Parco
di Lanovu
El Bue Marino

Golfo
di
Orosei

Cala Luna

Parco
Nazionale
1063
P.ta Onamarra
620

Gola su
Gorruppu
1416
P.ta sa Pruna
del Golfo
Orosei
Turusele
1024

Genna Silana
1017
1263
M. su Nercone

Gennargentu
64
906
Genna Cruxi
Genna Sarbene
764
Bruncu 'e Pisu
629
Capo di Monte Santu

Urzulei
4

M. Fennau
1013
20
Genna Coggina
724
P.ta Ginnircu
811

Bru 'e Pisucerbu
1348
Genna Arramene
590

Talana
777
Triei
Baunei

Gurue
Molentina
Ardali

M. Olinie
1372

Pramaera
Sta Maria Navarrese

Villanova Strisaili
M. Adalicu
393
I. dell' Ogliastra

Villagrande Strisaili
20
Lotzorai
Donigala
Fiumicino
Olbia-Genova

1241
M. Idolo
Arzana
SS 198
18
Girasole

Stagno di Tortoli
Arbatax
Civitavecchia

Tortoli
Elini
323
M. Bonghi
(150)
Capo Bellavista

Ilbono
SS 125
Cagliari

1270
Lanusei
(590)
71

9
P.ta Tricòli
1211
Loceri

Ruderi di Gairo
Gairo
695
Bari Sardo
P.ta su Mastixi

Vecchio
65
Osini-Nuovo
Su Marmuri
Ulassai
Torre di Bari

Jerzu
(422)
SS 389
Cardedu

Genna 'e Cresia
267
Pelau

P.ta Corongiu
1008
SS 125 var.

Genna su Ludu
852
10
119
Marina di Gairo
11
12

Quirra
M. Ferru
875

Corte Porcus

MARE TIRRE

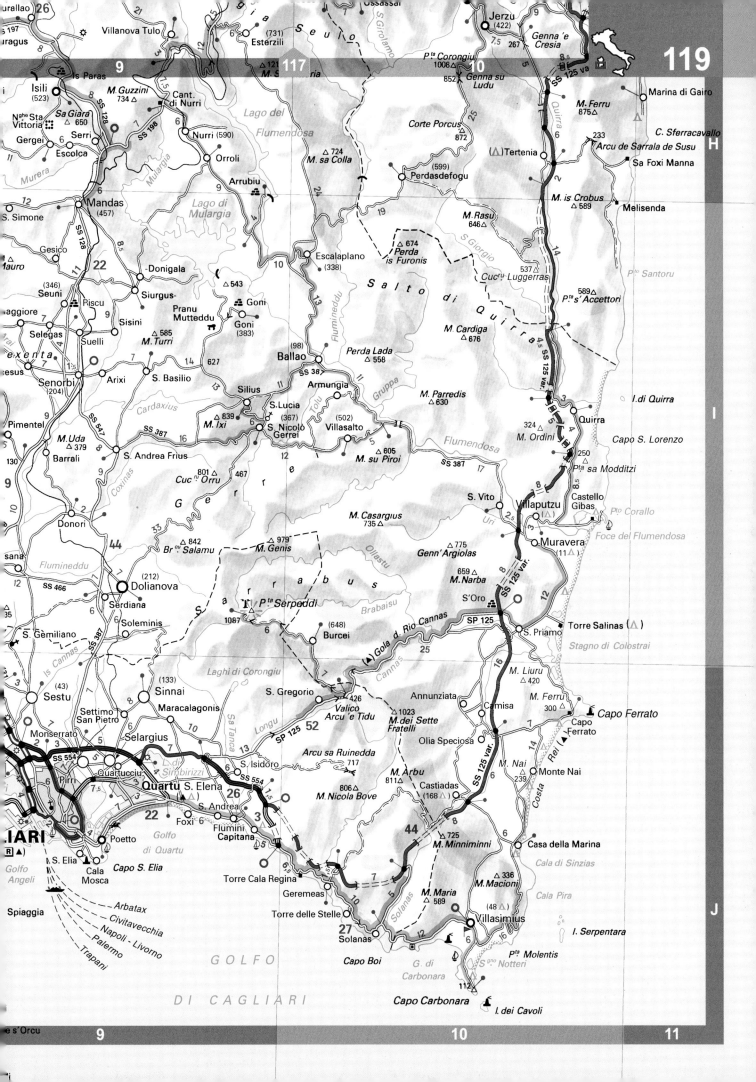

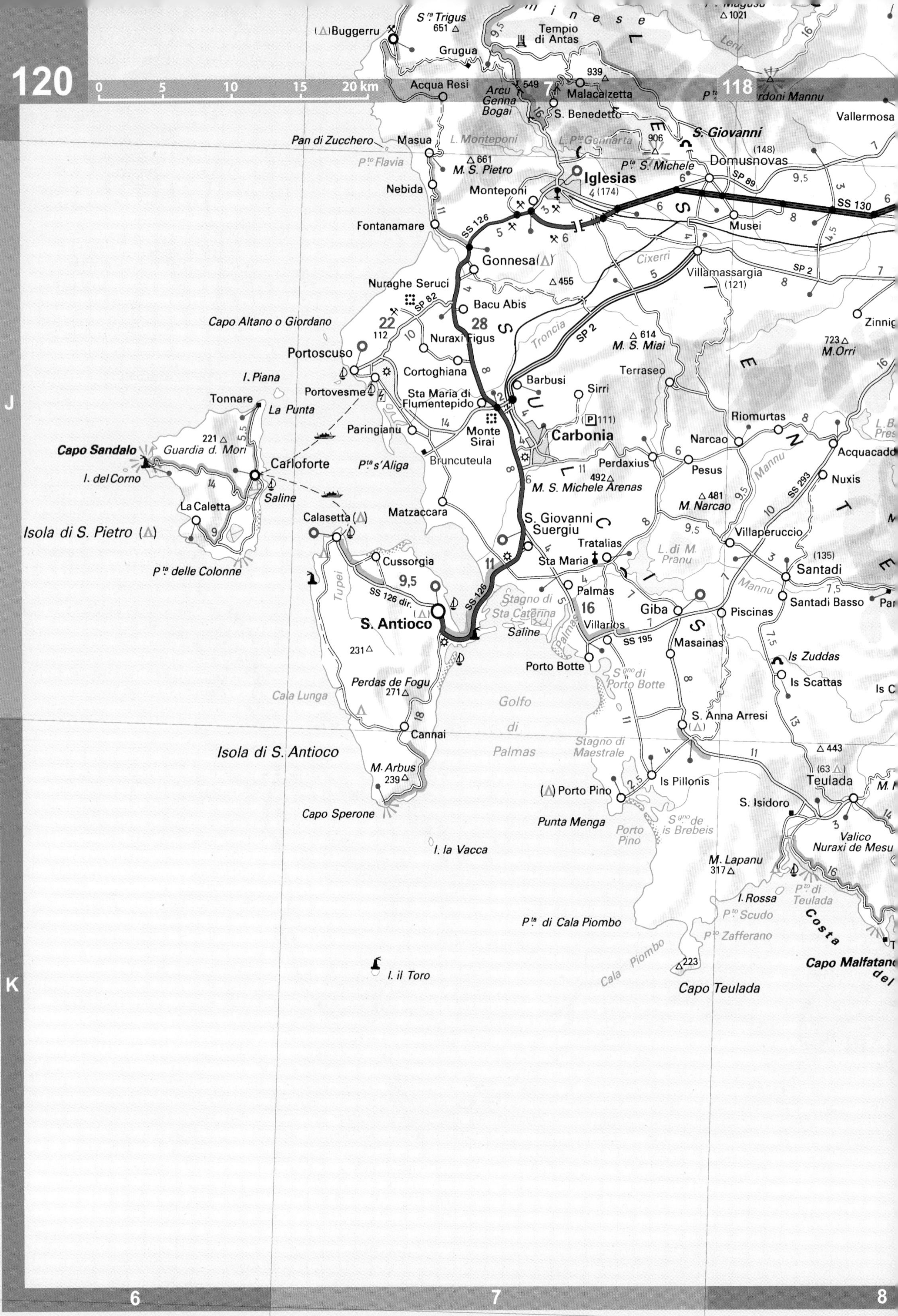

S.ta Trigus
651 △

(△)Buggerru

Grugua

Tempio
di Antas

Acqua Resi

Arcu
Genna
Bogai

549

7

Malacalzetta

939

P.ta Giordoni Mannu

Vallermosa

S. Benedetto

906

S. Giovanni

(148)

Domusnovas

Pan di Zucchero

Masua

L. Monteponi

P.ta S. Michele

SP 89

SS 130

P.to Flavia

M. S. Pietro
661 △

L. P.ta Gennarta

Iglesias
4 (174)

6

Nebida

Monteponi

9,5

3

Fontanamare

SS 126

Musei

8

Gonnesa (△)

Cixerri

Villamassargia
(121)

SP 2

Nuraghe Seruci

△ 455

Capo Altano o Giordano

SP 82

Bacu Abis

5

Zinnig

723 △
M. Orri

22
112

10

Nuraxi Figus

28

S

M. S. Miai
492 △

614

Portoscuso

I. Piana

Cortoghiana

Barbusi

Terraseo

Tonnare

La Punta

Portovesme

Sta Maria di
Flumentepido

Sirri

P 111

Riomurtas

L. B.
Pres

Capo Sandalo

Guardia d. Mori
221 △

Carloforte

Paringianu

14

Monte
Sirai

Carbonia

Narcao

Pesus

Nuxis

Acquacad

I. del Corno

14

Saline

P.ta s'Aliga

Bruncuteula

M. S. Michele Arenas
492 △

Perdaxius

M. Narcao
481 △

SS 293

La Caletta

9

Matzaccara

S. Giovanni
Suergiu

Villaperuccio

Isola di S. Pietro (△)

P.ta delle Colonne

Calasetta (△)

Cussorgia

11

Tratalias

Sta Maria

L. di M.
Pranu

Santadi

(135)

9,5

SS 126 dir.

9,5

Palmas

Giba

Santadi Basso

Par

S. Antioco
SS 126

Stagno di
Sta Caterina

16

Villarios

SS 195

Masainas

Piscinas

Is Zuddas

231 △

Saline

Is Scattas

Is C

Perdas de Fogu
271 △

Porto Botte

S.gno di
Porto Botte

S. Anna Arresi
(△)

Cala Lunga

Cannai

Golfo
di
Palmas

Stagno di
Maestrale

443 △

Teulada

(63 △)

Isola di S. Antioco

M. Arbus
239 △

Is Pillonis

S. Isidoro

Capo Sperone

(△) Porto Pino

Porto
Pino

S.gno de
is Brebeis

Valico
Nuraxi de Mesu

Punta Menga

M. Lapanu
317 △

I. la Vacca

I. Rossa

P.to di
Teulada

P.ta di Cala Piombo

P.to Scudo

P.to Zafferano

Costa

I. il Toro

Cala Piombo

223 △

Capo Malfatan
del

Capo Teulada

Serramanna
(38)
Donori

Villasor
SS 128
Ussana
SS 466
Flumineddu
Br.cu Salamu △ 842
△ 979 M. Genis

SS 196
Dolianova (212)
N

8
119
Serdiana
r a 10

S. Sperate
(83)
Soleminis
P.ta Serpeddi

23
S. Gemiliano
1087
Burcei (648)
Brabaisu
S'Oro

Decimoputzu
11
235
Gola d. Rio Cannas
SP 125

Villaspeciosa
SS 131
Sestu (43)
Sinnai (133)
S. Gregorio
Cannas 25
119

Decimomannu
Settimo San Pietro
Maracalagonis
426
Annunziata

Assemini
SP 2
SS 130
Monserrato
Selargius
Valico Arcu e Tidu
△ 1023 M. dei Sette Fratelli
Camisa

Uta
18
Elmas
SS 554
13
SP 125 52
Arcu sa Ruinedda 717
Olia Speciosa

Cixerri
quafredda
SP 2
Stagno
Pirri
Quartucciu
S. Isidoro
SS 554
806 △ M. Nicola Bove
811 △ M. Arbu
Castiadas (168 △)

di
Cagliari
Quartu S. Elena
26
3
44
M. Minniminni △ 725

Macchiareddu
Saline
22
Foxi
S. Andrea
Flumini Capitana
M. Maria △ 589
△ 338 M. Macio

Sta Lucia
M. Arcosu 948 △
CAGLIARI
Poetto
Golfo di Quartu
Torre Cala Regina
Villasim (48 △)

Capoterra (54)
SS 195
S. Elia
Cala Mosca
Capo S. Elia
Geremeas
Solanas

aravius
M.is Pauceris Mannu △ 720
Golfo d. Angeli
Arbatax
Torre delle Stelle
27 Solanas
G. di Carbonara

Maddalena Spiaggia
Civitavecchia
Napoli - Livorno
Capo Boi

Villa d'Orri
601 △
Palermo
Trapani
GOLFO
Capo Carbonara
I. de

S. Giorgio
Porto Foxi
DI CAGLIARI

Sa Domu 'e s'Orcu
Sarroch

Villa S. Pietro
864 △ M. Santo
P.ta sa Cresia

Perd 'e Sali
M. Nieddu
Pula (△)
I. S. Macario

S. Efisio
P.ta Eva 551 △
88
Nora
Capo di Pula

Domus de Maria (66 △)
Sta Margherita (△)

Filau △ 363
Bithia

Capo Spartivento
u d

K

9
10

Indice dei nomi - Piante di città
Index of place names - Town plans
Index des localités - Plans de ville
Ortsverzeichnis - Stadtpläne
Plaatsnamenregister - Stadsplattegronden
Índice - Planos de ciudades

AG. Agrigento (Sicilia)
AL. Alessandria (Piemonte)
AN. Ancona (Marche)
AO. Aosta/Aoste(Valle d'Aosta)
AP. Ascoli Piceno (Marche)
AQ. L'Aquila (Abruzzo)
AR. Arezzo (Toscana)
AT. Asti (Piemonte)
AV. Avellino (Campania)
BA. Bari (Puglia)
BG. Bergamo (Lombardia)
BI. Biella (Piemonte)
BL. Belluno (Veneto)
BN. Benevento (Campania)
BO. Bologna (Emilia-R.)
BR. Brindisi (Puglia)
BS. Brescia (Lombardia)
BT. Barletta-Andria-Trani (Puglia)
BZ. Bolzano (Trentino-Alto Adige)
CA. Cagliari (Sardegna)
CB. Campobasso (Molise)
CE. Caserta (Campania)
CH. Chieti (Abruzzo)
CL. Caltanissetta (Sicilia)
CN. Cuneo (Piemonte)
CO. Como (Lombardia)
CR. Cremona (Lombardia)
CS. Cosenza (Calabria)
CT. Catania (Sicilia)
CZ. Catanzaro (Calabria)
EN. Enna (Sicilia)
FC. Forli-Cesena (Emilia-Romagna)
FE. Ferrara (Emilia-Romagna)
FG. Foggia (Puglia)
FI. Firenze (Toscana)
FM. Fermo (Marche)
FR. Frosinone (Lazio)
GE. Genova (Liguria)
GO Gorizia (Friuli-Venezia Giulia)
GR. Grosseto (Toscana)
IM. Imperia (Liguria)

IS. Isernia (Molise)
KR. Crotone (Calabria)
LC. Lecco (Lombardia)
LE. Lecce (Puglia)
LI. Livorno (Toscana)
LO. Lodi (Lombardia)
LT. Latina (Lazio)
LU. Lucca (Toscana)
MB Monza-Brianza (Lombardia)
MC Macerata (Marche)
ME. Messina (Sicilia)
MI. Milano (Lombardia)
MN Mantova (Lombardia)
MO Modena (Emilia-Romagna)
MS. Massa-Carrara (Toscana)
MT Matera (Basilicata)
NA. Napoli (Campania)
NO Novara (Piemonte)
NU. Nuoro (Sardegna)
OR. Oristano (Sardegna)
PA. Palermo (Sicilia)
PC. Piacenza (Emilia-Romagna)
PD. Padova (Veneto)
PE. Pescara (Abruzzo)
PG. Perugia (Umbria)
PI. Pisa (Toscana)
PN. Pordenone (Friuli-Venezia Giulia)
PO. Prato (Toscana)
PR. Parma (Emilia-R.)
PT. Pistoia (Toscana)
PU. Pesaro e Urbino (Marche)
PV. Pavia (Lombardia)
PZ. Potenza (Basilicata)
RA. Ravenna (Emilia-Romagna)
RC. Reggio di Calabria (Calabria)
RE. Reggio Emilia (Emilia-Romagna)
RG. Ragusa (Sicilia)
RI. Rieti (Lazio)
RM Roma (Lazio)
RN. Rimini (Emilia-Romagna)
RSM San Marino (Rep. di)

RO. Rovigo (Veneto)
SA. Salerno (Campania)
SI. Siena (Toscana)
SO. Sondrio (Lombardia)
SP. La Spezia (Liguria)
SR. Siracusa (Sicilia)
SS. Sassari (Sardegna)
SU. Sud Sardegna (Sardegna)
SV. Savona (Liguria)
TA. Taranto (Puglia)
TE. Teramo (Abruzzo)
TN. Trento (Trentino-Alto Adige)
TO. Torino (Piemonte)
TP. Trapani (Sicilia)
TR. Terni (Umbria)
TS. Trieste (Friuli-Venezia Giulia)
TV. Treviso (Veneto)
UD. Udine (Friuli-Venezia Giulia)
VA. Varese (Lombardia)
VB. Verbano-Cusio-Ossola
.... (Piemonte)
VC. Vercelli (Piemonte)
VE. Venezia (Veneto)
VI. Vicenza (Veneto)
VR. Verona (Veneto)
VT. Viterbo (Lazio)
VV. Vibo Valentia (Calabria)

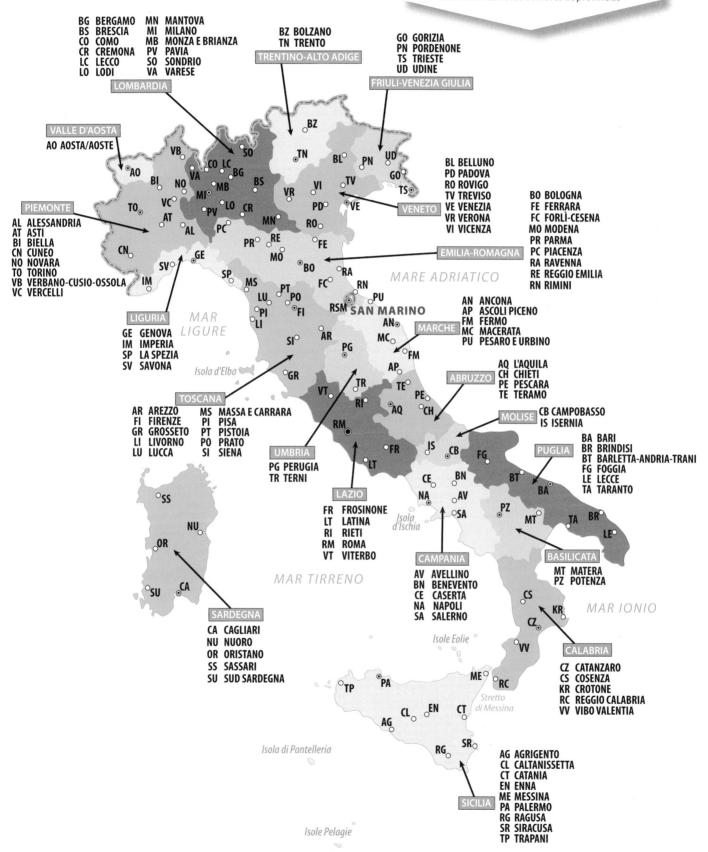

Sigle delle provinze presenti nell'indice
Abbreviations of province names contained in the index
Sigles des provinces répertoriées au nom
Im Index Vorhandene Kennzeiche
Afkorting van de provincie
Abreviaciones de los nombres de provincias

LOMBARDIA

BG	BERGAMO	MN	MANTOVA
BS	BRESCIA	MI	MILANO
CO	COMO	MB	MONZA E BRIANZA
CR	CREMONA	PV	PAVIA
LC	LECCO	SO	SONDRIO
LO	LODI	VA	VARESE

TRENTINO-ALTO ADIGE

BZ BOLZANO
TN TRENTO

FRIULI-VENEZIA GIULIA

GO GORIZIA
PN PORDENONE
TS TRIESTE
UD UDINE

VALLE D'AOSTA

AO AOSTA/AOSTE

PIEMONTE

AL ALESSANDRIA
AT ASTI
BI BIELLA
CN CUNEO
NO NOVARA
TO TORINO
VB VERBANO-CUSIO-OSSOLA
VC VERCELLI

VENETO

BL BELLUNO
PD PADOVA
RO ROVIGO
TV TREVISO
VE VENEZIA
VR VERONA
VI VICENZA

EMILIA-ROMAGNA

BO BOLOGNA
FE FERRARA
FC FORLÌ-CESENA
MO MODENA
PR PARMA
PC PIACENZA
RA RAVENNA
RE REGGIO EMILIA
RN RIMINI

MARE ADRIATICO

LIGURIA

GE GENOVA
IM IMPERIA
SP LA SPEZIA
SV SAVONA

MAR LIGURE

Isola d'Elba

MARCHE

AN ANCONA
AP ASCOLI PICENO
FM FERMO
MC MACERATA
PU PESARO E URBINO

TOSCANA

AR	AREZZO	MS	MASSA E CARRARA
FI	FIRENZE	PI	PISA
GR	GROSSETO	PT	PISTOIA
LI	LIVORNO	PO	PRATO
LU	LUCCA	SI	SIENA

ABRUZZO

AQ L'AQUILA
CH CHIETI
PE PESCARA
TE TERAMO

MOLISE

CB CAMPOBASSO
IS ISERNIA

UMBRIA

PG PERUGIA
TR TERNI

PUGLIA

BA BARI
BR BRINDISI
BT BARLETTA-ANDRIA-TRANI
FG FOGGIA
LE LECCE
TA TARANTO

LAZIO

FR FROSINONE
LT LATINA
RI RIETI
RM ROMA
VT VITERBO

Isola d'Ischia

CAMPANIA

AV AVELLINO
BN BENEVENTO
CE CASERTA
NA NAPOLI
SA SALERNO

BASILICATA

MT MATERA
PZ POTENZA

MAR TIRRENO

SARDEGNA

CA CAGLIARI
NU NUORO
OR ORISTANO
SS SASSARI
SU SUD SARDEGNA

MAR IONIO

CALABRIA

CZ CATANZARO
CS COSENZA
KR CROTONE
RC REGGIO CALABRIA
VV VIBO VALENTIA

Isole Eolie

Stretto di Messina

SICILIA

AG AGRIGENTO
CL CALTANISSETTA
CT CATANIA
EN ENNA
ME MESSINA
PA PALERMO
RG RAGUSA
SR SIRACUSA
TP TRAPANI

Isola di Pantelleria

Isole Pelagie

124

A B C D E F G H I J K L M N O P Q R S T U V W X Y Z

A

Abano Terme PD 24 F 17
Abatemarco SA 76 G 28
Abatemarco (Fiume) CS 85 H 29
Abbadia SI 50 M 17
Abbadia VT 57 O 16
Abbadia Cerreto LO 21 G 10
Abbadia Lariana LC 9 E 10
Abbadia S. Salvatore SI 50 N 17
Abbalata (Monte) SS 109 D 9
Abbasanta OR 115 G 8
Abbasanta (Altopiano di) OR 115 G 8
Abbateggio PE 60 P 24
Abbatoggia (Punta) SS 109 D 10
Abbiadori SS 109 D 10
Abbiategrasso MI 20 F 8
Abetaia BO 39 J 14
Abeto FI 40 J 17
Abeto PG 52 N 21
Abetone PT 39 J 14
Abisso (Rocca del) CN 34 J 4
Abriola PZ 77 F 29
Abruzzese AQ 59 P 22
Abruzzo(Parco Nazionale d') AQ 64 Q 23
Abtei / Badia BZ 4 C 17
Acaia LE 81 F 36
Acate RG 104 P 25
Acate (Fiume) RG 104 P 25
Accadia FG 71 D 28
Acceglio CN 26 I 2
Accellica (Monte) AV 70 E 27
Accesa (Lago dell') GR 49 N 14
Accettori (Punta s') NU 119 I 10
Accettura MT 77 F 30
Accia (Portella dell') PA 98 M 22
Acciano AQ 60 P 23
Acciarella LT 63 R 20
Acciaroli SA 75 G 27
Acconia CZ 88 K 30
Accorradroxiu (Punta s') SU 118 I 7
Accumoli RI 52 N 21
Acerenza PZ 72 E 29
Acerenza (Lago di) PZ 72 E 29
Acerno SA 75 E 27
Acerno (Le Croci di) SA 70 E 27
Acero (Forca d') AQ 64 Q 23
Acerra NA 70 E 25
Aci Bonaccorsi CT 101 O 27
Aci Castello CT 101 O 27
Aci Catena CT 101 O 27
Aci S. Antonio CT 101 O 27
Aci Trezza CT 101 O 27
Acilia RM 62 Q 19
Acireale CT 101 O 27
Acone S. Eustachio FI 40 K 16
Acqua (Bagno dell') TP 96 Q 17
Acqua Resi SU 118 I 7
Acqua Tosta (Monte) RM 57 P 17
Acquabianca GE 28 I 7
Acquabona (Passo di) CZ 86 J 31
Acquacadda SU 118 J 8
Acquacalda ME 94 L 26
Acquacanina MC 52 M 21
Acquafondata FR 64 R 23
Acquaformosa CS 85 H 30
Acquafredda BS 22 G 13
Acquafredda SU 118 J 8
Acquafredda PZ 76 G 29
Acqualagna PS 46 L 20
Acqualoreto TR 51 N 19
Acqualunga BS 22 G 11
Acquanegra Cremonese CR 30 G 11
Acquanegra sul Chiese MN 30 G 13
Acquapendente VT 50 N 17
Acquappesa CS 85 I 29
Acquaria MO 39 J 14
Acquarica del Capo LE 83 H 36
Acquarica di Lecce LE 81 G 36
Acquaro VV 88 L 30
Acquasanta GE 36 I 8
Acquasanta Terme AP 52 N 22
Acquaseria CO 9 D 9
Acquasparta TR 51 N 19
Acquato (Lago) GR 56 O 16
Acquavella SA 75 G 27
Acquavena SA 76 G 28
Acquaviva RM 58 P 20
Acquaviva SI 50 M 17
Acquaviva Collecroce CB 65 Q 26
Acquaviva delle Fonti BA 73 E 32
Acquaviva d'Isernia IS 65 Q 24
Acquaviva Picena AP 53 N 23
Acquaviva Platini CL 99 O 23
Acquedolci ME 100 M 25
Acquerino (Rifugio) PO 39 J 15
Acquevive IS 65 R 25
Acqui Terme AL 28 H 7
Acri CS 85 I 31
Acuto FR 63 Q 21
Acuto (Monte) PG 51 M 18
Acuto (Monte) SS 111 E 9
Adalicu (Monte) NU 117 H 10
Adamello TN 11 D 13
Adamello (Monte) BS 10 D 13
Adami CZ 86 J 31
Adda SO 2 C 12
Addolorata (Santuario dell') IS 65 R 24
Adelfia BA 73 D 32
Adige BZ 3 C 14
Adige (Foce dell') RO 33 G 18
Adone (Monte) BO 40 I 15
Adrano CT 100 O 26
Adranone (Monte) AG 97 N 21
Adrara S. Rocco BG 22 E 11
Adret TO 26 G 3
Adria RO 33 G 18
Adro BS 22 F 11
Aeclanum AV 70 D 27
Afers / Eores BZ 4 B 17
Affi VR 23 F 14
Affile RM 63 Q 21
Affrica (Scoglio d') LI 54 O 12
Afing / Avigna BZ 3 C 16
Afragola NA 69 E 24
Africo RC 91 M 30
Agaggio Inferiore IM 35 K 5
Agarina VB 8 D 7
Agazzano PC 29 H 10
Agelli AP 52 N 22
Agello PG 51 M 18
Agerola NA 75 F 25
Aggius SS 109 E 9
Agira EN 100 O 25
Agliana PT 39 K 15
Agliano AT 28 H 6
Agliè TO 19 F 5
Aglientu SS 109 D 9
Aglio PC 29 H 10
Agna AR 44 K 17
Agna PD 24 G 17
Agnadello CR 21 F 10
Agnana Calabra RC 91 M 30
Agnano PI 42 K 13
Agnano NA 69 E 24
Agnara (Croce di) CS 87 J 32
Agnedo SO 10 D 11
Agnellezze (Monte) BL 12 D 18
Agnello (Colle dell') TO 26 H 2
Agner (Monte) BL 12 D 17
Agnino MS 38 J 12
Agno VI 24 F 16
Agno (Val d') VI 24 F 15
Agnone IS 65 Q 25
Agnone Bagni SR 105 P 27
Agnosine BS 22 F 13
Agogna NO 20 E 7
Agordo BL 12 D 18
Agordo (Canale di) BL 13 D 18
Agosta RM 59 Q 21
Agostini (Rifugio) TN 11 D 14
Agra VA 8 D 8
Agrano VB 8 E 7
Agrate Brianza MI 21 F 10
Agrate Conturbia NO 20 E 7
Agresto (Monte dell') PZ 77 F 30
Agri PZ 76 F 29
Agriano PG 52 N 21
Agrifoglio CS 86 J 31
Agrigento AG 102 P 22
Agropoli SA 75 F 26
Agrustos SS 113 E 11
Agudo (Monte) BL 5 C 19
Agugliano AN 47 L 22
Agugliaro VI 24 G 16
Aguzzo (Monte) RM 58 P 19
Ahrntal / Valle Aurina BZ 4 B 17
Ahrntal / Aurina (Valle) BZ 4 A 17
Aidomaggiore OR 115 G 8
Aidone EN 104 O 25
Aielli AQ 59 P 22
Aiello Calabro CS 86 J 30
Aiello del Friuli UD 17 E 22
Aiello del Sabato AV 70 E 26
Aieta CS 84 H 29
Aiguille de Triolet AO 6 E 3
Aiguilles de Bionnassay AO 6 E 2
Ailano CE 65 R 24
Aiona (Monte) GE 29 I 10
Aip (Creta di) / Trogkofel UD 14 C 21
Airasca TO 27 H 4
Airola BN 70 D 25
Airole IM 35 K 4
Airuno LC 21 E 10
Aisone CN 34 J 3
Akrai(Palazzolo Acreide) SR 104 P 26
Ala TN 23 E 14
Ala (Val di) TO 18 G 3
Alà dei Sardi SS 111 F 9
Ala di Stura TO 18 G 3
Alagna PV 20 G 8
Alagna Valsesia VC 7 E 5
Alanno PE 60 P 23
Alano di Piave BL 12 E 17
Alassio SV 35 J 6
Alatri FR 63 Q 22
Alba CN 27 H 6
Alba TN 4 C 17
Alba Adriatica TE 53 N 23
Alba Fucens AQ 59 P 22
Albagiara OR 115 H 8
Albairate MI 20 F 8
Albanella SA 75 F 27
Albaneto RI 59 O 21
Albani (Colli) RM 63 Q 20
Albano BG 22 E 11
Albano (Lago di) RM 62 Q 20
Albano (Monte) MO 38 J 13
Albano (Monte) PT 39 K 14
Albano di Lucania PZ 77 F 30
Albano Laziale RM 62 Q 19
Albano Vercellese VC 20 F 7
Albaredo TN 11 E 15
Albaredo Arnaboldi PV 29 G 9
Albaredo TV 24 F 18
Albaredo d'Adige VR 23 G 15
Albaredo per S. Marco SO 9 D 10
Albarella (Isola) RO 33 G 19
Albareto MO 31 H 14
Albareto PR 37 I 11
Albaretto della Torre CN 27 I 6
Albaro VR 23 F 15
Albate CO 21 E 9
Albavilla CO 21 E 9
Albe AQ 59 P 22
Albegna GR 50 N 16
Albeins / Albes BZ 4 B 16
Alben (Monte) BG 10 E 11
Albenga SV 35 J 6
Albera Ligure AL 29 H 9
Alberese GR 55 N 15
Alberghi PT 39 K 14
Albergian (Monte) TO 26 G 2
Alberi PR 30 H 12
Alberino BO 32 I 16
Albero Sole (Monte) AG 102 U 19
Alberobello BA 80 E 33
Alberona FG 66 C 27
Alberone PV 29 G 10
Alberone vicino a Cento FE 32 H 15
Alberone vicino a Guarda FE 32 H 17
Alberoni VE 25 F 18
Alberoro AR 44 L 17
Albes / Albeins BZ 4 B 16
Albettone VI 24 F 16
Albi CZ 87 J 31
Albiano AR 45 L 18
Albiano TN 11 D 15
Albiano d'Ivrea TO 19 F 5
Albidona CS 85 H 31
Albignano MI 21 F 10
Albignasego PD 24 F 17
Albinea RE 31 I 13
Albinia GR 55 O 15
Albino BG 22 E 11
Albiolo CO 20 E 8
Albisola Superiore SV 36 I 7
Albissola Marina SV 36 J 7
Albizzate VA 20 E 8
Albo (Monte) NU 113 F 10
Albonese PV 20 G 8
Albonico CO 9 D 10
Albosaggia SO 10 D 11
Albucciu SS 109 D 10
Albugnano AT 27 G 5
Alburni (Monti) SA 76 F 27
Alburno (Monte) SA 76 F 27
Albuzzano PV 21 G 9
Alcamo TP 97 N 20
Alcamo Marina TP 97 M 20
Alcantara CT 100 N 26
Alcantara (Gole dell') CT 101 N 27
Alcara li Fusi ME 100 M 26
Aldein / Aldino BZ 12 C 16
Aldeno TN 11 E 15
Aldino / Aldein BZ 12 C 16
Alento SA 75 G 27
Alento CH 60 O 24
Ales OR 115 H 8
Alessandria AL 28 H 7
Alessandria del Carretto CS 85 H 31
Alessandria della Rocca AG 98 O 22
Alessano LE 83 H 36
Alesso UD 14 D 21
Alezio LE 83 G 36
Alfano SA 76 G 28
Alfedena AQ 64 Q 24
Alfero FO 41 K 18
Alfianello BS 22 G 12
Alfiano Natta AL 27 G 6
Alfonsine RA 33 I 18
Alga (Punta d') TP 96 N 19
Alghero SS 110 F 6
Alghero (Rada d') SS 110 F 6
Algone (Val d') TN 11 D 14
Algua BG 21 E 11
Algund / Lagundo BZ 3 B 15
Alì ME 90 M 28
Alì Terme ME 90 M 28
Alia PA 99 N 23
Alianello MT 77 G 30
Aliano MT 77 G 30
Alice Bel Colle AL 28 H 7
Alice Castello VC 19 F 6
Alice (Punta) KR 87 I 33
Alicudi (Isola) ME 93 L 25
Alicudi Porto ME 93 L 25
Alife CE 65 S 24
Aliga (Punta s') SU 118 J 7
Alimena PA 99 N 24
Alimini Grande LE 83 G 37
Alimini Piccolo LE 83 G 37
Aliminusa PA 99 N 23
Allai OR 115 H 8
Allaro RC 88 L 31
Alleghe BL 12 C 18
Allein AO 6 E 3
Allerona TR 50 N 17
Alli CZ 87 J 31
Allievi SO 9 D 10
Allione BS 10 D 12
Alliste LE 83 H 36
Alliz (Punta d') BZ 2 B 14
Allocchi (Galleria degli) FI 40 J 16
Allone PG 51 N 19
Allumiere RM 57 P 17
Almenno S. Salvatore BG 21 E 10
Almese TO 18 G 4
Alonte VI 24 F 16
Alpago BL 13 D 19
Alpe GE 29 I 9
Alpe d'Arguel TO 26 G 2
Alpe Campiascio SO 10 D 12
Alpe Cermis TN 12 D 16
Alpe Colombino TO 26 G 3
Alpe Devero VB 8 D 6
Alpe di Mera VC 19 E 6
Alpe di S. Antonio LU 38 J 13
Alpe Gera (Lago di) SO 10 D 11
Alpe Tre Potenze PT 39 J 13
Alpe Veglia VB 7 D 6
Alpette TO 19 F 4
Alpi Apuane (Parco Naturale) MS 38 J 12
Alpi (Monte) PZ 77 G 29
Alpi Orobie SO 10 D 11
Alpiaz BS 22 E 12
Alpicella SV 36 I 7
Alpignano TO 27 G 4
Alpino VB 8 E 7
Alpo VR 23 F 14
Alseno PC 30 H 11
Alserio (Lago di) CO 21 E 9
Alta S. Egidio AR 50 M 18
Altacroce (Monte) / Hochkreuz Spitze BZ 3 B 15
Altamura BA 73 E 31
Altamura (Pulo di) BA 73 E 31
Altana Nuoro e Sassari SS 112 F 10
Altana SS 111 E 8
Altano (Capo) SU 118 J 7
Altare SV 36 I 7
Altare (Monte) CS 85 I 31
Altavilla Irpina AV 70 D 26
Altavilla Milicia PA 98 M 22
Altavilla Silentina SA 75 F 27
Altavilla Vicentina VI 24 F 16
Altedo BO 32 I 16
Altenburg / Castelvecchio BZ 11 C 15
Altesina (Monte) EN 99 N 24
Alti (Poggi) GR 50 N 16
Altidona AP 53 M 23
Altilia KR 87 J 32
Altilia CS 86 J 30
Altilia Saepinum CB 65 R 25
Altino CH 60 P 24
Altino VE 25 F 19
Altipiani di Arcinazzo FR 63 Q 21
Altissimo VI 23 E 14
Altissimo (Località) VI 23 F 15
Altivole TV 24 E 17
Alto CN 35 J 5
Alto (Giogo) / Hochjoch BZ 3 B 14
Alto (Monte) AQ 64 Q 22
Alto (Monte) GR 49 M 15
Alto (Monte) MS 38 J 12
Altofonte PA 97 M 21
Altolia ME 90 M 28
Altomonte CS 85 H 30
Altopascio LU 39 K 14
Altrei / Anterivo BZ 12 D 16
Altrocanto TR 58 O 19
Alvano (Pizzo d') AV 70 E 25
Alvaro (Monte) SS 110 E 6
Alviano TR 58 O 18
Alviano (Lago di) TR 57 O 18
Alvignano CE 69 D 25
Alvisopoli VE 16 E 20
Alvito FR 64 Q 23
Alzano Lombardo BG 21 E 11
Alzate Brianza CO 21 E 9
Amalfi SA 75 F 25
Amandola AP 52 N 22
Amantea CS 86 J 30
Amariana (Monte) UD 14 C 21
Amaro UD 14 C 21
Amaro (Monte) AQ 60 P 24
Amaroni CZ 88 K 31
Amaseno FR 63 R 22
Amaseno (Fiume) LT 63 R 21
Amato CZ 88 K 31
Amato RC 88 L 29
Amatrice RI 59 O 21
Ambin (Rocca d') TO 18 G 2
Ambra AR 44 L 16
Ambria BG 21 E 11
Ambria SO 10 D 11
Ambrogio FE 32 H 17
Ameglia SP 38 J 11
Amelia TR 58 O 19
Amendola FG 67 C 29
Amendolara CS 85 H 31
Amendolea RC 90 N 29
Amendolea (Fiumara di) RC 90 M 29
Ameno NO 20 E 7
Amiata (Monte) GR 50 N 16
Amica CS 87 I 32
Amiternum AQ 59 O 21
Amorosi BN 70 D 25
Ampezzo UD 13 C 20
Ampezzo (Valle d') BL 4 C 18
Ampollino (Lago) KR 87 J 31
Anacapri NA 74 F 24
Anagni FR 63 Q 21
Anapo CT 104 P 26
Ancaiano PG 58 O 20
Ancaiano SI 49 M 15
Ancarano TE 53 N 23
Anchione PT 39 K 14
Ancinale CZ 88 K 31
Anciolina AR 44 L 17
Ancipa (Lago) EN 100 N 25
Ancona AN 47 L 22
Andagna IM 35 K 5
Andali CZ 87 J 32
Andalo TN 11 D 15
Andezeno TO 27 G 5
Andolla (Pizzo d') VB 7 D 6
Andolla (Rifugio) VB 7 D 6
Andonno CN 34 J 4
Andora SV 35 K 6
Andorno Micca BI 19 F 6
Andrano LE 83 H 37
Andrate TO 19 F 5
Andraz BL 4 C 17
Andrazza UD 13 C 19
Andreis PN 13 D 19
Andretta AV 71 E 27
Andria BA 72 D 30
Andriace MT 78 G 32
Andriano / Andrian BZ 3 C 15
Anduins PN 14 D 20
Anela SS 111 F 9
Anela (Masseria d') TA 78 F 32
Anfo BS 22 E 13
Angeli AN 47 L 22
Angeli di Mergo AN 46 L 21
Angeli (Golfo degli) CA 119 J 9
Angera VA 20 E 7
Anghebeni TN 23 E 15
Anghelu Ruiu (Necropoli) SS 110 F 6
Anghiari AR 45 L 18
Angiari VR 23 G 15
Angiolino (Cima dell') TO 19 F 4
Angitola (Lago dell') VV 88 K 30
Anguilli (Monte) TA 73 E 33
Anglona SS 111 E 8
Angoli CZ 88 K 31
Angolo Terme BS 10 E 12
Angri SA 75 E 25
Anguillara Sabazia RM 58 P 18
Anguillara Veneta PD 32 G 17
Aniene FR 63 Q 21
Anime (Cima delle) / Hintere Seelenkogl BZ 3 B 15
Anita FE 33 I 18
Anitrella FR 64 R 22
Annicco CR 22 G 11
Annifo PG 52 M 20
Annone (Lago di) LC 21 E 10
Annone Veneto VE 16 E 20
Annunziata SU 119 J 10
Annunziata Lunga (Passo) CE 64 R 24
Anoia RC 88 L 30
Ansedonia Cosa GR 56 O 15
Ansiei BL 4 C 18
Ansina AR 45 L 18
Antagnod AO 7 E 5
Antas (Tempio di) SU 118 I 7
Antegnate BG 22 F 11
Antelao BL 4 C 18
Antenna (Monte) RC 91 M 29
Antennamare ME 90 M 28
Anterivo / Altrei BZ 12 D 16
Antermoia / Untermoi BZ 4 B 17
Anterselva (Lago d') BZ 4 B 18
Anterselva (Valle di) BZ 4 B 18
Anterselva di Mezzo / Antholz Mittertal BZ 4 B 18
Anterselva di Sopra / Antholz Obertal BZ 4 B 18
Antey-St. André AO 19 E 4
Antholz Mittertal / Anterselva di Mezzo BZ 4 B 18
Antholz Obertal / Anterselva di Sopra BZ 4 B 18
Anticoli Corrado RM 59 P 20
Antignano AT 27 H 6
Antignano LI 42 L 12
Antigorio (Val) VB 8 D 6
Antillo ME 101 N 27
Antola (Monte) GE 29 I 9
Antola (Monte) / Steinkarspitz BL 5 C 20
Antona MS 38 J 12
Antonelli BA 80 E 33
Antonimina RC 91 M 30
Antrodoco RI 59 O 21
Antrona (Lago di) VB 7 D 6
Antrona (Val di) VB 7 D 6
Antronapiana VB 7 D 6
Antrosano AQ 59 P 22
Anversa degli Abruzzi AQ 60 Q 23
Anza VB 8 E 6
Anzano del Parco CO 21 E 9
Anzano di Puglia FG 71 D 27
Anzasca (Valle) VB 7 E 5
Anzi PZ 77 F 29
Anzino VB 7 E 6
Anzio RM 62 R 19
Anzola PR 29 I 10
Anzola dell'Emilia BO 31 I 15
Anzola d'Ossola VB 8 E 7
Anzone del Parco CO 21 E 9
Anzù BL 12 D 17
Anzu (Punta su) NU 113 F 11
Aosta / Aoste AO 18 E 3
Aosta (Rifugio) AO 7 E 4
Aosta (Valle d') AO 18 E 3
Apani (Masseria) BR 80 E 35

Apecchio PS 45 L 19
Apice BN 70 D 26
Apiro MC 46 L 21
Apollo (Secca) PA 92 K 21
Apollosa BN 70 D 26
Appalto AR 50 M 17
Appenna (Monte) TO 26 H 2
Appenninia AQ 64 Q 23
Appennino (Gall. d') BO 39 J 15
Appiano Gentile CO 21 E 8
Appiano s. str. d. vino / Eppan BZ 3 C 15
Appignano MC 47 L 22
Appignano di Tronto AP 53 N 22
Aprica SO 10 D 12
Aprica (Passo dell') SO 10 D 12
Apricale IM 35 K 4
Apricena FG 66 B 28
Apricena (Stazione di) FG 66 B 28
Aprigliano CS 86 J 31
Aprilia LT 62 R 19
Aprilia Marittima UD 16 E 21
Aquara SA 76 F 27
Aquila di Arroscia IM 35 J 6
Aquila (Rocca d') EN 100 O 25
Aquilano CH 60 O 25
Aquileia UD 17 E 22
Aquilinia TS 17 F 23
Aquilonia AV 71 E 28
Aquino FR 64 R 23
Aquino PA 97 M 21
Arabba BL 4 C 17
Aradeo LE 83 G 36
Aragona AG 103 O 22
Arai SU 119 I 9
Aralalta (Monte) BG 9 E 10
Arancio (Lago) AG 97 O 21
Aranova RM 62 Q 18
Arasi RC 90 M 29
Aratena SS 113 E 10
Aratu NU 115 G 9
Araxisi NU 115 H 8
Arba PN 13 D 20
Arbatax NU 117 H 11
Arbia SI 44 L 16
Arbola (Bocchetta d') VB 8 C 6
Arbola (Punta d') VB 8 C 6
Arborea OR 114 H 7
Arborea (Località) OR 114 H 7
Arborea Lido OR 114 H 7
Arborio VC 20 F 7
Arbu (Monte) CA 119 J 10
Arbu (Monte) NU 115 G 10
Arburese SU 118 I 7
Arbus SU 118 I 7
Arbus (Monte) SU 120 K 7
Arcade TV 25 E 18
Arcavacata CS 86 I 30
Arce FR 64 R 22
Arcene BG 21 F 10
Arceto RE 31 I 14
Arcetri FI 43 K 15
Arcevia AN 46 L 20
Archi CH 60 P 25
Archi RC 90 M 28
Archittu (S') OR 114 G 7
Arci (Monte) OR 115 H 8
Arcidosso GR 50 N 16
Arcille GR 49 N 15
Arcinazzo Romano RM 63 Q 21
Arcisate VA 8 E 8
Arco TN 11 E 14
Arcola SP 38 J 11
Arcola PN 13 D 19
Arcole VR 23 F 15
Arcore MI 21 F 9
Arcosu (Monte) SU 118 J 8
Arcu (S') NU 115 H 9
Arcu Correboi NU 116 G 10
Arcu de Sarrala de Susu NU 119 H 10
Arcu de Tascussi (S') NU 115 G 9
Arcu 'e Tidu (Valico) CA 119 J 10
Arcu Genna Bogai SU 118 I 7
Arcu Guddetorgiu NU 115 G 9
Arcu sa Ruinedda CA 119 J 10
Arcu sa Tella SU 118 I 7
Arcuentu (Monte) SU 118 I 7
Arcueri (Valico) NU 116 H 10
Arcugnano VI 24 F 16
Arcumeggia VA 8 E 8
Arda PC 30 H 11
Ardali NU 117 G 10
Ardara SS 111 F 8
Ardauli OR 115 G 8
Ardea RM 62 R 19
Ardenno SO 9 D 10
Ardenza LI 42 L 12
Ardesio BG 10 E 11
Ardivestra PV 29 H 9
Ardore RC 91 M 30
Ardore Marina RC 91 M 30
Area Sacra IS 65 Q 25
Aremogna AQ 64 Q 24
Arena VV 88 L 30
Arena Po PV 29 G 10
Arenabianca SA 76 G 29
Arenella SR 105 Q 27
Arenzano GE 36 I 8
Arera (Pizzo) BG 10 E 11
Arese MI 21 F 9
Arezzo AR 45 L 17
Argatone (Monte) AQ 64 Q 23
Argegno CO 9 E 9
Argelato BO 32 I 16
Argenta FE 32 I 17
Argentario (Promontorio d') GR 55 O 15
Argentera CN 34 I 2
Argentera TO 19 G 5
Argentera (Cima di) CN 34 J 3
Argentiera SS 110 E 6
Argentiera (Capo dell') SS 110 E 6
Argentina IM 35 K 5
Argentina (Val) IM 35 K 5
Arginemele (Cozzo) EN 100 O 25
Argiolas (Genn') SU 119 I 10
Argusto CZ 88 K 31
Ari CH 60 P 24
Ariamacina (Lago di) CS 86 J 31
Ariano (Isola d') RO 33 H 18
Ariano Ferrarese FE 33 H 18
Ariano Irpino AV 70 D 27
Ariano nel Polesine RO 33 H 18
Ariccia RM 62 Q 20
Arielli CH 60 P 24
Arienzo CE 70 D 25
Arietta CZ 87 J 32
Arigna SO 10 D 11
Arina BL 12 D 17
Aringo AQ 59 O 21
Arischia AQ 59 O 22
Aritzo NU 115 H 9
Arixi SU 119 I 9
Arlena di Castro VT 57 O 17
Arli AP 52 N 22
Arluno MI 20 F 8
Arma di Taggia IM 35 K 5
Armeno NO 20 E 7
Armentarola BZ 4 C 17
Armento PZ 77 G 30
Armenzano PG 51 M 20
Armio VA 8 D 8
Armo IM 35 J 5
Armo RC 90 M 29
Armungia SU 119 I 10
Arnaccio PI 42 L 13
Arnara FR 63 R 22
Arnas (Punta d') TO 18 G 3
Arnasco SV 35 J 6
Arnesano LE 81 F 36
Arni LU 38 J 12
Arno FI 43 K 15
Arno (Fosso d') PI 42 L 13
Arno (Lago d') BS 10 D 13
Arnoga SO 2 C 12
Arola VB 20 E 7
Arolo VA 8 E 7
Arona NO 20 E 7
Arosio CO 21 E 9
Arpa (Punta dell') PA 92 K 21
Arpaia BN 70 D 25
Arpaise BN 70 D 26
Arpino FR 64 R 22
Arpinova FG 67 C 28
Arquà Petrarca PD 24 G 17
Arquà Polesine RO 32 G 17
Arquata del Tronto AP 52 N 21
Arquata Scrivia AL 28 H 8
Arramene (Genna) NU 117 G 10
Arre PD 24 G 17
Arro BI 19 F 6
Arrobbio AT 28 H 7
Arrone RM 62 Q 18
Arrone TR 58 O 20
Arrone VT 57 O 17
Arrone (Forca dell') TR 58 O 20
Arroscia IM 35 J 5
Arrubiu SU 119 H 9
Arsago Seprio VA 20 E 8
Arsego PD 24 F 17
Arsié BL 12 E 17
Arsiero VI 24 E 16
Arsita TE 60 O 23
Arsoli RM 59 P 21
Arta Terme UD 5 C 21
Artegna UD 14 D 21
Artemisio (Monti) RM 63 Q 20
Arten BL 12 D 17
Artena RM 63 Q 20
Artesina CN 35 J 5
Artogne BS 22 E 12
Arutas (Punta is) OR 114 H 7
Arvenis (Monte) UD 5 C 20
Arvier AO 18 E 3
Arvo CS 87 J 31
Arvo (Lago) CS 86 J 31
Arzachena SS 109 D 10
Arzachena (Golfo di) SS 109 D 10
Arzago d'Adda BG 21 F 10
Arzana NU 117 H 10
Arzano NA 69 E 24
Arzelato MS 38 I 11
Arzene PN 16 E 20
Arzercavalli PD 24 G 17
Arzergrande PD 24 G 18
Arzignano VI 24 F 15
Arzino UD 14 C 20
Ascea SA 76 G 27
Ascensione (Monte dell') AP 53 N 22
Aschbach / Rio di Lagundo BZ 3 C 15
Aschi Alto AQ 60 Q 23
Aschio MC 52 N 21
Asciano PI 42 K 13
Asciano SI 50 M 16
Ascione (Colle d') CS 86 J 31
Ascolese SA 76 F 28
Ascoli Piceno AP 53 N 22
Ascoli Satriano FG 71 D 28
Ascrea RI 59 P 20
Aselogna VR 31 G 15
Aserei (Monte) PC 29 H 10
Asiago VI 12 E 16
Asigliano Veneto VI 24 G 16
Asigliano Vercellese VC 20 G 7
Asinara (Golfo dell') SS 108 D 7
Asinara (Isola) SS 108 D 6
Asinaro SR 105 Q 27
Asinelli (Isola) TP 96 M 19
Asino (Punta dell') SS 113 E 11
Aso AP 53 M 22
Aso (Fiume) AP 52 N 22
Asola MN 22 G 13
Asolo TV 24 E 17
Aspra PA 98 M 22
Aspra (Monte) PG 58 O 20
Aspromonte RC 90 M 29
Assa VI 12 E 16
Assemini CA 118 J 8
Assenza di Brenzone VR 23 E 14
Assergi AQ 59 O 22
Assieni TP 97 M 20
Assietta (Colle dell') TO 26 G 2
Assino PG 45 L 19
Assisi PG 51 M 19
Asso CO 9 E 9
Asso SI 50 M 16
Asso (Castel d') VT 57 O 18
Assolo OR 115 H 8
Assoro EN 100 O 25
Asta RE 38 J 13
Asta (Cima d') TN 12 D 16
Asta (Giogo d') BZ 4 B 17
Astfeld / Campolasta BZ 3 C 16
Asti AT 27 H 6
Astico VI 24 E 16
Astico (Val d') VI 12 E 15
Astrone SI 50 N 17
Astura LT 63 R 20
Asuai NU 115 G 9
Asuni OR 115 H 8
Ateleta AQ 65 Q 24
Atella PZ 71 E 28
Atella (Fiumara d') PZ 71 E 28
Atena Lucana SA 76 F 28
Aterno AQ 59 O 21
Atessa CH 61 P 25
Atina FR 64 R 23
Ato (Punta d') RC 90 M 29
Atrani SA 75 F 25
Atri TE 60 O 23
Atripalda AV 70 E 26
Attigliano TR 58 O 18
Attilia CS 86 J 30
Attimis UD 15 D 21
Atzara NU 115 H 9
Auditore PS 41 K 19
Auer / Ora BZ 12 C 15
Augusta SR 105 P 27
Augusta (Golfo di) SR 105 P 27
Augusta (Porto di) SR 105 P 27
Aulella MS 38 J 12
Auletta SA 76 F 28
Aulla MS 38 J 11
Aune BL 12 D 17
Aupa UD 14 C 21
Aurano VB 8 E 7
Aurelia RM 57 P 17
Aurina (Valle) / Ahrntal BZ 4 A 17
Aurine (Forcella) BL 12 D 17
Aurino BZ 4 B 17
Aurisina TS 17 E 23
Auronzo (Rifugio) BL 4 C 18
Auronzo di Cadore BL 5 C 19
Aurunci (Monti) FR 64 R 22
Ausa SMR 41 K 19
Ausoni (Monti) FR 63 R 21
Ausonia FR 64 R 23
Aussa-Corno UD 17 E 21
Ausser Sulden / Solda di Fuori BZ 2 C 13
Austis NU 115 G 9
Autaret (Col de l') TO 18 G 3
Autore (Monte) RM 63 Q 21
Avacelli AN 46 L 20
Avegno GE 37 I 9
Avelengo / Hafling BZ 3 C 15
Avella AV 70 E 25
Avella (Monti d') BN 70 E 26
Avellino AV 70 E 26
Avena CS 84 H 29
Avenale MC 46 L 21
Aventino CH 60 P 24
Avenza MS 38 J 12
Averau (Monte) BL 4 C 18
Averno (Lago d') NA 69 E 24
Aversa CE 69 E 24
Aveto GE 29 I 9
Avetrana TA 79 F 35
Avezzano AQ 59 P 22
Aviano PN 13 D 19
Aviatico BG 22 E 11
Avic (Monte) AO 19 E 4
Avigliana TO 26 G 4
Avigliano PZ 71 E 29
Avigliano Umbro TR 58 O 19
Avigna / Afing BZ 3 C 16
Avio TN 23 E 14
Avise AO 18 E 3
Avisio TN 12 C 16
Avola SR 105 Q 27
Avolasca AL 28 H 8
Avosso GE 29 I 9
Ayas AO 7 E 5
Ayas (Valle d') AO 7 E 5
Aymavilles AO 18 E 3
Azeglio TO 19 F 5
Azzago VR 23 F 15
Azzanello CR 22 G 11
Azzanello PN 16 E 19
Azzano PC 29 H 10
Azzano d'Asti AT 28 H 6
Azzano Decimo PN 13 E 20
Azzano Mella BS 22 F 12
Azzate VA 20 E 8
Azzone BG 10 E 12
Azzurra (Grotta) (Anacapri) NA 74 F 24
Azzurra (Grotta) (Palinuro) SA 84 G 27

B

Bacchereto PO 39 K 14
Bacchiglione PD 24 G 17
Bacchiglione VI 24 F 16
Baccinello GR 50 N 16
Bacedasco PC 30 H 11
Bacedasco (Terme di) PC 30 H 11
Baceno VB 8 D 6
Bacoli NA 69 E 24
Bacu Abis SU 118 J 7
Bacucco RO 33 H 19
Bacugno RI 59 O 21
Bad Bergfall / Bagni di Pervalle BZ 4 B 18
Bad Froi / Bagni Froi BZ 4 C 16
Bad Moos / Bagni di San Giuseppe BZ 4 B 19
Bad Rahmwald / Bagni di Selva BZ 4 B 17
Bad Salomonsbrunn / Bagni di Salomone BZ 4 B 18
Bad Salt / Bagni di Salto BZ 3 C 14
Badagnano PC 30 H 11
Badalucco IM 35 K 5
Badde Salighes NU 115 F 8
Badesi SS 108 E 8
Badesi Mare SS 108 E 8
Badesse SI 43 L 15
Badi BO 39 J 15
Badia BO 39 I 15
Badia PG 51 M 19
Badia / Abtei BZ 4 C 17
Badia (Val) / Gadertal BZ 4 B 17
Badia a Ruoti AR 44 L 16
Badia a Settimo FI 43 K 15
Badia a Taona PT 39 J 14
Badia Agnano AR 44 L 16
Badia al Pino AR 44 L 17
Badia Ardenga SI 50 M 16
Badia Calavena VR 23 F 15
Badia Coltibuono SI 44 L 16
Badia di Susinana FI 40 J 16
Badia Morronese AQ 60 P 23
Badia Pavese PV 29 G 10
Badia Polesine RO 32 G 16
Badia Prataglia AR 45 K 17
Badia Tedalda AR 45 K 18
Badoere TV 25 F 18
Badolato CZ 89 L 31
Badolato Marina CZ 89 L 31
Badolo BO 39 I 15
Badu Abzolas SS 111 E 9
Badu Crabolu SS 114 F 7
Baffadi RA 40 J 16
Baffe (Punta) GE 37 J 10
Bafia ME 101 M 27
Bagaladi RC 90 M 29
Baganza PR 30 I 12
Baggio PT 39 K 14
Baggiovara MO 31 I 14
Bagheria PA 98 M 22
Baglio Messina TP 97 M 20
Baglionuovo TP 97 N 20
Bagna (Punta) TO 18 G 2
Bagnacavallo RA 40 I 17
Bagnaia LI 48 N 13
Bagnaia SI 50 M 15
Bagnaia VT 57 O 18
Bagnara PG 52 M 20
Bagnara Calabra RC 90 M 29
Bagnara di Romagna RA 40 I 17
Bagnaria PV 29 H 9
Bagnaria Arsa UD 17 E 21
Bagnarola BO 32 I 16
Bagnarola PN 16 E 20
Bagnasco CN 35 J 6
Bagnatica BG 22 F 11
Bagni AL 28 I 7
Bagni Contursi SA 76 E 27
Bagni del Masino SO 9 D 10
Bagni di Bormio SO 2 C 13
Bagni di Craveggia VB 8 D 7
Bagni di Lavina Bianca / Weisslahnbad BZ 3 C 16
Bagni di Lucca LU 39 J 13
Bagni di Lusnizza UD 15 C 22
Bagni di Nocera PG 52 M 20
Bagni di Pervalle / Bad Bergfall BZ 4 B 18
Bagni di Petriolo SI 50 M 15
Bagni di Rabbi TN 11 C 14
Bagni di Repole KR 87 J 32
Bagni di Salomone / Bad Salomonsbrunn BZ 4 B 18
Bagni di Salto / Bad Salt BZ 3 C 14
Bagni di San Giuseppe / Bad Moos BZ 4 B 19
Bagni di S. Martino SS 111 E 8
Bagni di Selva / Bad Rahmwald BZ 4 B 17
Bagni di Stigliano RM 57 P 18
Bagni di Tivoli RM 63 Q 20
Bagni di Vicarello RM 57 P 18
Bagni di Vinadio CN 34 J 3
Bagni di Viterbo VT 57 O 18
Bagni Froi / Bad Froi BZ 4 C 16
Bagni Minerali RC 91 M 30
Bagni di S. Cataldo PZ 71 E 28
Bagni S. Filippo SI 50 N 17
Bagno FG 67 B 29
Bagno a Ripoli FI 44 K 15
Bagno di Romagna FO 40 K 17
Bagno Grande AQ 59 P 22
Bagno Vignoni SI 50 M 16
Bagnola MC 47 L 22
Bagnoli del Trigno IS 65 Q 25
Bagnoli di Sopra PD 24 G 17
Bagnoli Irpino AV 70 E 27
Bagnolo vicino a Roccastrada GR 49 M 15
Bagnolo vicino a Sta Fiora GR 50 N 16
Bagnolo (Monte) TA 79 F 34
Bagnolo VR 23 G 14
Bagnolo VI 24 F 16
Bagnolo Cremasco CR 21 F 10
Bagnolo del Salento LE 83 G 37
Bagnolo di Po RO 32 G 16
Bagnolo in Piano RE 31 H 14
Bagnolo Mella BS 22 F 12
Bagnolo Piemonte CN 26 H 3
Bagnolo S. Vito MN 31 G 14
Bagnone MS 38 J 11
Bagnore GR 50 N 16
Bagnoregio VT 57 O 18
Bagnu (Lu) SS 111 E 8
Bagolino BS 22 E 13
Baia CE 65 S 24
Baia NA 69 E 24
Baia delle Zagare FG 67 B 30
Baia Domizia CE 69 D 23
Baia Sardinia SS 109 D 10
Baia Verde LE 83 G 36
Baiano AV 70 E 25
Baiardo IM 35 K 5
Baigno BO 39 J 15
Baion (Rifugio) BL 5 C 19
Baiso RE 31 I 13
Baitone (Monte) BS 10 D 13
Balangero TO 19 G 4
Balata di Baida TP 97 M 20
Balata di Modica RG 104 Q 26
Balate (Masseria) PA 99 N 23
Balatelle (Monte) PA 98 N 22
Balbano LU 38 K 13
Balconevisi PI 43 L 14
Baldichieri d'Asti AT 27 H 6
Baldissero d'Alba CN 27 H 5
Baldissero Torinese TO 27 G 5
Baldo (Monte) VR 23 E 14
Baldu SS 109 D 9
Balestrate PA 97 M 21
Balestrino SV 35 J 6
Balisio (Colle di) LC 9 E 10
Balistreri (Punta) SS 111 E 9
Ballabio Inferiore LC 9 E 10
Ballao SU 119 I 10
Ballata TP 97 N 20
Ballino TN 11 E 14
Ballone (Poggio) GR 49 N 14
Balme TO 18 G 3
Balmuccia VC 7 E 6
Balocco VC 20 F 6
Balossa Bigli PV 28 G 8
Balsente (Masseria) BA 73 E 33
Balsignano BA 73 D 32
Balsorano AQ 64 Q 22
Balsorano Vecchio AQ 64 Q 22
Balvano PZ 76 F 28
Balze (Località) FO 45 K 18
Balze (Voltera) PI 43 L 14
Balzola AL 20 G 7
Banari SS 111 F 8
Bancali SS 110 E 7
Banchetta (Monte) TO 26 H 2
Bandiera (Punta) ME 94 L 27
Bandita AL 28 I 7
Bando FE 32 I 17
Banna TO 19 G 5
Bannia PN 13 E 20
Bannio VB 7 E 6
Bantine SS 111 F 9
Banzi PZ 72 E 30
Baone PD 24 G 17
Bar TO 18 G 2
Baracchella CS 86 J 31
Baraccone CE 64 R 24
Baradili OR 118 H 8
Baragazza BO 39 J 15
Baragiano PZ 76 E 28
Baranci (Croda dei) BZ 4 B 18
Baranello CB 65 R 25
Barano d'Ischia NA 74 E 23
Baratili S. Pietro OR 114 H 7
Baratti LI 48 N 13
Baratti (Golfo di) LI 48 M 13
Baratz (Lago) SS 110 E 6
Barbagia Belvi SU 115 H 9
Barbagia Ollolai NU 115 G 9
Barbagia Seulo SU 115 H 9
Barbania TO 19 G 4
Barbara AN 46 L 21
Barbarano Romano VT 57 P 18
Barbarano Vicentino VI 24 F 16
Barbaresco CN 27 H 6
Barbariga BS 22 F 12

126

A B C D E F G H I J K L M N O P Q R S T U V W X Y Z

Barbarossa (Punta) **SS** 108 E 6
Barbasso **MN** 31 G 14
Barbeano **PN** 14 D 20
Barbellino (Lago del) **BG** 10 D 12
Barberino di Mugello **FI** 39 J 15
Barberino Val d'Elsa **FI** 43 L 15
Barbi (Capo) **RC** 88 L 29
Barbianello **PV** 29 G 9
Barbiano **RA** 40 I 17
Barbona **PD** 32 G 17
Barbusi **SU** 118 J 7
Barbustel **AO** 19 E 4
Barcellona Pozzo di Gotto **ME** 101 M 27
Barchi **PS** 46 K 20
Barcis **PN** 13 D 19
Barcis (Lago di) **PN** 13 D 19
Barco **RE** 30 H 13
Barco **TN** 12 D 15
Barcola **TS** 17 E 23
Barcon **TV** 24 E 18
Bard **AO** 19 F 5
Bardi **PR** 29 I 11
Bardineto **SV** 35 J 6
Bardolino **VR** 23 F 14
Bardonecchia **TO** 26 G 2
Bareggio **MI** 21 F 8
Barengo **NO** 20 F 7
Baressa **OR** 118 H 8
Barete **AQ** 59 O 21
Barga **LU** 38 J 13
Bargagli **GE** 37 I 9
Barge **CN** 26 H 3
Bargecchia **LU** 38 K 12
Barghe **BS** 22 E 13
Bargi **BO** 39 J 15
Bargino **FI** 43 L 15
Bargnano **BS** 22 F 12
Bargone **GE** 37 J 10
Bari **BA** 73 D 32
Bari Sardo **NU** 117 H 10
Bariano **BG** 21 F 11
Baricella **BO** 32 I 16
Barigazzo **MO** 39 J 13
Barigazzo (Monte) **PR** 30 I 11
Barile **PZ** 71 E 29
Barisciano **AQ** 59 P 22
Barisciano (Lago di) **AQ** 59 O 22
Barletta **BA** 72 D 30
Barni **CO** 9 E 9
Barolo **CN** 27 I 5
Barone (Monte) **BI** 19 E 6
Baroni (Rifugio) **BG** 10 D 11
Baronia **NU** 117 F 11
Baronia (Monte) **TP** 97 N 20
Baronissi **SA** 75 E 26
Barrabisa **SS** 109 D 9
Barrafranca **EN** 103 O 24
Barrali **SU** 119 I 9
Barrea **AQ** 64 Q 23
Barrea (Lago di) **AQ** 64 Q 23
Barricata **TN** 12 E 16
Barriera Noce (Bivio) **CL** 99 O 24
Barumini **SU** 118 H 9
Barzago **LC** 21 E 9
Barzana (Forcella di Palla) **PN** 13 D 19
Barzaniga **CR** 22 G 11
Barzanò **LC** 21 E 9
Barzio **LC** 9 E 10
Basagliapenta **UD** 16 E 21
Basaldella **PN** 13 D 20
Basaldella **UD** 15 D 21
Basalghelle **TV** 16 E 19
Basaluzzo **AL** 28 H 8
Bascape **PV** 21 G 9
Baschi **TR** 51 N 18
Bascianella **TE** 59 O 23
Basciano **TE** 60 O 23
Baselga di Pinè **TN** 11 D 15
Baselice **BN** 70 C 26
Basentello **MT** 72 E 30
Basento **PZ** 77 F 29
Basicò **ME** 100 M 27
Basiglio **MI** 21 F 9
Basiliano **UD** 16 D 21
Basilicagoiano **PR** 30 H 13
Basilicanova **PR** 30 H 13
Basiluzzo (Isola) **ME** 94 L 27
Basodino (Monte) **VB** 8 C 7
Basovizza **TS** 17 F 23
Bassacutena **SS** 109 D 9
Bassacutena (Rio) **SS** 109 D 9
Bassana (Punta) **TP** 96 N 18
Bassano Bresciano **BS** 22 G 12
Bassano del Grappa **VI** 24 E 17
Bassano in Teverina **VT** 58 O 18
Bassano Romano **VT** 57 P 18
Bassiano **LT** 63 R 21
Bassignana **AL** 28 G 8
Bastarda (Cima) **CS** 86 J 31
Bastardo **PG** 51 N 19
Bastelli **PR** 30 H 12
Bastia **FG** 71 D 28
Bastia **AN** 46 L 20
Bastia **BL** 13 D 18
Bastia (Monte) **GE** 37 I 9
Bastia **PD** 24 F 16
Bastia Mondovì **CN** 35 I 5
Bastia Umbra **PG** 51 M 19
Bastida Pancarana **PV** 29 G 9
Bastiglia **MO** 31 H 15
Batignano **GR** 49 N 15
Battaglia **SA** 76 G 28
Battaglia **TP** 97 M 20
Battaglia (Piano) **PA** 99 N 24
Battaglia Terme **PD** 24 G 17
Battaglione Monte Granero **TO** 26 H 3
Battifolle (Monte) **PT** 39 K 14
Battifollo **CN** 35 J 6
Battipaglia **SA** 75 F 26
Battisti (Rifugio) **RE** 38 J 13
Bau **SU** 118 I 7
Bau Ischios **OR** 115 G 8
Bau Pressiu (Lago) **SU** 118 J 8
Baucca **PG** 45 L 18
Baucina **PA** 98 N 22
Baudenasca **TO** 26 H 4
Bauernkohlern / Colle di Villa **BZ** 3 C 16
Bauladu **OR** 115 G 8
Baunei **NU** 117 G 10
Baura **FE** 32 H 17
Baveno **VB** 8 E 7
Baver **TV** 13 E 19
Bazzano **AQ** 59 O 22
Bazzano **BO** 31 I 15
Bazzano **PG** 52 N 20
Beano **UD** 16 E 21
Beaulard **TO** 26 G 2
Beauregard (Lago di) **AO** 18 F 3
Beccarini (Azienda) **FG** 67 C 29
Becco (Croda di) / Seekofel **BL** 4 B 18
Becetto **CN** 26 I 3
Bedero Valcuvia **VA** 8 E 8
Bedizzole **BS** 22 F 13
Bèdole **TN** 11 D 13
Bedollo **TN** 12 D 15
Bedonia **PR** 29 I 10
Bee **VB** 8 E 7
Begosso **VR** 32 G 16
Beigua (Monte) **SV** 36 I 7
Beinasco **TO** 27 G 4
Beinette **CN** 35 I 4
Belagaio **GR** 49 M 15
Belbo **CN** 35 I 6
Belcastro **CZ** 87 J 32
Belfiore **VR** 23 F 15
Belfiore (Cima) **LU** 38 J 12
Belforte **MN** 31 G 13
Belforte **PG** 52 N 20
Belforte **SI** 49 M 15
Belforte all'Isauro **PS** 45 K 19
Belforte del Chienti **MC** 52 M 21
Belgioioso **PV** 21 G 9
Belgirate **VB** 8 E 7
Belice **AG** 97 N 20
Belice (Valle) **TP** 97 O 20
Belice Destro **PA** 97 N 21
Belici **CL** 99 N 23
Bella **PZ** 71 E 28
Bellagio **CO** 9 E 9
Bellamonte **TN** 12 D 16
Bellano **LC** 9 D 9
Bellante **TE** 53 N 23
Bellardina (Colle) **VV** 88 L 30
Bellaria **MO** 31 H 14
Bellaria **PS** 46 L 19
Bellaria **SI** 50 M 16
Bellaria-Igea Marina **RN** 41 J 19
Bellariva **RN** 41 J 19
Bellavalle **PT** 39 J 14
Bellavista **BZ** 4 C 16
Bellavista (Capo) **NU** 117 H 11
Bellecombe **AO** 19 E 4
Bellegra **RM** 63 Q 21
Bellino **CN** 26 I 3
Bellino (Monte) **VT** 57 O 16
Bellinzago Novarese **NO** 20 F 7
Bellisio Solfare **PS** 46 L 20
Bellizzi **SA** 75 F 26
Bellizzi Irpino **AV** 70 E 26
Bellocozzo **RG** 104 Q 26
Belloluogo (Masseria) **BR** 80 F 35
Bellona **CE** 69 D 24
Bellori **VR** 23 F 14
Bellosguardo **SA** 76 F 27
Belluno **BL** 13 D 18
Belluno Veronese **VR** 23 E 14
Bellusco **MI** 21 F 10
Belmonte Calabro **CS** 86 J 30
Belmonte Castello **FR** 64 R 23
Belmonte del Sannio **IS** 65 Q 25
Belmonte in Sabina **RI** 58 P 20
Belmonte Mezzagno **PA** 98 M 22
Belmonte Piceno **AP** 53 M 22
Belpasso **CT** 100 O 26
Belprato / Schönau **BZ** 3 B 15
Belsedere **SI** 50 M 16
Belsito **CS** 86 J 30
Belu **SU** 118 I 8
Belvedere **SR** 105 P 27
Belvedere **MN** 23 G 14
Belvedere **PG** 51 M 19
Belvedere **PS** 46 K 20
Belvedere **PG** 50 N 17
Belvedere **UD** 17 E 22
Belvedere (Monte) **BA** 73 E 31
Belvedere di Spinello **KR** 87 J 32
Belvedere Langhe **CN** 27 I 5
Belvedere Marittimo **CS** 84 I 29
Belvedere Ostrense **AN** 46 L 21
Belvi **NU** 115 H 9
Belviso (Lago di) **SO** 10 D 12
Benante **SR** 104 O 26
Benas (Stagno de is) **OR** 114 G 7
Bene Lario **CO** 9 D 9
Bene Vagienna **CN** 27 I 5
Benedello **MO** 39 I 14
Benestare **RC** 91 M 30
Benetutti **SS** 111 F 9
Benevello **CN** 27 I 6
Benevento **BN** 70 D 26
Benévolo **AO** 18 F 3
Benna **BI** 19 F 6
Benne **TO** 19 G 4
Bentivoglio **BO** 32 I 16
Benvignante **FE** 32 H 17
Benzone (Lago di) **NU** 115 G 9
Berbenno **BG** 21 E 10
Berbenno di Valtellina **SO** 10 D 11
Berceto **PR** 30 I 11
Berchidda **SS** 111 E 9
Berchiddeddu **SS** 113 E 10
Berdia Nuova **RG** 104 Q 25
Bereguardo **PV** 21 G 9
Berga **AL** 29 I 9
Bergamasco **AL** 28 H 7
Bergamo **BG** 21 E 10
Bergantino **RO** 31 G 15
Bergeggi **SV** 36 J 7
Bergeggi (Isola di) **SV** 36 J 7
Bergolo **CN** 27 I 6
Berici (Monti) **VI** 24 F 16
Bernalda **MT** 78 F 32
Bernardinis (Rifugio) **UD** 15 C 22
Bernareggio **MI** 21 F 10
Bernezzo **CN** 34 I 4
Bernina (Pizzo) **SO** 10 C 11
Berra **FE** 32 H 17
Berretta (Col della) **VI** 12 E 17
Bersano **PC** 30 H 12
Bersezio **CN** 34 I 2
Berta (Capo) **IM** 35 K 6
Bertacchi (Rifugio) **SO** 9 C 10
Bertesina **VI** 24 F 16
Berti (Rifugio) **BL** 5 C 19
Bertinoro **FO** 41 J 18
Bertiolo **UD** 16 E 21
Bertonico **LO** 21 G 11
Bertrand (Monte) **CN** 35 J 5
Bertuzzi (Valle) **FE** 33 H 18
Berzano di San Pietro **AT** 27 G 5
Berzano di Tortona **AL** 28 H 8
Berzo **BS** 10 E 12
Besana in Brianza **MI** 21 E 9
Besano **VA** 8 E 8
Besate **MI** 20 G 8
Beseno (Castello) **TN** 11 E 15
Besnate **VA** 20 E 8
Besozzo **VA** 8 E 7
Besozzola **PR** 30 H 11
Bessude **SS** 111 F 8
Bettenesco **CR** 22 G 12
Bettola **VR** 23 F 15
Bettola **PC** 29 H 10
Bettole **BS** 22 F 12
Bettolelle **AN** 46 L 21
Bettolle **SI** 50 M 17
Bettona **PG** 51 M 19
Beura-Cardezza **VB** 8 D 6
Bevagna **PG** 51 N 19
Bevano **RA** 41 J 18
Bevazzana **UD** 16 E 21
Beverare **RO** 32 G 17
Beverino **SP** 38 J 11
Bevilacqua **BO** 31 H 15
Bevilacqua **VR** 24 G 16
Bezzecca **TN** 11 E 14
Bezzi (Rifugio) **AO** 18 F 3
Biagioni **PT** 39 J 14
Biana **PC** 29 H 10
Bianca (Cima) **SO** 10 C 13
Bianca (Palla) / Weißkugel **BZ** 2 B 14
Bianca (Punta) **AG** 103 P 22
Biancade **TV** 25 F 19
Biancanelle (Poggio) **PI** 43 L 13
Biancano **BN** 69 D 25
Biancareddu **SS** 110 E 6
Biancavilla **CT** 100 O 26
Bianchi **CS** 86 J 31
Bianco **RC** 91 M 30
Bianco (Canale) **FE** 32 H 17
Bianco (Canale) **RO** 32 G 16
Bianco (Capo) **AG** 102 O 21
Bianco (Capo) **BR** 81 F 36
Bianco (Fiume) **SA** 76 F 28
Bianconese **PR** 30 H 12
Biandrate **NO** 20 F 7
Biandronno **VA** 20 E 8
Bianzano **BG** 22 E 11
Bianzé **VC** 19 G 6
Bianzone **SO** 10 D 12
Biasi (Rifugio) **BZ** 3 B 15
Biassono **MI** 21 F 9
Bibano **TV** 13 E 19
Bibbiano **RE** 30 I 13
Bibbiano **SI** 50 M 16
Bibbiena **AR** 44 K 17
Bibbona **LI** 49 M 13
Bibiana **TO** 26 H 3
Bibione **VE** 16 F 21
Bibione Pineda **VE** 16 F 21
Biccari **FG** 71 C 27
Bichl / Colle **BZ** 3 B 15
Bicinicco **UD** 17 E 21
Bidderdi (Passo) **SU** 118 I 7
Bidente **FO** 40 J 17
Bidighinzu (Lago) **SS** 111 F 8
Bidonì **OR** 115 G 8
Bielciuken **AO** 19 E 5
Biella **BI** 19 F 6
Bielmonte **BI** 19 F 6
Bienno **BS** 10 E 12
Bieno **TN** 12 D 16
Bientina **PI** 43 K 13
Biferno **CB** 65 R 25
Bifolchi (Portella dei) **PA** 99 N 24
Biforco **AR** 45 K 17
Biglio **MS** 38 I 11
Bignone (Monte) **IM** 35 K 5
Bigolino **TV** 12 E 18
Bigoti **PC** 29 H 10
Bilioso **MT** 77 F 31
Bimmisca **SR** 107 Q 27
Binago **CO** 20 E 8
Binasco **MI** 21 G 9
Binetto **BA** 73 D 32
Binio **TN** 11 D 14
Biodola **LI** 48 N 12
Bioglio **BI** 19 F 6
Bionaz **AO** 7 E 4
Bionde di Visegna **VR** 23 G 15
Birchabruck / Ponte Nova **BZ** 12 C 16
Birgi Novo **TP** 96 N 19
Birgi Vecchi **TP** 96 N 19
Birnlücke / Picco (Forcella del) **BZ** 4 A 18
Birori **NU** 115 G 8
Bisaccia **AV** 71 D 28
Bisacquino **PA** 97 N 21
Bisano **BO** 40 J 16
Bisbino (Monte) **CO** 9 E 9
Bisce (Isola delle) **SS** 109 D 10
Bisceglie **BA** 72 D 31
Biscina **PG** 51 M 19
Bisegna **AQ** 64 Q 23
Bisenti **TE** 60 O 23
Bisentina (Isola) **VT** 57 O 17
Bisenzio **BS** 22 E 13
Bisenzio (Fiume) **PO** 39 K 15
Bisignano **CS** 85 I 30
Bissone **PV** 29 G 10
Bistagno **AL** 28 I 7
Bisuschio **VA** 8 E 8
Bitetto **BA** 73 D 32
Bithia **SU** 121 K 8
Bitonto **BA** 73 D 32
Bitritto **BA** 73 D 32
Bitti **NU** 112 F 10
Biviere (il) **CL** 104 P 25
Biviere (Lago) **ME** 100 N 26
Bivigliano **FI** 40 K 15
Bivio Acri **CS** 85 I 30
Bivio di Reino **BN** 70 D 26
Bivio Ercole **MC** 52 M 20
Bivio Guardavalle **RC** 89 L 31
Bivio Palomonte **SA** 76 F 27
Bivona **AG** 98 O 22
Bivongi **RC** 88 L 31
Bizzarone **CO** 20 E 8
Bizzozero **VA** 20 E 8
Blacca (Corna) **BS** 22 E 13
Blavy vicino a Nus **AO** 19 E 4
Blavy vicino a St-Christophe **AO** 18 E 4
Blera **VT** 57 P 18
Blessaglia **VE** 16 E 20
Blessano **UD** 14 D 21
Blevio **CO** 21 E 9
Blinnenhorn **VB** 8 C 6
Blufi **PA** 99 N 24
Blumau / Prato all'Isarco **BZ** 3 C 16
Blumone (Cornone di) **BS** 10 E 13
Bo (Cima di) **BI** 19 E 6
Boara **FE** 32 H 17
Boara Pisani **PD** 32 G 17
Boara Polesine **RO** 32 G 17
Boario Terme **BS** 10 E 12
Bobbiano **PC** 29 H 10
Bobbio **PC** 29 H 10
Bobbio Pellice **TO** 26 H 3
Boca **NO** 20 E 7
Bocale Secondo **RC** 90 M 28
Bocca Chiavica **MN** 31 G 13
Bocca di Fiume **LT** 63 R 21
Bocca di Magra **SP** 38 J 11
Bocca di Piazza **CS** 86 J 31
Bocca Grande **NA** 74 F 24
Bocca Piccola **NA** 74 F 24
Boccadasse **GE** 36 I 8
Boccadifalco **PA** 97 M 21
Boccadirio (Santuario di) **BO** 39 J 15
Boccaleone **FE** 32 I 17
Boccasette **RO** 33 H 19
Boccassuolo **MO** 39 J 13
Boccea **RM** 62 Q 18
Bocche (Cima) **TN** 12 C 17
Boccheggiano **GR** 49 M 15
Bocchetta (Passo della) **GE** 28 I 8
Bocchigliero **CS** 87 I 32
Boccioleto **VC** 7 E 6
Bocco (Passo del) **GE** 37 I 10
Bocconi **FO** 40 J 17
Bocenago **TN** 11 D 14
Boeo (Capo) **TP** 96 N 19
Boesio **VA** 8 E 8
Boffalora d'Adda **LO** 21 F 10
Boffalora sopra Ticino **MI** 20 F 8
Bogliaco **BS** 23 E 13
Bogliasco **GE** 37 I 9
Boglietto **AT** 27 H 6
Boglioni **RE** 31 I 14
Bognanco **VB** 8 D 6
Bogogno **NO** 20 F 7
Boi (Capo) **SU** 119 J 10
Boirolo **SO** 10 D 11
Boissano **SV** 35 J 6
Boite **BL** 13 C 18
Bojano **CB** 65 R 25
Bolago **BL** 13 D 18
Bolano **SP** 38 J 11
Bolbeno **TN** 11 D 14
Bolca **VR** 23 F 15
Boleto **VB** 20 E 7
Bolgare **BG** 22 F 11
Bolgheri **LI** 49 M 13
Bollate **MI** 21 F 9
Bollengo **TO** 19 F 5
Bologna **BO** 32 I 15
Bolognano **PE** 60 P 23
Bolognano **TN** 11 E 14
Bolognetta **PA** 98 N 22
Bolognola **MC** 52 N 21
Bolotana **NU** 115 G 8
Bolsena **VT** 57 O 17
Bolsena (Lago di) **VT** 57 O 17
Bolzaneto **GE** 36 I 8
Bolzano / Bozen **BZ** 3 C 16
Bolzano Vicentino **VI** 24 F 16
Bomarzo **VT** 57 O 18
Bomba **CH** 60 P 25
Bombiana **BO** 39 J 14
Bombile **RC** 91 M 30
Bominaco **AQ** 59 P 22
Bompensiere **CL** 103 O 23
Bompensiero **BS** 22 F 11
Bompietro **PA** 99 N 24
Bomporto **MO** 31 H 15
Bonagia (Golfo di) **TP** 96 M 19
Bonamico **RC** 91 M 30
Bonarcado **OR** 115 G 7
Bonassola **SP** 37 J 10
Bonate Sotto **BG** 21 F 10
Bonavicina-Borgo **VR** 23 G 15
Bonavigo **VR** 23 G 15
Boncore **LE** 79 G 35
Bondanello **MN** 31 H 14
Bondeno **FE** 32 H 16
Bondeno **MN** 31 H 14
Bondo **TN** 11 E 14
Bondone **TN** 23 E 13
Bondone (Monte) **TN** 11 D 15
Bonea **BN** 70 D 25
Bonefro **CB** 66 B 26
Bonelli **RO** 33 H 19
Bonferraro **VR** 23 G 15
Bonghi (Monte) **NU** 117 H 10
Bonifacio (Bocche di) **SS** 109 D 9
Bonifati **CS** 84 I 29
Bonifati (Capo) **CS** 84 I 29
Bonifato (Monte) **TP** 97 N 20
Bonito **AV** 70 D 26
Bonnanaro **SS** 111 F 8
Bonne **AO** 18 F 3
Bono **SS** 115 F 9
Bonorva **SS** 115 F 8
Bonu Ighinu **SS** 111 F 7
Bonze (Cima) **TO** 19 F 5
Boor (Zuc del) **UD** 15 C 21
Boragine (Monte) **RI** 59 O 21
Borbera **AL** 28 H 8
Borbona **RI** 59 O 21
Borbore **CN** 27 H 6
Borca di Cadore **BL** 13 C 18
Borcola (Passo della) **TN** 23 E 15
Bordano **UD** 14 D 21
Bordiana **TN** 11 C 14
Bordighera **IM** 35 K 4
Bordino **TP** 97 N 19
Bordolano **CR** 22 G 11
Bordolona **TN** 11 C 14
Bordonchio **RN** 41 J 19
Bore **PR** 30 H 11
Borello **FO** 41 J 18
Borello (Torrente) **FO** 41 J 18
Boretto **RE** 31 H 13
Borgagne **LE** 83 G 37
Borgallo (Galleria del) **PR** 38 I 11
Borgaro Torinese **TO** 19 G 4
Borgata Costiera **TP** 96 N 19
Borgata Palo **CL** 103 O 23
Borgata Pirastera **OR** 115 H 9
Borgata Trigoria **RM** 62 Q 19
Borgetto **PA** 97 M 21
Borghetto **MC** 46 L 21
Borghetto **RA** 41 J 18
Borghetto **TN** 23 E 14
Borghetto vicino a Bolsena **VT** 57 O 17
Borghetto vicino a Viterbo **VT** 58 O 19
Borghetto d'Arroscia **IM** 35 J 5
Borghetto di Borbera **AL** 28 H 8
Borghetto di Vara **SP** 37 J 11
Borghetto Lodigiano **LO** 21 G 10
Borghetto Sto Spirito **SV** 35 J 6
Borghi **FO** 41 J 19
Borgia **CZ** 88 K 31
Borgiallo **TO** 19 F 5
Borgio Verezzi **SV** 36 J 6
Borgo (il) **MO** 31 H 14
Borgo a Buggiano **PT** 39 K 14
Borgo a Mozzano **LU** 39 K 13
Borgo alla Collina **AR** 44 K 17
Borgo Baccarato **EN** 104 O 25
Borgo Bainsizza **LT** 63 R 20
Borgo Bonsignore **AG** 102 O 21
Borgo Carso **LT** 63 R 20
Borgo Cascino **EN** 103 O 24

Borgo Celano **FG** 67 B 28
Borgo d'Ale **VC** 19 F 6
Borgo dei Pini
Mercadante **BA** 73 E 32
Borgo di Stazione
Montecosaro **MC** 53 M 22
Borgo di Terzo **BG** 22 E 11
Borgo Ermada **LT** 63 S 21
Borgo Faiti **LT** 63 R 20
Borgo Fazio **TP** 97 N 20
Borgo Flora **LT** 63 R 20
Borgo Fornari **GE** 28 I 8
Borgo Franchetto **CT** 104 O 26
Borgo Fusara **RA** 41 I 18
Borgo Grappa **LT** 63 R 20
Borgo Isonzo **LT** 63 R 20
Borgo le Taverne **AV** 71 E 27
Borgo Libertà **FG** 71 D 29
Borgo Mezzanone **FG** 67 C 29
Borgo Montello **LT** 63 R 20
Borgo Montenero **LT** 68 S 21
Borgo Pace **PS** 45 L 18
Borgo Panigale **BO** 31 I 15
Borgo Piave **LT** 63 R 20
Borgo Piave **LE** 81 F 36
Borgo Pietro Lupo **CT** 104 O 25
Borgo Podgora **LT** 63 R 20
Borgo Priolo **PV** 29 H 9
Borgo Quinzio **RI** 58 P 20
Borgo Regalmici **PA** 99 N 23
Borgo Rinazzo **TP** 96 N 19
Borgo Rivola **RA** 40 J 17
Borgo Roccella **PA** 97 N 21
Borgo Sabotino **LT** 63 R 20
Borgo S. Dalmazzo **CN** 34 J 4
Borgo S. Donato **LT** 63 R 20
Borgo S. Giacomo **BS** 22 F 11
Borgo S. Giovanni **LO** 21 G 10
Borgo S. Giusto **FG** 66 C 28
Borgo S. Lorenzo **FI** 40 K 16
Borgo Sta Maria **LT** 63 R 20
Borgo S. Martino **AL** 28 G 7
Borgo S. Pietro **RI** 59 P 21
Borgo Sta Rita **RM** 62 R 19
Borgo S. Siro **PV** 20 G 8
Borgo Schirò **PA** 97 N 21
Borgo Segezia **FG** 71 C 28
Borgo Ticino **NO** 20 E 7
Borgo Tossignano **BO** 40 J 16
Borgo Tufico **AN** 46 L 20
Borgo Val di Taro **PR** 30 I 11
Borgo Valsugana **TN** 12 D 16
Borgo Velino **RI** 59 O 21
Borgo Venusio **MT** 73 E 31
Borgo Vercelli **VC** 20 F 7
Borgo Vodice **LT** 63 R 21
Borgoforte **MN** 31 G 14
Borgoforte **PD** 32 G 17
Borgofranco
d'Ivrea **TO** 19 F 5
Borgofranco
sul Po **MN** 31 G 15
Borgolavezzaro **NO** 20 G 8
Borgomanero **NO** 20 E 7
Borgomaro **IM** 35 K 5
Borgomasino **TO** 19 F 5
Borgone Susa **TO** 18 G 3
Borgonovo Ligure **GE** 37 I 10
Borgonovo
Val Tidone **PC** 29 G 10
Borgoratto
Alessandrino **AL** 28 H 7
Borgoratto
Mormorolo **PV** 29 H 9
Borgoricco **PD** 24 F 17
Borgorose **RI** 59 P 21
Borgosatollo **BS** 22 F 12
Borgosesia **VC** 20 E 6
Borlasca **GE** 28 I 8
Bormida **SV** 35 J 6
Bormida (Fiume) **AL** 28 I 7
Bormida di
Millesimo **SV** 35 J 6
Bormida di Spigno **AL** 28 I 6
Bormina **SO** 10 C 12
Bormio **SO** 2 C 13
Bormio 2000 **SO** 10 C 13
Bornago **MI** 21 F 10
Bornato **BS** 22 F 12
Borno **BS** 10 E 12
Boroneddu **OR** 115 G 8
Borore **NU** 115 G 8
Borrello **CH** 65 Q 24
Borrello **PA** 99 N 24
Borriana **BI** 19 F 6
Borromee (Isole) **VB** 8 E 7
Borselli **FI** 44 K 16
Borso del Grappa **TV** 24 E 17
Borta Melone
(Monte) **NU** 115 G 9
Bortigali **NU** 115 G 8
Bortigiadas **SS** 111 E 9
Borutta **SS** 111 F 8
Borzano **RE** 31 I 13
Borzonasca **GE** 37 I 10
Bosa **OR** 114 G 7
Bosa Marina **OR** 114 G 7
Bosaro **RO** 32 H 17
Boschetiello
(Monte) **AV** 71 E 27
Boschetto **PR** 30 I 12
Boschi **BO** 32 H 16
Boschi **PC** 29 I 10
Boschi S. Anna **VR** 24 G 16
Bosco **SA** 76 G 28
Bosco **PR** 38 I 12
Bosco **PG** 51 M 19
Bosco **VI** 12 E 16
Bosco ai Frati **FI** 40 K 15
Bosco
Chiesanuova **VR** 23 F 15
Bosco Marengo **AL** 28 H 8
Bosco Mesola **FE** 33 H 18
Bosco (Serra del) **EN** 100 N 25
Boscone Cusani **PC** 29 G 10
Bosconero **TO** 19 G 5
Boscoreale **NA** 70 E 25
Boscotrecase **NA** 70 E 25
Bosio **AL** 28 I 8
Bosisio Parini **LC** 21 E 9
Bosnasco **PV** 29 G 10
Bossea **CN** 35 J 5
Bossea (Grotta di) **CN** 35 J 5
Bossi **AR** 45 L 17
Bossico **BG** 22 E 12
Bossola (Monte) **AL** 29 I 9
Bossolasco **CN** 27 I 6
Botricello **CZ** 89 K 32
Botrugno **LE** 83 G 36
Bottagna **SP** 38 J 11
Bottanuco **BG** 21 F 10
Bottarello (Pizzo) **VB** 7 D 6
Bottarone **PV** 29 G 9
Botte Donato
(Monte) **CS** 86 J 31
Botteghelle **CT** 104 P 25
Botticino-Mattina **BS** 22 F 12
Botticino-Sera **BS** 22 F 12
Bottidda **SS** 115 F 9
Bottigli (Monte) **GR** 49 N 15
Bottinaccio **FI** 43 K 15
Bottrighe **RO** 33 G 18
Bousson **TO** 26 H 2
Bova **RC** 91 N 29
Bova Marina **RC** 90 N 29
Bovalino Marina **RC** 91 M 30
Bovalino Superiore **RC** 91 M 30
Bove (Valle del) **CT** 100 N 27
Bovecchio **FI** 39 K 15
Boveglio **LU** 39 K 13
Bovegno **BS** 22 E 12
Boves **CN** 35 J 4
Bovezzo **BS** 22 F 12
Bovile **TO** 26 H 3
Boville Ernica **FR** 64 R 22
Bovino **FG** 71 D 28
Bovisio Masciago **MI** 21 F 9
Bovo Marina **AG** 102 O 21
Bovolenta **PD** 24 G 17
Bovolone **VR** 23 G 15
Boz (Rifugio) **BL** 12 D 17
Bozen / Bolzano **BZ** 3 C 16
Bozzente **CO** 20 E 8
Bozzole **AL** 28 G 7
Bozzolo **MN** 30 G 13
Bra **CN** 27 H 5
Brabaisu **SU** 119 I 10
Brabbia **VA** 20 E 8
Braccagni **GR** 49 N 15
Braccano **MC** 52 M 21
Bracchio **VB** 8 E 7
Bracciano **RM** 57 P 18
Bracciano
(Lago di) **RM** 57 P 18
Bracco **GE** 37 J 10
Bracco (Passo del) **SP** 37 J 10
Bracigliano **SA** 70 E 26
Bradano **PZ** 72 E 29
Braemi **CL** 103 P 24
Braidi **ME** 100 M 27
Braies / Prags **BZ** 4 B 18
Braies (Lago di) /
Pragser Wildsee **BZ** 4 B 18
Brallo di Pregola **PV** 29 H 9
Bram (Monte) **CN** 34 I 3
Branca **PG** 51 M 20
Branca (Rifugio) **SO** 11 C 13
Brancaleone
Marina **RC** 91 N 30
Brandizzo **TO** 19 G 5
Branzi **BG** 10 D 11
Branzoll / Bronzolo **BZ** 12 C 15
Brasa (Passo) **BO** 39 J 14
Brasca (Rifugio) **SO** 9 D 10
Brasimone **BO** 39 J 15
Brasimone
(Lago di) **BO** 39 J 15
Bratello
(Passo del) **MS** 38 I 11
Brattiro **VV** 88 L 29
Bratto **MS** 38 I 11
Bratto-Dorga **BG** 10 E 12
Brazzano **GO** 17 E 22
Brebbia **VA** 20 E 7
Brebeis
(Stagno de is) **SU** 120 K 7
Breda Cisoni **MN** 31 G 13
Breda di Piave **TV** 25 E 18
Brefaro **PZ** 84 H 29
Bregagno (Monte) **CO** 9 D 9
Breganze **VI** 24 E 16
Breguzzo **TN** 11 D 14
Breia **VC** 20 E 6
Brembana (Valle) **BG** 9 E 10
Brembate **BG** 21 F 10
Brembilla **BG** 21 E 10
Brembio **LO** 21 G 10
Brembo **BG** 21 E 11
Breme **PV** 28 G 7
Brendola **VI** 24 F 16
Brenna **SI** 49 M 15
Brennerbad / Terme
di Brennero **BZ** 3 B 16
Brennero (Passo del) /
Brennerpaß **BZ** 3 A 16
Brennerpaß / Brennero
(Passo del) **BZ** 3 A 16
Breno **BS** 10 E 12
Breno **PC** 29 G 10
Brenta **TN** 12 D 16
Brenta (Cima) **TN** 11 D 14
Brenta (Foce del) **VE** 25 G 18
Brenta (Riviera del) **VE** 24 F 18
Brenta (Taglio di) **VE** 25 G 18
Brenta d'Abbà **PD** 25 G 18
Brentari (Rifugio) **TN** 12 D 16
Brentoni (Monte) **BL** 5 C 19
Brentonico **TN** 23 E 14
Brenzone **VR** 23 E 14
Breonio **VR** 23 F 14
Brescello **RE** 30 H 13
Brescia **BS** 22 F 12
Bresimo **TN** 11 C 14
Bresimo (Val di) **TN** 11 C 14
Bressa **UD** 14 D 21
Bressana
Bottarone **PV** 29 G 9
Bressanone / Brixen **BZ** 4 B 16
Bresso **MI** 21 F 9
Breuil Cervinia **AO** 7 E 4
Brez **TN** 11 C 15
Brezza **CE** 69 D 24
Brezzo di Bedero **VA** 8 E 8
Briaglia **CN** 35 I 5
Brian **VE** 16 F 20
Briatico **VV** 88 K 30
Bric Bucie **TO** 26 H 3
Bric Ghinivert **TO** 26 H 2
Bricherasio **TO** 26 H 3
Brienno **CO** 9 E 9
Brienza **PZ** 76 F 28
Brigantina (Punta) **LI** 54 O 12
Brignano **AL** 29 H 9
Brignano
Gera d'Adda **BG** 21 F 10
Brindisi **BR** 81 F 35
Brindisi Montagna **PZ** 77 F 29
Brinzio **VA** 8 E 8
Briona **NO** 20 F 7
Brione **BS** 22 F 12
Briosco **MI** 21 E 9
Brisighella **RA** 40 J 17
Brissogne **AO** 18 E 4
Brittoli **PE** 60 P 23
Brivio **LC** 21 E 10
Brixen /
Bressanone **BZ** 4 B 16
Brizzolara **GE** 37 I 10
Brocon (Passo del) **TN** 12 D 17
Brognaturo **VV** 88 L 31
Brolio S. Regolo **SI** 44 L 16
Brolo **ME** 100 M 26
Brondello **CN** 26 I 4
Broni **PV** 29 G 9
Bronte **CT** 100 N 26
Bronzolo /
Branzoll **BZ** 12 C 15
Brossasco **CN** 26 I 4
Brosso **TO** 19 F 5
Brozolo **TO** 27 G 6
Brozzo **BS** 22 E 12
Bruca **TP** 97 N 20
Bruciati (Corni) **SO** 10 D 11
Brucoli **SR** 105 P 27
Brückele /
Ponticello **BZ** 4 B 18
Brufa **PG** 51 M 19
Bruggi **AL** 29 H 9
Brugherio **MI** 21 F 9
Brugine **PD** 24 G 17
Brugnato **SP** 37 J 11
Brugnera **PN** 13 E 19
Brugneto
(Lago del) **GE** 29 I 9
Brugnetto **AN** 46 L 21
Bruino **TO** 27 G 4
Brumano **BG** 9 E 10
Bruna **PG** 51 N 20
Bruna (Fiume) **GR** 49 N 15
Brunate **CO** 21 E 9
Bruncu 'e Pisu **NU** 117 G 11
Bruncu Spina **NU** 115 G 9
Bruncu Teula **SU** 118 J 7
Bruneck / Brunico **BZ** 4 B 17
Brunella **NU** 113 E 10
Brunico / Bruneck **BZ** 4 B 17
Brunner (Rifugio) **UD** 15 C 22
Bruno **AT** 28 H 7
Brusago **TN** 12 D 15
Brusasco **TO** 19 G 6
Bruscoli **FI** 39 J 15
Brusimpiano **VA** 8 E 8
Brusnengo **BI** 20 F 6
Brussa **VE** 16 F 20
Brusson **AO** 19 E 5
Bruzolo **TO** 18 G 3
Bruzzano (Capo) **RC** 91 M 30
Bruzzano Zeffirio **RC** 91 M 30
Bruzzi di Sotto **PC** 29 H 10
Bubbio **AT** 28 I 6
Bubonia
(Monte di) **CL** 104 P 25
Buccheri **SR** 104 P 26
Bucchi **KR** 87 J 33
Bucchianico **CH** 60 P 24
Bucciano **BN** 70 D 25
Buccino **SA** 76 F 28
Bucine **AR** 44 L 16
Buco **SA** 76 F 28
Buda **BO** 32 I 17
Buddusò **SS** 111 F 9
Budelli (Isola) **SS** 109 D 10
Budoia **PN** 13 D 19
Budoni **SS** 113 E 11
Budoni (Cala di) **NU** 113 E 11
Budrie **BO** 31 I 15
Budrio **BO** 32 I 16
Budrio **RE** 31 H 14
Budrione **MO** 31 H 14
Bue Marino (El) **NU** 117 G 10
Buggerru **SU** 118 I 7
Buggiana **FO** 40 K 17
Buggiano **PG** 52 N 20
Buggio **IM** 35 K 5
Buglio in Monte **SO** 9 D 11
Bugnara **AQ** 60 P 23
Buia **UD** 14 D 21
Bulgheria (Monte) **SA** 76 G 28
Bullone (Su) **SS** 111 E 8
Bultei **SS** 111 F 9
Bulzi **SS** 111 E 8
Bundschen /
Ponticino **BZ** 3 C 16
Bunnari (Lago) **SS** 111 E 7
Buole (Passo) **TN** 23 E 15
Buonabitàcolo **SA** 76 G 28
Buonalbergo **BN** 70 D 26
Buoncammino **SS** 109 D 9
Buonconvento **SI** 50 M 16
Buonfornello **PA** 99 N 23
Buonvicino **CS** 84 H 29
Burago di Molgora **MI** 21 F 10
Burana **FE** 32 H 16
Burano **PS** 46 L 19
Burano **VE** 16 F 19
Burano (Lago di) **GR** 56 O 16
Burano (Serra di) **PS** 45 L 19
Burcei **SU** 119 I 10
Burco Sta Maria **PS** 46 K 20
Bure **PT** 39 K 14
Burgeis / Burgusio **BZ** 2 B 13
Burgio **AG** 97 O 21
Burgio **SR** 107 Q 27
Burgio (Serra di) **RG** 104 P 26
Burgos **SS** 115 F 8
Burgstall / Postal **BZ** 3 C 15
Burgusio / Burgeis **BZ** 2 B 13
Buriano **GR** 49 N 14
Buriasco **TO** 26 H 4
Buronzo **VC** 20 F 6
Burraia (Rifugio La) **FO** 40 K 17
Burrainiti (Bivio) **AG** 103 P 23
Busachi **OR** 115 G 8
Busalla **GE** 28 I 8
Busambra (Rocca) **PA** 98 N 22
Busana **RE** 38 I 12
Busano **TO** 19 G 4
Busazza (Cima) **TN** 11 D 13
Busca **CN** 26 I 4
Buscate **MI** 20 F 8
Buscemi **SR** 104 P 26
Busche **BL** 12 D 17
Buseto Palizzolo **TP** 97 M 20
Busi **CN** 27 H 6
Busnago **MI** 21 F 10
Buso (Ponte del) **UD** 5 C 20
Bussana Vecchia **IM** 35 K 5
Bussento **SA** 76 G 28
Busseto **PR** 30 H 12
Bussi sul Tirino **PE** 60 P 23
Busso **CB** 65 R 25
Bussolengo **VR** 23 F 14
Bussoleno **TO** 18 G 3
Busto Arsizio **VA** 20 F 8
Busto Garolfo **MI** 20 F 8
Bût **UD** 5 C 21
Butera **CL** 103 P 24
Buthier **AO** 7 E 4
Buti **PI** 43 K 13
Buttapietra **VR** 23 F 14
Buttigliera **TO** 26 G 4
Buttigliera d'Asti **AT** 27 G 5
Buttrio **UD** 15 D 21
Bùtule **SS** 111 F 8
Buturo **CZ** 87 J 31
Buzzò **PR** 37 I 11

C

Ca' Bazzone **BO** 40 I 16
Ca' Bertacchi **RE** 31 I 13
Ca' Bianca **VE** 25 G 18
Ca' Briani **VE** 33 G 18
Ca' Cappello **RO** 33 G 18
Ca' Corniani **VE** 16 F 20
Ca' d'Andrea **CR** 30 G 12
Ca' de' Bonavogli **CR** 30 G 12
Ca' de Fabbri **BO** 32 I 16
Ca' di Biss **MI** 20 F 8
Ca' di David **VR** 23 F 14
Ca' Gallo **PS** 41 K 19
Ca' Mello **RO** 33 H 19
Ca' Morosini **RO** 32 G 16
Ca' Noghera **VE** 25 F 19
Cà Selva (Lago di) **PN** 13 D 20
Ca' Tron **TV** 16 F 19
Ca' Venier **RO** 33 H 19
Cà Zul (Lago di) **PN** 13 D 20
Ca' Zuliani **RO** 33 H 19
Cabanne **GE** 29 I 10
Cabbia **AQ** 59 O 21
Cabella Ligure **AL** 29 H 9
Cabelli **FO** 40 K 17
Caberlaba (Monte) **VI** 24 E 16
Cabianca (Monte) **BG** 10 D 11
Cabiate **CO** 21 E 9
Cabras **OR** 114 H 7
Cabras
(Stagno di) **OR** 114 H 7
Cabu Abbas (Santuario
Nuragico) **SS** 109 E 10
Caccamo **PA** 98 N 23
Cacchiamo **EN** 99 N 24
Caccia (Capo) **SS** 110 F 6
Caccia (Monte) **BA** 72 D 30
Caccuri **KR** 87 J 32
Cadé **MN** 31 G 14
Cadecoppi **MO** 31 H 15
Cadelbosco di
Sopra **RE** 31 H 13
Cadelbosco di
Sotto **RE** 31 H 13
Cadelle (Monte) **BG** 10 D 11
Cadelmonte **PC** 29 H 10
Cadenabbia **CO** 9 E 9
Cadeo **PC** 30 H 11
Caderzone **TN** 11 D 14
Cadignano **BS** 22 F 12
Cadilana **LO** 21 G 10
Cadimarco **MN** 22 G 13
Cadine **TN** 11 D 15
Cadini (Gruppo dei) **BL** 4 C 18
Cadino (Val) **TN** 12 D 16
Cadipietra /
Steinhaus **BZ** 4 B 17
Cadoneghe **PD** 24 F 17
Cadore **BL** 4 C 18
Cadrezzate **VA** 20 E 7
Cadria **BS** 23 E 13
Cadria (Monte) **TN** 11 E 14
Caerano di
S. Marco **TV** 24 E 17
Cafaggio **LI** 49 M 13
Cafaggiolo **FI** 40 K 15
Cafasse **TO** 19 G 4
Caffaraccia **PR** 30 I 11
Caffaro **BS** 22 E 13
Caffaro (Val di) **BS** 10 E 13
Cafragna **PR** 30 H 12
Caggiano **SA** 76 F 28
Caginia (Serra di) **CT** 100 N 26
Cagli **PS** 46 L 19
Cagliari **CA** 119 J 9
Cagliari (Golfo di) **CA** 119 J 9
Cagliari
(Stagno di) **CA** 118 J 9
Caglio **CO** 9 E 9
Cagnano
Amiterno **AQ** 59 O 21
Cagnano Varano **FG** 67 B 29
Cagno **CS** 87 J 31
Caguseli (lanna) **NU** 115 G 9
Caianello **CE** 64 S 24
Caiazzo **CE** 69 D 25
Caicambiucci **PG** 45 L 19
Caina **PG** 51 M 18
Caina (Monte) **VI** 24 E 17
Càines / Kuens **BZ** 3 B 15
Caino **BS** 22 F 12
Caio (Monte) **PR** 38 I 12
Caiolo **SO** 10 D 11
Caira **FR** 64 R 23
Cairano **AV** 71 E 28
Cairate **VA** 20 E 8
Cairo (Monte) **FR** 64 R 23
Cairo Montenotte **SV** 36 I 6
Caivano **NA** 69 E 24
Cala d'Oliva **SS** 108 D 7
Cala Gonone **NU** 117 G 10
Cala Grande
(Punta) **GR** 55 O 15
Cala Liberotto **NU** 117 F 11
Cala Mosca **CA** 119 J 9
Cala Piccola **GR** 55 O 15
Cala Piombo
(Punta di) **SU** 120 K 7
Cala Regina
(Torre) **CA** 119 J 10
Calabernardo **SR** 105 Q 27
Calabianca (Punta) **TP** 97 M 20
Calabretto **RC** 90 M 29
Calabria (Parco
Nazionale della) **CS** 87 I 31
Calabricata **CZ** 89 K 32
Calabritto **AV** 71 E 27
Calafuria **LI** 42 L 12
Calaggio **FG** 71 D 28
Calaita (Lago di) **TN** 12 D 17
Calalzo di Cadore **BL** 5 C 19
Calamandrana **AT** 28 H 7
Calambrone **PI** 42 L 12
Calamento (Val di) **TN** 12 D 16
Calamita (Monte) **LI** 48 N 13
Calamita Vecchia **TP** 97 N 19
Calamonaci **AG** 102 O 21
Calangianus **SS** 109 E 9
Calanna **RC** 90 M 29
Calaresu **NU** 116 G 10
Calascibetta **EN** 99 O 24
Calascio **AQ** 59 P 23
Calasetta **SU** 118 J 7
Calatabiano **CT** 101 N 27
Calatafimi **TP** 97 N 20
Calava (Capo) **ME** 94 M 26
Calavino **TN** 11 D 14
Calbenzano **AR** 45 L 17
Calcara **BO** 31 I 15
Calcarella (Punta) **AG** 102 T 20
Calcarelli **PA** 99 N 24
Calcata **VT** 58 P 19
Calcatizzo
(Portella) **ME** 100 M 26
Calceranica al
Lago **TN** 11 D 15
Calci **PI** 42 K 13
Calciano **MT** 77 F 30
Calcinaia **PI** 43 K 13
Calcinate **BG** 22 F 11
Calcinate del
Pesce **VA** 20 E 8
Calcinatello **BS** 22 F 13
Calcinato **BS** 22 F 13
Calcinelli **PS** 46 K 20
Calcinere **CN** 26 H 3
Calcio **BG** 22 F 11
Calco **LC** 21 E 10
Caldana **GR** 49 N 14
Caldana **LI** 49 M 13
Caldaro (Lago di) **BZ** 11 C 15
Caldaro s. str. d. Vino /
Kaltern a. d. W. **BZ** 11 C 15
Caldarola **MC** 52 M 21
Caldé **VA** 8 E 7
Calderà **ME** 95 M 27
Calderara di Reno **BO** 31 I 15
Calderari **EN** 99 O 25
Calderino **BO** 39 I 15
Caldes **TN** 11 C 14
Caldiero **VR** 23 F 15
Caldirola **AL** 29 H 9
Caldogno **VI** 24 F 16
Caldonazzo **TN** 11 E 15

128

A B C D E F G H I J K L M N O P Q R S T U V W X Y Z

Caldonazzo (Lago di) TN 11 D 15
Calendasco PC 29 G 10
Calenzano FI 39 K 15
Caleri RO 33 G 18
Calerno RE 30 H 13
Cales CE 69 D 24
Calestano PR 30 I 12
Cali RG 104 Q 25
Calice / Kalch BZ 3 B 16
Calice al Cornoviglio SP 38 J 11
Calice Ligure SV 36 J 6
Calieron (Grotte del) TV 13 D 19
Caligi (Monte) PT 39 J 14
Calignano PV 21 G 9
Calimera VV 88 L 30
Calimera LE 83 G 36
Calisese FO 41 J 18
Calistri BO 39 J 14
Calitri AV 71 E 28
Calizzano SV 35 J 6
Calla (Passo della) FO 40 K 17
Calle MT 77 E 30
Callianetto AT 27 G 6
Calliano AT 28 G 6
Calliano TN 11 E 15
Calmasino VR 23 F 14
Calmazzo PS 46 K 20
Calogero Monte Kronio AG 102 O 21
Calogno EN 100 N 25
Calolziocorte LC 21 E 10
Calopezzati CS 87 I 32
Calore AV 70 E 27
Calore BN 70 D 25
Calore PZ 76 G 29
Caloveto CS 87 I 32
Caltabellotta AG 97 O 21
Caltagirone CT 104 P 25
Caltagirone (Fiume) CT 104 P 25
Caltana VE 24 F 18
Caltanissetta CL 103 O 24
Caltavuturo PA 99 N 23
Caltignaga NO 20 F 7
Calto RO 32 H 16
Caltrano VI 24 E 16
Calusco d'Adda BG 21 E 10
Caluso TO 19 G 5
Calvagese della Riviera BS 22 F 13
Calvana (Monti della) PO 39 K 15
Calvatone CR 30 G 13
Calvello PZ 77 F 29
Calvello (Monte) AV 71 E 27
Calvene VI 24 E 16
Calvenzano BG 21 F 10
Calvera PZ 77 G 30
Calvi (Monte) BO 39 J 15
Calvi (Monte) LI 49 M 13
Calvi dell'Umbria TR 58 O 19
Calvi (Rifugio) BL 5 C 20
Calvi Risorta CE 69 D 24
Calvi Vecchia CE 69 D 24
Calvia (Monte) SS 111 F 8
Calvignano PV 29 H 9
Calvilli (Monte) FR 64 R 22
Calvisano BS 22 F 13
Calvisi CE 65 S 25
Calvo (Monte) FG 67 B 29
Calvo (Monte) AQ 59 O 21
Calzolaro PG 51 L 18
Camagna Monferrato AL 28 G 7
Camaiore LU 38 K 12
Camaldoli AR 44 K 17
Camaldoli NA 69 E 24
Camaldoli SA 75 F 27
Camaldoli (Convento) AR 40 K 17
Camandona BI 19 F 6
Camarda AQ 59 O 22
Camarina RG 106 Q 25
Camastra AG 103 P 23
Camatta MN 31 G 14
Camatte MN 31 G 14
Cambiago MI 21 F 10
Cambiano TO 27 H 5
Cambio (Monte di) RI 59 O 21
Camemi RG 106 Q 25
Camera PG 51 N 19
Camera TE 53 N 23
Camerano AN 47 L 22
Camerano Casasco AT 27 G 6
Camerata Picena AN 47 L 22
Camerata Cornello BG 9 E 10
Camerata Nuova RM 59 P 21
Camerelle (Posta delle) FG 71 D 29
Cameri NO 20 F 7
Cameriano NO 20 F 7
Camerino MC 52 M 22
Camerota SA 84 G 28
Camigliano SI 50 M 16
Camigliatello Silano CS 86 I 31
Caminata / Kematen BZ 3 B 16
Camini RC 88 L 31
Camino AL 20 G 6
Camino al Tagliam UD 16 E 20
Camino (Monte) BI 19 F 5
Camino (Pizzo) BS 10 E 12
Camisa SU 119 J 10
Camisano CR 21 F 11
Camisano Vicentino VI 24 F 17
Camitrici EN 103 O 24
Cammarata AG 98 O 22
Cammarata (Monte) AG 98 O 22
Camogli GE 37 I 9
Camonica (Val) BS 10 E 12
Campagna PN 13 D 20
Campagna SA 75 E 27
Campagna Lupia VE 25 F 18
Campagnano di Roma RM 58 P 19
Campagnatico GR 50 N 15
Campagnola Emilia RE 31 H 14
Campana CS 87 I 32
Campana (Cozzo) CL 99 O 23
Campana Grande (Grotta) FG 67 B 30
Campana (Sasso) SO 10 C 12
Campanedda SS 110 E 7
Campanella VI 12 E 16
Campanella (Monte) CL 103 O 23
Campanella (Punta) NA 74 F 24
Campea TV 13 E 18
Campeda (Altopiano di) SS 115 G 8
Campegine RE 31 H 13
Campello sul Clitunno PG 52 N 20
Campertogno VC 19 E 6
Campese GR 55 O 14
Campestri FI 40 K 16
Campi PG 52 N 21
Campi TN 11 E 14
Campi (Baia di) FG 67 B 30
Campi Bisenzio FI 39 K 15
Campi Salentina LE 81 F 36
Campiano RA 41 J 18
Campidano SU 118 H 7
Campiglia SP 38 J 11
Campiglia Cervo BI 19 J 10
Campiglia dei Berici VI 24 F 16
Campiglia dei Foci SI 43 L 15
Campiglia d'Orcia SI 50 N 17
Campiglia Marittima LI 49 M 13
Campiglia Soana TO 19 F 4
Campiglio MO 39 I 14
Campigliola GR 56 O 16
Campiglione TO 26 H 3
Campigna FO 40 K 17
Campigno FI 40 J 16
Campill / Longiarù BZ 4 C 17
Campione MN 31 G 14
Campione (Monte) BS 22 E 12
Campione del Garda BS 23 E 14
Campione d'Italia CO 9 E 8
Campitello MN 31 G 13
Campitello di Fassa TN 4 C 17
Campitello Matese CB 65 R 25
Campli TE 53 N 23
Campli (Montagna di) TE 53 N 22
Campliccioli (Lago di) VB 7 D 6
Campo SO 9 D 10
Campo (Monte) IS 65 Q 24
Campo Calabro RC 90 M 28
Campo dei Fiori (Monte) VA 8 E 8
Campo di Fano AQ 60 P 23
Campo di Giove AQ 60 P 24
Campo di Pietra TV 16 E 19
Campo di Trens / Freienfeld BZ 3 B 16
Campo Felice AQ 59 P 22
Campo Imperatore AQ 59 O 22
Campo Ligure GE 28 I 8
Campo Lupino (Monte) FR 63 R 22
Campo Reggiano PG 51 L 19
Campo Rotondo AQ 59 Q 21
Campo S. Martino PD 24 F 17
Campo Soriano LT 63 R 21
Campo Staffi FR 63 Q 22
Campo Tenese CS 85 H 30
Campo Tures / Sand in Taufers BZ 4 B 17
Campobasso CB 65 R 25
Campobello di Licata AG 103 P 23
Campobello di Mazara TP 97 O 20
Campocatino FR 63 Q 22
Campocavallo AN 47 L 22
Campochiaro CB 65 R 25
Campochiesa SV 35 J 6
Campodalbero VI 23 F 15
Campodarsego PD 24 F 17
Campodiegoli AN 52 M 20
Campodimele LT 64 R 22
Campodipietra CB 65 R 26
Campodolcino SO 9 C 10
Campodonico AN 52 M 20
Campodoro PD 24 F 17
Campofelice di Fitalia PA 98 N 22
Campofelice di Roccella PA 99 N 23
Campofilone AP 53 M 23
Campofiorito PA 97 N 21
Campoformido UD 16 D 21
Campoforogna RI 58 O 20
Campofranco CL 103 O 23
Campogalliano MO 31 H 14
Campogialli AR 44 L 17
Campogrosso (Passo di) TN 23 E 15
Campolaro BS 10 E 13
Campolasta / Astfeld BZ 3 B 16
Campolato (Capo) SR 105 P 27
Campolattaro BN 65 S 26
Campoleone LT 62 R 19
Campoli Appennino FR 64 Q 23
Campoli del Monte Taburno BN 70 D 25
Campolieto CB 65 R 26
Campolongo BL 5 C 19
Campolongo KR 89 K 33
Campolongo (Passo di) BL 4 C 17
Campolongo al Torre UD 17 E 22
Campolongo Maggiore VE 24 G 18
Campolongo sul Brenta VI 24 E 17
Campomaggiore PZ 77 F 30
Campomarino CB 61 Q 27
Campomarino TA 79 G 34
Campomolon (Monte) VI 11 E 15
Campomorone GE 28 I 8
Campomulo VI 12 E 16
Campone PN 13 D 20
Camponogara VE 25 F 18
Campora SA 76 G 27
Campora S. Giovanni CS 86 J 30
Camporeale PA 97 N 21
Camporgiano LU 38 J 13
Camporosso IM 35 K 4
Camporosso in Valcanale UD 15 C 22
Camporotondo di Fiastrone MC 52 M 21
Camporotondo Etneo CT 100 O 27
Camporovere VI 12 E 16
Camposampiero PD 24 F 17
Camposano NA 70 E 25
Camposanto MO 31 H 15
Camposauro (Monte) BN 70 D 25
Camposecco (Lago di) VB 7 D 6
Camposilvano TN 23 E 15
Camposonaldo FO 40 K 17
Campotosto AQ 59 O 22
Campotosto (Lago di) AQ 59 O 22
Campotto FE 32 I 17
Campovaglio SS 109 D 9
Campovalano TE 53 N 22
Campoverde LT 63 R 20
Campremoldo Sopra PC 29 G 10
Campremoldo Sotto PC 29 G 10
Campsirago LC 21 E 10
Campudulimu SS 111 E 8
Camucia AR 50 M 17
Camugnano BO 39 J 15
Cana GR 50 N 16
Canaglia SS 110 E 6
Canal S. Bovo TN 12 D 17
Canala (Sella) BN 70 C 26
Canale AV 70 E 26
Canale CN 27 H 5
Canale (Val) UD 15 C 22
Canale d'Agordo BL 12 C 17
Canale Monterano RM 57 P 18
Canale (Su) SS 113 E 10
Canales NU 115 G 8
Canales (Lago sos) SS 111 F 9
Canaletto MO 31 H 15
Canali RE 31 I 13
Canalicchio PG 51 N 19
Canalotto (Masseria) CL 103 O 24
Canapine (Forca) PG 52 N 21
Canaro RO 32 H 17
Canavaccio PS 46 K 20
Canazei TN 4 C 17
Cancano (Lago di) SO 2 C 12
Cancellara PZ 72 E 29
Cancelli AN 52 M 20
Cancello CE 70 E 25
Cancello ed Arnone CE 69 D 24
Cancelo (Passo di) RC 91 M 30
Canciano (Pizzo di) SO 10 D 11
Canda RO 32 G 16
Candela FG 71 D 28
Candelara PS 46 K 20
Candelaro FG 66 B 27
Candelaro (Masseria) FG 67 C 29
Candelaro (Stazione di) FG 67 C 29
Candeli FI 44 K 16
Candelo BI 19 F 6
Candelù TV 25 E 19
Candia Canavese TO 19 G 5
Candia (Lago di) TO 19 G 5
Candia Lomellina PV 20 G 7
Candiana PD 24 G 17
Candida Parolise AV 70 E 26
Candidoni RC 88 L 30
Candigliano PS 45 L 19
Candiolo TO 27 H 4
Candoglia VB 8 E 7
Cane (Passo del) / Hundskehljoch BZ 4 A 18
Cane (Punta del) SR 105 Q 27
Canebola UD 15 D 22
Canedole MN 23 G 14
Canegrate MI 20 F 8
Canelli AT 28 H 6
Canepina VT 57 O 18
Canesano PR 30 I 12
Canetra RI 59 O 21
Caneva PN 13 E 19
Canevara MS 38 J 12
Canevare MO 39 J 14
Canevino PV 29 H 9
Canfaito (Monte) MC 52 M 21
Cangialoso (Pizzo) PA 98 N 22
Cangiulli (Masseria) TA 73 E 32
Canicattì AG 103 O 23
Canicattini Bagni SR 105 P 27
Caniga SS 110 E 7
Canigione (Punta del) SS 109 D 10
Caniglia di Sotto (Casa) FG 66 B 28
Canin (Monte) UD 15 C 22
Canino VT 57 O 17
Canino (Monte) VT 57 O 17
Canischio TO 19 F 4
Canistro Inferiore AQ 63 Q 22
Canistro Superiore AQ 63 Q 22
Canitello RC 90 M 28
Canna CS 78 G 31
Canna ME 94 L 25
Cannai SU 120 J 7
Cannalonga SA 76 G 27
Cannara PG 51 N 19
Cannas SU 119 J 10
Cannas (Gola del Rio) SU 119 I 10
Cannas (Is) CA 119 J 9
Canne BA 72 D 30
Canneddi (Punta li) SS 108 D 8
Cannero Riviera VB 8 D 8
Canneto PI 49 M 14
Canneto (I. Lipari) ME 94 L 26
Canneto vicino a Sto Stefano di Cam ME 99 M 25
Canneto Pavese PV 29 G 9
Canneto sull'Oglio MN 30 G 13
Cannigione SS 109 D 10
Cannizzaro CT 101 O 27
Cannobina (Val) VB 8 D 7
Cannobino VB 8 D 7
Cannobio VB 8 D 8
Cannole LE 83 G 37
Cannoneris (Is) SU 121 J 8
Canolo RC 91 M 30
Canolo RE 31 H 14
Canonica BG 21 F 10
Canonica MI 21 F 9
Canosa di Puglia BA 72 D 30
Canosa Sannita CH 60 P 24
Canossa RE 30 I 13
Canova LC 21 E 10
Canove CN 27 H 6
Canove VI 12 E 16
Cansano AQ 60 P 24
Cansiglio (Bosco del) BL 13 D 19
Cantagallo PO 39 J 15
Cantagrillo PT 39 K 14
Cantalice RI 58 O 20
Cantalupa TO 26 H 3
Cantalupo AL 28 H 7
Cantalupo PG 51 N 19
Cantalupo in Sabina RI 58 P 19
Cantalupo Ligure AL 29 H 9
Cantalupo nel Sannio IS 65 R 25
Cantarana VE 25 G 18
Cantari (Monti) FR 63 Q 21
Cantello VA 20 E 8
Canterno (Lago di) FR 63 Q 21
Cantiano PS 46 L 19
Cantinella CS 85 H 31
Cantoira TO 18 F 4
Cantone PG 45 L 18
Cantone RE 31 I 13
Cantone TR 51 N 18
Cantoniera (Passo di) PS 45 K 18
Cantù CO 21 E 9
Canu (Monte) SS 109 D 10
Canzano TE 53 O 23
Canzo CO 9 E 9
Canzoi (Valle di) BL 12 D 17
Caorera BL 12 E 17
Caoria TN 12 D 17
Caorle VE 16 F 20
Caorso PC 30 G 11
Capaccia (Capo) SS 109 D 10
Capaccio SA 75 F 27
Capacciotti (Lago di) FG 71 D 29
Capaci PA 97 M 21
Capalbio GR 56 O 16
Capalbio Stazione GR 56 O 16
Capannaccia SS 109 D 9
Capanne GR 50 N 16
Capanne PG 51 M 18
Capanne (Monte) LI 48 N 12
Capanne di Sillano LU 38 J 12
Capanne Marcarolo AL 28 I 8
Capannelle (Valico delle) AQ 59 O 22
Capannole AR 44 L 16
Capannoli PI 43 L 14
Capannori LU 39 K 13
Capecchio VT 57 O 17
Capel Rosso (Punta del) (I. di Giannutri) GR 55 P 15
Capel Rosso (Punta del) (I. del Giglio) GR 55 P 14
Capena RM 58 P 19
Capergnanica CR 21 F 10
Caperino (Montagna del) PZ 77 F 30
Capestrano AQ 60 P 23
Capezzano Pianore LU 38 K 12
Capezzone (Cima) VB 8 E 6
Capichera (Tomba di) SS 109 D 10
Capilungo LE 83 H 36
Capio (Monte) VC 8 E 6
Capistrano VV 88 K 30
Capistrello AQ 59 Q 22
Capitana CA 119 J 9
Capitello SA 76 G 28
Capitello VR 23 G 15
Capitignano SA 75 E 26
Capitignano AQ 59 O 21
Capitone TR 58 O 19
Capizzi ME 100 N 25
Caplone (Monte) BS 23 E 13
Capo Calvanico SA 70 E 26
Capo di Ponte BS 10 D 13
Capo di Ponte (Parco Nazionale Inc. Rup.) BS 10 D 13
Capo d'Orlando ME 100 M 26
Capo Ferrato SU 119 J 10
Capo Passero (Isola di) SR 107 Q 27
Capo Portiere LT 63 R 20
Capo Rizzuto KR 89 K 33
Capo Rossello AG 102 P 22
Capocavallo PG 51 M 18
Capodacqua PG 52 M 20
Capodarco AP 53 M 23
Capodimonte NA 69 E 24
Capodimonte VT 57 O 17
Capoiale FG 67 B 28
Capolapiaggia MC 52 M 21
Capoliveri LI 48 N 13
Capolona AR 45 L 17
Caponago MI 21 F 10
Caporciano AQ 59 P 23
Caporiacco UD 14 D 21
Caporosa CS 87 J 31
Caposele AV 71 E 27
Caposile VE 16 F 19
Capoterra CA 118 J 8
Capovalle BS 23 E 13
Cappadocia AQ 59 P 21
Cappeddu (Punta) SS 109 D 9
Cappella KR 87 I 33
Cappella Maggiore TV 13 E 19
Cappelle AQ 59 P 22
Cappelle sul Tavo PE 60 O 24
Cappelletta MN 31 G 14
Capracotta IS 65 Q 24
Capradosso RI 59 P 21
Caprafico TE 60 O 23
Capraglia AL 28 G 8
Capraia LI 48 M 11
Capraia (Isola) FG 66 A 28
Capraia (Isola di) LI 48 M 11
Capralba CR 21 F 10
Capranica VT 57 P 18
Capranica Prenestina RM 63 Q 20
Caprara RE 30 H 13
Caprara d'Abruzzo PE 60 O 24
Caprara (Punta) SS 108 D 6
Caprarica (Masseria) TA 79 F 34
Caprarica di Lecce LE 83 G 36
Caprarico MT 77 G 31
Capraro (Monte) IS 65 Q 24
Caprarola VT 57 P 18
Caprauna CN 35 J 5
Caprera (Isola) SS 109 D 10
Caprese Michelangelo AR 45 L 17
Capri NA 74 F 24
Capri (Isola di) NA 74 F 24
Capri Leone ME 100 M 26
Capriana TN 12 D 16
Capriata d'Orba AL 28 H 8
Capriate S. Gervasio BG 21 F 10
Capriati a Volturno CE 65 R 24
Capricchia RI 59 O 22
Capriccioli SS 109 D 10
Caprile AR 45 K 18
Caprile PS 46 L 20
Caprile BL 12 C 17
Caprile / Gfrill (vicino a Merano) BZ 3 C 15
Caprino Bergamasco BG 21 E 10
Caprino Veronese VR 23 F 14
Caprio MS 38 I 11
Caprioli SA 76 G 27
Capriolo BS 22 F 11
Capriva del Friuli GO 17 E 22
Capro (il) BZ 3 B 15
Caprolace (Lago del) LT 63 R 20
Capua CE 69 D 24
Capugnano BO 39 J 14
Capurso BA 73 D 32
Caraffa del Bianco RC 91 M 30
Caraffa di Catanzaro CZ 88 K 31
Caraglio CN 34 I 4
Caragna SV 35 J 6
Caramagna Ligure IM 35 K 5
Caramagna Piemonte CN 27 H 5
Caramanico Terme PE 60 P 23
Carameto (Monte) PR 30 H 11
Caramola (Monte) PZ 77 G 30
Caramolo (Monte) CS 85 H 30
Carana SS 109 E 9
Carangiaro (Monte) EN 104 O 24
Caranna BR 80 E 34
Carano LT 63 R 20
Carano TN 12 D 16

129

Caranza **SP** 37 I 10
Carapelle **FG** 71 C 29
Carapelle Calvisio **AQ** 59 P 23
Carapelle (Torrente) **FG** 71 D 28
Carapellotto **FG** 71 D 28
Carasco **GE** 37 I 10
Carassai **AP** 53 M 23
Carate Brianza **MI** 21 E 9
Carate Brianza (Rifugio) **SO** 10 D 11
Carate Urio **CO** 9 E 9
Caravaggio **BG** 21 F 10
Caravai (Passo di) **NU** 115 G 9
Caravino **TO** 19 F 5
Caravius (Monte is) **SU** 118 J 8
Caravonica **IM** 35 K 5
Carbognano **VT** 58 P 18
Carbonara al Ticino **PV** 21 G 9
Carbonara (Capo) **SU** 119 J 10
Carbonara di Bari **BA** 73 D 32
Carbonara di Po **MN** 31 G 15
Carbonara (Golfo di) **SU** 119 J 10
Carbonara (Pizzo) **PA** 99 N 24
Carbonare **TN** 11 E 15
Carbone **PZ** 77 G 30
Carbone (Monte) **CN** 34 J 4
Carbonera **TV** 25 E 18
Carbonesca **PG** 51 M 19
Carbonia **SU** 118 J 7
Carbonin / Schluderbach **BZ** 4 C 18
Carcaci (Monte) **PA** 98 N 22
Carcaciotto (Borgata) **PA** 98 N 22
Carcare **SV** 36 I 6
Carcari **EN** 100 O 26
Carceri **PD** 24 G 16
Carceri (Eremo delle) **PG** 51 M 19
Carchitti **RM** 63 Q 20
Carcina **BS** 22 F 12
Carcoforo **VC** 7 E 6
Carda **AR** 44 L 17
Cardaxius **SU** 119 I 9
Carde **CN** 27 H 4
Cardedu **NU** 117 H 10
Cardella **PS** 45 L 19
Cardeto **RC** 90 M 29
Cardeto Sud **RC** 90 M 29
Cardezza **VB** 8 D 6
Cardiga (Monte) **SU** 119 I 10
Cardinala **MN** 31 G 15
Cardinale **CZ** 88 L 31
Carditello **CE** 69 D 24
Cardito **FR** 64 R 23
Cardito **NA** 69 E 24
Carè Alto (Monte) **TN** 11 D 13
Careggine **LU** 38 J 12
Carena (Punta) **NA** 74 F 24
Carenno **LC** 21 E 10
Careri **RC** 91 M 30
Caresana **TS** 17 F 23
Caresana **VC** 20 G 7
Caresanablot **VC** 20 F 7
Careser (Lago del) **TN** 11 C 14
Carestiato (Rifugio) **BL** 12 D 18
Carezza al Lago / Karersee **BZ** 12 C 16
Carezzano **AL** 28 H 8
Carfalo **PI** 43 L 14
Carfizzi **KR** 87 J 32
Cargeghe **SS** 110 E 7
Caria **VV** 88 L 29
Cariati **CS** 87 I 32
Cariati (Masseria) **BA** 72 D 30
Cariati Marina **CS** 87 I 32
Carife **AV** 71 D 27
Carige **GR** 56 O 16
Cariglio **CS** 86 I 30
Carignano **FG** 66 C 27
Carignano **PR** 30 H 12
Carignano **PS** 46 K 20
Carignano **TO** 27 H 5
Carini **PA** 97 M 21
Carini (Golfo di) **PA** 97 M 21
Carinola **CE** 69 D 23
Carisasca **PC** 29 H 9
Carisio **VC** 19 F 6
Carisolo **TN** 11 D 14
Cariusi (Monte) **SA** 76 G 28
Carlantino **FG** 66 C 26
Carlazzo **CO** 9 D 9
Carlentini **SR** 105 P 27
Carlino **UD** 16 E 21
Carlo Magno (Campo) **TN** 11 D 14
Carloforte **SU** 120 J 6
Carlopoli **CZ** 86 J 31
Carmagnola **TO** 27 H 5
Carmelia (Piani di) **RC** 90 M 29
Carmerlona **RA** 41 I 18
Carmiano **LE** 81 F 36
Carmignanello **PO** 39 K 15
Carmignano **PO** 39 K 15
Carmignano **PD** 32 G 16
Carmignano di Brenta **PD** 24 F 17
Carmine **VB** 8 D 8
Carmine **CN** 27 I 5
Carmo (Monte) **GE** 29 I 9
Carmo (Monte) **SV** 35 J 6
Carnago **VA** 20 E 8
Carnaio (Colle del) **FO** 40 K 17
Carnaiola **TR** 51 N 18
Carnara (Monte) **PZ** 77 G 31
Carnello **FR** 64 Q 22
Carnia **UD** 14 C 19
Carnia (Località) **UD** 14 C 21
Carnizza (Sella) **UD** 15 C 21
Carobbio **PR** 30 I 12
Carolei **CS** 86 J 30
Carona **BG** 10 D 11
Carona **SO** 10 D 12
Caronia **ME** 100 M 25
Caronno Pertusella **VA** 21 F 9
Caronte (Terme) **CZ** 88 K 30
Carosino **TA** 79 F 34
Carovigno **BR** 80 E 34
Carovilli **IS** 65 Q 24
Carpacco **UD** 14 D 20
Carpana **PR** 29 I 11
Carpaneto Piacentino **PC** 30 H 11
Carpani **LI** 48 N 12
Carpanzano **CS** 86 J 30
Carpari **TA** 80 E 33
Carpasio **IM** 35 K 5
Carpe **SV** 35 J 6
Carpegna **PS** 45 K 19
Carpegna (Monte) **PS** 41 K 18
Carpen **BL** 12 E 17
Carpenedolo **BS** 22 F 13
Carpeneto **AL** 28 H 7
Carpi **MO** 31 H 14
Carpi **VR** 32 G 16
Carpi (Rifugio) **BL** 4 C 18
Carpiano **MI** 21 F 9
Carpignano Salentino **LE** 83 G 37
Carpignano Sesia **NO** 20 F 7
Carpina **PG** 45 L 19
Carpinelli (Passo) **LU** 38 J 12
Carpinello **FO** 41 J 18
Carpineta **BO** 39 J 15
Carpineti **RE** 38 I 13
Carpineto della Nora **PE** 60 O 23
Carpineto Romano **RM** 63 R 21
Carpineto Sinello **CH** 61 P 25
Carpini **PG** 45 L 19
Carpino **FG** 67 B 29
Carpinone **IS** 65 R 24
Carrara **MS** 38 J 12
Carré **VI** 24 E 16
Carrega Ligure **AL** 29 I 9
Carretto **SV** 35 I 6
Carriero (Serra) **PZ** 71 E 29
Carrito **AQ** 60 P 23
Carro **SP** 37 J 10
Carrodano **SP** 37 J 10
Carrosio **AL** 28 I 8
Carrù **CN** 27 I 5
Carruba **CT** 101 N 27
Carruba Nuova **PA** 97 N 21
Carrubba (Monte) **SR** 105 P 27
Carsoli **AQ** 59 P 21
Carsulae **TR** 58 O 19
Cartasegna **AL** 29 I 9
Cartigliano **VI** 24 E 17
Cartoceto (vicino a Calcinelli) **PS** 46 K 20
Cartoceto (vicino ad Isola di Fano) **PS** 46 L 20
Cartosio **AL** 28 I 7
Cartura **PD** 24 G 17
Carugate **MI** 21 F 10
Carunchio **CH** 65 Q 25
Caruso (Forca) **AQ** 59 P 23
Caruso (Monte) **PZ** 71 E 29
Carve **BL** 13 D 18
Carvico **BG** 21 E 10
Casa Castalda **PG** 51 M 19
Casa della Marina **SU** 119 J 10
Casa Matti **PV** 29 H 9
Casa Riva Lunga **GO** 17 E 22
Casabella **AG** 99 O 23
Casabona **KR** 87 J 32
Casacalenda **CB** 65 Q 26
Casacanditella **CH** 60 P 24
Casacorba **TV** 24 F 18
Casagiove **CE** 69 D 24
Casaglia **PI** 49 L 13
Casaglia **BS** 22 F 12
Casaglia **FE** 32 H 16
Casaglia (Colla di) **FI** 40 J 16
Casal Borsetti **RA** 33 I 18
Casal Cermelli **AL** 28 H 7
Casal di Principe **CE** 69 D 24
Casal Palocco **RM** 62 Q 19
Casal Sabini **BA** 73 E 31
Casal Velino **SA** 75 G 27
Casalabate **LE** 81 F 36
Casalanguida **CH** 61 P 25
Casalappi Ruschi **LI** 49 M 14
Casalattico **FR** 64 R 23
Casalbarbato **PR** 30 H 12
Casalbellotto **CR** 30 H 13
Casalbordino **CH** 61 P 25
Casalbore **AV** 70 D 27
Casalborgone **TO** 19 G 5
Casalbuono **SA** 76 G 29
Casalbusone **AL** 29 I 9
Casalbuttano ed Uniti **CR** 22 G 11
Casalcassinese **FR** 64 R 23
Casalciprano **CB** 65 R 25
Casalduni **BN** 65 S 26
Casale **RA** 40 J 17
Casale **MN** 31 G 14
Casale Cinelli **VT** 57 P 17
Casale Corte Cerro **VB** 8 E 7
Casale Cremasco **CR** 21 F 11
Casale delle Palme **LT** 63 R 20
Casale di Pari **GR** 50 M 15
Casale di Scodosia **PD** 24 G 16
Casale Marittimo **PI** 49 M 13
Casale Monferrato **AL** 28 G 7
Casale Monferrato (Rifugio) **AO** 7 E 5
Casale sul Sile **TV** 25 F 18
Casale (Villa Romana del) (Piazza Armerina) **EN** 104 O 25
Casalecchio dei Conti **BO** 40 I 16
Casalecchio di Reno **BO** 39 I 15
Casaleggio **PC** 29 H 10
Casaleggio Novara **NO** 20 F 7
Casaleone **VR** 23 G 15
Casaletto **VT** 57 P 18
Casaletto Ceredano **CR** 21 G 10
Casaletto di Sopra **CR** 22 F 11
Casaletto Spartano **SA** 76 G 28
Casalfiumanese **BO** 40 J 16
Casalgiordana **PA** 99 N 24
Casalgrande **RE** 31 I 14
Casalgrasso **CN** 27 H 4
Casali **FI** 40 J 16
Casalicchio **AG** 99 O 23
Casaliggio **PC** 29 G 10
Casalina **MS** 38 I 11
Casalincontrada **CH** 60 P 24
Casalini **BR** 80 E 34
Casalino **AR** 44 K 17
Casalino **NO** 20 F 7
Casalmaggiore **CR** 30 H 13
Casalmaiocco **LO** 21 F 10
Casalmorano **CR** 22 G 11
Casalmoro **MN** 22 G 13
Casalnoceto **AL** 28 H 8
Casalnuovo **RC** 91 M 29
Casalnuovo di Napoli **NA** 69 E 25
Casalnuovo Monterotaro **FG** 66 C 27
Casaloldo **MN** 22 G 13
Casalone (Poggio) **SI** 49 M 15
Casalotti **RM** 62 Q 19
Casalpoglio **MN** 22 G 13
Casalpusterlengo **LO** 21 G 10
Casalromano **MN** 22 G 13
Casalserugo **PD** 24 G 17
Casalta **PG** 51 N 19
Casaltone **PR** 30 H 13
Casaluce **CE** 69 D 24
Casaluna **PG** 52 M 20
Casalvecchio di Puglia **FG** 66 C 27
Casalvecchio Siculo **ME** 90 N 27
Casalvieri **FR** 64 R 23
Casalvolone **NO** 20 F 7
Casamaina **AQ** 59 P 22
Casamari (Abbazia di) **FR** 64 Q 22
Casamassima **BA** 73 E 32
Casamicciola Terme **NA** 74 E 23
Casanova **RI** 58 O 20
Casanova **TO** 27 H 5
Casanova dell'Alpe **FO** 40 K 17
Casanova Elvo **VC** 20 F 6
Casanova Lerrone **SV** 35 J 6
Casanova Lonati **PV** 29 G 9
Casape **RM** 63 Q 20
Casaprota **RI** 58 P 20
Casaraccio (Stagno di) **SS** 110 E 6
Casarano **LE** 83 G 36
Casargius (Monte) **SU** 119 I 10
Casargo **LC** 9 D 10
Casarsa della Delizia **PN** 13 E 20
Casarza Ligure **GE** 37 J 10
Casasco d'Intelvi **CO** 9 E 9
Casaselvatica **PR** 30 I 12
Casastrada **FI** 43 L 14
Casateia / Gasteig **BZ** 3 B 16
Casatenovo **LC** 21 E 9
Casatico **MN** 31 G 13
Casatisma **PV** 29 G 9
Casazza **BG** 22 E 11
Cascano **CE** 69 D 23
Cascia **PG** 52 N 21
Casciana Alta **PI** 43 L 13
Casciana Terme **PI** 43 L 13
Casciano **SI** 50 M 15
Cascina **PI** 43 K 13
Cascina (Torrente) **PI** 43 L 13
Cascina Grossa **AL** 28 H 8
Cascine Vecchie **PI** 42 K 13
Cascinette d'Ivrea **TO** 19 F 5
Case Orsolina **BL** 5 C 19
Case Perrone **TA** 78 F 32
Case Simini **LE** 81 F 36
Casei Gerola **PV** 28 G 8
Caselette **TO** 27 G 4
Casella **SP** 37 J 11
Casella **GE** 28 I 8
Casella **TV** 24 E 17
Caselle **CS** 85 H 31
Caselle **TV** 24 E 17
Caselle **VR** 24 G 16
Caselle **VI** 24 G 16
Caselle in Pittari **SA** 76 G 28
Caselle Landi **LO** 30 G 11
Caselle Lurani **LO** 21 G 10
Caselle Torinese **TO** 19 G 4
Casemurate **RA** 41 J 18
Casenove **PG** 52 N 20
Casenovole **GR** 50 M 15
Casentini (Rifugio) **LU** 39 J 13
Casentino **AQ** 59 P 22
Casenuove **AN** 47 L 22
Casera di Fuori **BZ** 3 B 14
Casera Losa **UD** 5 C 20
Casere **BL** 12 E 17
Casere / Kasern **BZ** 4 A 18
Caserta **CE** 69 D 25
Caserta Vecchia **CE** 69 D 25
Casette **RI** 58 O 20
Casette d'Ete **AP** 53 M 23
Casevecchie **PG** 51 N 20
Casi **CE** 69 D 24
Casier **TV** 25 F 18
Casies (Valle di) / Gsies **BZ** 4 B 18
Casigliano **TR** 51 N 19
Casignana **RC** 91 M 30
Casina **RE** 30 I 13
Casina (Cima la) **SO** 2 C 12
Casinalbo **MO** 31 I 14
Casine **AN** 46 L 21
Casinina **PS** 41 K 19
Casirate d'Adda **BG** 21 F 10
Caslino d'Erba **CO** 21 E 9
Casnate **CO** 21 E 9
Casnigo **BG** 22 E 11
Casola Canina **BO** 40 I 17
Casola in Lunigiana **MS** 38 J 12
Casola Valsenio **RA** 40 J 16
Casole d'Elsa **SI** 49 L 15
Casoli **CH** 60 P 24
Casoli **LU** 38 K 12
Casoli **TE** 60 O 23
Cason di Lanza (Passo) **UD** 14 C 21
Casoni **GE** 29 I 9
Casoni **RE** 31 H 14
Casorate Primo **PV** 21 G 9
Casorate Sempione **VA** 20 E 8
Casorezzo **MI** 20 F 8
Casoria **NA** 69 E 24
Casorzo **AT** 28 G 7
Casotto **CN** 35 J 5
Caspano **SO** 9 D 10
Casperia **RI** 58 O 20
Caspoggio **SO** 10 D 11
Cassana (Pizzo) **SO** 2 C 12
Cassano **AV** 70 D 26
Cassano allo Ionio **CS** 85 H 30
Cassano d'Adda **MI** 21 F 10
Cassano delle Murge **BA** 73 E 32
Cassano Irpino **AV** 70 E 27
Cassano Magnago **VA** 20 E 8
Cassano Spinola **AL** 28 H 8
Cassano Valcuvia **VA** 8 E 8
Cassaro **SR** 105 P 26
Cassella **RO** 33 H 19
Cassiano **AN** 46 L 21
Cassibile **SR** 105 Q 27
Cassibile (Fiume) **SR** 105 Q 27
Cassiglio **BG** 9 E 10
Cassina de' Pecchi **MI** 21 F 10
Cassinasco **AT** 28 H 6
Cassine **AL** 28 H 7
Cassinelle **AL** 28 I 7
Cassinetta di Lugagnano **MI** 20 F 8
Cassino **FR** 64 R 23
Cassino **RI** 52 N 21
Cassio **PR** 30 I 12
Casso **PN** 13 D 18
Cassola **VI** 24 E 17
Cassolnovo **PV** 20 F 8
Castagna **CZ** 86 J 31
Castagna (Punta) **ME** 94 L 26
Castagna (Serra) **CS** 85 I 31
Castagnaro **VR** 32 G 16
Castagneto Carducci **LI** 49 M 13
Castagneto Po **TO** 19 G 5
Castagnito **CN** 27 H 6
Castagno (il) **FI** 43 L 14
Castagno d'Andrea (il) **FI** 40 K 16
Castagnola **PG** 51 N 19
Castagnole delle Lanze **AT** 27 H 6
Castagnole Monferrato **AT** 28 H 6
Castagnole Piemonte **TO** 27 H 4
Castana **PV** 29 G 9
Castanea delle Furie **ME** 90 M 28
Castano Primo **MI** 20 F 8
Castedduzzu (Monte su) **SS** 111 E 8
Casteggio **PV** 29 G 9
Castegnato **BS** 22 F 12
Castel Baronia **AV** 71 D 27
Castel Bolognese **RA** 40 J 17
Castel Campagnano **CE** 70 D 25
Castel Castagna **TE** 59 O 23
Castel Castagnaio **AR** 40 K 16
Castel Cellesi **VT** 57 O 18
Castel d'Aiano **BO** 39 J 15
Castel d'Ario **MN** 23 G 14
Castel d'Azzano **VR** 23 F 14
Castel de' Britti **BO** 40 I 16
Castel del Bosco **PI** 43 L 14
Castel del Giudice **IS** 65 Q 24
Castel del Monte **BA** 72 D 30
Castel del Monte **AQ** 60 O 23
Castel del Piano **GR** 50 N 16
Castel del Piano **PG** 51 M 18
Castel del Rio **BO** 40 J 16
Castel dell'Alpi **BO** 39 J 15
Castel dell'Aquila **TR** 58 O 19
Castel di Casio **BO** 39 J 15
Castel di Fiori **TR** 51 N 18
Castel di Ieri **AQ** 60 P 23
Castel di Iudica **CT** 104 O 25
Castel di Lucio **ME** 99 N 24
Castel di Sangro **AQ** 64 Q 24
Castel di Sasso **CE** 69 D 24
Castel di Tora **RI** 58 P 20
Castel di Tusa **ME** 99 M 24
Castel Focognano **AR** 44 L 17
Castel Fraiano **CH** 65 Q 25
Castel Frentano **CH** 60 P 25
Castel Gandolfo **RM** 62 Q 19
Castel Ginnetti **LT** 63 R 20
Castel Giòrgio **TR** 50 N 17
Castel Giuliano **RM** 57 P 18
Castel Goffredo **MN** 22 G 13
Castel Guelfo di Bologna **BO** 40 I 17
Castel Lagopesole **PZ** 71 E 29
Castel Madama **RM** 58 Q 20
Castel Maggiore **BO** 32 I 16
Castel Morrone **CE** 69 D 25
Castel Porziano **RM** 62 Q 19
Castel Rigone **PG** 51 M 18
Castel Ritaldi **PG** 51 N 20
Castel Rocchero **AT** 28 H 7
Castel S. Giovanni **PG** 52 N 21
Castel S. Giovanni **PC** 29 G 10
Castel S. Elia **VT** 58 P 19
Castel S. Gimignano **SI** 43 L 15
Castel S. Giorgio **SA** 70 E 26
Castel S. Giovanni (vicino a Spoleto) **PG** 51 N 20
Castel S. Lorenzo **SA** 76 F 27
Castel Sta Maria **MC** 52 M 21
Castel Sta Maria **PG** 52 N 21
Castel S. Niccolo **AR** 44 K 17
Castel S. Pietro **MC** 52 M 21
Castel S. Pietro Terme **BO** 40 I 16
Castel S. Venanzo **MC** 52 M 21
Castel S. Vincenzo **IS** 64 R 24
Castel Seprio **VA** 20 E 8
Castel Venzago **BS** 23 F 13
Castel Viscardo **TR** 50 N 18
Castel Vittorio **IM** 35 K 5
Castel Volturno **CE** 69 D 23
Castelbaldo **PD** 32 G 16
Castelbelforte **MN** 23 G 14
Castelbello / Kastelbell **BZ** 3 C 14
Castelbianco **SV** 35 J 6
Castelbottaccio **CB** 65 Q 26
Castelbuono **PA** 99 N 24
Castelcanafurone **PC** 29 H 10
Castelcerino **VR** 23 F 15
Castelceriolo **AL** 28 H 8
Castelchiodato **RM** 58 P 20
Castelcivita **SA** 76 F 27
Castelcivita (Grotta di) **SA** 76 F 27
Castelcovati **BS** 22 F 11
Castelcucco **TV** 24 E 17
Casteldaccia **PA** 98 M 22
Casteldarne / Ehrenburg **BZ** 4 B 17
Casteldelci **PS** 45 K 18
Casteldelfino **CN** 26 I 3
Casteldelmonte **TR** 51 N 19
Casteldidone **CR** 30 G 13
Casteldimezzo **PS** 46 K 20
Casteldoria (Terme di) **SS** 111 E 8
Castelfalfi **FI** 43 L 14
Castelferretti **AN** 47 L 22
Castelferro **AL** 28 H 7
Castelfidardo **AN** 47 L 22
Castelfiorentino **FI** 43 L 14
Castelfondo **TN** 3 C 15
Castelforte **LT** 64 S 23
Castelfranci **AV** 70 E 27
Castelfranco di Sopra **AR** 44 L 16
Castelfranco di Sotto **PI** 43 K 14
Castelfranco Emilia **MO** 31 I 15
Castelfranco in Miscano **BN** 70 D 27
Castelfranco Veneto **TV** 24 E 17
Castelgomberto **VI** 24 F 16
Castelgrande **PZ** 71 E 28
Castelguglielmo **RO** 32 G 16
Castelguidone **CH** 65 Q 25
Castellabate **SA** 75 G 26
Castellaccio (Monte) **PA** 97 M 21
Castellaccio di Fratacchia (Monte) **PA** 97 N 20
Castellace **RC** 90 M 29
Castellafiume **AQ** 59 Q 21
Castell'Alfero **AT** 27 H 6
Castellalto **TE** 53 N 23
Castellammare (Golfo di) **TP** 97 M 20
Castellammare del Golfo **TP** 97 M 20
Castellammare di Stabia **NA** 74 E 25
Castellamonte **TO** 19 F 5
Castellana (Grotte di) **BA** 73 E 33
Castellana Grotte **BA** 73 E 33
Castellana Sicula **PA** 99 N 24
Castellaneta **TA** 78 F 32
Castellaneta Marina **TA** 78 F 32
Castellano **TE** 53 N 22
Castellanza **VA** 20 O 10
Castell'Apertole **VC** 19 G 6
Castellarano **RE** 31 I 14
Castellaro **IM** 35 K 5
Castellaro **MO** 39 J 14
Castellaro **PR** 30 H 11
Castellaro **PV** 29 H 9
Castellaro Lagusello **MN** 23 F 13
Castell'Arquato **PC** 30 H 11
Castell'Azzara **GR** 50 N 17

A B C D E F G H I J K L M N O P Q R S T U V W X Y Z

130

A B C D E F G H I J K L M N O P Q R S T U V W X Y Z

Castellazzo Bormida **AL** 28 H 7
Castellazzo (Monte) **ME** 100 N 26
Castelleone **CR** 22 G 11
Castelleone **PG** 51 N 19
Castelleone di Suasa **AN** 46 L 20
Castelletto **BS** 22 G 12
Castelletto **PC** 30 H 11
Castelletto Busca **CN** 26 I 4
Castelletto Cervo **BI** 20 F 6
Castelletto di Brenzone **VR** 23 E 14
Castelletto d'Orba **AL** 28 H 8
Castelletto Molina **AT** 28 H 7
Castelletto Monferrato **AL** 28 G 7
Castelletto Po **PV** 29 G 9
Castelletto sopra Ticino **NO** 20 E 7
Castelletto Stura **CN** 27 I 4
Castelli **TE** 59 O 23
Castelli Calepio **BG** 22 F 11
Castelli (Monte) **ME** 100 N 25
Castelli Romani **RM** 62 Q 19
Castellina **FI** 43 K 14
Castellina in Chianti **SI** 44 L 15
Castellina Marittima **PI** 43 L 13
Castellina Scalo **SI** 43 L 15
Castellina **PR** 30 H 12
Castellinaldo **CN** 27 H 6
Castellino del Biferno **CB** 65 Q 26
Castellino Tanaro **CN** 35 I 5
Castelliri **FR** 64 Q 22
Castello (Canale) **FG** 71 D 29
Castello (Monte) **LI** 48 M 11
Castello (Spiaggia del) **FG** 67 B 30
Castello **BS** 22 F 13
Castello **SP** 37 J 10
Castello (Cima di) **SO** 9 D 11
Castello d'Agogna **PV** 20 G 8
Castello d'Argile **BO** 32 H 15
Castello dell'Acqua **SO** 10 D 12
Castello di Annone **AT** 28 H 6
Castello di Cisterna **NA** 70 E 25
Castello di Godego **TV** 24 E 17
Castello di Lago **AV** 70 D 26
Castello di Serravalle **BO** 39 I 15
Castello Inici **TP** 97 N 20
Castello Lavazzo **BL** 13 D 18
Castello Molina di Fiemme **TN** 12 D 16
Castello Tesino **TN** 12 D 16
Castellonalto **TR** 58 O 20
Castellonchio **PR** 30 I 12
Castellonorato **LT** 64 S 23
Castell'Ottieri **GR** 50 N 17
Castellucchio **MN** 31 G 13
Castelluccio **MO** 39 J 14
Castelluccio **PG** 52 N 21
Castelluccio **SR** 105 Q 26
Castelluccio Cosentino **SA** 76 F 28
Castelluccio dei Sauri **FG** 71 D 28
Castelluccio-Inferiore **PZ** 85 G 29
Castelluccio (Monte) **AG** 103 O 23
Castelluccio-Superiore **PZ** 85 G 29
Castelluccio Valmaggiore **FG** 71 C 27
Castell'Umberto **ME** 100 M 26
Castelluzzo **TP** 97 M 20
Castelluzzo (Masseria) **BR** 79 F 34
Castelmagno **CN** 34 I 3
Castelmassa **RO** 32 G 15
Castelmauro **CB** 65 Q 26
Castelmenardo **RI** 59 P 21
Castelmezzano **PZ** 77 F 30
Castelmola **ME** 90 N 27
Castelmonte **UD** 15 D 22
Castelnovetto **PV** 20 G 7
Castelnovo **PC** 29 H 10
Castelnovo Bariano **RO** 31 G 15
Castelnovo di Sotto **RE** 31 H 13
Castelnovo ne' Monti **RE** 38 I 13
Castelnuovo **AQ** 59 P 22
Castelnuovo **MN** 22 G 13
Castelnuovo **PD** 24 F 17
Castelnuovo **PS** 41 K 19
Castelnuovo **RA** 40 I 17
Castelnuovo **TN** 12 D 16
Castelnuovo al Volturno **IS** 64 R 24
Castelnuovo Berardenga **SI** 50 L 16
Castelnuovo Bocca d'Adda **LO** 30 G 11
Castelnuovo Bormida **AL** 28 H 7
Castelnuovo Calcea **AT** 28 H 6
Castelnuovo Cilento **SA** 76 G 27
Castelnuovo dei Sabbioni **AR** 44 L 16
Castelnuovo del Friuli **PN** 14 D 20
Castelnuovo del Garda **VR** 23 F 14
Castelnuovo della Daunia **FG** 66 C 27
Castelnuovo della Misericordia **LI** 42 L 13
Castelnuovo dell'Abate **SI** 50 N 16
Castelnuovo d'Elsa **FI** 43 L 14
Castelnuovo di Ceva **CN** 35 I 6
Castelnuovo di Conza **SA** 71 E 27
Castelnuovo di Farfa **RI** 58 P 20
Castelnuovo di Garfagnana **LU** 38 J 13
Castelnuovo di Porto **RM** 58 P 19
Castelnuovo di Val di Cecina **PI** 49 M 14
Castelnuovo Don Bosco **AT** 27 G 5
Castelnuovo Fogliani **PC** 30 H 11
Castelnuovo Magra **SP** 38 J 12
Castelnuovo Nigra **TO** 19 F 5
Castelnuovo Rangone **MO** 31 I 14
Castelnuovo Scrivia **AL** 28 H 8
Castelnuovo Vomano **TE** 60 O 23
Castelpagano **BN** 65 R 26
Castelpetroso **IS** 65 R 25
Castelpizzuto **IS** 65 R 24
Castelplanio **AN** 46 L 21
Castelpoggio **MS** 38 J 12
Castelponzone **CR** 30 G 12
Castelpoto **BN** 70 D 26
Castelraimondo **MC** 52 M 21
Castelromano **IS** 65 R 24
Castelrotto / Kastelruth **BZ** 3 C 16
Castelsantangelo sul Nera **MC** 52 N 21
Castelsaraceno **PZ** 77 G 29
Castelsardo **SS** 108 E 8
Castelsavino (Monte) **AR** 45 K 17
Castelsilano **KR** 87 J 32
Castelspina **AL** 28 H 7
Casteltermini **AG** 98 O 22
Casteltodino **TR** 51 O 19
Castelvecchio / Altenburg **BZ** 11 C 15
Castelvecchio **PT** 39 K 14
Castelvecchio **VI** 23 F 15
Castelvecchio Calvisio **AQ** 59 P 23
Castelvecchio di Rocca Barbena **SV** 35 J 6
Castelvecchio Pascoli **LU** 38 J 13
Castelvecchio Subequo **AQ** 60 P 23
Castelvenere **BN** 70 D 25
Castelverde **CR** 22 G 11
Castelvero **VR** 23 F 15
Castelverrino **IS** 65 Q 25
Castelvetere in Val Fortore **BN** 66 C 26
Castelvetere sul Calore **AV** 70 E 26
Castelvetrano **TP** 97 N 20
Castelvetro di Modena **MO** 31 I 14
Castelvetro Piacentino **PC** 30 G 11
Castelvisconti **CR** 22 G 11
Castenaso **BO** 32 I 16
Castenedolo **BS** 22 F 12
Casterno **MI** 20 F 8
Castiadas **SU** 119 J 10
Castiglion Fibocchi **AR** 44 L 17
Castiglion Fiorentino **AR** 50 L 17
Castiglioncello **LI** 42 L 13
Castiglioncello Bandini **GR** 50 N 16
Castiglioncello del Trinoro **SI** 50 N 17
Castiglione **AN** 52 M 20
Castiglione **IS** 65 Q 24
Castiglione **LE** 83 H 37
Castiglione **PG** 51 M 19
Castiglione a Casauria **PE** 60 P 23
Castiglione Chiavarese **GE** 37 J 10
Castiglione Cosentino **CS** 86 I 30
Castiglione d'Adda **LO** 21 G 11
Castiglione dei Pepoli **BO** 39 J 15
Castiglione del Bosco **SI** 50 M 16
Castiglione del Genovesi **SA** 75 E 26
Castiglione del Lago **PG** 51 M 18
Castiglione della Pescaia **GR** 49 N 14
Castiglione della Valle **PG** 51 M 18
Castiglionedelle Stiviere **MN** 22 F 13
Castiglione di Garfagnana **LU** 38 J 13
Castiglione di Ravenna **RA** 41 J 18
Castiglione di Sicilia **CT** 101 N 27
Castiglione d'Intelvi **CO** 9 E 9
Castiglione d'Orcia **SI** 50 M 16
Castiglione Falletto **CN** 27 I 5
Castiglione in Teverina **VT** 57 O 18
Castiglione Mantovano **MN** 23 G 14
Castiglione Marittimo **CZ** 88 K 30
Castiglione Messer Marino **CH** 65 Q 25
Castiglione Messer Raimondo **TE** 60 O 23
Castiglione Olona **VA** 20 E 8
Castiglione Tinella **CN** 27 H 6
Castiglioni **AN** 46 L 21
Castignano **AP** 53 N 22
Castilenti **TE** 60 O 23
Castino **CN** 27 I 6
Castion Veronese **VR** 23 F 14
Castione **PC** 29 H 11
Castione **TV** 24 E 17
Castione Andevenno **SO** 10 D 11
Castione de Baratti **PR** 30 I 13
Castione della Presolana **BG** 10 E 12
Castione Marchesi **PR** 30 H 12
Castions **PN** 13 E 20
Castions di Strada **UD** 16 E 21
Casto **BS** 22 E 12
Castorano **AP** 53 N 23
Castrezzato **BS** 22 F 11
Castri di Lecce **LE** 83 G 36
Castrignano de' Greci **LE** 83 G 36
Castrignano del Capo **LE** 83 H 37
Castro **BG** 22 E 12
Castro **LE** 83 G 37
Castro dei Volsci **FR** 64 R 22
Castro Marina **LE** 83 G 37
Castro (Portella) **EN** 99 O 24
Castro (Rocche del) **ME** 100 M 26
Castro S. Martino **FI** 40 J 15
Castrocaro Terme **FO** 40 J 17
Castrocielo **FR** 64 R 23
Castrocucco **PZ** 84 H 29
Castrocucco di Maratea **PZ** 84 H 29
Castrofilippo **AG** 103 O 23
Castrolibero **CS** 86 J 30
Castroncello **AR** 50 M 17
Castronno **VA** 20 E 8
Castronuovo di San Andrea **PZ** 77 G 30
Castronuovo di Sicilia **PA** 98 N 22
Castropignano **CB** 65 R 25
Castroreale **ME** 101 M 27
Castroregio **CS** 78 H 31
Castrovillari **CS** 85 H 30
Casumaro **MO** 32 H 16
Casuzze **RG** 106 Q 25
Cataeggio **SO** 9 D 10
Cataforio **RC** 90 M 29
Cataio **PD** 24 G 17
Catalano (Isola) **OR** 114 H 6
Catania **CT** 101 O 27
Catania (Golfo di) **CT** 105 O 27
Catania (Piana di) **CT** 104 O 26
Catania-Fontanarossa (Aeroporto di) **CT** 105 O 27
Catanzaro **CZ** 89 K 31
Catanzaro Lido **CZ** 89 K 31
Catena Costiera **CS** 86 I 29
Catenaia (Alpe di) **AR** 45 L 17
Catenanuova **EN** 100 O 26
Catignano **PE** 60 O 23
Catinaccio / Rosengarten **BZ** 4 C 16
Catirina (Punta) **NU** 113 F 10
Catobagli **AN** 46 L 20
Catolivier **TO** 26 G 2
Catona **RC** 90 M 28
Catria (Monte) **PS** 46 L 20
Cattaragna **PC** 29 I 10
Cattolica **RN** 41 K 20
Cattolica Eraclea **AG** 102 O 22
Catullo (Grotte di) **BS** 23 F 13
Catuso (Monte) **PA** 99 N 23
Cau (Monte) **SS** 110 E 7
Caulonia **RC** 88 L 31
Caulonia (vicino a Monasterace) **RC** 89 L 31
Cauria / Gfrill (vicino a Salorno) **BZ** 11 D 15
Cautano **BN** 70 D 25
Cava d'Aliga **RG** 106 Q 26
Cava de' Tirreni **SA** 75 E 26
Cava Manara **PV** 29 G 9
Cava (Monte) **RI** 59 P 21
Cava Tigozzi **CR** 30 G 11
Cavacurta **LO** 21 G 11
Cavadonna **SR** 105 P 27
Cavaglià **BI** 19 F 6
Cavaglietto **NO** 20 F 7
Cavaglio d'Agogna **NO** 20 F 7
Cavagnano **AQ** 59 O 21
Cavaion Veronese **VR** 23 F 14
Cavalese **TN** 12 D 16
Cavallano **SI** 43 L 15
Cavallerizzo **CS** 85 I 30
Cavallerleone **CN** 27 H 4
Cavallermaggiore **CN** 27 H 5
Cavalli (Lago dei) **VB** 7 D 6
Cavallina **FI** 39 K 15
Cavallino **LE** 81 G 36
Cavallino **VE** 16 F 19
Cavallino (Monte) / Großer-Kinigat **BZ** 5 B 19
Cavallirio **NO** 20 F 7
Cavallo (Monte) **FR** 64 R 23
Cavallo (Monte) **GR** 56 O 16
Cavallo (Monte) **MC** 52 N 20
Cavallo (Monte) **BZ** 3 B 16
Cavallo (Monte) **PN** 13 D 19
Cavallo (Monte) **UD** 15 C 21
Cavallone (Grotta del) **CH** 60 P 24
Cavalo **VR** 23 F 14
Cavanella d'Adige **VE** 33 G 18
Cavanella di Vara **SP** 38 J 11
Cavanella Po **RO** 33 G 18
Cavareno **TN** 11 C 15
Cavargna **CO** 9 D 9
Cavargna (Val) **CO** 9 D 9
Cavaria **VA** 20 E 8
Cavarzano **PO** 39 J 15
Cavarzere **VE** 33 G 18
Cavaso del Tomba **TV** 12 E 17
Cavasso Nuovo **PN** 13 D 20
Cavatore **AL** 28 I 7
Cavazzale **VI** 24 F 16
Cavazzo (Lago di) **UD** 14 D 21
Cavazzo Carnico **UD** 14 C 21
Cavazzona **MO** 31 I 15
Cave **RM** 63 Q 20
Cave del Predil **UD** 15 C 22
Cavedago **TN** 11 D 15
Cavedine **TN** 11 E 14
Cavedine (Lago di) **TN** 11 E 14
Cavenago d'Adda **LO** 21 G 10
Cavenago di Brianza **MI** 21 F 10
Cavernago **BG** 22 F 11
Cavezzo **MO** 31 H 15
Cavi **GE** 37 J 10
Caviaga **LO** 21 G 10
Caviola **BL** 12 C 17
Cavo **LI** 48 N 13
Cavo (Monte) **RM** 63 Q 20
Cavogna (Monte) **PG** 52 N 20
Cavola **RE** 39 I 13
Cavoli **LI** 48 N 12
Cavoli (Isola dei) **SU** 119 J 10
Cavone **MT** 78 F 31
Cavour **TO** 26 H 4
Cavour (Canale) **VC** 19 G 6
Cavrari **VI** 24 E 16
Cavrasto **TN** 11 D 14
Cavriago **RE** 31 H 13
Cavriana **MN** 23 F 13
Cavrié **TV** 25 E 19
Cavriglia **AR** 44 L 16
Cazoli (Punta di) **VB** 8 C 7
Cazzago S. Martino **BS** 22 F 12
Cazzano di Tramigna **VR** 23 F 15
Ceccano **FR** 63 R 21
Cecchignola **RM** 62 Q 19
Cecchina **RM** 62 Q 19
Cecchini di P asiano **PN** 13 E 19
Cece (Cima di) **TN** 12 D 17
Ceci **PC** 29 H 9
Cecima **PV** 29 H 9
Cecina **LI** 48 M 13
Cecina **PT** 39 K 14
Cecina (Campo) **MS** 38 J 12
Cecina (Fiume) **SI** 49 M 15
Cecita (Lago di) **CS** 86 I 31
Cedegolo **BS** 10 D 13
Cedra **PR** 38 I 12
Cedrino **NU** 117 F 10
Cedrino (Lago del) **NU** 117 G 10
Cefalà Diana **PA** 98 N 22
Cefalicchio **BA** 72 D 30
Cefalo (Monte) **LT** 68 S 22
Cefalù **PA** 99 M 24
Ceggia **VE** 16 E 19
Ceglie del Campo **BA** 73 D 32
Ceglie Messapica **BR** 80 F 34
Cegliolo **AR** 50 M 17
Cei (Lago di) **TN** 11 E 15
Celano **AQ** 59 P 22
Celenza sul Trigno **CH** 65 Q 25
Celenza Valfortore **FG** 66 C 26
Cella **FO** 41 J 19
Cella **RE** 31 H 13
Cella Dati **CR** 30 G 12
Cellamare **BA** 73 D 32
Cellarengo **AT** 27 H 5
Cellatica **BS** 22 F 12
Celle **PT** 39 K 14
Celle **RA** 40 J 17
Celle **TO** 18 G 4
Celle di Bulgheria **SA** 76 G 28
Celle di Macra **CN** 26 I 3
Celle di S. Vito **FG** 71 D 27
Celle (le) **AR** 50 M 17
Celle Ligure **SV** 36 I 7
Celle sul Rigo **SI** 50 N 17
Cellena **GR** 50 N 16
Celleno **VT** 57 O 18
Cellere **VT** 57 O 17
Cellina **PN** 13 D 19
Cellina (Val) **PN** 13 D 19
Cellino Attanasio **TE** 60 O 23
Cellino S. Marco **BR** 79 F 35
Cellole **CE** 69 D 23
Celone **FG** 71 C 27
Celpenchio **PV** 20 G 7
Celso **SA** 75 G 27
Cembra **TN** 11 D 15
Cembra (Val di) **TN** 11 D 15
Cenadi **CZ** 88 K 31
Cenaia **PI** 43 L 13
Cenate **LE** 83 G 36
Cenate di Sotto **BG** 22 E 11
Cencenighe Agordino **BL** 12 C 17
Cene **BG** 22 E 11
Ceneselli **RO** 32 G 16
Cenesi **SV** 35 J 6
Cengalo (Pizzo) **SO** 9 D 10
Cengio **SV** 35 I 6
Cengio (Monte) **VI** 24 E 16
Cengles **BZ** 2 C 13
Cennina **AR** 44 L 16
Ceno **PR** 29 I 10
Cenova **IM** 35 K 6
Centa S. Nicolò **TN** 11 E 15
Centallo **CN** 27 I 4
Centaurino (Monte) **SA** 76 G 28
Cento **BO** 32 I 16
Cento Croci (Passo di) **SP** 37 I 10
Cento **FE** 31 H 15
Centocelle **RM** 62 Q 19
Centoforche (Colle di) **FO** 40 J 17
Centoia **AR** 50 M 17
Centola **SA** 76 G 27
Centovera **PC** 29 H 11
Centrache **CZ** 88 K 31
Centuripe **EN** 100 O 26
Cepagatti **PE** 60 O 24
Cepletischis **UD** 15 D 22
Ceppaloni **BN** 70 D 26
Ceppo di Rocca Sta Maria **TE** 52 N 22
Ceppo (Monte) **IM** 35 K 5
Ceppo Morelli **VB** 7 E 6
Ceprano **FR** 64 R 22
Ceraino **VR** 23 F 14
Cerami **EN** 100 N 25
Cerami (Fiume) **EN** 100 N 25
Ceramida **RC** 90 M 29
Ceranesi **GE** 28 I 8
Cerano **NO** 20 F 8
Cerasa **PS** 46 K 21
Cerasi **RC** 90 M 29
Cerasia (Monte) **RC** 91 M 30
Ceraso **SA** 76 G 27
Ceraso (Capo) **SS** 113 E 10
Ceraso (Murgia del) **BA** 72 E 31
Cerasolo **RN** 41 K 19
Cerasuolo **IS** 64 R 24
Cerbaia **FI** 43 K 15
Cerboli (Isola) **LI** 49 N 13
Cercemaggiore **CB** 65 R 26
Cercena (Passo) **TN** 11 C 14
Cercenasco **TO** 27 H 4
Cercepiccola **CB** 65 R 25
Cerchiara di Calabria **CS** 85 H 31
Cerchio **AQ** 59 P 22
Cercivento **UD** 5 C 20
Cercola **NA** 69 E 25
Cerda **PA** 99 N 23
Cerdomare **RI** 58 P 20
Cerea **VR** 23 G 15
Cereda (Passo di) **TN** 12 D 17
Cereglio **BO** 39 J 15
Ceregnano **RO** 32 G 17
Cerella (Monte) **RM** 63 Q 20
Cerenzia **KR** 87 J 32
Ceres **TO** 18 G 4
Ceresara **MN** 23 G 13
Cereschiatis (Sella di) **UD** 15 C 21
Cereseto **AL** 28 G 6
Cereseto **PR** 29 I 11
Ceresole (Lago di) **TO** 18 F 3
Ceresole Alba **CN** 27 H 5
Ceresole Reale **TO** 18 F 3
Ceresolo (Scolo) **RO** 32 G 17
Cerete-Alto **BG** 10 E 11
Cerete-Basso **BG** 10 E 11
Ceretto **TO** 27 H 4
Cerfone **AR** 45 L 18
Cergnago **PV** 20 G 8
Ceri **RM** 57 Q 18
Ceriale **SV** 35 J 6
Ceriana **IM** 35 K 5
Cerignale **PC** 29 H 10
Cerignola **FG** 72 D 29
Cerisano **CS** 86 J 30
Cerlongo **MN** 23 G 13
Cermenate **CO** 21 E 9
Cermignano **TE** 60 O 23
Cermone **AQ** 59 O 21
Cernobbio **CO** 21 E 9
Cernusco **LC** 21 E 10
Cernusco sul Naviglio **MI** 21 F 9
Cerqueto (vicino a Gualdo Tadino) **PG** 51 M 20
Cerqueto (vicino a Marsciano) **PG** 51 N 18
Cerratina **PE** 60 O 24
Cerré **RE** 38 I 13
Cerredolo **RE** 39 I 13
Cerreto **AV** 71 D 27
Cerreto **IS** 65 Q 24
Cerreto (Passo del) **MS** 38 J 12
Cerreto Alpi **RE** 38 J 12
Cerreto d'Esi **AN** 52 M 20
Cerreto di Spoleto **PG** 52 N 20
Cerreto Grue **AL** 28 H 8
Cerreto Guidi **FI** 43 K 14
Cerreto Laziale **RM** 63 Q 20
Cerreto (Monte) **NA** 75 E 25
Cerreto Sannita **BN** 65 S 25
Cerretto Langhe **CN** 27 I 6
Cerrina Monferrato **AL** 27 G 6
Cerrione **BI** 19 F 6
Cerrisi **CZ** 86 J 31
Cerrito **BR** 79 F 35
Cerro **VA** 8 E 7
Cerro (Forca di) **PG** 52 N 20
Cerro al Lambro **MI** 21 G 10
Cerro al Volturno **IS** 64 R 24

Cerro (Passo del) PC 29 H 10
Cerro Tanaro AT 28 H 7
Cerro Veronese VR 23 F 15
Cerrone (Monte) PG 45 L 19
Cersosimo PZ 77 G 31
Certaldo FI 43 L 15
Certosa di Pesio CN 35 J 4
Cerusulo (Monte) SA 76 F 28
Cerva CZ 87 J 32
Cervandone (Monte) VB 8 D 6
Cervara MS 38 I 11
Cervara PR 30 H 12
Cervarese Sta Croce PD 24 F 17
Cervaro FG 71 C 28
Cervaro FR 64 R 23
Cervaro TE 59 O 22
Cervaro (Forcella di) FR 64 R 23
Cervaro (Ponte) FG 71 C 28
Cervaro (Torrente) AV 71 D 27
Cervarolo VC 8 E 6
Cervasca CN 34 I 4
Cervati (Monte) SA 76 G 28
Cervatto VC 7 E 6
Cervazzera RE 38 I 13
Cervellino (Monte) PR 30 I 12
Cerveno BS 10 D 12
Cerventosa (Passo di) AR 51 M 18
Cervara di Roma RM 59 Q 21
Cervere CN 27 I 5
Cervesina PV 29 G 9
Cerveteri RM 57 Q 18
Cervi (Monte dei) PA 99 N 23
Cervia RA 41 J 19
Cervialto (Monte) AV 71 E 27
Cervicati CS 85 I 30
Cervignano del Friuli UD 17 E 21
Cervignasco CN 27 H 4
Cervina (Punta) / Hirzerspitze BZ 3 B 15
Cervinara AV 70 D 25
Cervino CE 70 D 25
Cervino (Monte) / Matterhorn AO 7 G 8
Cervo IM 35 K 6
Cervo (Pizzo) PA 98 M 22
Cervo (Torrente) BI 19 E 5
Cervognano SI 50 M 17
Cerzeto CS 85 I 30
Cesa CE 69 E 24
Cesacastma TE 59 O 22
Cesana Torinese TO 26 H 2
Cesano AN 46 K 21
Cesano RM 58 P 19
Cesano Boscone MI 21 F 9
Cesano (Fiume) PS 46 K 21
Cesano Maderno MI 21 F 9
Cesaproba AQ 59 O 21
Cesara VB 8 E 7
Cesarò ME 100 N 26
Cesarolo VE 16 E 21
Cese AQ 59 P 22
Cese PG 52 N 20
Ceselli PG 52 N 20
Cesen (Monte) TV 12 E 18
Cesena FO 41 J 18
Cesenatico FO 41 J 19
Ceserano MS 38 J 12
Cesi MC 52 M 20
Cesi TR 58 O 19
Cesiomaggiore BL 12 D 17
Cesole MN 31 G 13
Cessalto TV 16 E 19
Cessaniti VV 88 L 30
Cessapalombo MC 52 M 21
Cessuta (Sella) SA 77 G 29
Cesuna VI 24 E 16
Cetara SA 75 F 26
Cetica AR 44 K 16
Cetinale SI 49 M 15
Ceto BS 10 D 13
Cetona SI 50 N 17
Cetona (Monte) SI 50 N 17
Cetraro CS 85 I 29
Ceva CN 35 I 6
Cevedale (Monte) SO 11 C 13
Cevo BS 10 D 13
Chabodey AO 18 E 3
Challand-St. Anselme AO 19 E 5
Chambave AO 19 E 4
Chambeyron (Brec de) CN 26 I 2
Chamois AO 7 E 4
Champdepraz AO 19 E 4
Champoluc AO 7 E 5
Champorcher AO 19 F 4
Chanavey AO 18 F 3
Chardonney AO 19 F 4
Charvensod AO 18 E 3
Château des Dames AO 7 E 4
Châtelair AO 6 E 3
Châtillon AO 19 E 4
Chécrouit AO 6 E 2
Cheradi (Isole) TA 78 F 33
Cherasco CN 27 I 5
Cheremule SS 111 F 8
Cherio BG 22 E 11
Chero PC 30 H 11
Chero (Torrente) PC 30 H 11
Chia VT 58 O 18
Chiaicis UD 14 C 20
Chialamberto TO 18 F 4
Chiampo VI 23 F 15
Chiampo (Torrente) VI 23 F 15
Chiana (Canale Maestro della) AR 50 M 17
Chiana (Val di) AR 50 L 17
Chianacce AR 50 M 17
Chianale CN 26 I 2
Chianca BA 72 D 31
Chianca (Isola la) FG 67 B 30
Chianca (Torre) LE 81 F 36
Chianche AV 70 D 26
Chianciano SI 50 M 17
Chianciano Terme SI 50 M 17
Chiani TR 51 N 18
Chianni PI 43 L 13
Chianti SI 44 L 15
Chianti (Monti del) SI 44 L 16
Chianzutan (Sella) UD 14 C 20
Chiappa (Punta) GE 37 J 9
Chiappera CN 26 I 2
Chiappi CN 34 I 3
Chiappo (Monte) PC 29 H 9
Chiaramonte Gulfi RG 104 P 26
Chiaramonti SS 111 E 8
Chiarano TV 16 E 19
Chiaravalle AN 46 L 21
Chiaravalle Centrale CZ 88 K 31
Chiaravalle della Colomba PC 30 H 11
Chiaravalle Milanese MI 21 F 9
Chiareggio SO 10 D 11
Chiarescons (Monte) UD 13 C 19
Chiari BS 22 F 11
Chiaromonte PZ 77 G 30
Chiarso UD 5 C 21
Chiáscio PG 46 L 20
Chiaserna PS 46 L 20
Chiassa AR 45 L 17
Chiatona TA 78 F 33
Chiauci IS 65 Q 25
Chiavano PG 52 O 21
Chiavano (Forca di) PG 52 N 21
Chiavari GE 37 J 9
Chiavenna SO 9 D 10
Chiavenna (Rifugio) SO 9 C 10
Chiavenna (Torrente) PC 30 H 11
Chiavenna Landi PC 30 G 11
Chiaverano TO 19 F 5
Chibbò (Monte) PA 99 O 23
Chieffo (Masseria) FG 71 D 28
Chienes / Kiens BZ 4 B 17
Chienti MC 52 M 20
Chieri TO 27 G 5
Chies d'Alpago BL 13 D 19
Chiesa BL 13 C 18
Chiesa VB 8 C 7
Chiesa in Valmalenco SO 10 D 11
Chiesa Nuova BL 12 E 17
Chiesa Nuova TP 97 M 19
Chiesanuova FI 43 K 15
Chiesanuova RA 32 I 17
Chiesanuova di S. Vito MC 46 L 21
Chiese BS 22 F 13
Chiesina BO 39 J 14
Chiesina Uzzanese PT 39 K 14
Chiesino AR 44 L 17
Chiesuol del Fosso FE 32 H 16
Chiesuola RA 41 I 18
Chieti CH 60 O 24
Chieuti FG 66 B 27
Chieve CR 21 F 10
Chievolis PN 13 D 20
Chignolo Po PV 29 G 10
Chilivani SS 111 F 8
Chioggia VE 25 G 18
Chioggia (Porto di) VE 25 G 18
Chiomonte TO 18 G 2
Chions PN 13 E 20
Chiotas (Digo del) CN 34 J 4
Chiozzola PR 30 H 13
Chirignago VE 25 F 18
Chisola TO 27 H 4
Chisone TO 26 H 3
Chisone (Valle del) TO 26 G 2
Chitignano AR 45 L 17
Chiuduno BG 22 F 11
Chiulano PC 29 H 10
Chiunzi (Valico di) SA 75 E 25
Chiuppano VI 24 E 16
Chiuro SO 10 D 11
Chiusa BZ 3 B 16
Chiusa RC 88 M 30
Chiusa di Pesio CN 35 J 5
Chiusa / Klausen BZ 3 C 16
Chiusa Sclafani PA 97 N 21
Chiusaforte UD 15 C 21
Chiusanico IM 35 K 5
Chiusano di S. Domenico AV 70 E 26
Chiusavecchia IM 35 K 5
Chiusdino SI 49 M 15
Chiusella TO 19 F 5
Chiusi SI 50 M 17
Chiusi (Lago di) SI 50 M 17
Chiusi della Verna AR 45 K 17
Chiusi Scalo SI 50 M 17
Chiusola SP 37 I 11
Chivasso TO 19 G 5
Chizzola TN 23 E 14
Chorio RC 90 N 29
Ciaculli PA 98 M 22
Ciagola (Monte) CS 84 H 29
Cialancia (Punta) TO 26 H 3
Ciampie TN 12 C 17
Ciampino RM 62 Q 19
Ciamprisco CE 69 D 24
Cianciana AG 102 O 22
Ciane (Fonte) SR 105 P 27
Ciano MO 39 I 15
Ciano TV 24 E 18
Ciano d'Enza RE 30 I 13
Ciarforòn TO 18 F 3
Ciaudon (Testa) CN 35 J 4
Ciavolo TP 96 N 19
Cibiana (Passo) BL 13 C 18
Cibiana di Cadore BL 13 C 18
Cibottola PG 51 N 18
Cicagna GE 37 I 9
Cicala CZ 86 J 31
Ciccalento (Ponte di) FG 67 C 28
Ciccia (Monte) ME 90 M 28
Cicciano NA 70 E 25
Cicerale SA 75 F 27
Cicese RO 32 G 17
Cichero GE 37 I 9
Ciciliano RM 63 Q 20
Ciclopi (Riviera dei) CT 101 O 27
Cicogna VB 8 D 7
Cicognara MN 30 H 13
Cicogni PC 29 H 10
Cicognolo CR 30 G 12
Cicolano RI 59 P 21
Ciconicco UD 14 D 21
Cigliano FI 40 K 16
Cigliano VC 19 G 6
Cignana (Lago di) AO 7 E 4
Cignano BS 22 F 12
Cigno CB 66 B 26
Cignone CR 22 G 11
Cigole BS 22 G 12
Cilavegna PV 20 G 8
Cilento SA 75 F 27
Cima Fiammante (Rifugio) BZ 3 B 15
Cima Gogna BL 5 C 19
Cima Tre Scarperi BZ 4 C 18
Cimabanche BL 4 C 18
Cimadolmo TV 25 E 19
Cimaferle AL 28 I 7
Cimasappada BL 5 C 20
Cime Nere / Hintere Schwärze BZ 3 B 14
Cimego TN 11 E 13
Cimetta (Colle) FR 63 Q 21
Ciminà RC 91 M 30
Ciminarella (Masseria) BA 72 D 30
Cimini (Monti) VT 57 O 18
Ciminna PA 98 N 22
Cimino (Masseria) BA 73 E 32
Cimino (Monte) VT 57 O 18
Cimiti (Capo) KR 87 K 33
Cimitile NA 70 E 25
Cimolais PN 13 D 19
Cimoliana PN 13 D 19
Cimone (Monte) MO 39 J 14
Cimpello PN 13 E 20
Cinecitta RM 62 Q 19
Cineto Romano RM 58 P 20
Cinghio PR 30 H 12
Cingia de' Botti CR 30 G 12
Cingoli MC 46 L 21
Cinigiano GR 50 N 16
Cinisello Balsamo MI 21 F 9
Cinisi PA 97 M 21
Cino SO 9 D 10
Cinquale MS 38 K 12
Cinque Croci (Passo) TN 12 D 16
Cinque Denti (Cala) TP 96 Q 18
Cinque Terre SP 37 J 11
Cinquefrondi RC 88 L 30
Cinquemiglia (Piano della) AQ 64 Q 23
Cinte Tesino TN 12 D 16
Cinto Caomaggiore VE 16 E 20
Cinto Euganeo PD 24 G 16
Cintoia FI 44 L 16
Cintolese PT 39 K 14
Cinzano CN 27 H 5
Cinzano TO 27 G 5
Cioccaro AT 28 G 6
Ciociaria FR 63 Q 21
Ciola FO 41 K 18
Ciommarino FG 71 D 28
Ciorlano CE 65 R 24
Cipollaro (Galleria del) LU 38 J 12
Cipressi PE 60 O 24
Cirami (Monte) AG 97 O 21
Circello BN 65 R 26
Circeo (Cap) LT 68 S 21
Circeo (Monte) LT 68 S 21
Circeo (Parco Nazionale del) LT 63 R 21
Cirella CS 84 H 29
Cirella RC 91 M 30
Cirella (Isola di) CS 84 H 29
Cirella (Punta di) CS 84 H 29
Cirello RC 88 L 29
Ciriano PC 30 H 11
Ciricilla CZ 86 J 31
Ciriè TO 19 G 4
Ciriè (Rifugio) TO 18 G 3
Ciriegia (Colle di) CN 34 J 3
Ciriga (Punta) RG 107 Q 26
Cirigliano MT 77 F 30
Cirò KR 87 I 33
Cirò Marina KR 87 I 33
Cirone (Passo) PR 38 I 12
Cisa (Passo della) PR 38 I 11
Cisano VR 23 F 14
Cisano Bergamasco BG 21 E 10
Cisano sul Neva SV 35 J 6
Cisigliana MS 38 J 12
Cislago VA 21 F 8
Cisliano MI 21 F 8
Cismon TN 12 D 17
Cismon del Grappa VI 12 E 17
Cismon (Monte) BL 12 E 17
Cison di Valmarino TV 13 E 18
Cispiri OR 115 G 8
Cissone CN 27 I 6
Cistella (Monte) VB 8 D 6
Cisterna UD 14 D 20
Cisterna d'Asti AT 27 H 6
Cisterna di Latina LT 63 R 20
Cisternino BR 80 E 34
Citelli (Rifugio) CT 100 N 27
Citeriore PE 60 P 23
Citerna PR 30 I 12
Citerna PG 45 L 18
Citerna (Monte) FI 39 J 15
Città della Pieve PG 50 N 18
Città di Castello PG 45 L 18
Città di Milano (Rifugio) BZ 2 C 13
Città di Novara (Rifugio) VB 7 D 6
Città S. Angelo PE 60 O 24
Cittadella PD 24 F 17
Cittadella del Capo CS 84 I 29
Cittaducale RI 58 O 20
Cittanova MO 31 I 14
Cittanova RC 88 L 30
Cittareale RI 59 O 21
Cittiglio VA 8 E 7
Citulo (Masseria) BA 72 D 30
Ciuchesu SS 109 D 9
Ciuffenna AR 44 L 16
Civago RE 38 J 13
Civate LC 21 E 10
Civé PD 25 G 18
Civenna CO 9 E 9
Civetta (Monte) BL 12 C 18
Civezzano TN 11 D 15
Civiasco VC 20 E 6
Cividale del Friuli UD 15 D 22
Cividale Mantovano MN 30 G 13
Cividate al Piano BG 22 F 11
Cividate Camuno BS 10 E 12
Civiello (Masseria) PZ 72 E 29
Civita CS 85 H 30
Civita PG 52 N 21
Civita VT 57 O 18
Civita (Forca di) PG 52 N 21
Civita Castellana VT 58 P 19
Civita d'Antino AQ 64 Q 22
Civitacampomarano CB 65 Q 26
Civitaluparella CH 60 Q 24
Civitanova Alta MC 53 M 23
Civitanova del Sannio IS 65 Q 25
Civitanova Marche MC 53 M 23
Civitaquana PE 60 P 23
Civitaretenga AQ 59 P 23
Civitate (Ponte di) FG 66 B 27
Civitatomassa AQ 59 O 21
Civitavecchia FR 64 R 22
Civitavecchia RM 57 P 17
Civitella RM 58 P 20
Civitella (Monte) GR 50 N 17
Civitella (Monte) AR 45 L 18
Civitella Alfedena AQ 64 Q 23
Civitella Casanova PE 60 O 23
Civitella Cesi VT 57 P 18
Civitella d'Agliano VT 57 O 18
Civitella del Lago TR 51 N 18
Civitella del Tronto TE 53 N 23
Civitella di Romagna FO 40 J 17
Civitella in Val di Chiana AR 44 L 17
Civitella Licinio BN 65 S 25
Civitella Marittima GR 50 N 15
Civitella Messer Raimondo CH 60 P 24
Civitella Ranieri PG 51 M 19
Civitella Roveto AQ 64 Q 22
Civitella S. Paolo RM 58 P 19
Civo SO 9 D 10
Civorio FO 41 K 18
Cixerri SU 118 J 7
Cizzago BS 22 F 11
Cizzolo MN 31 G 14
Claino-Osteno CO 9 D 9
Clapier (Monte) CN 34 J 4
Classe (Pineta di) RA 41 I 18
Claut PN 13 D 19
Clautana (Forcella) PN 13 D 19
Clauzetto PN 14 D 20
Clavière TO 26 H 2
Cles TN 11 C 15
Cleto CS 86 J 30
Cleulis UD 5 C 20
Climiti (Monti) SR 105 P 27
Cliternia Nuova CB 66 B 27
Clitunno (Fonti del) PG 52 N 20
Clitunno (Tempio di) PG 52 N 20
Clivio VA 8 E 8
Clusane sul Lago BS 22 F 12
Clusio BZ 2 B 13
Clusone BG 10 E 11
Coazze TO 26 G 3
Coazzolo AT 27 H 6
Coca (Pizzo di) BG 10 D 12
Coccaglio BS 22 F 11
Coccanile FE 32 H 17
Coccau UD 15 C 22
Coccia (Poggio di) VT 57 P 18
Coccolia RA 41 J 18
Cocconato AT 27 G 6
Coccorino VV 88 L 29
Coccovello (Monte) PZ 76 G 29
Coco (Monte del) TP 97 N 20
Cocquio Trevisago VA 8 E 8
Cocullo AQ 60 P 23
Cocumola LE 83 G 37
Cocuzza (Monte) RC 90 M 29
Cocuzzo (Monte) CS 86 J 30
Cocuzzo (Monte) SA 76 G 28
Coda Cavallo (Capo) SS 113 E 11
Coda (Rifugio) BI 19 F 5
Codarda LT 63 R 21
Codelago o Devero (Lago) VB 8 C 6
Codevigo PD 25 G 18
Codevilla PV 29 H 9
Codigoro FE 33 H 18
Codiponte MS 38 J 12
Codisotto RE 31 H 14
Codogne TV 13 E 19
Codogno LO 29 G 11
Codonfuri RC 90 M 29
Codrignano BO 40 J 16
Codroipo UD 16 E 20
Codrongianos SS 111 F 8
Codula de Sisine NU 117 G 10
Codula di Luna NU 117 G 10
Coeli Aula FI 43 K 15
Cofano (Golfo del) TP 97 M 20
Cofano (Monte) TP 97 M 20
Coggina (Genna) NU 117 G 10
Coggiola BI 19 E 6
Coghinas SS 111 E 9
Coghinas (Fiume) SS 111 E 8
Coghinas (Lago del) SS 111 E 9
Coglians (Monte) / Hohe Warte UD 5 C 20
Cogliate MI 21 F 9
Cogne AO 18 F 4
Cogne (Val di) AO 18 F 3
Cogoleto GE 36 I 7
Cogoli NU 113 F 10
Cogollo del Cengio VI 24 E 16
Cogolo TN 11 C 14
Cogorno GE 37 J 10
Cogozzo MN 30 H 13
Cogruzzo RE 31 H 13
Col Collon (Rifugio) AO 7 E 4
Col di Prà BL 12 D 17
Colà VR 23 F 14
Colazza NO 20 E 7
Colbertaldo TV 12 E 18
Colbordolo PS 41 K 20
Colbu (Lu) SS 111 E 9
Colcavagno AT 27 G 6
Colcellalto AR 45 K 18
Colcerasa MC 52 M 21
Coldrano / Goldrain BZ 3 C 14
Coleazzo (Monte) BS 10 D 13
Coler TN 11 C 14
Colere BG 10 E 12
Colfelice FR 64 R 22
Colfiorito PG 52 M 20
Colfosco TV 25 E 18
Coli PC 29 H 10
Colico LC 9 D 10
Colla ME 100 M 26
Colla (Monte) CT 100 N 26
Colla (Monte sa) NU 119 H 10
Colla (Passo) PR 29 I 11
Colla (Passo la) PZ 76 G 29
Collagna RE 38 I 12
Collalbo / Klobenstein BZ 3 C 16
Collalto SI 49 L 15
Collalto UD 14 D 21
Collalto / Hochgall BZ 4 B 18
Collalto Sabino RI 59 P 21
Collalunga (Cima di) CN 34 J 3
Collamato AN 52 M 20
Collarmele AQ 59 P 22
Collatoni MC 52 N 20
Collazzone PG 51 N 19
Colle PN 13 D 20
Colle AQ 59 O 21
Colle AP 52 N 21
Colle Alto FR 64 R 22
Colle / Bichl BZ 3 B 15
Colle Croce PG 52 M 20
Colle d'Anchise CB 65 R 25
Colle di Tora RI 58 P 20
Colle di Val d'Elsa SI 43 L 15
Colle di Villa / Bauernkohlern BZ 3 C 16
Colle Don Bosco (Santuario) AT 27 G 6
Colle Isarco / Gossensaß BZ 3 B 16
Colle-Lupo GR 56 O 16
Colle San Paolo PG 51 M 18
Colle S. Lorenzo PG 51 N 20
Colle Sta Lucia BL 12 C 18
Colle S. Magno FR 64 R 23
Colle S. Marco AP 53 N 22
Colle Sannita BN 65 R 26
Colle Umberto TV 13 E 19
Collebaldo PG 51 N 18
Collebarucci FI 40 K 15
Collebeato BS 22 F 12
Collebrincioni AQ 59 O 22
Collecchio PR 30 H 12
Collecorvino PE 60 O 24
Colledara TE 59 O 23
Colledimacine CH 60 P 24
Colledimezzo CH 60 Q 25
Colledoro TE 60 O 23
Colleferro RM 63 Q 21
Collegiove RI 59 P 21
Collegno TO 27 G 4
Collelongo AQ 64 Q 22
Collelungo TR 51 N 18

132

A B **C** D E F G H I J K L M N O P Q R S T U V W X Y Z

Collelungo (Torre) GR 55 O 15
Collemancio PG 51 N 19
Collemeto LE 83 G 36
Collemincio PG 51 M 20
Colleoli PI 43 L 14
Collepardo FR 63 Q 22
Collepasso LE 83 G 36
Collepepe PG 51 N 19
Collepietra / Steinegg BZ 3 C 16
Collepietro AQ 60 P 23
Collepino PG 51 M 20
Collere (Monte) GE 29 I 9
Colleri PC 29 H 9
Collerin (Monte) TO 18 G 3
Collesalvetti LI 42 L 13
Collesano PA 99 N 23
Collesanto MC 52 M 21
Collesecco TR 51 N 19
Collesecco PG 51 N 19
Collestatte Piano TR 58 O 20
Collestrada PG 51 M 19
Colletorto CB 66 B 26
Collevalenza PG 51 N 19
Collevecchio RI 58 O 19
Colli a Volturno IS 64 R 24
Colli del Tronto AP 53 N 23
Colli di Montebove AQ 59 P 21
Colli Euganei PD 24 G 17
Colli sul Velino RI 58 O 20
Colliano SA 76 E 27
Collicelle RI 59 O 21
Collimento AQ 59 P 22
Collina AN 46 L 21
Collina LU 43 K 13
Collina UD 5 C 20
Collina (Passo della) PT 39 J 14
Collinas SU 118 I 8
Colline Metallifere PI 49 M 14
Collinello FO 41 J 18
Collio BS 22 E 13
Collodi PT 39 K 13
Colloredda (Punta di) SS 113 E 10
Colloredo di Monte Albano UD 14 D 21
Colloredo di Prato UD 14 D 21
Colma di Monbarone BI 19 F 5
Colma la VB 20 E 6
Colmurano MC 52 M 22
Colobraro MT 77 G 31
Cologna FE 32 H 17
Cologna TE 53 N 23
Cologna Spiaggia TE 53 N 23
Cologna Veneta VR 24 G 16
Cologne BS 22 F 11
Cologno al Serio BG 21 F 11
Cologno Monzese MI 21 F 9
Colognola PG 51 M 19
Colognola ai Colli VR 23 F 15
Colognora (vicino a Diecimo) LU 38 K 13
Colognora (vicino a Villa Basilica) LU 39 K 13
Colombaia RE 39 I 13
Colombara (Secca) PA 92 K 21
Colombardo (Colle del) TO 18 G 3
Colombare BS 23 F 13
Colombata (Isola) TP 96 M 19
Colombine (Monte) BS 22 E 13
Colombo (Monte) TO 19 F 4
Colonna RM 63 Q 20
Colonna (Capo) KR 87 J 33
Colonna di Grillo SI 50 M 16
Colonnata FI 39 K 15
Colonnata (Cave di) MS 38 J 12
Colonne (Punta delle) SU 120 J 6
Colonnella TE 53 N 23
Colonnetta TR 51 N 18
Coloretta MS 37 I 11
Colorno PR 30 H 13
Colosimi CS 86 J 31
Colostrai (Stagno di) SU 119 I 10
Colpalombo PG 51 M 19
Colpetrazzo PG 51 N 19
Coltaro PR 30 H 12
Comabbio VA 20 E 8
Comabbio (Lago di) VA 20 E 8
Comacchio FE 33 H 18
Comacchio (Valli di) FE 32 H 17
Comano MS 38 J 12
Comano Terme TN 11 D 14
Comazzo LO 21 F 10
Combai TV 13 E 18
Combolo (Monte) SO 10 D 12
Comeglians UD 5 C 20
Comelico Superiore BL 5 C 19
Comerconi VV 88 L 29
Comero (Monte) FO 40 K 18
Comezzano-Cizzago BS 22 F 11
Comino CH 60 P 24
Comino (Capo) NU 113 F 11
Comiso RG 104 Q 25
Comitini AG 103 O 22
Commessaggio MN 31 G 13
Communitore (Monte) AP 52 N 21
Como CO 21 E 9
Como (Lago di) LC 9 E 9
Como (Rifugio) CO 9 D 9
Comoretta (Punta) NU 111 F 9
Compiano PR 29 I 10
Compiano RE 30 I 13
Compione MS 38 J 12
Comun Nuovo BG 21 F 10
Comuna BI 19 F 6
Comunanza AP 52 N 22
Comuneglia SP 37 I 10
Comunelli (Lago) CL 103 P 24
Cona Faiete TE 53 N 22
Cona FE 32 H 17
Cona VE 24 G 18
Conca RN 41 K 19
Conca Casale IS 64 R 24
Conca dei Marini SA 75 F 25
Conca di Campania CE 64 R 23
Conca d'Oro (Masseria) TA 78 F 32
Conca (Pizzo) PA 99 N 23
Concas NU 113 F 10
Concerviano RI 58 P 20
Concesio BS 22 F 12
Concessa RC 90 M 28
Conche PD 25 G 18
Conco VI 24 E 16
Concordia Sagittaria VE 16 E 20
Concordia sulla Secchia MO 31 H 14
Concorezzo MI 21 F 10
Condino TN 11 E 13
Condofuri Marina RC 90 N 29
Condove TO 18 G 3
Condrò ME 90 M 27
Conegliano TV 13 E 18
Cónero (Monte) AN 47 L 22
Confienza PV 20 G 7
Configni RI 58 O 19
Confinale (Monte) SO 10 C 13
Confinale (Passo) SO 10 D 11
Conflenti CZ 86 J 30
Coniale FI 40 J 16
Conigli (Isola dei) AG 102 U 19
Coniolo BS 22 F 11
Consandolo FE 32 I 17
Conscenti GE 37 I 10
Conselice RA 32 I 17
Conselve PD 24 G 17
Consolazione (Convento) FG 71 D 28
Consuma FI 44 K 16
Consuma (Passo della) AR 44 K 16
Contane FE 32 H 18
Contarina RO 33 G 18
Conte di Noia (Masseria) FG 71 D 29
Conte (Porto) SS 110 F 6
Contessa (Monte) SR 104 P 26
Contessa Entellina PA 97 N 21
Contessa (Monte) CZ 88 K 31
Contessa (Punta della) BR 81 F 36
Contigliano RI 58 O 20
Contignano SI 50 N 17
Contrada AV 70 E 26
Contrasto (Colle del) ME 100 N 25
Contrebbia PC 29 G 10
Controguerra TE 53 N 23
Controne SA 76 F 27
Contursi Terme SA 76 F 27
Conversano BA 73 E 33
Conza (Lago di) AV 71 E 27
Conza (Sella di) SA 71 E 27
Conza della Campania AV 71 E 28
Conzano AL 28 G 7
Cop di Breguzzo (Cima) TN 11 D 13
Copanello CZ 89 K 31
Copertino LE 83 G 36
Copiano PV 21 G 9
Coppa PV 29 H 9
Coppa Ferrata (Monte) FG 67 B 29
Copparo FE 32 H 17
Coppe di Maltempo (Masseria) BA 72 D 29
Coppito AQ 59 O 22
Coppolo (Monte) BL 12 D 17
Coppolo (Monte) MT 77 G 31
Corace CZ 86 J 31
Coraci CS 86 J 31
Corallo (Porto) SU 119 I 10
Corana PV 28 G 8
Corano PC 29 H 10
Corato BA 72 D 31
Corbara SA 75 E 25
Corbara TR 51 N 18
Corbara (Lago di) TR 51 N 18
Corbesassi PV 29 H 9
Corbetta MI 20 F 8
Corbola RO 33 G 18
Corcagnano PR 30 H 12
Corchia PR 30 I 11
Corchiano VT 58 O 19
Corciano PG 51 M 18
Corcolle RM 63 Q 20
Corcrevà RO 32 G 18
Corcumello AQ 59 P 22
Cordenons PN 13 E 20
Cordevole BL 13 D 18
Cordignano TV 13 E 19
Cordovado PN 16 E 20
Coredo TN 11 C 15
Coreggia BA 80 E 33
Coreglia Antelminelli LU 39 J 13
Corella FI 40 K 16
Coreno Ausonio FR 64 R 23
Corese Terra RI 58 P 20
Corezzo AR 45 K 17
Corfinio AQ 60 P 23
Corfino LU 38 J 13
Cori LT 63 R 20
Coriano RN 41 K 19
Corigliano CE 64 S 23
Corigliano Calabro CS 85 I 31
Corigliano Calabro Stazione CS 85 I 31
Corigliano d'Otranto LE 83 G 36
Corinaldo AN 46 L 21
Corio TO 19 G 4
Corleone PA 97 N 21
Corleto FG 71 D 28
Corleto (Bosco di) SA 76 F 28
Corleto Monforte SA 76 F 28
Corleto Perticara PZ 77 F 30
Corlo (Lago del) BL 12 E 17
Cormano MI 21 F 9
Cormons GO 17 E 22
Cormor UD 16 E 21
Cornacchia (Monte) FG 71 C 27
Cornacchia (Monte) AQ 64 Q 22
Cornaget (Monte) PN 13 D 19
Cornaiano / Girlan BZ 3 C 15
Cornale PV 28 G 8
Cornaredo MI 21 F 9
Cornate d'Adda MI 21 F 10
Cornedo Vicentino VI 24 F 16
Corneliano d'Alba CN 27 H 5
Cornello (Passo) PG 52 M 20
Cornetto TN 11 E 15
Cornia GR 49 M 14
Corniglia SP 37 J 11
Corniglio PR 38 I 12
Corniolo FO 40 K 17
Cornisello (Lago di) TN 11 D 14
Corno RI 58 O 20
Corno UD 17 E 21
Corno Bianco VC 7 E 5
Corno Bianco BZ 3 B 16
Corno di Rosazzo UD 17 E 22
Corno Giovine LO 30 G 11
Corno Grande TE 59 O 22
Corno (Isola del) SU 120 J 6
Cornolo PR 29 I 10
Cornone FG 66 B 27
Cornour (Punta) TO 26 H 3
Cornovecchio LO 30 G 11
Cornoviglio (Monte) SP 38 J 11
Cornuda TV 24 E 18
Cornus OR 114 G 7
Corona SV 36 I 7
Coronella FE 32 H 16
Corones (Plan de) / Kronplatz BZ 4 B 17
Corongiu (Laghi di) CA 119 J 9
Corongiu (Punta) NU 117 H 10
Corpo di Cava SA 75 E 26
Corpolo RN 41 J 19
Corra Cherbina (Punta) NU 115 F 9
Corrasi (Punta) NU 117 G 10
Correggio RE 31 H 14
Correggioli MN 31 G 15
Correnti (Isola delle) SR 107 Q 27
Correzzola PD 25 G 18
Corridonia MC 53 M 22
Corropoli TE 53 N 23
Corsaglia CN 35 I 5
Corsaglia (Torrente) CN 35 J 5
Corsano LE 83 H 37
Corsi (Piano dei) SV 36 J 6
Corsi (Rifugio) BZ 2 C 14
Corsi (Rifugio) UD 15 C 22
Corsico MI 21 F 9
Corsignano (Pieve di) SI 50 M 17
Corso (Portella) AG 103 P 23
Cortaccia s. str. d. vino / Kurtatsch a. d. Weinstraße BZ 11 D 15
Cortale CZ 88 K 31
Cortandone AT 27 H 6
Cortazzone AT 27 G 6
Corte BL 13 C 18
Corte NU 115 G 7
Corte VC 8 E 6
Corte Brugnatella PC 29 H 10
Corte Centrale FE 32 H 18
Corte Cerbos (Monte) NU 115 H 9
Corte de' Cortesi CR 22 G 12
Corte de' Frati CR 22 G 12
Corte Falasio LO 21 G 10
Corte Franca BS 22 F 11
Corte Porcus NU 119 H 10
Corte S. Andrea LO 29 G 10
Corte Vetere (Masseria) LE 79 G 35
Cortellazzo VE 16 F 20
Cortemaggiore PC 30 H 11
Cortemaggiore (Masseria) TA 79 F 34
Cortemilia CN 27 I 6
Cortenedolo BS 10 D 12
Corteno (Val di) BS 10 D 12
Corteno Golgi BS 10 D 12
Cortenova LC 9 E 10
Cortenuova BG 22 F 11
Corteolona PV 29 G 10
Corticato (Sella del) SA 76 F 28
Corticella BO 32 I 16
Corticelle Pieve BS 22 F 12
Cortiglione AT 28 H 7
Cortigno PG 52 N 20
Cortile MO 31 H 14
Cortina d'Ampezzo BL 4 C 18
Cortina s. str. d. Vino / Kurtinig BZ 11 D 15
Cortino TE 59 O 22
Cortoghiana SU 118 J 7
Cortona AR 50 M 17
Corva PN 13 E 19
Corvara PE 60 P 23
Corvara in Badia BZ 4 C 17
Corvara / Rabenstein BZ 3 B 15
Corvaro RI 59 P 21
Corvi (Monte dei) AN 47 L 22
Corvia PG 51 N 20
Corviale RM 62 Q 19
Corvo (Monte) AQ 59 O 22
Corzes / Kortsch BZ 2 C 14
Cosa PN 14 D 20
Cosa Ansedonia GR 56 O 15
Cosa (Fiume) FR 63 R 21
Coscerno (Monte) PG 52 N 20
Coscile CS 85 H 30
Coseano UD 14 D 21
Cosentino (Masseria) CS 86 I 31
Cosenza CS 86 J 30
Cosimo (Pizzo) PA 99 N 24
Cosio Valtellino SO 9 D 10
Cosoleto RC 90 M 29
Cossano Belbo CN 27 I 6
Cossato BI 19 F 6
Cossignano AP 53 N 23
Cossogno VB 8 E 7
Cossoine SS 111 F 8
Costa BS 23 E 13
Costa RG 104 Q 25
Costa Amalfitana SA 75 F 25
Costa de' Nobili PV 29 G 10
Costa di Rovigo RO 32 G 17
Costa Dorata SS 113 E 10
Costa Merlata BR 80 E 34
Costa Paradiso SS 109 D 8
Costa Pavesi PR 30 H 12
Costa Rossa (Brec) CN 35 J 4
Costa S. Abramo CR 22 G 11
Costa Vescovato AL 28 H 8
Costa Viola RC 90 M 29
Costa Volpino BG 22 E 12
Costabissara VI 24 F 16
Costacciaro PG 46 L 20
Costafontana GE 29 I 9
Costalpino SI 50 M 15
Costalta PC 29 H 10
Costalunga VR 24 F 15
Costalunga (Passo di) / Karerpaß TN 12 C 16
Costanzana VC 20 G 7
Coste VR 23 F 14
Costeggiola VR 23 F 15
Costermano VR 23 F 14
Costey AO 19 F 5
Costigliole d'Asti AT 27 H 6
Costigliole Saluzzo CN 27 I 4
Costozza VI 24 F 16
Cotignola RA 40 I 17
Cotronei KR 87 J 32
Cotschen (Monte) SO 2 C 12
Cottanello RI 58 O 20
Courmayeur AO 6 E 2
Covigliaio FI 40 J 15
Coviolo RE 31 H 13
Covo BG 22 F 11
Coxinas SU 119 I 9
Cozzana BA 73 E 33
Cozzano PR 30 I 12
Cozze BA 73 D 33
Cozzo PV 20 G 7
Cozzuolo TV 13 E 18
Craco MT 77 F 31
Crana (Pioda di) VB 8 D 7
Crandola Valsassina LC 9 D 10
Crati CS 85 I 30
Crava CN 35 I 5
Cravagliana VC 8 E 6
Cravanzana CN 27 I 6
Cravasco GE 28 I 8
Craveggia VB 8 D 7
Cravi (Monte) GE 29 I 9
Crea (Santuario di) AL 28 G 6
Creazzo VI 24 F 16
Crecchio CH 60 P 24
Creda BO 39 J 15
Credaro BG 22 F 11
Credera Rubbiano CR 21 G 10
Crema CR 21 F 11
Cremenaga VA 8 E 8
Cremeno LC 9 E 10
Cremia CO 9 D 9
Cremolino AL 28 I 7
Cremona CR 30 G 12
Cremona alla Stua (Rifugio) BZ 3 B 15
Cremosano CR 21 F 10
Crep (Monte) TV 13 E 18
Crepaldo VE 16 F 20
Crescentino VC 19 G 6
Cresia (Genna 'e) NU 117 H 10
Cresia (Punta sa) CA 121 J 8
Crespadoro VI 23 F 15
Crespano del Grappa TV 24 E 17
Crespellano BO 31 I 15
Crespiatica LO 21 F 10
Crespina PI 43 L 13
Crespino RO 32 H 17
Crespino del Lamone FI 40 J 16
Crespole PT 39 K 14
Cressa NO 20 F 7
Cresta d'Arp AO 18 E 2
Cresto (Monte) BI 19 E 5
Creta PC 29 G 10
Creta Forata (Monte) UD 5 C 20
Creta (Portella) EN 99 N 24
Cretaz AO 18 F 4
Creti AR 50 M 17
Creto GE 29 I 9
Cretone RM 58 P 20
Crevacuore BI 20 E 6
Crevalcore BO 31 H 15
Crevoladossola VB 8 D 6
Crichi CZ 89 K 31
Cridola (Monte) BL 13 C 19
Crispiano TA 78 F 33
Crispiero MC 52 M 21
Crispiniano (Monte) FG 71 D 27
Crissolo CN 26 H 3
Cristallo BL 4 C 18
Cristo (Monte) LT 68 S 22
Cristo Re BA 80 E 33
Croara BO 40 J 16
Crobus (Monte is) NU 119 I 10
Crocchio CZ 87 J 32
Crocci TP 96 M 19
Croccia (Monte la) MT 77 F 30
Crocco (Monte) VV 88 L 30
Croce RN 41 K 19
Croce (Colle della) AQ 64 Q 23
Croce (Monte) TN 12 D 16
Croce (Pania della) LU 38 J 12
Croce (Pian della) FR 63 R 21
Croce (Picco di) / Wilde Kreuzspitze BZ 3 B 16
Croce (Portella della) PA 98 N 22
Croce a Veglia PT 39 J 14
Croce al Promontario ME 95 M 27
Croce Arcana (Passo) PT 39 J 14
Croce d'Aune (Passo) BL 12 D 17
Croce dello Scrivano (Passo) PZ 77 F 29
Croce di Magara CS 86 J 31
Croce di Panaro (Passo) VV 88 L 31
Croce di Raparo PZ 77 G 29
Croce di Serra (Monte) TR 58 O 18
Croce Dominii (Passo di) BS 10 E 13
Croce Ferrata (Passo) RC 88 L 30
Croce Mancina (Monte) ME 100 N 27
Croce Rossa TO 18 G 3
Crocefieschi GE 29 I 9
Crocelle (Passo delle) PZ 71 E 28
Crocera di Barge CN 26 H 4
Crocetta TO 27 H 5
Crocetta BO 40 I 17
Crocetta RO 32 G 16
Crocetta del Montello TV 24 E 18
Crocetta (Passo) CS 86 J 30
Crocette (Goletto del) BS 22 E 13
Crocevie TP 96 M 19
Croci (Monte di) PG 51 M 19
Croci (Vetta Le) FI 40 K 16
Croci di Calenzano FI 39 K 15
Crodo VB 8 D 6
Crognaleto TE 59 O 22
Cropalati CS 87 I 32
Cropani CZ 89 K 32
Cropani Marina CZ 89 K 32
Crosa VC 20 E 6
Crosano TN 23 E 14
Crosia CS 87 I 32
Crostis (Monte) UD 5 C 20
Crostolo RE 31 I 13
Crotone KR 87 J 33
Crotta d'Adda CR 30 G 11
Crova VC 20 G 6
Crozzón di Lares TN 11 D 13
Crucoli KR 87 I 33
Crucoli Torretta KR 87 I 33
Cruser RA 33 I 18
Cruxi (Genna) NU 117 G 10
Cruzitta (Punta) SS 109 D 8
Cuasso al Monte VA 8 E 8
Cuccaro Monferrato AL 28 G 7
Cuccaro Vetere SA 76 G 27
Cucchinadorza (Lago di) NU 115 G 9
Cucco (Monte) PG 46 L 20
Cuccurano PS 46 K 20
Cuccurdoni Mannu (Punta) SU 118 I 8
Cuccureddu (Monte) NU 115 G 9
Cuccuru 'e Paza NU 116 G 10
Cuceglio TO 19 G 5
Cuddia TP 97 N 19
Cuestalta / Hoher Trieb UD 5 C 21
Cuffiano BN 65 R 26
Cuga SS 110 F 7
Cuga (Lago) SS 110 F 7
Cuggiono MI 20 F 8
Cuglieri OR 114 G 7
Cugnana (Punta) SS 109 D 10
Cugnoli PE 60 P 23
Cuiaru (Monte) SS 111 F 8
Cuma NA 69 E 24

133

Cumiana **TO** 26 H 4
Cumignano sul Naviglio **CR** 22 F 11
Cuna **SI** 50 M 16
Cunardo **VA** 8 E 8
Cuneo **CN** 35 I 4
Cuorgnè **TO** 19 F 4
Cupa **CE** 69 D 23
Cupello **CH** 61 P 26
Cupetti (Punta) **NU** 113 F 10
Cupi **MC** 52 M 21
Cupoli **PE** 60 O 23
Cupra Marittima **AP** 53 M 23
Cupramontana **AN** 46 L 21
Cura **VT** 57 P 18
Curcuris **OR** 116 H 8
Curi (Monte sa) **SS** 109 E 10
Curiglia **VA** 8 D 8
Curinga **CZ** 88 K 30
Curino **BI** 20 F 6
Curon Venosta / Graun im Vinschgau **BZ** 2 B 13
Curone **AL** 29 H 9
Cursi **LE** 83 G 36
Cursolo Orasso **VB** 8 D 7
Curtarolo **PD** 24 F 17
Curtatone **MN** 31 G 14
Curticelle **SA** 70 E 26
Cusa (Cave di) **TP** 97 O 20
Cusago **MI** 21 F 9
Cusano **PN** 13 E 20
Cusano Milanino **MI** 21 F 9
Cusano Mutri **BN** 65 R 25
Cusercoli **FO** 40 J 18
Cusio **BG** 9 E 10
Cusna (Monte) **RE** 38 J 13
Cussorgia **SU** 118 J 7
Custonaci **TP** 97 M 20
Custoza **VR** 23 F 14
Cutigliano **PT** 39 J 14
Cutro **KR** 87 J 32
Cutrofiano **LE** 83 G 36
Cuvio **VA** 8 E 8
Cuzzago **VB** 8 D 7

D

Dalmine **BG** 21 F 10
Dambel **TN** 11 C 15
Danta **BL** 5 C 19
Daone **TN** 11 E 13
Daone (Val di) **TN** 11 D 13
Darfo-Boario Terme **BS** 10 E 12
Darzo **TN** 23 E 13
Dasà **VV** 88 L 30
Dattilo **TP** 96 N 19
Daunia (Monti della) **FG** 66 C 27
Davagna **GE** 37 I 9
Davoli **CZ** 88 L 31
Dazio **SO** 9 D 10
De Costanzi **CN** 26 I 3
De Gasperi (Rifugio) **UD** 5 C 20
De Lorenzis (Masseria) **BA** 72 E 31
Decimomannu **CA** 118 J 8
Decimoputzu **SU** 118 I 8
Decollatura **CZ** 86 J 31
Decorata **BN** 70 C 26
Degano **UD** 5 C 20
Dego **SV** 36 I 6
Deiva Marina **SP** 37 J 10
Del Vecchio (Masseria) **TA** 78 F 32
Delebio **SO** 9 D 10
Delfino (Lido) **TP** 96 N 19
Delia **CL** 103 O 23
Delia (Fiume) **AG** 103 P 23
Delianuova **RC** 90 M 29
Deliceto **FG** 71 D 28
Dello **BS** 22 F 12
Demo **BS** 10 D 13
Demonte **CN** 34 J 3
Denice **AL** 28 I 7
Denno **TN** 11 D 15
Denore **FE** 32 H 17
Dent d'Hérens **AO** 7 G 8
Dente del Gigante **AO** 6 E 2
Denza (Rifugio) **TN** 11 D 13
Derby **AO** 18 E 3
Dermulo **TN** 11 C 15
Dernice **AL** 29 H 9
Deruta **PG** 51 N 19
Dervio **LC** 9 D 9
Desana **VC** 20 G 7
Dese **VE** 25 F 18
Dese (Fiume) **VE** 25 F 18
Desenzano del Garda **BS** 23 F 13
Desio **MI** 21 F 9
Destro **CS** 87 I 32
Desulo **NU** 115 G 9
Desusino (Monte) **CL** 103 P 24
Deta (Pizzo) **AQ** 64 Q 22
Deutschnofen / Nova Ponente **BZ** 12 C 16
Devero (Val) **VB** 8 D 6
Dezzo **BG** 10 E 12
Dezzo (Fiume) **BS** 10 E 12
Di Brazza (Rifugio) **UD** 15 C 22
Di Santo (Masseria) **BA** 73 E 32
Diacceto **FI** 44 K 16
Diamante **CS** 84 H 29
Diano Arentino **IM** 35 K 6
Diano Castello **IM** 35 K 6
Diano d'Alba **CN** 27 I 6
Diano Marina **IM** 35 K 6
Diano (Vallo di) **SA** 76 F 28
Diavolo (Passo del) **AQ** 64 Q 23
Diavolo (Pizzo del) **BG** 10 D 11
Dicomano **FI** 40 K 16
Dieci (Cima) **BZ** 4 C 17
Diecimo **LU** 38 K 13
Diegaro **FO** 41 J 18
Dierico **UD** 5 C 21
Dietro Isola (Porto) **TP** 96 Q 18
Digerbato **TP** 96 N 19
Dignano **UD** 14 D 20
Dignini **PC** 30 H 11
Diliella (Fattoria) **CL** 103 P 24
Diligenza **RG** 104 Q 25
Dimaro **TN** 11 D 14
Dinami **VV** 88 L 30
Dino (Isola di) **CS** 84 H 29
Dipignano **CS** 86 J 30
Dipilo (Pizzo) **PA** 99 N 23
Dirillo **CT** 104 P 25
Dirillo (Lago) **CT** 104 P 26
Disfida di Barletta (Monumento alla) **BA** 72 D 31
Disgrazia (Monte) **SO** 10 D 11
Diso **LE** 83 G 37
Disueri **CL** 104 P 24
Disueri (Lago) **CL** 104 P 24
Dittaino **EN** 100 O 25
Divedro (Val) **VB** 8 D 6
Diveria **VB** 8 D 6
Divieto **ME** 90 M 28
Divignano **NO** 20 F 7
Divino Amore (Santuario del) **RM** 62 Q 19
Dobbiaco / Toblach **BZ** 4 B 18
Dobbiaco (Lago di) **BZ** 4 B 18
Dobbiaco Nuovo **BZ** 4 B 18
Doberdò del Lago **GO** 17 E 22
Dodici (Cima) **TN** 12 E 16
Dogana Nuova **MO** 39 J 13
Doganaccia **PT** 39 J 14
Doganella **LT** 63 R 20
Dogaro **MO** 31 H 15
Doglia (Monte) **SS** 110 F 6
Dogliani **CN** 27 I 5
Doglio **PG** 51 N 18
Dogliola **CH** 61 Q 25
Dogna **UD** 15 C 21
Dogna (Torrente) **UD** 15 C 22
Dolcè **VR** 23 F 14
Dolceacqua **IM** 35 K 4
Dolcecanto **BA** 72 E 30
Dolcedo **IM** 35 K 5
Dolcedorme (Serra) **PZ** 85 H 30
Dolegna del Collio **GO** 15 D 22
Dolent (Monte) **AO** 6 E 3
Dolianova **SU** 119 I 9
Dolo **VE** 25 F 18
Dolo (Torrente) **MO** 39 J 13
Dolomiti Bellunesi (Parco Nazionale delle) **BL** 12 D 17
Dolzago **LC** 21 E 10
Domanico **CS** 86 J 30
Domanins **PN** 13 D 20
Domaso **CO** 9 D 9
Domegge di Cadore **BL** 5 C 19
Domegliara **VR** 23 F 14
Domelletto **NO** 20 E 7
Domenica (Città della) **PG** 51 M 19
Domicella **AV** 70 E 25
Domo **AN** 46 L 21
Domo di Sasso (Poggio) **AR** 44 K 16
Domodossola **VB** 8 D 6
Domu 'e s'Orcu (Sa) **CA** 121 J 9
Domus de Maria **SU** 121 K 8
Domusnovas **SU** 118 J 7
Donada **RO** 33 G 18
Donato **BI** 19 F 5
Dondenaz **AO** 19 F 4
Dongo **CO** 9 D 9
Donigala **NU** 117 H 11
Donigala Fenughedu **OR** 114 H 7
Donna Giacoma (Cozzo) **PA** 98 N 22
Donna (Punta sa) **NU** 113 F 10
Donnafugata **RG** 104 Q 25
Donnalucata **RG** 106 Q 25
Donnas **AO** 19 F 5
Donoratico **LI** 49 M 13
Donori **SU** 119 I 9
Dont **BL** 13 C 18
Donzella (Isola della) **RO** 33 H 19
Doppo (Monte) **BS** 22 F 12
Dora Baltea **AO** 18 E 3
Dora di Rhêmes **AO** 18 F 3
Dora di Valgrisanche **AO** 18 F 3
Dora Riparia **TO** 26 H 2
Dordo **BG** 21 E 10
Dorga **BG** 10 E 12
Dorgali **NU** 117 G 10
Doria **CS** 85 H 31
Dorigoni (Rifugio) **TN** 2 C 14
Dorio **LC** 9 D 9
Dorno **PV** 20 G 8
Dorra **GE** 37 I 9
Dosimo **CR** 22 G 12
Dosolo **MN** 31 H 13
Dossena **BG** 9 E 11
Dosso **FE** 32 H 16
Dosso del Liro **CO** 9 D 9
Dosson **TV** 25 F 18
Doues **AO** 6 E 3
Dovadola **FO** 40 J 17
Dovaru (Monte su) **NU** 115 G 9
Dovera **CR** 21 F 10
Dozza (vicino ad Imola) **BO** 40 I 16
Dragoncello **MN** 31 H 15
Dragone **MO** 39 J 13
Dragone (Colle del) **PZ** 85 H 30
Dragonetti **PZ** 71 E 29
Dragoni **CE** 65 S 24
Drapia **VV** 88 L 29
Drei Zinnen / Lavaredo (Tre Cime di) **BL** 4 C 18
Dreieck-Spitze / Triangolo di Riva **BZ** 4 B 18
Dreiherrnspitze / Tre Signori (Picco dei) **BZ** 4 A 18
Drena **TN** 11 E 14
Drenchia **UD** 15 D 22
Dresano **MI** 21 F 10
Drizzona **CR** 30 G 13
Dro **TN** 11 E 14
Dromo **ME** 101 M 27
Dronero **CN** 26 I 4
Drosi **RC** 88 L 29
Druento **TO** 19 G 4
Druges **AO** 19 E 4
Druogno **VB** 8 D 7
Drusco **PR** 29 I 10
Dualchi **NU** 115 G 8
Duanera la Rocca **FG** 66 C 28
Dubbione **TO** 26 H 3
Dubino **SO** 9 D 10
Duca degli Abruzzi (Rifugio) **AQ** 59 O 22
Duca (Masseria del) **TA** 79 F 34
Duca (Masseria Nuova del) **BA** 72 D 31
Ducato Fabriago **RA** 32 I 17
Duchessa (Lago della) **RI** 59 P 22
Due Carrara **PD** 24 G 17
Due Maestà **RE** 31 I 13
Due Santi (Passo dei) **MS** 37 I 11
Duesanti **PG** 51 N 19
Dueville **VI** 24 F 16
Dufour (Punta) **VB** 7 I 8
Dugenta **BN** 70 D 25
Duglia **CS** 85 I 31
Dugliolo **BO** 32 I 16
Duino-Aurisina **TS** 17 E 22
Dumenza **VA** 8 D 8
Dunarobba **TR** 51 N 19
Duno **VA** 8 E 8
Duomo **BS** 22 F 12
Dura (Cima) **BZ** 4 B 18
Duran (Passo) **BL** 13 D 18
Durazzanino **FO** 41 J 18
Durazzano **BN** 70 D 25
Durnholz / Valdurna **BZ** 3 B 16
Durone (Passo) **TN** 11 D 14
Duronia **CB** 65 R 25

E

Ebba (Scala s') **OR** 115 H 8
Eboli **SA** 75 F 27
Eclause **TO** 26 G 2
Ederas (Piana) **SS** 111 E 8
Edolo **BS** 10 D 12
Ega (Val d') / Eggental **BZ** 3 C 16
Egadi (Isole) **TP** 96 N 18
Eggental / Ega (Val d') **BZ** 3 C 16
Egna **VC** 7 E 6
Egna / Neumarkt **BZ** 11 D 15
Egnazia **BR** 80 E 34
Egola **FI** 43 L 14
Ehrenburg / Casteldarne **BZ** 4 B 17
Eia **PR** 30 H 12
Eianina **CS** 85 H 30
Eira (Passo d') **SO** 2 C 12
Eisack / Isarco **BZ** 3 B 16
Eisacktal / Isarco (Val) **BZ** 3 B 16
Eita **SO** 10 C 12
Elba (Isola d') **LI** 48 N 12
Elcito **MC** 52 M 21
Eleme (S') **SS** 112 E 9
Eleutero **PA** 98 N 22
Elice **PE** 60 O 23
Elicona **ME** 100 M 27
Elini **NU** 117 H 10
Elio (Monte d') **FG** 67 B 28
Elisabetta **AO** 18 E 2
Ellena Soria **CN** 34 J 4
Ellera **SV** 36 I 7
Ellero **CN** 35 J 5
Ello **LC** 21 E 10
Elmas **CA** 119 J 9
Elmo **GR** 50 N 17
Elmo (Monte) **GR** 50 N 17
Elmo (Monte) / Helm **BZ** 5 B 19
Eloro **SR** 107 Q 27
Elsa **FI** 43 L 14
Eltica (Monte la) **SS** 111 E 9
Elva **CN** 26 I 3
Elvo **BI** 19 F 6
Emarèse **AO** 19 E 5
Embrisi (Monte) **RC** 90 M 29
Emilius (Monte) **AO** 18 E 4
Empoli **FI** 43 K 14
Ena 'e Tomes (Sa) **NU** 117 F 10
Enas **SS** 113 E 10
Enciastraia (Monte) **CN** 34 I 2
Endine (Lago di) **BG** 22 E 11
Endine Gaiano **BG** 22 E 11
Enego **VI** 12 E 17
Enego 2000 **VI** 12 E 16
Enemonzo **UD** 14 C 20
Enfola (Capo d') **LI** 48 N 12
Enna **EN** 99 O 24
Enna **BG** 9 E 10
Enneberg / Marebbe **BZ** 4 B 17
Ente **GR** 50 N 16
Entracque **CN** 34 J 4
Entrata (Sella) **RC** 90 M 29
Entrèves **AO** 6 E 2
Envie **CN** 26 H 4
Enza **PR** 38 I 12
Eolie o Lipari (Isole) **ME** 94 L 26
Eores / Afers **BZ** 4 B 17
Epinel **AO** 18 F 3
Episcopia **PZ** 77 G 30
Epitaffio (Masseria) **BA** 72 E 30
Epomeo (Monte) **NA** 74 E 23
Equi Terme **MS** 38 J 12
Era **SO** 9 D 10
Era (Fiume) **PI** 43 L 14
Eraclea **MT** 78 G 32
Eraclea **VE** 16 F 20
Eraclea Mare **VE** 16 F 20
Eraclea Minoa **AG** 102 O 21
Eramo a Marzagaglia (Casino) **BA** 73 E 32
Erba **CO** 21 E 9
Erba (Masseria dell') **BA** 73 E 33
Erbano (Monte) **CE** 65 S 25
Erbavuso **EN** 99 O 24
Erbè **VR** 23 G 14
Erbe (Passo di) **BZ** 4 B 17
Erbea (Monte) **SO** 9 D 10
Erbezzo **VR** 23 F 14
Erbognone **PV** 20 G 8
Erbonne **CO** 9 E 9
Erbusco **BS** 22 F 11
Erchia (Casino d') **BA** 73 E 33
Erchie **BR** 79 F 35
Ercolano **NA** 69 E 25
Ercolano Scavi **NA** 70 E 25
Erei (Monti) **EN** 104 O 24
Eremita (Monte) **SA** 71 E 28
Eremita (Pizzo dell') **CT** 100 N 26
Erice **TP** 96 M 19
Erli **SV** 35 J 6
Ernici (Monti) **FR** 63 Q 21
Erro **SV** 36 I 7
Erto **PN** 13 D 19
Erula **SS** 111 E 8
Erve **LC** 21 E 10
Esanatoglia **MC** 52 M 20
Esaro **CS** 85 I 30
Escalaplano **SU** 119 I 10
Escolca **SU** 119 H 9
Escovedu **OR** 115 H 8
Esenta **BS** 22 F 13
Esine **BS** 10 E 12
Esino **AN** 46 L 20
Esino Lario **LC** 9 E 10
Esperia **FR** 64 R 23
Esporlatu **SS** 115 F 8
Esse **AR** 50 M 17
Este **PD** 24 G 16
Esterzili **SU** 115 H 9
Etna (Cantoniera dell') **CT** 100 N 26
Etna (Monte) **CT** 100 N 26
Etroubles **AO** 6 E 3
Etsch / Adige **BZ** 3 C 15
E.U.R. **RM** 62 Q 19
Eurialo **SR** 105 P 27
Eva (Punta) **SU** 121 K 8
Evançon **AO** 7 E 5
Exilles **TO** 26 G 2

F

Fabbri **PG** 51 N 20
Fabbrica Curone **AL** 29 H 9
Fabbriche **LU** 39 J 13
Fabbriche di Vallico **LU** 38 K 13
Fabbrico **RE** 31 H 14
Fabriano **AN** 52 L 20
Fabrica di Roma **VT** 58 O 18
Fabrizia **VV** 88 L 30
Fabro **TR** 51 N 18
Fabro Scalo **TR** 51 N 18
Facen **BL** 12 D 17
Fadalto **BL** 13 D 19
Fadalto (Sella di) **BL** 13 D 19
Faedis **UD** 15 D 22
Faedo **SO** 10 D 11
Faedo **TN** 11 D 15
Faedo **VI** 24 F 16
Faenza **RA** 40 J 17
Faetano **RSM** 41 K 19
Faeto **FG** 71 D 27
Fagagna **UD** 14 D 21
Faggiano **TA** 79 F 34
Fagnano Alto **AQ** 59 P 22
Fagnano Castello **CS** 85 I 30
Fagnano Olona **VA** 20 E 8
Fagnigola **PN** 13 E 20
Fago del Soldato **CS** 86 I 31
Fai della Paganella **TN** 11 D 15
Faiallo (Passo del) **GE** 36 I 8
Faiano **SA** 75 F 26
Faiatella **SA** 76 G 28
Faicchio **BN** 65 S 25
Faida **TN** 11 D 15
Faidello **MO** 39 J 13
Faiolo **TR** 51 N 18
Faito (Monte) **NA** 74 E 25
Falcade **BL** 12 C 17
Falciano **AR** 45 L 17
Falciano del Massico **CE** 69 D 23
Falcioni **AN** 46 L 20
Falcognana **RM** 62 Q 19
Falconara **CL** 103 P 24
Falconara Albanese **CS** 86 J 30
Falconara Marittima **AN** 47 L 22
Falcone **ME** 100 M 27
Falcone (Capo del) **SS** 110 E 6
Falcone (Monte) **TP** 96 N 18
Falcone (Punta) **SS** 109 D 9
Falconiera (Capo) **PA** 92 K 21
Faleria **AP** 52 M 22
Faleria **VT** 58 P 19
Falerii Novi **VT** 58 P 19
Falerna **CZ** 86 J 30
Falerna Marina **CZ** 88 K 30
Falerone **AP** 52 M 22
Falicetto **CN** 27 I 4
Falier (Rifugio) **BL** 12 C 17
Fallascoso **CH** 60 P 24
Faller (Corno di) **VB** 7 E 5
Fallère (Monte) **AO** 18 E 3
Fallo **CH** 65 Q 24
Falmenta **VB** 8 D 7
Faloria (Tondi di) **BL** 4 C 18
Falterona (Monte) **FI** 40 K 17
Faltona **AR** 44 L 17
Faltona **FI** 40 K 16
Falvaterra **FR** 64 R 22
Falzarego (Passo di) **BL** 4 C 18
Falze di Piave **TV** 13 E 18
Falzes / Pfalzen **BZ** 4 B 17
Fana (Corno di) / Toblacher Pfannhorn **BZ** 4 B 18
Fanaco (Lago) **PA** 98 O 22
Fanano **MO** 39 J 14
Fanciullo **RM** 57 P 17
Fane **VR** 23 F 14
Fangacci (Passo) **AR** 40 K 17
Fanghetto **IM** 35 K 4
Fanna **PN** 13 D 20
Fano **PS** 46 K 21
Fano a Corno **TE** 59 O 22
Fano Adriano **TE** 59 O 22
Fantina **ME** 101 M 27
Fantiscritti (Cave di) **MS** 38 J 12
Fantoli (Rifugio) **VB** 8 E 7
Fanzarotta **CL** 103 O 23
Fanzolo **TV** 24 E 17
Fara Filiorum Petri **CH** 60 P 24
Fara Gera d'Adda **BG** 21 F 10
Fara in Sabina **RI** 58 P 20
Fara Novarese **NO** 20 F 7
Fara S. Martino **CH** 60 P 24
Fara Vicentino **VI** 24 E 16
Faraglione (Punta) **TP** 96 N 18
Faraglioni (Isola) **NA** 74 F 24
Fardella **PZ** 77 G 30
Farfa **RI** 58 P 20
Farfa (Abbazia di) **RI** 58 P 20
Farfengo **CR** 22 G 11
Farigliano **CN** 27 I 5
Farindola **PE** 60 O 23
Farini **PC** 29 H 10
Farnese **VT** 57 O 17
Farneta **CS** 77 G 31
Farneta **MO** 39 I 13
Farneta (Abbazia di) **AR** 50 M 17
Farneta di Riccò **MO** 39 I 14
Faro (Capo) **ME** 94 L 26
Faro Superiore **ME** 90 M 28
Faroma (Monte) **AO** 7 E 4
Farra d'Alpago **BL** 13 D 19
Farra di Soligo **TV** 13 E 18
Farro **TV** 13 E 18
Fasana **KR** 87 J 33
Fasana Polesine **RO** 32 G 18
Fasanella **SA** 76 F 27
Fasano **BS** 23 F 13
Fasano **BR** 80 E 34
Fasano **PA** 99 N 24
Fascia **GE** 29 I 9
Fassa (Val di) **TN** 12 C 17
Fassinoro **RI** 58 P 20
Fastello **VT** 57 O 18
Fate (Monte delle) **FR** 63 R 21
Fattoria (Zoo) **PA** 97 M 21
Fau (Pizzo) **ME** 100 N 25
Fauglia **PI** 42 L 13
Faule **CN** 27 H 4
Favale di Malvaro **GE** 37 I 9
Favalto (Monte) **PG** 45 L 18
Favara **AG** 103 P 22
Favara (Lago) **AG** 97 O 21
Favazzina **RC** 90 M 29
Faver **TN** 11 D 15
Faverga **BL** 13 D 18
Faverzano **BS** 22 F 12
Favignana **TP** 96 N 18
Favignana (Isola) **TP** 96 N 18
Favogna / Fennberg **BZ** 11 D 15
Favoscuro **ME** 100 N 26
Favria **TO** 19 G 5
Fazzon **TN** 11 D 14
Fedaia (Lago di) **TN** 4 C 17
Fedaia (Passo di) **TN** 4 C 17
Feglino **SV** 36 J 6
Feisoglio **CN** 27 I 6
Felci (Fossa) **ME** 94 L 25
Feldthurns / Velturno **BZ** 4 B 16
Felegara **PR** 30 H 12
Feletto **TO** 19 G 5
Feletto Umberto **UD** 15 D 21
Felina **RE** 38 I 13
Felino **PR** 30 H 12
Felisio **RA** 40 I 17
Felitto **SA** 76 F 27
Felizzano **AL** 28 H 7

A B C D E F G H I J K L M N O P Q R S T U V W X Y Z

134

A B C D E F G H I J K L M N O P Q R S T U V W X Y Z

Fella UD 15 C 22
Fellicarolo MO 39 J 14
Felonica MN 32 H 16
Feltre BL 12 D 17
Fema (Monte) MC 52 N 21
Femmina Morta FI 40 J 16
Femmina Morta Miraglia (Portella) ME 100 N 25
Femminamorta PT 39 K 14
Femminamorta (Monte) KR 87 J 32
Femminamorta (Monte) EN 100 N 25
Femmine (Isola delle) PA 97 M 21
Fenaio (Punta del) GR 55 O 14
Fener BL 12 E 17
Fenestrelle TO 26 G 3
Fenigli PS 46 L 20
Fenile PS 46 K 20
Fenis AO 19 E 4
Fennau (Monte) NU 117 G 10
Fennberg / Favogna BZ 11 D 15
Ferdinandea RC 88 L 31
Ferentillo TR 58 O 20
Ferentino FR 63 Q 21
Ferento VT 57 O 18
Feriolo VB 8 E 7
Ferla SR 104 P 26
Fermignano PS 46 K 19
Fermo AP 53 M 23
Fernetti TS 17 E 23
Ferno VA 20 F 8
Feroleto Antico CZ 88 K 31
Feroleto della Chiesa RC 88 L 30
Ferrandina MT 77 F 31
Ferrania SV 36 I 6
Ferranti (Masseria) FG 71 D 28
Ferrara FE 32 H 16
Ferrara di Monte Baldo VR 23 E 14
Ferraro RC 91 M 30
Ferrato (Capo) SU 119 J 10
Ferrera VC 8 E 6
Ferrera Erbognone PV 28 G 8
Ferrere AT 27 H 6
Ferrere CN 34 I 2
Ferret (Col du) AO 6 E 3
Ferret (Val) AO 6 E 3
Ferretto AR 50 M 17
Ferricini (Monte) TP 97 N 21
Ferriere PC 29 I 10
Ferriere (Le) LT 63 R 20
Ferro CS 78 G 31
Ferro (Canale del) UD 15 C 21
Ferro (Capo) SS 109 D 10
Ferro di Cavallo PG 51 M 19
Ferro (Pizzo del) SO 2 C 12
Ferro (Porto) SS 110 E 6
Ferrone FI 43 L 15
Ferru (Monte) SU 119 J 10
Ferru (Monte) NU 119 H 10
Ferru (Monte) OR 114 G 7
Ferruzzano RC 91 M 30
Fersinone TR 51 N 18
Fertilia SS 110 F 6
Festiona CN 34 J 4
Feto (Capo) TP 96 O 19
Fetovaia LI 48 N 12
Fetovaia (Punta di) LI 48 N 12
Feverstein / Montarso BZ 3 B 15
Fiamenga PG 51 N 19
Fiamignano RI 59 P 21
Fianello RI 58 O 19
Fiano FI 43 L 15
Fiano LU 38 K 13
Fiano Romano RM 58 P 19
Fiano TO 19 G 4
Fiascherino SP 38 J 11
Fiaschetti PN 13 E 19
Fiastra MC 52 M 21
Fiastra (Abbazia di) MC 52 M 22
Fiastra (Lago di) MC 52 M 21
Fiastra (Torrente) MC 52 M 22
Fiastrone MC 52 M 21
Fiavé TN 11 D 14
Fibreno (Lago) FR 64 Q 23
Ficarazzi PA 98 M 22
Ficarolo RO 32 H 16
Ficarra ME 100 M 26
Ficulle TR 51 N 18
Ficuzza PA 98 N 22
Ficuzza (Bosco della) PA 98 N 22
Ficuzza (Fattoria) CL 103 P 23
Ficuzza (Fiume) CT 104 P 25
Ficuzza (Pizzo) AG 99 O 23
Ficuzza (Rocca) AG 97 O 21
Fidenza PR 30 H 12
Fié allo Sciliar / Völs am Schlern BZ 3 C 16
Fiemme (Val di) TN 12 D 16
Fiera di Primiero TN 12 D 17
Fiera (Monte della) PA 97 N 21
Fierozzo TN 12 D 15
Fieschi (Basilica dei) GE 37 J 10
Fiesco CR 22 F 11
Fiesole FI 40 K 15
Fiesse BS 22 G 12
Fiesso d'Artico VE 24 F 18
Fiesso Umbertiano RO 32 H 16
Figari (Capo) SS 113 E 11
Figino Serenza CO 21 E 9
Figline PO 39 K 15
Figline Valdarno FI 44 L 16
Figline Vegliaturo CS 86 J 30
Filadelfia VV 88 K 30
Filadonna (Becco di) TN 11 E 15
Filaga PA 98 N 22
Filandari VV 88 L 30
Filattiera MS 38 J 11
Filau (Monte) SU 121 K 8
Filettino FR 63 Q 21
Filetto AN 46 L 21
Filetto AQ 59 O 22
Filetto CH 60 P 24
Filettole PI 38 K 13
Filiano PZ 71 E 29
Filibertu SS 110 E 6
Filicudi (Isola) ME 94 L 25
Filicudi Porto ME 94 L 25
Filighera PV 21 G 9
Filignano IS 64 R 24
Filio (Pizzo) ME 100 N 25
Filippa KR 87 J 32
Filaciano RM 58 P 19
Filo FE 32 I 17
Filogaso VV 88 K 30
Filottrano AN 47 L 22
Finale PA 99 M 24
Finale di Rero FE 32 H 17
Finale Emilia MO 32 H 15
Finale Ligure SV 36 J 7
Fine LI 42 L 13
Finero VB 8 D 7
Finestra di Champorcher AO 19 F 4
Finestre (Colle delle) TO 26 G 3
Fino PE 60 O 23
Fino del Monte BG 10 E 11
Fino Mornasco CO 21 E 9
Finocchio RM 62 Q 20
Fioio RM 59 Q 21
Fionchi (Monte) PG 52 N 20
Fiora GR 50 N 16
Fiorana FE 32 I 17
Fiorano Modenese MO 31 I 14
Fiordimonte MC 52 M 21
Fiore PG 51 N 19
Fiorentina BO 32 I 16
Fiorentino RSM 41 K 19
Fiorenzuola d'Arda PC 30 H 11
Fiorenzuola di Focara PS 46 K 20
Fiori (Montagna di) TE 53 N 22
Fiorino GE 36 I 8
Firenze FI 43 K 15
Firenzuola FI 40 J 16
Firenzuola TR 51 N 19
Firmo CS 85 H 30
Fiscalino (Campo) / Fischleinboden BZ 4 C 18
Fisciano SA 70 E 26
Fisciolo (Serra) PZ 77 G 29
Fisrengo NO 20 F 7
Fissa (Posta) FG 71 D 28
Fittanze della Sega (Passo) TN 23 E 14
Fiuggi FR 63 Q 21
Fiumalbo MO 39 J 13
Fiumana FO 40 J 17
Fiumarella PZ 72 E 29
Fiumata RI 59 P 21
Fiume MC 52 M 21
Fiume (il) TV 16 E 19
Fiume Nicà (Punta) CS 87 I 33
Fiume Veneto PN 13 E 20
Fiumedinisi ME 90 M 28
Fiumefreddo Bruzio CS 86 J 30
Fiumefreddo di Sicilia CT 101 N 27
Fiumenero BG 10 D 11
Fiumi Uniti RA 41 I 18
Fiumicella MC 46 L 22
Fiumicello UD 17 E 22
Fiumicello Sta Venere PZ 84 H 29
Fiumicino RM 62 Q 18
Fiuminata MC 52 M 20
Fivizzano MS 38 J 12
Flaas / Valas BZ 3 C 15
Flagogna UD 14 D 20
Flaiban-Pacherini (Rifugio) UD 13 C 19
Flaibano UD 14 D 20
Flambruzzo UD 16 E 21
Flascio CT 100 N 26
Flassin AO 18 E 3
Flavia (Porto) SU 118 J 7
Flavon TN 11 D 15
Flegrei (Campi) NA 69 E 24
Fleres / Pflersch BZ 3 B 16
Fleres (Val di) BZ 3 B 16
Fleri CT 101 O 27
Flero BS 22 F 12
Flores (Genna) NU 115 G 9
Floresta ME 100 N 26
Floridia SR 105 P 27
Florinas SS 111 F 7
Floripotena ME 90 M 27
Flumendosa NU 115 H 10
Flumendosa (Foce del) SU 119 I 10
Flumendosa (Lago Alto del) NU 117 H 10
Flumendosa (Lago del) SU 119 H 9
Flumeri AV 71 D 27
Flumignano UD 16 E 21
Flumineddu SU 119 I 9
Flumineddu (Cagliari e Nuoro) SU 119 I 10
Flumineddu NU 117 G 10
Fluminese SU 118 I 7
Flumini CA 119 J 9
Flumini (Rio) OR 115 H 9
Fluminimaggiore SU 118 I 7
Fluno BO 40 I 17
Fobello VC 7 E 6
Focà RC 88 L 31
Foce AP 52 N 21
Foce TR 58 O 19
Foce di Varano FG 67 B 29
Foce Verde LT 63 R 20
Focene RM 62 Q 18
Focette LU 38 K 12
Fodara Vedla BZ 4 C 18
Foén BL 12 D 17
Foggia FG 66 C 28
Foghe (Punta di) OR 114 G 7
Foglia PS 41 K 19
Foglianise BN 70 D 26
Fogliano RE 31 I 13
Fogliano (Lago di) LT 63 R 20
Fogliano (Monte) VT 57 P 18
Fogliano Redipuglia GO 17 E 22
Foglizzo TO 19 G 5
Fognano RA 40 J 17
Foi di Picerno (Monte li) PZ 76 F 29
Foiana / Vollan BZ 3 C 15
Foiano della Chiana AR 50 M 17
Foiano di Val Fortore BN 70 C 26
Folgaria TN 11 E 15
Folgarida TN 11 D 14
Folignano AP 53 N 22
Foligno PG 51 N 20
Follerato (Masseria) TA 78 F 32
Follina TV 13 E 18
Follo SP 38 J 11
Follone CS 85 I 30
Follonica GR 49 N 14
Follonica (Golfo di) LI 49 N 13
Folta PR 37 I 11
Fombio LO 29 G 11
Fondachelli-Fantina ME 101 N 27
Fondachello CT 101 N 27
Fondi LT 64 R 22
Fondi (Lago di) LT 63 S 22
Fondi (Lido di) LT 63 S 21
Fondiano RE 31 I 13
Fondo TN 11 C 15
Fondotoce VB 8 E 7
Fongara VI 23 E 15
Fonni NU 115 G 9
Fontainemore AO 19 F 5
Fontalcinaldo GR 49 M 14
Fontana TV 13 E 18
Fontana (Val) SO 10 D 11
Fontana Bianca (Lago di) BZ 3 C 14
Fontana di Papa RM 62 Q 19
Fontana Fredda PC 30 H 11
Fontana Liri Inferiore FR 64 R 22
Fontana Liri Superiore FR 64 R 22
Fontanafratta FR 64 Q 22
Fontanafredda PN 13 E 19
Fontanamare SU 118 J 7
Fontanarosa AV 70 D 27
Fontane Bianche SR 105 Q 27
Fontanefredde / Kaltenbrunn BZ 12 D 16
Fontanelice BO 40 J 16
Fontanella BG 22 F 11
Fontanella FI 43 L 14
Fontanella Grazioli MN 22 G 12
Fontanellato PR 30 H 12
Fontanelle CN 35 J 4
Fontanelle TE 60 O 23
Fontanelle PR 30 H 12
Fontanelle TV 16 E 19
Fontanelle VI 24 E 16
Fontaneto d'Agogna NO 20 F 7
Fontanetto Po VC 19 G 6
Fontanigorda GE 29 I 9
Fontanile AT 28 H 7
Fontaniva PD 24 F 17
Fonte TV 24 E 17
Fonte alla Roccia / Trinkstein BZ 4 A 18
Fonte Avellana (Eremo di) PS 46 L 20
Fonte Cerreto AQ 59 O 22
Fonte Colombo (Convento di) RI 58 O 20
Fonte Lardina MC 52 M 21
Fonte Vetica (Rifugio) TE 60 O 23
Fonteblanda GR 55 O 15
Fontecchia (Monte) AQ 64 Q 23
Fontecchio AQ 59 P 22
Fontechiari FR 64 Q 23
Fontecorniale PS 46 K 20
Fontegreca CE 65 R 24
Fonteno BG 22 E 12
Fonterutoli SI 44 L 15
Fontespina MC 47 M 23
Fontevivo PR 30 H 12
Fonti (Cima) VI 24 E 16
Fontignano PG 51 M 18
Fonzaso BL 12 D 17
Foppa (Passo di) BS 10 D 12
Foppiano VB 8 D 7
Foppiano GE 29 I 9
Foppolo BG 10 D 11
Foradada (Isola) SS 110 F 6
Forani CN 34 J 3
Forano RI 58 P 19
Forano (Convento di) MC 47 L 22
Forbici (Passo di) RE 38 J 13
Forca di Valle TE 59 O 22
Force AP 52 N 22
Forcella MC 52 N 20
Forcella (Monte) SA 76 G 28
Forcella (Passo la) GE 37 I 10
Forcella Vallaga (Rifugio) BZ 3 B 16
Forchetta (Valico della) CH 64 Q 24
Forcito SR 104 P 26
Forcola (Pizzo di) / Furkel Spitze BZ 2 C 13
Forcoli PI 43 L 14
Forcuso (Monte) AV 71 E 27
Fordongianus OR 115 H 8
Forenza PZ 72 E 29
Foresta KR 87 J 32
Foresta CS 87 I 32
Foresta (Convento La) RI 58 O 20
Foresta di Burgos SS 115 F 8
Foresta (Timpone della) CS 85 H 31
Foresto CN 27 H 5
Foresto Sparso BG 22 E 11
Forgaria nel Friuli UD 14 D 20
Foria SA 76 G 27
Forino AV 70 E 26
Forio NA 74 E 23
Forlì FO 41 J 18
Forlì del Sannio IS 65 Q 24
Forlimpopoli FO 41 J 18
Formazza VB 8 C 7
Formazza (Val) VB 8 C 7
Forme AQ 59 P 22
Formello RM 58 P 19
Formeniga TV 13 E 18
Formia LT 68 S 22
Formica di Burano (Isola) GR 56 O 15
Formica (Isola) TP 96 N 19
Formiche (Punta delle) SR 107 Q 27
Formico (Pizzo) BG 22 E 11
Formicola CE 69 D 24
Formigara CR 22 G 11
Formigine MO 31 I 14
Formigliana VC 20 F 6
Formignana FE 32 H 17
Formigosa MN 31 G 14
Formole AR 45 L 18
Fornace BO 39 I 15
Fornace FI 40 K 16
Fornacette FI 43 L 15
Fornacette PI 43 K 13
Fornaci BS 22 F 12
Fornaci (Passo di) MC 52 N 21
Fornaci di Barga LU 38 J 13
Fornazzano RA 40 J 16
Fornazzo CT 101 N 27
Fornelli IS 65 R 24
Fornelli SS 110 E 6
Forni Avoltri UD 5 C 20
Forni di Sopra UD 13 C 19
Forni di Sotto UD 13 C 20
Forni (i) SO 11 C 13
Forni (Vedretta dei) SO 11 C 13
Fornisono (Masseria) BA 72 E 31
Forno VB 8 E 6
Forno MS 38 J 12
Forno TO 26 G 3
Forno (Monte) / Ofen UD 15 C 23
Forno (Monte del) SO 10 C 11
Forno Alpi Graie TO 18 F 3
Forno Canavese TO 19 G 4
Forno di Zoldo BL 13 C 18
Fornoli LU 39 J 13
Fornovo di Taro PR 30 H 12
Fornovolasco LU 38 J 13
Foro CH 60 P 24
Forotondo AL 29 H 9
Forte Buso (Lago di) TN 12 D 17
Forte dei Marmi LU 38 K 12
Forte di Bibbona LI 48 M 13
Forte (Monte) SS 110 E 6
Fortezza / Franzensfeste BZ 4 B 16
Fortino PZ 76 G 29
Fortore BN 66 C 26
Fortuna (Passo della) RM 63 Q 20
Forza d'Agro ME 90 N 27
Foscagno (Monte) SO 2 C 12
Foscagno (Passo di) SO 2 C 12
Fosciandora LU 38 J 13
Fosdinovo MS 38 J 12
Fosini SI 49 M 14
Fossa AQ 59 P 22
Fossa MO 31 H 15
Fossa delle Felci (Monte) ME 94 L 26
Fossabiuba TV 16 E 19
Fossacesia CH 61 P 25
Fossacesia Marina CH 61 P 25
Fossalon di Grado GO 17 E 22
Fossalta FE 32 H 17
Fossalta MO 31 I 14
Fossalta PD 24 F 18
Fossalta di Piave VE 16 F 19
Fossalta di Portogruaro VE 16 E 20
Fossalta Maggiore TV 16 E 19
Fossalto CB 65 Q 25
Fossalunga TV 24 E 18
Fossano CN 27 I 5
Fossanova (Abbazia di) LT 63 R 21
Fossanova S. Marco FE 32 H 16
Fossato (Colle di) AN 52 M 20
Fossato di Vico PG 52 M 20
Fossato Ionico RC 90 M 29
Fossato Serralta CZ 87 K 31
Fossazza (Monte) ME 90 M 27
Fossazzo ME 95 M 27
Fosse VR 23 F 14
Fosse (Monte le) AG 102 O 22
Fosso VE 24 F 18
Fosso del Lupo (Passo) VV 88 K 31
Fossola MS 38 J 12
Fossombrone PS 46 K 20
Foxi CA 119 J 9
Foxi (Porto) CA 118 J 9
Foxi Manna (Sa) NU 119 H 10
Foza VI 12 E 16
Fra (Monte) BS 10 E 12
Frabosa Soprana CN 35 J 5
Frabosa Sottana CN 35 J 5
Fraccano PG 45 L 18
Fraciscio SO 9 C 10
Fraforeano UD 16 E 20
Frades Berritteddos SS 113 E 10
Fragagnano TA 79 F 34
Fragaiolo AR 45 L 17
Fragneto (Masseria) TA 80 F 33
Fragneto l'Abate BN 65 S 26
Fragneto Monforte BN 65 S 26
Fragola (Sa) SS 111 F 8
Fraine BS 22 E 12
Fraine CH 65 Q 25
Fraioli FR 64 R 22
Frais TO 18 G 2
Fraisse TO 26 G 2
Fraiteve (Monte) TO 26 H 2
Fram (Punta) TP 96 Q 17
Framura SP 37 J 10
Francavilla al Mare CH 60 O 24
Francavilla Angitola VV 88 K 30
Francavilla Bisio AL 28 H 8
Francavilla d'Ete AP 53 M 22
Francavilla di Sicilia ME 101 N 27
Francavilla Fontana BR 79 F 34
Francavilla in Sinni PZ 77 G 30
Francavilla Marittima CS 85 H 31
Francenigo TV 13 E 19
Francesi (Punta di li) SS 109 D 9
Franche (Forcella) BL 12 D 18
Franchini AL 28 H 7
Francica VV 88 L 30
Francofonte SR 104 P 26
Francolino FE 32 H 16
Francolise CE 69 D 24
Franscia SO 10 D 11
Franzensfeste / Fortezza BZ 4 B 16
Frasassi (Grotte di) AN 46 L 20
Frasca (Capo della) SU 114 H 7
Frascarolo PV 28 G 8
Frascati RM 62 Q 20
Frascineto CS 85 H 30
Frassanito LE 83 G 37
Frassené BL 12 D 17
Frassine GR 49 M 14
Frassinelle Polesine RO 32 H 17
Frassinello Monferrato AL 28 G 7
Frassineta BO 40 J 16
Frassineti MO 39 I 14
Frassineto AR 44 L 17
Frassineto (Passo di) AR 45 K 18
Frassineto Po AL 28 G 7
Frassinetto TO 19 F 4
Frassino CN 26 I 3
Frassino MN 31 G 14
Frassinoro MO 39 J 13
Frasso Telesino BN 70 D 25
Fratta FO 41 J 18
Fratta (Fiume) PD 32 G 16
Fratta Polesine RO 32 G 16
Fratta Todina PG 51 N 19
Frattaguida TR 51 N 18
Frattamaggiore NA 69 E 24
Fratte PD 24 F 17
Fratte Rosa PS 46 L 20
Fratticiola Selvatica PG 51 M 19
Frattina PA 97 N 21
Frattocchie RM 62 Q 19
Frattuccia TR 58 O 19
Frattura AQ 64 Q 23
Frazzanò ME 100 M 26
Fredane AV 71 E 27
Freddo TP 97 N 20
Fregene RM 62 Q 18
Fregona TV 13 D 19
Freidour (Monte) TO 26 H 3
Freienfeld / Campo di Trens BZ 3 B 16
Frejus (Traforo del) TO 18 G 2
Fremamorta (Cima di) CN 34 J 3
Frentani (Monti dei) CH 61 Q 25
Fresagrandinaria CH 61 Q 25
Fresciano AR 45 K 18
Fresonara AL 28 H 8
Frigento AV 71 D 27
Frigintini RG 104 Q 26

Frignano **CE** 69 E 24
Frigole **LE** 81 F 36
Frioland (Monte) **TO** 26 H 3
Frisa **CH** 60 P 25
Frise **CN** 34 I 3
Frisolino **GE** 37 J 10
Frodolfo **SO** 10 C 13
Front **TO** 19 G 4
Frontale **MC** 46 L 21
Frontano (Monte) **PG** 45 L 19
Fronte (Monte) **IM** 35 J 5
Frontignano **MC** 52 N 21
Frontino **PS** 45 K 19
Frontone **PS** 46 L 20
Froppa (Cimon del) **BL** 4 C 19
Frosini **SI** 49 M 15
Frosinone **FR** 63 R 22
Frosolone **IS** 65 R 25
Frossasco **TO** 26 H 4
Frua (la) **VB** 8 C 7
Frugarolo **AL** 28 H 8
Frugno **FG** 71 D 28
Frusci **PZ** 71 E 29
Frusciu (Monte) **SS** 111 F 7
Fubine **AL** 28 H 7
Fucecchio **FI** 43 K 14
Fucecchio (Padule di) **PT** 43 K 14
Fucine **TN** 11 D 14
Fucino (Piana del) **AQ** 59 P 22
Fugazzolo **PR** 30 I 12
Fuipiano Valle Imagna **BG** 9 E 10
Fulgatore **TP** 97 N 20
Fumaiolo (Monte) **FO** 45 K 18
Fumane **VR** 23 F 14
Fumero **SO** 10 C 13
Fumo **PV** 29 G 9
Fumo (Monte) **PS** 45 L 19
Fumo (Monte) **BS** 11 D 13
Fumo (Monte) / Rauchkofel **BZ** 4 A 18
Fumo (Val di) **TN** 11 D 13
Fumone **FR** 63 Q 21
Fundres / Pfunders **BZ** 4 B 17
Fúndres (Val di) **BZ** 4 B 17
Funes / Villnöß **BZ** 4 C 17
Funes (Val di) **BZ** 4 C 17
Funesu (Monte) **SU** 118 I 7
Funtana Bona **NU** 117 G 10
Funtana Congiada (Punta) **NU** 115 H 9
Funtaneddas **NU** 115 G 9
Fuorni **SA** 75 F 26
Furci **CH** 61 P 25
Furci Siculo **ME** 90 N 28
Furggen **AO** 7 E 5
Furiano **ME** 100 N 25
Furkel Spitze / Forcola (Pizzo di) **BZ** 2 C 13
Furlo **PS** 46 L 20
Furlo (Gola del) **PS** 46 L 20
Furlo (Passo del) **PS** 46 L 20
Furnari **ME** 101 M 27
Furonis (Perda is) **SU** 119 I 10
Furore **SA** 75 F 25
Furtei **SU** 118 I 8
Fusaro (Lago del) **NA** 69 E 24
Fuscaldo **CS** 86 I 30
Fusignano **RA** 40 I 17
Fusina **VE** 25 F 18
Fusine **SO** 10 D 11
Fusine (Foresta di) **UD** 15 C 22
Fusine (Laghi di) **UD** 15 C 23
Fusine in Valromana **UD** 15 C 22
Fusine Laghi **UD** 15 C 23
Fusino **SO** 10 D 12
Futa (Passo della) **FI** 40 J 15
Futani **SA** 76 G 27

G

Gabbiani (Baia dei) **FG** 67 B 30
Gabbioneta **CR** 22 G 12
Gabbro **LI** 42 L 13
Gabella **AN** 46 L 21
Gabella Grande **KR** 87 J 33
Gabella Nuova **MC** 52 M 21
Gabelletta **VT** 58 P 18
Gabellino **GR** 49 M 15
Gabiano **AL** 19 G 6
Gabicce Mare **PS** 41 K 20
Gabicce Monte **PS** 41 K 20
Gabiet (Lago) **AO** 7 E 5
Gabria **GO** 17 E 22
Gabutti **CN** 35 I 6
Gaby **AO** 19 E 5
Gadera **BZ** 4 B 17
Gadertal / Badia (Val) **BZ** 4 B 17
Gadignano **PC** 29 H 10
Gadir **TP** 96 Q 18
Gadoni **NU** 115 H 9
Gaeta **LT** 68 S 22
Gaeta (Golfo di) **CE** 69 D 23
Gaggi **ME** 101 N 27
Gaggiano **MI** 21 F 9
Gaggio **MO** 31 I 15
Gaggio Montano **BO** 39 J 14
Gaglianico **BI** 19 F 6
Gagliano **CZ** 89 K 31
Gagliano **UD** 15 D 22
Gagliano Aterno **AQ** 59 P 23
Gagliano Castelferrato **EN** 100 N 25
Gagliano del Capo **LE** 83 H 37
Gagliato **CZ** 88 K 31
Gagliole **MC** 52 M 21
Gaianello **MO** 39 J 14
Gaianico **PD** 24 F 17
Gaiano **PR** 30 H 12
Gaiano **SA** 70 E 26
Gaiarine **TV** 13 E 19
Gaiato **MO** 39 J 14
Gaiba **RO** 32 H 16
Gaibana **FE** 32 H 16
Gaibanella **FE** 32 H 16
Gaifana **PG** 52 M 20
Gainago **PR** 30 H 13
Gaiola **CN** 34 I 4
Gaiole in Chianti **SI** 44 L 16
Gaione **PR** 30 H 12
Gairo **NU** 117 H 10
Gairo (Ruderi di) **NU** 117 H 10
Gais **BZ** 4 B 17
Galassi (Rifugio) **BL** 4 C 18
Galati **RC** 91 N 30
Galati Mamertino **ME** 100 M 26
Galati Marina **ME** 90 M 28
Galatina **LE** 83 G 36
Galatone **LE** 83 G 36
Galatro **RC** 88 L 30
Galbiate **LC** 21 E 10
Galciana **PO** 39 K 15
Galeata **FO** 40 K 17
Galeazza **BO** 31 H 15
Galera (Punta) **SS** 109 D 10
Galgagnano **LO** 21 F 10
Galiello (Monte) **PA** 97 N 21
Galisia (Punta di) **TO** 18 F 3
Gallarate **VA** 20 F 8
Gallareto **AT** 27 G 6
Gallegione (Pizzo) **SO** 9 C 10
Galleno **FI** 43 K 14
Gallese **VT** 58 O 19
Galli (Li) **NA** 74 F 25
Gallia **PV** 28 G 8
Galliano **FI** 40 J 15
Galliate **NO** 20 F 8
Galliate Lombardo **VA** 20 E 8
Galliavola **PV** 28 G 8
Gallicano **LU** 38 J 13
Gallicano nel Lazio **RM** 63 Q 20
Gallicchio **PZ** 77 G 30
Gallico **RC** 90 M 29
Gallico Marina **RC** 90 M 28
Galliera **BO** 32 H 16
Galliera Veneta **PD** 24 F 17
Gallignano **CR** 22 F 11
Gallinara (Isola) **SV** 35 J 6
Gallinaro **FR** 64 R 23
Gallinaro (Pizzo di) **PA** 98 O 22
Gallinazza **UD** 17 E 21
Gallio **VI** 12 E 16
Gallipoli **LE** 83 G 35
Gallitello **TP** 97 N 20
Gallivaggio **SO** 9 C 10
Gallizzi **PZ** 85 G 30
Gallo **AQ** 59 P 21
Gallo **CE** 65 R 24
Gallo **PS** 46 K 20
Gallo (Capo) **PA** 92 M 21
Gallo (Pizzo di) **TP** 97 N 21
Gallo d'Oro **CL** 103 O 23
Gallo (Lago del) **SO** 2 C 12
Gallodoro **ME** 90 N 27
Galluccio **CE** 64 R 23
Gallura **SS** 109 E 9
Galluzzo **FI** 43 K 15
Galtelli **NU** 117 F 10
Galugnano **LE** 83 G 36
Galzignano Terme **PD** 24 G 17
Gamalero **AL** 28 H 7
Gambara **BS** 22 G 12
Gambarana **PV** 28 G 8
Gambarie **RC** 90 M 29
Gambaro **PC** 29 I 10
Gambasca **CN** 26 I 4
Gambassi Terme **FI** 43 L 14
Gambatesa **CB** 66 C 26
Gambellara **VI** 24 F 16
Gamberale **CH** 65 Q 24
Gambettola **FO** 41 J 19
Gambolò **PV** 20 G 8
Gambugliano **VI** 24 F 16
Gambulaga **FE** 32 H 17
Gammauta (Lago di) **PA** 98 N 22
Gampenjoch / Palade (Passo delle) **BZ** 3 C 15
Ganaceto **MO** 31 H 14
Ganda di Martello **BZ** 2 C 14
Gandellino **BG** 10 E 11
Gandino **BG** 22 E 11
Gangi **PA** 99 N 24
Gangi (Fiume) **PA** 99 N 24
Ganna **VA** 8 E 8
Gannano del Monte **MT** 77 G 31
Gannano (Lago di) **MT** 77 G 31
Gantkofel / Macaion (Monte) **BZ** 3 C 15
Ganzanigo **BO** 40 I 16
Ganzirri **ME** 90 M 28
Garadassi **AL** 29 H 9
Garaguso **MT** 77 F 30
Garaventa **GE** 29 I 9
Garavicchio **GR** 56 O 16
Garbagna **AL** 29 H 8
Garbagna Novarese **NO** 20 F 7
Garbagnate Milanese **MI** 21 F 9
Garcia **CL** 99 N 23
Garda **BS** 10 D 13
Garda **VR** 23 F 14
Garda (Isola di) **BS** 23 F 13
Garda (Lago di) **VR** 23 F 13
Gardena (Passo di) / Grödner Joch **BZ** 4 C 17
Gardena (Val) / Grödnertal **BZ** 4 C 16
Gardolo **TN** 11 D 15
Gardone Riviera **BS** 23 F 13
Gardone Val Trompia **BS** 22 E 12
Garelli (Rifugio) **CN** 35 J 5
Gares **BL** 12 D 17
Garessio **CN** 35 J 6
Garfagnana **LU** 38 J 13
Gargallo **MO** 31 H 14
Gargallo **NO** 20 E 7
Gargano (Promontorio del) **FG** 67 B 29
Gargano (Testa del) **FG** 67 B 30
Gargazon / Gargazzone **BZ** 3 C 15
Gargazzone / Gargazon **BZ** 3 C 15
Gargnano **BS** 23 E 13
Gargonza **AR** 50 L 17
Gari **FR** 64 R 23
Garibaldi (Casa di) **SS** 109 D 10
Garibaldi (Cippo) (Aspromonte) **RC** 90 M 29
Garibaldi (Cippo di Anita) **RA** 33 I 18
Garibaldi (Rifugio) **BS** 10 D 13
Gariffi (Pantano) **RG** 107 Q 26
Garigliano **CE** 69 D 23
Gariglione (Monte) **CZ** 87 J 31
Garitta Nuova (Testa di) **CN** 26 I 3
Garlasco **PV** 20 G 8
Garlate **LC** 21 E 10
Garlate (Lago di) **LC** 21 E 10
Garlenda **SV** 35 J 6
Garniga **TN** 11 D 15
Garrufo **TE** 53 N 23
Garza **BS** 22 F 12
Garzeno **CO** 9 D 9
Garzigliana **TO** 26 H 4
Garzirola (Monte) **CO** 9 D 9
Gaspare (Rifugio) **AO** 7 E 5
Gasperina **CZ** 88 K 31
Gassano **MS** 38 J 12
Gassino Torinese **TO** 27 G 5
Gasteig / Casateia **BZ** 3 B 16
Gatta **RE** 38 I 13
Gattaia **FI** 40 K 16
Gattarella **FG** 67 B 30
Gattatico **RE** 30 H 13
Gatteo **FO** 41 J 19
Gatteo a Mare **FO** 41 J 19
Gàttico **NO** 20 E 7
Gattinara **VC** 20 F 7
Gattorna **GE** 37 I 9
Gaudiano **PZ** 72 D 29
Gaudo (Piano del) **AV** 71 E 27
Gavardo **BS** 22 F 13
Gavassa **RE** 31 H 14
Gavasseto **RE** 31 I 14
Gavelli **PG** 52 N 20
Gavello **MO** 31 H 15
Gavello **RO** 32 G 17
Gaverina Terme **BG** 22 E 11
Gavi **AL** 28 H 8
Gavia (Monte) **SO** 10 C 13
Gavia (Passo di) **SO** 10 C 13
Gavignano **RM** 63 Q 21
Gaville **AN** 46 L 20
Gaville **FI** 44 L 16
Gavinana **PT** 39 J 14
Gavirate **VA** 8 E 8
Gavoi **NU** 115 G 9
Gavorrano **GR** 49 N 14
Gazoldo degli Ippoliti **MN** 23 G 13
Gazzaniga **BG** 22 E 11
Gazzano **RE** 38 J 13
Gazzaro **RE** 30 H 13
Gazzo **MN** 23 G 14
Gazzo **PD** 24 F 17
Gazzo Veronese **VR** 31 G 15
Gazzola **PC** 29 H 10
Gazzoli **VR** 23 F 14
Gazzuolo **MN** 31 G 13
Geislerspitze / Odle (le) **BZ** 4 C 17
Gela **CL** 103 P 24
Gela (Fiume) **CL** 104 P 24
Gela (Golfo di) **RG** 103 Q 24
Gelagna Bassa **MC** 52 M 21
Gelas (Cima dei) **CN** 34 J 4
Gelé (Monte) **AO** 6 E 4
Gello **LU** 38 K 13
Gello **PI** 43 L 13
Gelso **ME** 94 L 26
Gelsomini (Costa dei) **RC** 91 N 30
Gemelli (Laghi) **BG** 10 E 11
Gemelli (Monte) **FO** 40 K 17
Gemini **LE** 83 H 36
Gemmano **RN** 41 K 19
Gemona del Friuli **UD** 14 D 21
Gemonio **VA** 8 E 8
Gena **BL** 12 D 18
Genazzano **RM** 63 Q 20
Generoso (Monte) **CO** 9 E 9
Genga **AN** 46 L 20
Genis (Monte) **SU** 119 I 9
Genivolta **CR** 22 F 11
Genna Maria (Nuraghe) **SU** 118 I 8
Gennargentu (Monti del) **NU** 115 G 9
Gennaro (Monte) **RM** 58 P 20
Genola **CN** 27 I 5
Genoni **SU** 115 H 9
Genova **GE** 36 I 8
Genova (Rifugio) **BZ** 4 C 17
Genova (Rifugio) **CN** 34 J 3
Genova (Val di) **TN** 11 D 13
Genovese (Grotta del) **TP** 96 M 18
Gentile (Col) **UD** 5 C 20
Genuardo (Monte) **AG** 97 N 21
Genuri **SU** 118 H 8
Genzana (Monte) **AQ** 64 Q 23
Genzano di Lucania **PZ** 72 E 30
Genzano di Roma **RM** 63 Q 20
Genzano (Lago) **PZ** 72 E 30
Genziana (Monte) **NU** 117 G 10
Genzone **PV** 21 G 10
Gera Lario **CO** 9 D 10
Gerace **RC** 91 M 30
Geracello **EN** 103 O 24
Geraci Siculo **PA** 99 N 24
Gerano **RM** 63 Q 20
Gerbini **CT** 104 O 26
Gerchia **PN** 14 D 20
Geremeas **CA** 119 J 10
Gerenzago **PV** 21 G 10
Gerenzano **VA** 21 F 9
Gerfalco **GR** 49 M 14
Gergei **SU** 119 H 9
Germagnano **TO** 19 G 4
Germanasca **TO** 26 H 3
Germano **CS** 87 J 32
Germignaga **VA** 8 E 8
Gerocarne **VV** 88 L 30
Gerola Alta **SO** 9 D 10
Gerosa **BG** 21 E 10
Gerre de Caprioli **CR** 30 G 12
Gerrei **SU** 119 I 9
Gesico **SU** 119 I 9
Gessate **MI** 21 F 10
Gesso **CN** 34 J 3
Gesso **ME** 90 M 28
Gessopalena **CH** 60 P 24
Gesturi **SU** 118 H 9
Gesualdo **AV** 70 D 27
Gesuiti **CS** 86 I 30
Gfrill / Caprile (vicino a Merano) **BZ** 3 C 15
Gfrill / Cauria (vicino a Salorno) **BZ** 11 D 15
Ghedi **BS** 22 F 12
Ghemme **NO** 20 F 7
Gherardi **FE** 32 H 17
Gherra (Monte) **SS** 111 F 7
Ghertele **VI** 12 E 16
Ghiare **PR** 30 I 11
Ghibullo **RA** 41 I 18
Ghifetti (Punta) **AO** 7 E 5
Ghiffa **VB** 8 E 7
Ghigo **TO** 26 H 3
Ghilarza **OR** 115 G 8
Ghimbegna (Passo) **IM** 35 K 5
Ghirla **VA** 8 E 8
Ghisalba **BG** 22 F 11
Ghisione **MN** 31 G 15
Ghislarengo **VC** 20 F 7
Ghivizzano **LU** 38 J 13
Ghizzano **PI** 43 L 14
Giacalone **PA** 97 M 21
Giacciano con Baruchella **RO** 32 G 16
Giacopiane (Lago di) **GE** 37 I 10
Giaf (Rifugio) **UD** 13 C 19
Giafaglione (Monte) **AG** 102 O 22
Giammaria (Monte) **PA** 97 N 21
Giampilieri **ME** 90 M 28
Gianforma **RG** 104 Q 26
Giannetti (Rifugio) **SO** 9 D 10
Giannutri (Isola di) **GR** 55 P 15
Giano (Monte) **RI** 59 O 21
Giano dell'Umbria **PG** 51 N 19
Giano Vetusto **CE** 69 D 24
Giara (Sa) **SU** 119 H 9
Giara di Gesturi **SU** 118 H 8
Giardina Gallotti **AG** 102 O 22
Giardinello (vicino a Mezzoiuso) **PA** 98 N 22
Giardinello (vicino a Montelepre) **PA** 97 M 21
Giardinetto **FG** 71 D 28
Giardini di Gioiosa **RC** 88 M 30
Giardini-Naxos **ME** 90 N 27
Giardino (il) **GR** 56 O 16
Giarole **AL** 28 G 7
Giarratana **RG** 104 P 26
Giarre **CT** 101 N 27
Giau (Passo di) **BL** 4 C 18
Giave **SS** 111 F 8
Giaveno **TO** 26 G 4
Giavera del Montello **TV** 25 E 18
Giavino (Monte) **TO** 19 F 4
Giazza **VR** 23 F 15
Giba **SU** 118 J 7
Gibele (Monte) **TP** 96 Q 18
Gibellina **TP** 97 N 20
Gibellina (Ruderi di) **TP** 97 N 20
Gibilmanna (Santuario di) **PA** 99 N 24
Gibilmesi (Monte) **PA** 97 M 21
Gibilrossa **PA** 98 M 22
Gibli (Monte) **CL** 103 P 24
Giffone **RC** 88 L 30
Giffoni Sei Casali **SA** 75 E 26
Giffoni Valle Piana **SA** 75 E 26
Gigante (Grotta) **TS** 17 E 23
Giglio (il) **FR** 64 R 22
Giglio (Isola del) **GR** 55 O 14
Giglio Castello **GR** 55 O 14
Giglio Porto **GR** 55 O 14
Gignese **VB** 8 E 7
Gignod **AO** 18 E 3
Gilba **CN** 26 I 3
Gilberti (Rifugio) **UD** 15 C 22
Gildone **CB** 65 R 26
Gilordino **PS** 46 K 20
Gimigliano **CZ** 88 K 31
Gimillan **AO** 18 F 4
Ginestra **FI** 43 K 15
Ginestra **PZ** 71 E 29
Ginestra degli Schiavoni **BN** 70 D 27
Ginestra (Portella) **PA** 97 N 21
Ginistrelli **PZ** 72 D 29
Ginnircu (Punta) **NU** 117 G 11
Gino (Pizzo di) **CO** 9 D 9
Ginosa **TA** 78 F 32
Ginosa Marina **TA** 78 F 32
Ginostra **ME** 95 K 27
Giogo Lungo (Rifugio) **BZ** 4 A 18
Gioi **SA** 76 G 27
Gioia (Golfo di) **RC** 95 L 29
Gioia dei Marsi **AQ** 64 Q 23
Gioia del Colle **BA** 73 E 32
Gioia del Tirreno **VV** 88 L 29
Gioia Sannitica **CE** 65 S 25
Gioia Tauro **RC** 88 L 29
Gioiella **PG** 50 M 17
Gioiosa Ionica **RC** 88 L 30
Gioiosa Marea **ME** 100 M 26
Giordano (Capo) **SU** 118 J 7
Giovà (Passo di) **PC** 29 H 9
Giovagallo **MS** 38 J 11
Giove **TR** 58 O 18
Giove Anxur (Tempio di) (Terracina) **LT** 63 S 21
Giove (Monte) **VB** 8 C 7
Giovecca **RA** 32 I 17
Giovenco **AQ** 60 P 23
Giovenzano **PV** 21 G 9
Gioveretto **BZ** 2 C 14
Gioveretto (Lago di) **BZ** 2 C 14
Giovi **AR** 45 L 17
Giovi (Monte) **FI** 40 K 16
Giovi (Passo dei) **GE** 28 I 8
Giovinazzo **BA** 73 D 32
Giovo **TN** 11 D 15
Giovo (Colle del) **SV** 36 I 7
Giovo (Foce a) **LU** 39 J 13
Giovo (Monte) **MO** 39 J 13
Gioz **BL** 13 D 18
Girardi **RM** 58 P 19
Girasole **NU** 117 H 10
Girifalco **CZ** 88 K 31
Girlan / Cornaiano **BZ** 3 C 15
Gironico **CO** 21 E 9
Gissi **CH** 61 P 25
Giudicarie (Valli) **TN** 11 E 13
Giugginello **LE** 83 G 37
Giugliano in Campania **NA** 69 E 24
Giulfo (Monte) **EN** 99 O 24
Giuliana **PA** 97 N 21
Giulianello **LT** 63 Q 20
Giulianello (Lago di) **LT** 63 Q 21
Giuliano **PZ** 76 E 29
Giuliano di Roma **FR** 63 R 21
Giuliano Teatino **CH** 60 P 24
Giulianova **TE** 53 N 23
Giulianova Lido **TE** 53 N 23
Giumarra **CT** 104 O 25
Giumenta (Serra la) **SA** 76 G 29
Giuncarico **GR** 49 N 14
Giuncata (Masseria) **BA** 72 D 30
Giuncugnano **LU** 38 J 12
Giungano **SA** 75 F 27
Giurazzi (Masseria) **AV** 71 E 28
Giurdignano **LE** 83 G 37
Giussago **PV** 21 G 9
Giussago **VE** 16 E 20
Giussano **MI** 21 E 9
Giusvalla **SV** 36 I 7
Givoletto **TO** 19 G 4
Gizio **AQ** 60 P 23
Gizzeria **CZ** 88 K 30
Gizzeria Lido **CZ** 88 K 30
Glacier **AO** 6 E 3
Glacier (Monte) **AO** 19 F 4
Gleno (Monte) **BG** 10 D 12
Gleris **PN** 16 E 20
Gliaca **ME** 100 M 26
Glorenza / Glurns **BZ** 2 C 13
Glurns / Glorenza **BZ** 2 C 13
Gnignano **MI** 21 G 9
Gnocca **RO** 33 H 18
Gnocchetta **RO** 33 H 19
Gnutti (Rifugio) **BS** 10 D 13
Gobbera (Passo di) **TN** 12 D 17
Goceano **SS** 115 F 9
Goceano (Catena del) **SS** 111 F 8
Godega di S. Urbano **TV** 13 E 19
Godiasco **PV** 29 H 9
Godo **RA** 41 I 18
Godrano **PA** 98 N 22
Goglio **VB** 8 D 6
Goillet (Lago) **AO** 7 E 5
Goito **MN** 23 G 14
Gola (Passo di) / Klammljoch **BZ** 4 B 18
Golasecca **VA** 20 E 7
Goldrain / Coldrano **BZ** 3 C 14
Golferenzo **PV** 29 H 9
Golfo Aranci **SS** 109 E 10
Golfo Orosei e del Gennargentu (Parco Nazionale) **NU** 117 G 10
Gologone (Sorgente su) **NU** 117 G 10
Gomagoi **BZ** 2 C 13
Gombio **RE** 30 I 13

136

A B C D E F G H I J K L M N O P Q R S T U V W X Y Z

Gombola **MO** 39 I 14
Gonars **UD** 17 E 21
Goni **SU** 119 I 9
Gonnesa **SU** 118 J 7
Gonnoscodina **OR** 118 H 8
Gonnosfanadiga **SU** 118 I 7
Gonnosno **OR** 115 H 8
Gonnostramatza **OR** 118 H 8
Gonzaga **MN** 31 H 14
Goraiolo **PT** 39 K 14
Gordana **MS** 38 I 11
Gordona **SO** 9 D 10
Gorfigliano **LU** 38 J 12
Gorga **RM** 63 R 21
Gorga **SA** 76 G 27
Gorgo **UD** 16 E 21
Gorgo al Monticano **TV** 16 E 19
Gorgo (Laghetto) **AG** 102 O 21
Gorgofreddo **BA** 80 E 33
Gorgoglione **MT** 77 F 30
Gorgona (Isola di) **LI** 42 L 11
Gorgonzola **MI** 21 F 10
Goriano Sicoli **AQ** 60 P 23
Goriano Valli **AQ** 59 P 23
Goricizza **UD** 16 E 20
Gorino **FE** 33 H 19
Gorizia **GO** 17 E 22
Gorla Maggiore **VA** 20 F 8
Gorla Minore **VA** 20 F 8
Gorlago **BG** 22 E 11
Gornalunga **CT** 104 O 25
Goro **FE** 33 H 18
Gorra **SV** 36 J 6
Gorré **CN** 34 I 4
Gorreto **GE** 29 I 9
Gorruppu (Gola su) **NU** 117 G 10
Gorto (Canale di) **UD** 5 C 20
Gorzano **MO** 31 I 14
Gorzano (Monte) **TE** 59 O 22
Gorzegno **CN** 27 I 6
Gorzone (Canale) **PD** 32 G 17
Gosaldo **BL** 12 D 17
Gossensaß / Colle Isarco **BZ** 3 B 16
Gossolengo **PC** 29 G 10
Gottasecca **CN** 27 I 6
Gottero (Monte) **PR** 37 I 11
Gottolengo **BS** 22 G 12
Governolo **MN** 31 G 14
Govone **CN** 27 H 6
Govossai (Lago) **NU** 115 G 9
Gozzano **NO** 20 E 7
Grabellu (Punta su) **NU** 113 F 10
Gracciano **SI** 50 M 17
Gradara **PS** 41 K 20
Gradara (Monte) **PA** 97 M 21
Gradella **CR** 21 F 10
Gradisca **PN** 14 D 20
Gradisca d'Isonzo **GO** 17 E 22
Gradiscutta **UD** 16 E 20
Gradizza **FE** 32 H 17
Grado **GO** 17 E 22
Grado (Laguna di) **GO** 17 E 21
Grado Pineta **GO** 17 E 22
Gradoli **VT** 57 O 17
Graffignana **LO** 21 G 10
Graffignano **VT** 57 O 18
Graglia **BI** 19 F 5
Graglia (Santuario di) **BI** 19 F 5
Gragnanino **PC** 29 G 10
Gragnano **LU** 39 K 13
Gragnano **NA** 75 E 25
Gragnano Trebbiense **PC** 29 G 10
Gragnola **MS** 38 J 12
Graines **AO** 19 E 5
Gramignazzo **PR** 30 H 12
Grammatica **PR** 38 I 12
Grammichele **CT** 104 P 25
Gramolazzo **LU** 38 J 12
Gran Bagna **TO** 18 G 1
Gran Cratere **ME** 94 L 26
Gran Monte **UD** 15 D 21
Gran Paradiso **AO** 18 F 3
Gran Paradiso (Parco Nazionale del) **AO** 18 F 3
Gran Pilastro / Hochfeiler **BZ** 4 B 17
Gran Queyron **TO** 26 H 3
Gran S. Bernardo (Colle del) **AO** 6 E 3
Gran S. Bernardo (Traforo del) **AO** 6 E 3
Gran S. Bernardo (Valle del) **AO** 6 E 3
Gran S. Pietro **AO** 18 F 4
Gran Sasso d'Italia **TE** 59 O 22
Gran Sasso (Parco Naz. del) **TE** 59 Q 22
Gran Tournalin **AO** 7 E 5
Gran Truc **TO** 26 H 3
Gran Zebru **BZ** 2 C 13
Grana **AT** 28 G 6
Grana (Torrente) **AL** 28 H 7
Grana (Torrente) **CN** 34 I 3
Granaglione **BO** 39 J 14
Granaione **GR** 50 N 15
Granano (Monte di) **PS** 45 L 19
Granarolo **RA** 40 I 17
Granarolo dell'Emilia **BO** 32 I 16
Granarone **RO** 32 G 16
Granatello **TP** 96 N 19
Granaxiu **OR** 115 H 8
Grancona **VI** 24 F 16
Grand Assaly **AO** 18 F 2
Grand Eyvia **AO** 18 F 3
Grand Golliaz **AO** 6 E 3
Grande **PR** 30 H 12
Grande **TP** 97 N 20
Grande o Imera Settentrionale **PA** 99 N 23
Grande Bonifica Ferrarese **FE** 33 H 18
Grande (Isola) **TP** 96 N 19
Grande (Lago) **TO** 26 G 4
Grande (Montagna) (I. di Pantelleria) **TP** 96 Q 18
Grande (Montagna) **ME** 101 N 27
Grande (Montagna) **TP** 97 N 20
Grande (Porto) **SR** 105 P 27
Grande (Punta) **AG** 102 P 22
Grande Rochère (la) **AO** 6 E 3
Grande Rousse **AO** 18 F 3
Grande Sassière **AO** 18 F 3
Grandola ed Uniti **CO** 9 D 9
Granero (Monte) **TO** 26 H 3
Granieri **CT** 104 P 25
Granieri (Masseria) **SR** 105 Q 26
Granieri (Monte) **RC** 88 L 31
Graniti **ME** 101 N 27
Granitola (Punta) **TP** 97 O 20
Granozzo **NO** 20 F 7
Grantola **VA** 8 E 8
Grantorto **PD** 24 F 17
Granze **PD** 32 G 17
Grappa (Monte) **TV** 12 E 17
Grassano **MT** 77 F 30
Grassina Ponte a Ema **FI** 44 K 15
Grassobbio **BG** 21 F 11
Gratosoglio **MI** 21 F 9
Gratteri **PA** 99 N 23
Graun im Vinschgau / Curon Venosta **BZ** 2 B 13
Grauno **TN** 12 D 15
Grauson (Monte) **AO** 18 F 4
Grauzaria **UD** 14 C 21
Gravedona **CO** 9 D 9
Gravellona **PV** 20 G 8
Gravellona Toce **VB** 8 E 7
Gravina di Catania **CT** 101 O 27
Gravina di Laterza **TA** 78 F 32
Gravina di Matera **MT** 73 E 31
Gravina in Puglia **BA** 72 E 31
Grazia **ME** 95 M 27
Graziano (Capo) **ME** 94 L 25
Grazie (Lago di) **MC** 52 M 21
Grazie (Monte le) **RM** 57 P 17
Grazzanise **CE** 69 D 24
Grazzano Badoglio **AT** 28 G 6
Grazzano Visconti **PC** 29 H 11
Grecale (Capo) **AG** 102 U 19
Greccio **RI** 58 O 20
Greci **AV** 71 D 27
Greco (Monte) **AQ** 64 Q 23
Greggio **VC** 20 F 7
Grego (Rifugio) **UD** 15 C 22
Gremiasco **AL** 29 H 9
Gressan **AO** 18 E 3
Gressone (Val di) **AO** 19 F 5
Gressoney-la Trinité **AO** 7 E 5
Gressoney-St. Jean **AO** 19 E 5
Greve **FI** 43 L 15
Greve in Chianti **FI** 44 L 15
Grezzana **VR** 23 F 15
Grezzano **FI** 40 J 16
Gricuzzo (Monte) **CL** 103 P 24
Gries (Passo di) / Griespass **VB** 8 C 7
Grighini (Monte) **OR** 115 H 8
Grigna Meridionale **LC** 9 E 10
Grigna Settentrionale **LC** 9 E 10
Grignano **TS** 17 E 23
Grignano Polesine **RO** 32 G 17
Grignasco **NO** 20 E 7
Grigno **TN** 12 D 16
Grigno (Torrente) **TN** 12 D 16
Grilli **GR** 49 N 14
Grimaldi **CS** 86 J 30
Grimesi (Torre) **TP** 97 N 20
Grinzane Cavour **CN** 27 I 5
Grisenche (Val) **AO** 18 F 3
Grisì **PA** 97 N 21
Grisignano di Zocco **VI** 24 F 17
Grisolia **CS** 84 H 29
Grizzana **BO** 39 J 15
Grödner Joch / Gardena (Passo di) **BZ** 4 C 17
Grödnertal / Gardena (Val) **BZ** 4 C 16
Grognardo **AL** 28 I 7
Gromo **BG** 10 E 11
Gromo S. Marino **BG** 10 E 11
Gromola **SA** 75 F 26
Grondana **PR** 37 I 10
Grondo **CS** 85 H 30
Grondola **MS** 38 I 11
Grondona **AL** 28 H 8
Grondone **PC** 29 H 10
Grone **BG** 22 E 11
Gronlait **TN** 12 D 16
Gropa (Monte) **AL** 29 H 9
Gropello Cairoli **PV** 21 G 8
Gropello d'Adda **MI** 21 F 10
Gropina **AR** 44 L 16
Groppallo **PC** 29 H 10
Gropparello **PC** 29 H 11
Groppera (Pizzo) **SO** 9 C 10
Groppovisdomo **PC** 29 H 11
Gros Passet **TO** 26 H 3
Groscavallo **TO** 18 F 3
Grosina (Valle) **SO** 10 C 12
Grosio **SO** 10 D 12
Grosotto **SO** 10 D 12
Groß Löffler / Lovello (Monte) **BZ** 4 A 17
Großer-Kinigat / Cavallino (Monte) **BZ** 5 B 19
Grosseto **GR** 49 N 15
Grosseto (Formiche di) **GR** 55 O 14
Grosso (Capo) (I. Levanzo) **TP** 96 M 19
Grosso (Capo) **PA** 98 M 22
Grosso (Monte) **SR** 105 P 27
Groste (Cima) **TN** 11 D 14
Grottaferrata **RM** 62 Q 20
Grottaglie **TA** 79 F 34
Grottaminarda **AV** 70 D 27
Grottammare **AP** 53 N 23
Grottazza (Punta) **ME** 94 L 26
Grottazzolina **AP** 53 M 22
Grotte **AG** 103 O 23
Grotte di Castro **VT** 50 N 17
Grotte Sto Stefano **VT** 57 O 18
Grotteria **RC** 88 L 30
Grotti **PG** 52 N 20
Grotti **RI** 58 O 20
Grotti **SI** 50 M 15
Grotticelle (Monte) **AG** 103 O 23
Grottole **MT** 77 F 31
Grottolella **AV** 70 E 26
Gruaro **VE** 16 E 20
Grue **AL** 28 H 8
Gruf (Monte) **SO** 9 D 10
Grugliasco **TO** 27 G 4
Grugua **SU** 118 I 7
Grumello Cremonese **CR** 22 G 11
Grumello del Monte **BG** 22 F 11
Grumento Nova **PZ** 77 G 29
Grumentum **PZ** 77 G 29
Grumo Appula **BA** 73 D 32
Grumolo delle Abbadesse **VI** 24 F 16
Gruppa **SU** 119 I 10
Gruppo di Brenta **TN** 11 D 14
Gruppo (Monte) **BZ** 4 B 17
Gsies / Casies (Valle di) **BZ** 4 B 18
Guà **VI** 24 F 16
Guaceto (Torre) **BR** 80 E 35
Guadagnolo **RM** 63 Q 20
Guagnano **LE** 79 F 35
Gualdo **AR** 44 K 16
Gualdo **FE** 32 H 17
Gualdo **FO** 40 J 18
Gualdo (vicino a Sarnano) **MC** 52 M 21
Gualdo (vicino a Visso) **MC** 52 N 21
Gualdo (Passo di) **MC** 52 N 21
Gualdo Cattaneo **PG** 51 N 19
Gualdo Tadino **PG** 52 M 20
Gualtieri **RE** 31 H 13
Gualtieri Sicaminò **ME** 90 M 27
Guamaggiore **SU** 119 I 9
Guanzate **CO** 21 E 9
Guarcino **FR** 63 Q 21
Guarda Ferrarese **FE** 32 H 17
Guarda Veneta **RO** 32 H 17
Guardamiglio **LO** 29 G 11
Guardapasso **RM** 62 R 19
Guardavalle **CZ** 89 L 31
Guardea **TR** 58 O 18
Guardia **CT** 101 O 27
Guardia (Serra la) **CS** 86 I 31
Guardia Alta **BZ** 3 C 15
Guardia dei Mori **SU** 120 J 6
Guardia Lombardi **AV** 71 E 27
Guardia (Monte della) **CL** 104 P 24
Guardia (Monte La) **EN** 99 N 25
Guardia Perticara **PZ** 77 F 30
Guardia Piemontese **CS** 85 I 30
Guardia Piemontese Marina **CS** 85 I 29
Guardia Sanframondi **BN** 65 S 25
Guardia Vomano **TE** 53 O 23
Guardiagrele **CH** 60 P 24
Guardialfiera **CB** 65 Q 26
Guardiaregia **CB** 65 R 25
Guardistallo **PI** 49 M 13
Guarene **CN** 27 H 6
Guarenna **CH** 60 P 25
Guasila **SU** 119 I 9
Guastalla **RE** 31 H 13
Guasticce **LI** 42 L 13
Guazzolo **AL** 28 G 6
Guazzora **AL** 28 G 8
Gubbio **PG** 45 L 19
Gudo Visconti **MI** 21 F 9
Guella (Rifugio) **TN** 23 E 14
Guello **CO** 9 E 9
Guerro **MO** 39 I 14
Guffone (Monte) **FO** 40 K 17
Guglielmo (Monte) **BS** 22 E 12
Guglionesi **CB** 66 B 26
Guidizzolo **MN** 23 G 13
Guidonia **RM** 58 Q 20
Guietta **TV** 12 E 18
Guiglia **MO** 39 I 14
Guilmi **CH** 61 Q 25
Guinza **PS** 45 L 18
Gulfi (Santuario di) **RG** 104 P 26
Gurlamanna **BA** 72 E 31
Gurro **VB** 8 D 7
Gurue **NU** 117 G 10
Gusana (Lago di) **NU** 115 G 9
Guselli **PC** 29 H 11
Guspini **SU** 118 I 7
Gussago **BS** 22 F 12
Gussola **CR** 30 G 13
Gutturu Mannu **SU** 118 J 8
Guzzafame **LO** 29 G 10
Guzzini (Monte) **SU** 119 H 9
Guzzurra (Cantoniera) **NU** 113 F 10

H

Hafling / Avelengo **BZ** 3 C 15
Halæsa **ME** 99 M 24
Helbronner (Pointe) **AO** 6 E 2
Helm / Elmo (Monte) **BZ** 5 B 19
Helvia Ricina **MC** 52 M 22
Hera Lacinia (Santuario) **KR** 87 J 33
Herbetet **AO** 18 F 3
Herculanum **NA** 69 E 25
Hintere Schwärze / Cime Nere **BZ** 3 B 14
Hintere Seelenkogl / Anime (Cima delle) **BZ** 3 B 15
Hirzerspitze / Cervina (Punta) **BZ** 3 B 15
Hochalpjoch /Oregone (Passo dell') **UD** 5 C 20
Hochfeiler / Gran Pilastro **BZ** 4 B 17
Hochgall / Collalto **BZ** 4 B 18
Hochjoch / Alto (Giogo) **BZ** 2 B 14
Hochkreuz Spitze / Altacroce (Monte) **BZ** 3 B 15
Hochwilde / L'Altissima **BZ** 3 B 15
Hohe Geisel / Rossa (Croda) **BL** 4 C 18
Hohe Warte / Coglians (Monte) **UD** 5 C 20
Hoher Treib / Cuestalta **UD** 5 C 21
Hoherfirst / Principe (Monte) **BZ** 3 B 15
Hone **AO** 19 F 5
Hundskehljoch / Cane (Passo del) **BZ** 4 A 18

I

Iacono (Casa) **RG** 104 Q 25
Iacurso **CZ** 88 K 31
Iano **FI** 43 L 14
Iano **RE** 31 I 14
Iato **PA** 97 M 21
Iazzo Vecchio (Monte) **AG** 102 O 22
Ible (Monti) **SR** 104 P 26
Idice **BO** 40 I 16
Idice (Torrente) **BO** 40 J 16
Idolo (Monte) **NU** 117 H 10
Idro **BS** 22 E 13
Idro (Lago d') **BS** 22 E 13
Iermanata **RC** 91 N 30
Iesce (Masseria) **MT** 73 E 31
Igea Marina **RN** 41 J 19
Iglesias **SU** 118 J 7
Iglesiente **SU** 118 I 7
Igliano **CN** 35 I 6
Igno (Monte) **MC** 52 M 20
Ilbono **NU** 117 H 10
Ilci **PG** 51 N 19
Illasi **VR** 23 F 15
Illasi (Torrente d') **VR** 23 F 15
Illegio **UD** 14 C 21
Illorai **SS** 115 F 9
Imbriaca (Portella) **PA** 98 N 22
Imele **AQ** 59 P 21
Imelle **RM** 58 P 19
Imer **TN** 12 D 17
Imera **PA** 99 N 23
Imera Meridionale **PA** 99 N 24
Imola **BO** 40 I 17
Impalata **BA** 80 E 33
Imperatore (Punta) **NA** 74 E 23
Imperia **IM** 35 K 6
Impiso (Colle d') **PZ** 85 H 30
Impiso (Ponte) **BA** 72 E 30
Impruneta **FI** 43 K 15
Inacquata (Masseria) **FG** 67 C 29
Incaroio (Canale d') **UD** 5 C 21
Incisa (Passo della) **FO** 41 K 18
Incisa in Val d'Arno **FI** 44 L 16
Incisa Scapaccino **AT** 28 H 7
Incoronata **FG** 71 C 28
Incoronata (Santuario dell') **FG** 71 C 28
Incudine **BS** 10 D 13
Indicatore **AR** 44 L 17
Indiritto **TO** 26 G 3
Indren (Punta) **VC** 7 E 5
Induno Olona **VA** 8 E 8
Infantino **CS** 87 J 32
Infernaccio (Gola dell') **AP** 52 N 21
Infernetto **RM** 62 Q 19
Inferno (Pizzo d') **SO** 9 C 10
Inferno (Ponte) **SA** 76 G 28
Infreschi (Punta degli) **SA** 84 H 28
Ingarano (Passo di) **FG** 66 B 28
Ingria **TO** 19 F 4
Ingurtosu **SU** 118 I 7
Innichen / S. Candido **BZ** 4 B 18
Intimiano **CO** 21 E 9
Intra **VB** 8 E 7
Intragna **VB** 8 E 7
Introbio **LC** 9 E 10
Introd **AO** 18 E 3
Introdacqua **AQ** 60 P 23
Inverigo **CO** 21 E 9
Inveruno **MI** 20 F 8
Invorio **NO** 20 E 7
Invrea **SV** 36 I 7
Inzago **MI** 21 F 10
Ioanneddu (Punta) **NU** 113 F 11
Iolanda di Savoia **FE** 32 H 17
Iolo **PO** 39 K 15
Ioppolo Giancaxio **AG** 102 O 22
Iorenzo **FG** 71 C 28
Ippari **RG** 104 Q 25
Ippocampo **FG** 67 C 29
Irgoli **NU** 117 F 10
Iria **ME** 100 M 25
Irminio **RG** 104 P 26
Irpinia **AV** 71 D 27
Irsina **MT** 72 E 30
Irveri (Monte) **NU** 117 G 10
Isalle **NU** 117 F 10
Isarco / Eisack **BZ** 3 B 16
Isarco (Val) / Eisacktal **BZ** 3 B 16
Isca de sa Mela (Valico s') **NU** 115 G 9
Isca Marina **CZ** 89 L 31
Isca sullo Ionio **CZ** 89 L 31
Iscala Mola **SS** 110 F 7
Ischia **NA** 74 E 23
Ischia di Castro **VT** 57 O 17
Ischia (Isola d') **NA** 74 E 23
Ischia-Ponte **NA** 74 E 23
Ischia-Porto **NA** 74 E 23
Ischitella **FG** 67 B 29
Ischitella Lido **CE** 69 E 24
Iscoba (monte) **SS** 111 E 8
Iselle **VB** 8 D 6
Iseo **BS** 22 F 12
Iseo (Lago d') **BS** 22 E 12
Isera **TN** 11 E 15
Isernia **IS** 65 R 24
Isili **SU** 119 H 9
Isnello **PA** 99 N 24
Isola **FO** 40 K 17
Isola **GE** 29 I 9
Isola **SO** 9 C 9
Isola Bella **LT** 63 R 20
Isola d'Arbia **SI** 50 M 16
Isola d'Asti **AT** 27 H 6
Isola del Cantone **GE** 28 I 8
Isola del Gran Sasso d'Italia **TE** 59 O 22
Isola del Liri **FR** 64 Q 22
Isola della Scala **VR** 23 G 15
Isola delle Femmine **PA** 97 M 21
Isola di Capo Rizzuto **KR** 87 K 33
Isola di Fano **PS** 46 L 20
Isola di Fondra **BG** 10 E 11
Isola di Piano **PS** 46 K 20
Isola Dovarese **CR** 22 G 12
Isola Farnese **RM** 58 P 19
Isola Fossara **PG** 46 L 20
Isola Pescaroli **CR** 30 G 12
Isola Rizza **VR** 23 G 15
Isola Rossa **SS** 108 D 8
Isola S. Antonio **AL** 28 G 8
Isola S. Biagio **AP** 52 N 21
Isola Santa **LU** 38 J 12
Isola Vicentina **VI** 24 F 16
Isolabella **TO** 27 H 5
Isolabona **IM** 35 K 4
Isolaccia **SO** 2 C 12
Isoletta **FR** 64 R 22
Isonzo **GO** 17 E 22
Isorella **BS** 22 G 12
Isorno **VB** 8 D 7
Isorno (Valle dell') **VB** 8 D 7
Ispani **SA** 76 G 28
Ispica **RG** 107 Q 26
Ispica (Cava d') **RG** 107 Q 26
Ispinigoli **NU** 117 G 10
Ispra **VA** 20 E 7
Issengo / Issing **BZ** 4 B 17
Issime **AO** 19 E 5
Issing / Issengo **BZ** 4 B 17
Isso **BG** 22 F 11
Issogne **AO** 19 F 5
Istia d'Ombrone **GR** 49 N 15
Istrago **PN** 14 D 20
Istrana **TV** 25 E 18
Itala **ME** 90 M 28
Itala Marina **ME** 90 M 28
Italba **FE** 33 H 18
Itri **LT** 64 S 22
Itria (Valle d') **TA** 80 E 34
Ittia (Punta) **SS** 113 E 10
Ittireddu **SS** 111 F 8
Ittiri **SS** 110 F 7
Iudica (Fattoria) **SR** 104 Q 26
Iudica (Monte) **CT** 104 O 25
Iuvanum **CH** 60 P 24
Ivigna (Punta) **BZ** 3 B 15
Ivrea **TO** 19 F 5
Ixi (Monte) **SU** 119 I 9
Izano **CR** 22 F 11
Izzana **SS** 109 E 9

J

Jafferau (Monte) **TO** 26 G 2
Jamiano **GO** 17 E 22
Jannarello (Bivio) **CT** 104 O 26
Jaufenpaß / Monte Giovo (Passo di) **BZ** 3 B 15

137

Jelsi CB 65 R 26
Jenesien / S. Genesio
Atesino BZ 3 C 15
Jenne RM 63 Q 21
Jerzu NU 117 H 10
Jesi AN 46 L 21
Jesolo VE 16 F 19
Joppolo VV 88 L 29
Joux (Colle di) AO 19 E 5
Joux (la) AO 18 E 2
Judrio UD 15 D 22

K

Kalch / Calice BZ 3 B 16
Kaltenbrunn /
Fontanefredde BZ 12 D 16
Kaltern a. d. Weinstraße /
Caldaro s. str. d. V. BZ 11 C 15
Karerpaß / Costalunga
(Passo di) TN 12 C 16
Karersee /
Carezza al Lago BZ 12 C 16
Kartibubbo TP 97 O 20
Kasern / Casere BZ 4 A 18
Kastelbell /
Castelbello BZ 3 C 14
Kastelruth /
Castelrotto BZ 3 C 16
Kematen /
Caminata BZ 3 B 16
Khamma TP 96 Q 18
Kiens / Chienes BZ 4 B 17
Klammljoch / Gola
(Passo di) BZ 4 B 18
Klausen / Chiusa BZ 3 C 16
Klobenstein /
Collalbo BZ 3 C 16
Knutten-Alm /
Malga dei Dossi BZ 4 B 18
Kortsch / Corzes BZ 2 C 14
Kreuzboden /
Plan de Gralba BZ 4 C 17
Krimmlertauern /
Tauri (Passo dei) BZ 4 A 18
Kronio (Monte) AG 102 O 21
Kronplatz / Corones
(Plan de) BZ 4 B 17
Kuens / Càines BZ 3 B 15
Kurtatsch a. d. Weinstraße /
Cortaccia BZ 11 D 15
Kurtinig a. d. Wein-straße /
Cortina BZ 11 D 15
Kurzras /
Maso Corto BZ 2 B 14

L

La Barcaccia PG 51 M 19
La Berzigala MO 39 I 14
La Bottaccia RM 62 Q 18
La Briglia PO 39 K 15
La Caletta SU 120 J 6
La Caletta NU 113 F 11
La California LI 49 M 13
La Cassa TO 19 G 4
La Clava BZ 3 B 15
La Conia SS 109 D 10
La Corte SS 110 E 6
La Costa PR 30 I 13
La Crocina AR 44 L 17
La Crosetta TV 13 D 19
La Crucca SS 110 E 7
La Fagosa PZ 77 G 30
La Farnesiana RM 57 P 17
La Ficaccia SS 109 D 9
La Foce SI 50 M 17
La Forca AQ 59 P 21
La Forca RI 59 O 21
La Fossiata CS 87 I 31
La Gabellina RE 38 J 12
La Gala ME 101 M 27
La Gardenaccia BZ 4 C 17
La Giustiniana RM 58 Q 19
La Grivola AO 18 F 3
La Guardia AQ 64 Q 23
La Lama TA 79 F 33
La Lima PT 39 J 14
La Loggia TO 27 H 5
La Maddalena SS 109 D 10
La Madonnina FR 63 Q 22
La Maina UD 5 C 20
La Marchesa FG 66 C 27
La Martella MT 78 F 31
La Meta FR 64 Q 23
La Monna FR 63 Q 22
La Montagna MT 77 F 30
La Montagna CT 104 O 26
La Montagna PA 98 N 22
La Montagnola CT 100 N 27
La Morra CN 27 I 5
La Motticella FG 66 C 28
La Muda BL 13 D 18
La Muddizza SS 108 E 8
La Mula CS 85 H 29
La Nurra SS 110 F 6
La Palazza AR 45 L 18
La Palazzina CE 65 R 25
La Palazzina SS 113 E 10
La Pedraia SS 110 E 6
La Pescia FG 67 C 29
La Petrizia CZ 89 K 32
La Picciola SA 75 F 26
La Pizzuta PA 97 N 21
La Presanella TN 11 D 13
La Punta SU 120 J 6
La Reale SS 108 D 6
La Rocca RE 31 H 13
La Rotta GR 57 O 17
La Rotta PI 43 L 14
La Salute
di Livenza VE 16 F 20
La Santona MO 39 J 14
La Scala SI 50 M 17
La Sellata PZ 76 F 29
La Selva SI 49 M 15
La Serra PI 43 L 14
La Serra d'Ivrea TO 19 F 5
La Serra Lunga PA 97 N 21
La Sila CS 86 J 31
La Solfatara NA 69 E 24
La Spezia SP 38 J 11
La Stanga BL 13 D 18
La Sterza PI 43 L 14
La Strada PR 30 I 12
La Taverna LT 64 R 22
La Torraccia LI 49 M 13
La Torre PS 46 K 20
La Trinita PC 30 H 11
La Valle / Wengen BZ 4 C 17
La Valle Agordina BL 12 D 18
La Varella BZ 4 C 17
La Vecchia RE 31 I 13
La Verna AR 45 K 17
La Verna MO 39 I 13
La Villa MC 52 M 21
La Villa / Stern BZ 4 C 17
Laas / Lasa BZ 2 C 14
Laatsch / Laudes BZ 2 B 13
Labante BO 39 J 15
L'Abbandonato GR 50 N 16
Labbro (Monte) GR 50 N 16
Labico RM 63 Q 20
Labro RI 58 O 20
Lacchiarella MI 21 G 9
Laccio GE 29 I 9
Lacco Ameno NA 74 E 23
Laccu sa Vitella
(Punta) OR 115 H 8
Lacedonia AV 71 D 28
Laceno (Lago di) AV 71 E 27
Laces / Latsch BZ 3 C 14
Lachelle VC 20 G 6
Lacina (Lago di) VV 88 L 31
Lacona LI 48 N 12
Laconi OR 115 H 9
Lada (Perda) SU 119 I 10
Ladispoli RM 62 Q 18
Laerru SS 111 E 8
Laga (Monti della) TE 52 O 22
Lagadello PR 30 I 11
Laganadi RC 90 M 29
Lagarina (Val) TN 11 E 15
Lagaro BO 39 J 15
Lagastrello
(Passo di) MS 38 I 12
Lagdei PR 38 I 12
Laghi VI 23 E 15
Laglesie-
S. Leopoldo UD 15 C 22
Laglio CO 9 E 9
Lagnasco CN 27 I 4
Lago CS 86 J 30
Lago TV 13 E 18
Lago (Croda da) BL 4 C 18
Lago Bianco (Punta) /
Weißseespitze BZ 2 B 14
Lago di
Valfabbrica PG 51 M 19
Lago Gelato (Pizzo) VB 8 D 7
Lagolo TN 11 D 15
Lagonegro PZ 76 G 29
Lagoni GR 49 M 15
Lagoni del Sasso GR 49 M 14
Lagoni Rossi PI 49 M 14
Lagorai
(Catena dei) TN 12 D 16
Lagorai (Lago) TN 12 D 16
Lagosanto FE 33 H 18
Lagrimone PR 30 I 12
Laguna Veneta VE 25 G 18
Lagundo / Algund BZ 3 B 15
Lagune BO 39 I 15
L'Aia TR 58 O 19
Laiatico PI 43 L 14
Laigueglia SV 35 K 6
Lainate MI 21 F 9
Laino CO 9 E 9
Laino Borgo CS 85 H 29
Laino Castello CS 85 H 29
Laion / Lajen BZ 3 C 16
Laives / Leifers BZ 12 C 16
Lajen / Laion BZ 3 C 16
L'Altissima /
Hochwilde BZ 3 B 15
Lama BO 39 I 15
Lama PG 45 L 18
Lama dei Peligni CH 60 P 24
Lama di Monchio MO 39 I 14
Lama Iesa SI 49 M 15
Lama la Noce
(Masseria) BA 72 E 31
Lama Mocogno MO 39 J 14
Lama Polesine RO 32 G 17
Lamalunga BA 72 D 29
Lamandia BA 80 E 34
Lambrinia PV 29 G 10
Lambro CO 21 E 9
Lambro SA 76 G 27
Lambrugno UD 5 C 21
Lamezia Terme CZ 88 K 30
Lamole FI 44 L 16
Lamon BL 12 D 17
Lamone RA 40 J 17
Lampedusa AG 102 U 19
Lampedusa
(Isola di) AG 102 U 19
Lampione
(Isola di) AG 102 U 18
Lamporecchio PT 39 K 14
Lamporo VC 19 G 6
Lana BZ 3 C 15
Lana (Col di) BL 4 C 17
Lanara (Monte) CE 65 R 24
Lanciaia PI 49 M 14
Lanciano CH 60 P 25
Lanciano (Passo) CH 60 P 24
Landiona NO 20 F 7
Landriano PV 21 G 9
Landro (Val di) BZ 4 B 18
Landshuter Haus
(Rifugio) BZ 3 B 16
Langan (Colla di) IM 35 K 5
Langhe CN 27 I 6
Langhirano PR 30 I 12
Langosco PV 20 G 7
L'Annunziata AV 70 D 26
L'Annunziata FG 67 C 29
Lanusei NU 117 H 10
Lanùvio RM 63 Q 20
Lanzada SO 10 D 11
Lanzé VI 24 F 16
Lanzo d'Intelvi CO 9 E 9
Lanzo Torinese TO 19 G 4
Lanzone (Pizzo) PA 98 N 22
Lao CS 84 H 29
Laorca LC 9 E 10
Lapanu (Monte) SU 120 K 8
Lapedona AP 53 M 23
Lapio AV 70 E 26
Lapio VI 24 F 16
Lappach / Lappago BZ 4 B 17
Lappago / Lappach BZ 4 B 17
L'Aquila AQ 59 O 22
Larcher (Rifugio) TN 11 C 13
Larciano PT 39 K 14
Lardaro TN 11 E 13
Larderello PI 49 M 14
Larderia ME 90 M 28
Lardirago PV 21 G 9
Lari PI 43 L 13
Lariano RM 63 Q 20
Larino CB 66 B 26
Lasa / Laas BZ 2 C 14
Lasa (Punta di) BZ 2 C 14
Lascari PA 99 M 23
Lases TN 11 D 15
Lasina (Piano) SU 119 I 9
Lasino TN 11 D 14
Lasnigo CO 9 E 9
Lastebasse TN 11 E 15
Lastra a Signa FI 43 K 15
Lastreto
(Abbazia di) PS 46 L 20
Lat (Piz) BZ 2 B 13
Látemar BZ 12 C 16
Latera VT 57 O 17
Laterina AR 44 L 17
Laterza TA 78 F 32
Latiano BR 79 F 35
Latina CE 65 S 24
Latina LT 63 R 20
Latina (Lido di) LT 63 R 20
Latina Scalo LT 63 R 20
Latisana UD 16 E 20
Lato TA 78 F 32
Latronico PZ 77 G 30
Latsch / Laces BZ 3 C 14
Lattari (Monti) SA 75 F 25
Lattarico CS 85 I 30
Latzfons / Lazfons BZ 3 B 16
Laudemio (Lago) PZ 77 G 29
Laudes / Laatsch BZ 2 B 13
Laura SA 75 F 26
Laura (Serbatoio) AG 103 P 23
Laurasca (Cima di) VB 8 D 7
Laureana Cilento SA 75 G 27
Laureana di
Borrello RC 88 L 30
Laurenzana PZ 77 F 29
Laureto BR 80 E 34
Lauria PZ 77 G 29
Lauriano TO 19 G 5
Laurino SA 76 F 28
Laurito SA 76 G 28
Laurito (Masseria) BR 79 F 34
Lauro AV 70 E 25
Lauro CE 69 D 23
Lauro (Monte) SR 104 P 26
Lauropoli CS 85 H 31
Lauzacco UD 17 E 21
Lauzo (Monte) LT 64 S 22
Lavachey AO 6 E 3
Lavagna LO 21 F 10
Lavagna GE 37 J 10
Lavagna (Torrente) GE 37 I 9
Lavaiano PI 43 L 13
Lavane (Monte) FI 40 K 16
Lavardet (Forcella) BL 5 C 19
Lavaredo (Tre Cime di) /
Drei Zinnen BL 4 C 18
Lavariano UD 17 E 21
Lavarone TN 12 E 15
Lavaze (Passo di) TN 12 C 16
Lavello PZ 71 D 29
Lavena VA 8 E 8
Laveno BS 10 E 12
Laveno Monbello VA 8 E 7
Lavenone BS 22 E 13
Lavezzola RA 32 I 17
Laviano SA 71 E 27
Lavinio-
Lido di Enea RM 62 R 19
Lavino BO 39 I 15
Lavino di Mezzo BO 31 I 15
Lavis TN 11 D 15
Lavone BS 22 E 12
Lazfons / Latzfons BZ 3 B 16
Lazise VR 23 F 14
Lazzaretti VI 12 E 16
Lazzaro RC 90 N 29
Lazzaro (Monte) PC 29 H 10
Lazzi (Cima di) VB 7 E 5
Le Bolle FI 44 L 15
Le Castella KR 89 K 33
Le Cerbaie FI 43 K 14
Le Conche TA 79 G 34
Le Conie SI 50 N 17
Le Cornate GR 49 M 14
Le Coste MO 39 I 14
Le Crete SI 50 M 16
Le Croci CZ 89 K 31
Le Grazie SP 38 J 11
Le Mainarde FR 64 R 23
Le Moline PC 29 I 10
Le Monache LT 63 R 21
Le Monachelle CS 85 I 31
Le Murge BA 72 D 30
Le Murgie KR 87 J 33
Le Palombe BA 72 D 30
Le Piastre PT 39 J 14
Le Pizzorne LU 39 K 13
Le Polle MO 39 J 14
Le Pozze PT 39 K 14
Le Prese SO 10 C 13
Le Pulci PG 51 M 19
Le Regine PT 39 J 14
Le Rocchette GR 49 N 14
Le Tagliole MO 39 J 13
Le Tofane BL 4 C 18
Le Torri FG 72 D 29
Le Torri PG 51 N 19
Le Vigne CS 85 H 30
Le Ville AR 45 L 18
Le Volte CN 35 J 6
Leano (Monte) LT 63 R 21
Leardo (Monte) PA 98 N 22
Lebbrosario BA 73 E 32
Leca SV 35 J 6
Lecce LE 81 F 36
Lecce nei Marsi AQ 64 Q 23
Lecce
(Tavoliere di) BR 79 F 35
Lecchi SI 44 L 16
Lecchiore IM 35 K 5
Leccio FI 44 K 16
Leccio
(Poggio del) GR 56 O 15
Leccio (Rio) LU 39 K 13
Lecco LC 9 E 10
Lecco (Lago di) LC 9 E 9
Lechaud
(Pointe de) AO 18 E 2
Lechère (la) AO 7 E 4
Ledra (Canale) UD 14 D 21
Ledro (Lago di) TN 11 E 14
Ledro (Val di) TN 11 E 14
Ledu (Pizzo) SO 9 D 9
Leffe BG 22 E 11
Legnago VR 24 G 15
Legnano MI 20 F 8
Legnaro PD 24 F 17
Legnone (Monte) SO 9 D 10
Legoli PI 43 L 14
Legri FI 39 K 15
Lei NU 115 G 8
Lei (Lago di) SO 9 C 10
Lei (Valle di) SO 9 C 10
Leia VT 57 O 17
Leifers / Làives BZ 12 C 16
Leinì TO 19 G 5
Leivi GE 37 I 9
L'Elefante SS 111 E 8
Lella (Masseria) TA 79 F 34
Lelo (Monte) KR 87 I 32
Lema (Monte) VA 8 D 8
Lemene VE 16 E 20
Lemie TO 18 G 3
Lemina TO 27 H 4
Lemma CN 26 I 4
Lemme AL 28 H 8
Lempa TE 53 N 22
Lena (Punta) ME 95 K 27
Lendinara RO 32 G 16
Leni SU 118 I 7
Leni ME 94 L 26
Lenna BG 9 E 11
Lenno CO 9 E 9
Leno BS 22 F 12
Lenola LT 64 R 22
Lenta VC 20 F 7
Lentate sul Seveso MI 21 E 9
Lentiai BL 12 D 18
Lentigione RE 30 H 13
Lentini SR 105 P 27
Lentini
(Serbatoio di) CT 104 P 26
Lentiscosa SA 84 G 28
Lentula PT 39 J 15
Leo MO 39 J 14
Leofreni RI 59 P 21
Leone (Monte) VB 7 D 6
Leone (Pizzo del) PA 98 N 22
Leonessa RI 58 O 20
Leonessa (Sella di) RI 59 O 21
Leonforte EN 100 O 25
Leoni (Monte) GR 49 N 15
Leontinoi SR 105 P 27
Leopardi NA 74 E 25
Lepini (Monti) RM 63 R 20
Leporano TA 79 F 33
Lequile LE 81 G 36
Lequio Berria CN 27 I 6
Lequio Tanaro CN 27 I 5
Lercara Bassa PA 98 N 22
Lercara Friddi PA 98 N 22
Lerchi PG 45 L 18
Lerici SP 38 J 11
Lerma AL 28 I 8
Lerno (Monte) SS 111 F 9
Lernu (Su) SS 113 E 10
Lesa NO 20 E 7
Lese CS 87 I 32
Lesegno CN 35 I 5
Lesignano
de' Bagni PR 30 I 12
Lesima (Monte) PC 29 H 9
Lesina FG 66 B 28
Lesina (Lago di) FG 66 B 28
Lesmo MI 21 F 9
Lessini (Monte) VR 23 E 15
Lessolo TO 19 F 5
Lestans PN 14 D 20
Lestizza UD 16 E 21
Letegge (Monte) MC 52 M 21
Letino CE 65 R 24
Letojanni ME 90 N 27
Lettere NA 75 E 25
Lettomanoppello PE 60 P 24
Lettopalena CH 60 P 24
Levada PD 24 F 18
Levada TV 16 E 19
Levaldigi CN 27 I 4
Levane AR 44 L 16
Levanna TO 18 F 3
Levante (Riviera di) SP 37 J 9
Levanto SP 37 J 10
Levanzo TP 96 N 19
Levanzo (Isola) TP 96 M 18
Levata CR 22 G 12
Levate BG 21 F 10
Leverano LE 83 G 36
Leverogne AO 18 E 3
Levi-Molinari TO 18 G 2
Levice CN 27 I 6
Levico Terme TN 12 D 15
Levigliani LU 38 J 12
Levone TO 19 G 4
Lezzeno CO 9 E 9
Liano BO 40 I 16
Liano BS 23 E 13
Liariis UD 5 C 20
Libbiano PI 49 M 14
Libeccio (Punta) LI 54 O 12
Libeccio (Punta) TP 96 N 18
Liberi CE 69 D 24
Libertinia CT 100 O 25
Libra (Monte) CT 104 O 25
Librari TA 79 G 34
Librizzi ME 100 M 26
Licata AG 103 P 23
Licciana Nardi MS 38 J 12
Licenza RM 58 P 20
Licodia Eubea CT 104 P 26
Licola Mare NA 69 E 24
Licosa (Isola) SA 75 G 26
Licosa (Monte) SA 75 G 26
Licosa (Punta) SA 75 G 26
Licusati SA 76 G 28
Lidi Ferraresi FE 33 H 18
Lido LI 48 N 13
Lido (Porto di) VE 16 F 19
Lido Adriano RA 41 I 18
Lido Azzurro TA 78 F 33
Lido Bruno TA 80 F 33
Lido Cannatello AG 103 P 22
Lido Cerano BR 81 F 36
Lido degli Estensi FE 33 I 18
Lido degli Scacchi FE 33 H 18
Lido dei Maroni NA 74 E 23
Lido dei Pini RM 62 R 19
Lido del Sole FG 67 B 29
Lido del Sole SS 113 E 10
Lido delle
Conchiglie LE 83 G 36
Lido delle Nazioni FE 33 H 18
Lido delle Sirene RM 62 R 19
Lido di Camaiore LU 38 K 12
Lido
di Campomarino CB 61 Q 27
Lido di
Casalbordino CH 61 P 25
Lido
di Castel Fusano RM 62 Q 18
Lido di Cincinnato RM 62 R 19
Lido di Classe RA 41 J 19
Lido di Dante RA 41 I 18
Lido di Faro RM 62 Q 18
Lido di Fermo AP 53 M 23
Lido di Jesolo VE 16 F 19
Lido di Lonato BS 22 F 13
Lido di Metaponto MT 78 F 32
Lido di Noto SR 105 Q 27
Lido di Ostia RM 62 Q 18
Lido di Pittulongu SS 109 E 10
Lido di Policoro MT 78 G 32
Lido di Pomposa FE 33 H 18
Lido di
Portonuovo FG 67 B 30
Lido di Procida NA 74 E 24
Lido di Rivoli FG 67 C 29
Lido di S. Giuliano TP 96 M 19
Lido di Savio RA 41 J 19
Lido di Scanzano MT 78 G 32
Lido di Siponto FG 67 C 29
Lido di Spina FE 33 I 18
Lido di Tarquinia VT 57 P 17
Lido di Torre
Mileto FG 66 B 28
Lido di Tortora CS 84 H 29
Lido di Venezia VE 25 F 19
Lido di Volano FE 33 H 18
Lido Gandoli TA 79 F 33
Lido Marausa TP 96 N 19
Lido Marini LE 83 H 36
Lido Quarantotto MT 78 G 32
Lido Riccio CH 60 O 25
Lido S. Angelo CS 87 I 31
Lido Signorino TP 96 N 19
Lido Silvana TA 79 F 34
Lierna LC 9 E 9
Lignana VC 20 G 7
Lignano (Monte) AR 45 L 17
Lignano Pineta UD 16 F 21
Lignano Riviera UD 16 F 21
Lignano
Sabbiadoro UD 16 E 21
Ligonchio RE 38 J 13
Ligoncio (Pizzo) SO 9 D 10
Ligosullo UD 5 C 21
Lilibeo (Capo) TP 96 N 19
Lillaz AO 18 F 4

A B C D E F G H I J K L M N O P Q R S T U V W X Y Z

Lillianes AO 19 F 5
Lilliano SI 43 L 15
Lima LU 39 J 13
Limana BL 13 D 18
Limatola BN 70 D 25
Limbadi VV 88 L 29
Limbara (Monte) SS 111 E 9
Limbara (Passo del) SS 111 E 9
Limbiate MI 21 F 9
Limena PD 24 F 17
Limentra Inferiore BO 39 J 15
Limes TN 11 E 13
Limidario (Monte) VB 8 D 7
Limina ME 90 N 27
Limina (Monte) RC 88 L 30
Limite FI 43 K 14
Limito MI 21 F 9
Limo (Passo di) BZ 4 C 18
Limone Piemonte CN 35 J 4
Limone sul Garda BS 23 E 14
Limonetto CN 35 J 4
Limoni (Riveira dei) CT 101 O 27
Limosano CB 65 Q 25
Limpida (Serra la) CS 84 H 29
Limpiddu SS 113 E 11
Linaro FO 41 K 18
Linaro (Capo) RM 57 P 17
Linarolo PV 21 G 9
Linas (Monte) SU 118 I 7
L'Incontro FI 44 K 16
Lindinuso BR 81 F 36
Linera CT 101 O 27
Lingua ME 94 L 26
Linguaglossa CT 101 N 27
Lingueglietta IM 35 K 5
Linosa AG 102 T 20
Linosa (Isola di) AG 102 T 20
Lio Piccolo VE 16 F 19
Lioni AV 71 E 27
Lipari ME 94 L 26
Lipari (Isola) ME 94 L 26
Lippiano PG 45 L 18
Lippo (Pizzo) ME 100 N 25
Lipuda KR 87 I 33
Liri AQ 63 Q 21
Liro SO 9 C 10
Lis (Colle del) TO 18 G 4
Lisca Bianca (Isola) ME 94 L 27
Liscate MI 21 F 10
Liscia CH 61 Q 25
Liscia SS 109 D 9
Liscia (Lago della) SS 109 E 9
Lisciano RI 58 O 20
Lisciano Niccone PG 51 M 18
Liscione (Lago del) CB 65 Q 26
Lisignago TN 11 D 15
Lissone MI 21 F 9
Lissone (Rifugio) BS 10 D 13
Liternum NA 69 E 24
Littu Petrosu (Punta) SS 109 E 10
Liuru (Monte) SU 119 J 10
Livenza PN 13 D 19
Liveri NA 70 E 25
Lividonia (Punta) GR 55 O 15
Livigno SO 2 C 12
Livigno (Forcola di) SO 10 C 12
Livigno (Valle di) SO 2 C 12
Livo CO 9 D 9
Livo TN 11 C 15
Livorno LI 42 L 12
Livorno Ferraris VC 19 G 6
Livraga LO 21 G 10
Lizzanello LE 81 G 36
Lizzano PT 39 J 14
Lizzano TA 79 F 34
Lizzano in Belvedere BO 39 J 14
Lizzola BG 10 D 12
Loano SV 35 J 6
Loazzolo AT 28 H 6
Lobbi AL 28 H 8
Lobbia Alta TN 11 D 13
Lobbie (Cima delle) CN 26 I 3
Lobia VR 24 F 15
Locana TO 19 F 4
Locana (Valle di) TO 19 F 4
Locate di Triulzi MI 21 F 9
Locatelli (Rifugio) BZ 4 C 18
Locati PA 99 N 24
Loceri NU 117 H 10
Loco GE 29 I 9
Locoe NU 116 G 10
Locone BA 72 E 30
Loconia BA 72 D 29
Locorotondo BA 80 E 33
Locri RC 91 M 30
Locri Epizefiri RC 91 M 30
Loculi NU 117 F 10
Lodè NU 113 F 10
Lodi LO 21 G 10
Lodi Vecchio LO 21 G 10
Lodignano (Sella di) PR 30 I 12
Lodine NU 115 G 9
Lodrino BS 22 E 12
Lodrone TN 23 E 13
Loelle SS 111 F 9
Loggio (Monte) AR 45 K 18
Lograto BS 22 F 12
Logudoro SS 111 F 8
Loiano BO 40 J 15
Loiri SS 113 E 10
Lollove NU 115 F 9
Lomaso TN 11 D 14
Lomazzo CO 21 E 9
Lombai UD 15 D 22
Lombarda (Colle di) CN 34 J 3
Lombardi VT 57 P 17
Lombardore TO 19 G 5
Lombriasco TO 27 H 4
Lomellina PV 20 G 7
Lomello PV 28 G 8
Lonate Ceppino VA 20 E 8
Lonate Pozzolo VA 20 F 8
Lonato BS 22 F 13
Loncon VE 16 E 20
Londa FI 40 K 16
Longa VI 24 E 16
Longa (Serra) SA 76 G 29
Longano IS 65 R 24
Longara VI 24 F 16
Longare VI 24 F 16
Longarini (Pantano) SR 107 Q 27
Longarone BL 13 D 18
Longastrino FE 32 I 18
Longega / Zwischenwasser BZ 4 B 17
Longerin (Crode dei) BL 5 C 19
Longhena BS 22 F 12
Longhi VI 12 E 15
Longi ME 100 M 26
Longiano FO 41 J 18
Longiarù / Campill BZ 4 C 17
Longobardi CS 86 J 30
Longobardi Marina CS 86 J 30
Longobucco CS 85 I 31
Longone al Segrino CO 21 E 9
Longone Sabino RI 58 P 20
Longoni (Rifugio) SO 10 D 11
Longu CA 119 J 9
Lonigo VI 24 F 16
Loppio TN 11 E 14
Loranzé TO 19 F 5
L'Orecchia di Lepre BZ 3 C 14
Loreggia PD 24 F 17
Loreggiola PD 24 F 17
Lorenzago di Cadore BL 5 C 19
Lorenzana PI 43 L 13
Lorenzatico BO 31 I 15
Loreo RO 33 G 18
Loretello AN 46 L 20
Loreto AN 47 L 22
Loreto Aprutino PE 60 O 23
Loria TV 24 E 17
Lorica CS 86 J 31
Lorio (Monte) SO 10 D 12
Lornano SI 43 L 15
Loro Ciuffenna AR 44 L 16
Loro Piceno MC 52 M 22
Lorsica GE 37 I 9
Losa (Abbasanta) OR 115 G 8
Losciale-Garrappa BA 80 E 34
Loseto BA 73 D 32
Losine BS 10 E 12
Lotzorai NU 117 H 10
Lova VE 25 G 18
Lovadina TV 25 E 18
Lovello (Monte) / Groß Löffler BZ 4 A 17
Lovere BG 22 E 12
Lovero SO 10 D 12
Lovoleto BO 32 I 16
Lozio BS 10 E 12
Lozze (Monte) VI 12 E 16
Lozzo Atestino PD 24 G 16
Lozzo di Cadore BL 5 C 19
Lozzolo VC 20 F 6
Lu AL 28 G 7
Lubriano VT 57 O 18
Lucca LU 38 K 13
Lucca Sicula AG 97 O 21
Lucchio LU 39 J 14
Lucco (Monte) SI 44 L 16
Lucedio VC 20 G 6
Lucera FG 66 C 28
Lucignano AR 50 M 17
Lucignano d'Arbia SI 50 M 16
Lucinico GO 17 E 22
Lucino CO 21 E 9
Lucito CB 65 Q 26
Luco (Monte) AQ 59 O 22
Luco dei Marsi AQ 59 Q 22
Luco (Monte) BZ 3 C 15
Lucolena FI 44 L 16
Lucoli AQ 59 P 22
Lucrezia PS 46 K 20
Lucugnano LE 83 H 36
Ludu (Genna su) NU 119 H 10
Lüsen / Luson BZ 4 B 17
Lugagnano VR 23 F 14
Lugagnano Val d'Arda PC 30 H 11
Lugano (Lago di) VA 8 E 8
Luggerras (Cuccuru) NU 119 I 10
Lugnano PG 45 L 18
Lugnano in Teverina TR 58 O 18
Lugnola RI 58 O 19
Lugo RA 40 I 17
Lugo RE 39 I 13
Lugo VE 25 F 18
Lugo VR 23 F 14
Lugo di Vicenza VI 24 E 16
Lugosano AV 70 E 26
Lugugnana VE 16 E 20
Lugugnano PR 38 I 12
Luicciana PO 39 J 15
Luino VA 8 E 8
Lula NU 113 F 10
Lumarzo GE 37 I 9
Lumbaldu SS 111 E 8
Lumezzane BS 22 F 12
Lumiei UD 13 C 20
Luminaria (Pizzo) ME 100 N 25
Lumini VR 23 F 14
Luna (Alpe della) AR 45 L 18
Luna (Cala di) NU 117 G 10
Lunamatrona SU 118 I 8
Lunano PS 45 K 19
Lunella (Punta) TO 18 G 3
Lunga (Cala) SU 120 J 7
Lunga (Serra) AQ 64 Q 22
Lungavilla PV 29 G 9
Lunghezza RM 62 Q 20
Lungo (Lago) LT 68 S 22
Lungo (Lago) RI 58 O 20
Lungo (Sasso) BZ 4 C 17
Lungro CS 85 H 30
Luni SP 38 J 12
Lunigiana MS 38 J 11
Luogosano AV 70 E 26
Luogosanto SS 109 D 9
Lupara CB 65 Q 26
Lupara FG 72 C 29
Lupara (Masseria) PZ 72 E 29
Lupia VI 24 F 16
Lupicino / Wölfl BZ 12 C 16
Lupo (Portella del) PA 99 N 23
Lupo (Valico di) FG 67 B 30
Lupone (Monte) RM 63 R 20
Lura CO 21 E 9
Lurago d'Erba CO 21 E 9
Lurago Marinone CO 21 E 8
Luras SS 109 E 9
Lurate Caccivio CO 21 E 8
Luretta PC 29 H 10
Luriano SI 49 M 15
Lurisia CN 35 J 5
Luseney (Becca di) AO 7 E 4
Luserna TN 12 E 15
Luserna S. Giovanni TO 26 H 3
Lusevera UD 15 D 21
Lusia RO 32 G 16
Lusia (Passo di) TN 12 C 17
Lusiana VI 24 E 16
Lusiglié TO 19 G 5
Luson / Lüsen BZ 4 B 17
Lustignano PI 49 M 14
Lustra SA 75 G 27
Lusurasco PC 30 H 11
Lutago / Luttach BZ 4 B 17
Lutirano FI 40 J 17
Lutrano TV 16 E 19
Luttach / Lutago BZ 4 B 17
Luzzara RE 31 H 14
Luzzi CS 85 I 30
Luzzogno VB 8 E 7
Lys AO 19 F 5
Lyskamm AO 7 E 5

M

Macaion (Monte) / Gantkofel BZ 3 C 15
Macalube (Vulcanelli di) AG 103 O 22
Macari TP 97 M 20
Maccabei BN 70 D 26
Maccacari VR 31 G 15
Maccagno VA 8 D 8
Maccarese RM 62 Q 18
Maccarese (Bonifica di) RM 62 Q 18
Macchia CT 101 N 27
Macchia CS 85 I 31
Macchia (Coppa della) FG 67 B 29
Macchia da Sole TE 53 N 22
Macchia di Monte BA 80 E 33
Macchia d'Isernia IS 65 R 24
Macchia Rotonda FG 67 C 29
Macchia Valfortore CB 66 C 26
Macchiagodena IS 65 R 25
Macchialunga (Monte) TR 58 O 20
Macchiareddu CA 118 J 9
Macchiascandona GR 49 N 14
Macchiatornella TE 59 O 22
Macchie PG 51 M 18
Macchie TR 58 O 19
Macchina Lagana RC 88 L 30
Macchioni FR 63 R 22
Macciano PG 51 N 19
Macciano SI 50 M 17
Macconi (i) RG 104 Q 25
Macello TO 26 H 4
Mácera di Morte TE 52 N 22
Macerata MC 52 M 22
Macerata PI 42 L 13
Macerata Campania CE 69 D 24
Macerata Feltria PS 41 K 19
Macere RM 63 Q 20
Macereto (Ponte) SI 50 M 15
Macereto (Santuario di) MC 52 N 21
Macerino TR 51 N 19
Macerone FO 41 J 19
Maciano PS 41 K 18
Macina MC 53 M 22
Macioni (Monte) SU 119 J 10
Maclodio BS 22 F 12
Macomer NU 115 G 8
Macra CN 26 I 3
Macugnaga VB 7 E 5
Maddalena SV 28 I 7
Maddalena (Arcipelago della) SS 109 D 10
Maddalena (Colle della) TO 26 I 2
Maddalena (Colle della) TO 27 G 5
Maddalena (Isola) SS 109 D 10
Maddalena (Monte) BS 22 F 12
Maddalena (Monti della) PZ 76 F 28
Maddalena (Penisola della) SR 105 P 27
Maddalena Spiaggia CA 118 J 9
Maddalene CN 27 I 4
Maddaloni CE 70 D 25
Madesimo SO 9 C 10
Madone BG 21 F 10
Madonna AT 28 H 7
Madonna Candelecchia AQ 64 Q 22
Madonna dei Bagni (Deruta) PG 51 N 19
Madonna dei Fornelli BO 39 J 15
Madonna dei Miracoli BA 72 D 30
Madonna dei Monti PG 51 L 19
Madonna del Buon Cammino BA 73 E 31
Madonna del Buonconsiglio CL 104 P 25
Madonna del Carmine SA 76 F 28
Madonna del Carmine TA 73 F 32
Madonna del Furi PA 97 M 21
Madonna del Ghisallo LC 9 E 9
Madonna del Monte FO 41 J 18
Madonna del Monte PG 52 N 20
Madonna del Monte Vivo SA 76 F 28
Madonna del Pettoruto CS 85 H 29
Madonna del Piano CT 104 P 25
Madonna del Ponte PS 46 K 21
Madonna del Sasso NO 20 E 7
Madonna della Cava TP 96 N 19
Madonna della Cima PG 46 L 19
Madonna della Civita LT 64 S 22
Madonna della Lanna AQ 64 Q 23
Madonna della Libera TP 97 N 20
Madonna della Neve PG 52 N 21
Madonna della Pace RM 63 Q 21
Madonna della Quercia VT 57 O 18
Madonna della Scala BA 73 E 33
Madonna della Scala (Santuario della) TA 78 F 33
Madonna della Stella PZ 77 G 30
Madonna della Valle PG 51 N 19
Madonna dell'Acero BO 39 J 14
Madonna dell'Acqua PI 42 K 13
Madonna dell'Alto TP 97 N 20
Madonna dell'Ambro AP 52 N 21
Madonna dell'Auricola FR 63 R 22
Madonna delle Grazie PD 24 G 18
Madonna di Baiano PG 51 N 20
Madonna di Campiglio TN 11 D 14
Madonna di Canneto CB 65 Q 25
Madonna di Canneto FR 64 Q 23
Madonna di Costantinopoli SA 76 F 27
Madonna di Cristo FG 67 C 28
Madonna di Fatima SS 111 F 9
Madonna di Gaspreano MC 52 M 21
Madonna di Mellitto BA 73 E 31
Madonna di Monserrato LI 48 N 13
Madonna di Novi Velia SA 76 G 28
Madonna di Pergamo MT 77 F 30
Madonna di Piano PS 46 L 20
Madonna di Picciano MT 72 E 31
Madonna di Pietralba BZ 12 C 16
Madonna di Porto Salvo AG 102 U 19
Madonna di Pugliano PS 41 K 19
Madonna di Ripalta FG 72 D 29
Madonna di S. Luca BO 40 I 15
Madonna di Senales / Unserfrau BZ 3 B 14
Madonna di Sterpeto BA 72 D 30
Madonna di Stignano (Santuario della) FG 66 B 28
Madonna di Tirano SO 10 D 12
Madonna di Viatosto AT 27 H 6
Madonna di Viggiano PZ 77 F 29
Madonnino SI 50 M 17
Madonnuzza (Portella) PA 99 N 24
Madrano TN 11 D 15
Mae BL 13 D 18
Maenza LT 63 R 21
Maerne VE 25 F 18
Maestrale (Stagno di) SU 120 K 7
Maestrello PG 51 M 18
Mafalda CB 61 Q 26
Maffiotto TO 18 G 3
Magaggiaro (Monte) AG 97 N 20
Magasa BS 23 E 13
Magazzino MO 31 I 15
Magazzolo PA 98 O 22
Magdeleine (la) AO 7 E 4
Magenta MI 20 F 8
Maggio LC 9 E 10
Maggio (Monte) PG 52 M 20
Maggio (Monte) SI 44 L 15
Maggiora NO 20 E 7
Maggiorasca (Monte) GE 29 I 10
Maggiore (Isola) (L. Trasimeno) PG 51 M 18
Maggiore (Lago) VA 8 E 7
Maggiore (Monte) CE 69 D 24
Maggiore (Monte) GR 57 O 16
Maggiore (Monte) PG 52 N 20
Maggiore (Punta) SS 113 E 10
Maggiore (Serra) MT 78 G 31
Magherno PV 21 G 9
Magisano CZ 87 J 31
Magliano Alfieri CN 27 H 6
Magliano Alpi CN 27 I 5
Magliano de' Marsi AQ 59 P 22
Magliano di Tenna AP 53 M 22
Magliano in Toscana GR 56 O 15
Magliano Romano RM 58 P 19
Magliano Sabina RI 58 O 19
Magliano Vetere SA 76 F 27
Magliati (Masseria) TA 78 F 32
Maglie LE 83 G 36
Magliolo SV 35 J 6
Magnacavallo MN 31 G 15
Magnago MI 20 F 8
Magnano BI 19 F 6
Magnano PZ 77 G 30
Magnano in Riviera UD 14 D 21
Magnisi (Penisola) SR 105 P 27
Magnola (Monte della) AQ 59 P 22
Magnolini (Rifugio) BG 10 E 12
Magomadas OR 114 G 7
Magra MS 38 I 11
Magras TN 11 C 14
Magré s. str. d. vino / Magreid BZ 11 D 15
Magredis UD 15 D 21
Magreglio CO 9 E 9
Magreid a. d. Weinstraße / Magré BZ 11 D 15
Magreta MO 31 I 14
Magugnano VT 57 O 18
Magusu (Punta) SU 118 I 7
Mai (Monte) SA 70 E 26
Maiano PG 51 N 20
Maiano PS 41 K 18
Maiano Monti RA 40 I 17
Maida CZ 88 K 31
Maida Marina CZ 88 K 30
Maiella (Montagna della) CH 60 P 24
Maiella (Parco Nazionale della) CH 60 Q 24
Maielletta (la) CH 60 P 24
Maierà CS 84 H 29
Maierato VV 88 K 30
Maiern / Masseria BZ 3 B 15
Maiero FE 32 H 17
Maiolati Spontini AN 46 L 21
Maiolo PC 29 H 10
Maiorana (Masseria) BA 72 E 31
Maiori SA 75 F 25
Maiori SS 109 E 9
Maiori (Monte) OR 118 H 8
Maira (Torrente) CN 26 I 3
Maira (Valle) CN 26 I 3
Mairago LO 21 G 10
Mairano BS 22 F 12
Maissana SP 37 I 10
Majano UD 14 D 21
Mal di Ventre (Isola di) OR 114 H 6
Malacalzetta SU 118 I 7
Maladecia (Punta) CN 34 J 3
Malagnino CR 30 G 12
Malagrotta RM 62 Q 19
Malaina (Monte) FR 63 R 21
Malalbergo BO 32 H 16
Malamocco VE 25 F 19
Malamocco (Porto di) VE 25 F 18
Malara (Monte) AV 71 D 27
Malborghetto UD 15 C 22
Malcesine VR 23 E 14
Malchina TS 17 E 22
Malciaussia TO 18 G 3

Malcontenta VE 25 F 18
Malé TN 11 C 14
Malegno BS 10 E 12
Malenco (Val) SO 10 D 11
Maleo LO 22 G 11
Malesco VB 8 D 7
Maletto CT 100 N 26
Malfa ME 94 L 26
Malfatano (Capo) SU 120 K 8
Malga Bissina (Lago di) TN 11 D 13
Malga Boazzo (Lago di) TN 11 D 13
Malga dei Dossi / Knutten-Alm BZ 4 B 18
Malga di Valmaggiore TN 12 D 16
Malga Fana BZ 4 B 16
Malga Movlina TN 11 D 14
Malga Prato / Wieser Alm BZ 4 A 18
Malga Pudio / Pidig Alm BZ 4 B 18
Malga Sadole TN 12 D 16
Malghera SO 10 C 12
Malgrate LC 9 E 10
Malignano SI 49 M 15
Malina UD 15 D 21
Malinvern (Testa) CN 34 J 3
Malito CS 86 J 30
Mallare SV 36 J 6
Màllero SO 10 D 11
Malles Venosta / Mals BZ 2 B 13
Malnate VA 20 E 8
Malnisio PN 13 D 19
Malo VI 24 F 16
Malonno BS 10 D 12
Malopasseto (Passo) EN 99 N 24
Malosco TN 11 C 15
Malpaga BG 22 F 11
Malpaga BS 22 F 12
Mals / Malles Venosta BZ 2 B 13
Maltignano AP 53 N 23
Maltignano PG 52 N 21
Malu SU 118 I 8
Malvagna ME 100 N 27
Malvicino AL 28 I 7
Malvito CS 85 I 30
Malvizza AV 70 D 27
Malvizzo (Monte) AG 103 P 23
Mamiano PR 30 H 13
Mammola RC 88 L 30
Mamoiada NU 115 G 9
Mamone NU 113 F 10
Mamusi SS 113 E 10
Manacore FG 67 B 30
Manara (Punta) GE 37 J 10
Manarola SP 37 J 11
Manciano GR 56 O 16
Mancuso (Monte) CZ 86 J 30
Mandanici ME 90 M 27
Mandarini (Portella) PA 99 N 24
Mandas SU 119 I 9
Mandatoriccio CS 87 I 32
Mandatoriccio-Campana (Stazione di) CS 87 I 32
Mandela RM 58 P 20
Mandello del Lario LC 9 E 9
Mandello Vitta NO 20 F 7
Mandolossa BS 22 F 12
Mandra de Caia (Punta) NU 116 G 10
Mandrazzi (Portella) ME 101 N 27
Mandria Luci CS 85 H 30
Mandriole RA 33 I 18
Mandrioli (Passo dei) FO 45 K 17
Mandriolo (Cima) VI 12 E 16
Mandrogne AL 28 H 8
Mandrolisai NU 115 G 9
Mandrone (Monte) BS 11 D 13
Manduria TA 79 F 34
Manerba del Garda BS 23 F 13
Manerbio BS 22 F 12
Manfredonia FG 67 C 29
Manfredonia (Golfo di) FG 67 C 30
Manfredonico (Mussomeli) CL 99 O 23
Manfria CL 103 P 24
Manganaro (Bivio) PA 98 N 22
Mangari (Monte) UD 15 C 22
Manghen (Passo) TN 12 D 16
Mangiante (Portella) PA 99 N 23
Mangiatoriello (Pizzo) PA 98 N 22
Mango CN 27 H 6
Mangone CS 86 J 30
Maniace (Abbazia di) CT 100 N 26
Maniago PN 13 D 20
Maniago (Rifugio) PN 13 D 19
Maniglia (Monte) CN 26 I 2
Maniva (Passo del) BS 22 E 13
Mannuad (Est di Teulada) SU 121 K 8
Mannu (a Nord di Nuoro) NU 115 F 9
Mannu (ad Ovest di Siniscola) NU 113 F 10
Mannu (a Sud di Terralba) SS 118 I 8
Mannu (Fluminimaggiore) SU 118 I 7
Mannu (vicino a Cuglieri) OR 114 G 7
Mannu (vicino a Narcao) SU 118 J 8
Mannu (vicino ad Ozieri) SS 111 F 8
Mannu (vicino a Samugheo) OR 115 H 8
Mannu (vicino a Santadi) SU 118 J 8
Mannu (vicino a Sassari) SS 110 F 7
Mannu (vicino a Villasor) SU 118 I 8
Mannu (Capo) OR 114 G 7
Mannu (Capo) SS 110 E 6
Mannu (Monte) OR 114 F 7
Mannu della Reale (Porto) SS 108 D 6
Manocalza AV 70 E 26
Manolino CN 35 J 5
Manoppello PE 60 P 24
Manoppello Scalo PE 60 P 24
Mansué TV 16 E 19
Manta CN 27 I 4
Mantignana PG 51 M 18
Mantova MN 31 G 14
Manzano UD 17 E 22
Manziana RM 57 P 18
Manzolino MO 31 I 15
Mapello BG 21 E 10
Mappa CL 99 O 23
Mara SS 115 F 7
Maracalagonis CA 119 J 9
Maragnole VI 24 E 16
Marana AQ 59 O 21
Marane AQ 60 P 23
Maranello MO 31 I 14
Marano BO 39 J 15
Marano (Laguna di) UD 16 E 21
Marano (Torrente) RN 41 K 19
Marano di Napoli NA 69 E 24
Marano Equo RM 59 Q 21
Marano Lagunare UD 16 E 21
Marano Marchesato CS 86 J 30
Marano Principato CS 86 J 30
Marano sul Panaro MO 39 I 14
Marano Ticino NO 20 F 7
Marano Valpolicella VR 23 F 14
Marano Vicentino VI 24 E 16
Maranola LT 64 S 22
Maranza / Meransen BZ 4 B 16
Maranzana AT 28 H 7
Maraone (Isola) TP 96 N 19
Marargiu (Capo) NU 114 F 7
Marasca (Colle) CB 65 Q 25
Maratea PZ 84 H 29
Maratea (Grotta di) PZ 84 H 29
Marausa TP 96 N 19
Marazzino SS 109 D 9
Marcallo MI 20 F 8
Marcanzotta TP 96 N 19
Marcaria MN 31 G 13
Marcato Bianco EN 103 O 24
Marcato d'Arrigo CL 103 O 24
Marcatobianco PA 99 N 23
Marceddi OR 118 H 7
Marceddi (Stagno di) OR 118 H 7
Marcedusa CZ 87 J 32
Marcelinara CZ 88 K 31
Marcelli AN 47 L 22
Marcellina CS 84 H 29
Marcellina RM 58 P 20
Marcellise VR 23 F 15
Marcetelli RI 59 P 21
Marcheno BS 22 E 12
Marchesa (Masseria la) FG 66 B 27
Marchesato KR 87 J 32
Marchese (Punta del) LI 54 O 12
Marchetti (Rifugio) TN 11 E 14
Marchiazza VC 20 F 7
Marchione (Castello) BA 73 E 33
Marchioni (Masseria) LE 79 G 35
Marchirolo VA 8 E 8
Marciana LI 48 N 12
Marciana Marina LI 48 N 12
Marcianise CE 69 D 24
Marciano AR 44 K 17
Marciano della Chiana AR 50 M 17
Marciaso MS 38 J 12
Marcignago PV 21 G 9
Marcignana FI 43 K 14
Marcignano PG 45 L 18
Marco TN 23 E 15
Marcolano (Monte) AQ 64 Q 23
Marcon VE 25 F 18
Marconi (Mausoleo di G.) BO 39 I 15
Marconia MT 78 F 32
Mardimago RO 32 G 17
Mare Grande TA 78 F 33
Mare Piccolo TA 79 F 33
Mare (Portella di) PA 99 N 23
Mare (Val de la) TN 11 C 14
Marebbe / Enneberg BZ 4 B 17
Marebello RN 41 J 19
Marecchia PS 41 K 18
Marechiaro NA 69 E 24
Marega VR 24 G 16
Maremma GR 56 O 15
Maremma (Parco Naturale della) GR 55 O 15
Marene CN 27 I 5
Mareneve CT 100 N 27
Marengo AL 28 H 8
Marengo CN 27 I 6
Marengo MN 23 G 14
Mareno di Piave TV 13 E 19
Marentino TO 27 G 5
Marepotamo RC 88 L 30
Maresca PT 39 J 14
Mareson BL 13 C 18
Mareto PC 29 H 10
Marettimo TP 96 N 18
Marettimo (Isola) TP 96 N 18
Margana (Valle della) PA 98 N 22
Margarita CN 35 I 5
Marghera VE 25 F 18
Margherita di Savoia FG 72 C 30
Margherito Soprano CT 104 O 25
Margherito Sottano CT 104 O 25
Marghine (Catena di) NU 115 G 8
Margi SR 104 P 26
Margine di Momigno PT 39 K 14
Marginetto (Punta) SS 109 D 10
Marginone LU 39 K 14
Margno LC 9 D 10
Margone TO 18 G 3
Margorabbia VA 8 E 8
Marguareis (Punta) CN 35 J 5
Mari Ermi OR 114 H 7
Mari e Franco (Rifugio) BS 10 D 13
Maria Luisa (Rifugio) VB 8 C 7
Maria (Monte) SU 119 J 10
Mariana Mantovana MN 22 G 13
Mariano Comense CO 21 E 9
Mariano del Friuli GO 17 E 22
Marianopoli CL 99 O 23
Marigliano NA 70 E 25
Marilleva TN 11 D 14
Marina VE 16 E 20
Marina (Torrente) FI 39 K 15
Marina dei Ronchi MS 38 K 12
Marina del Cantone NA 74 F 25
Marina di Alberese GR 55 O 15
Marina di Amendolara CS 85 H 31
Marina di Andora SV 35 K 6
Marina di Andrano LE 83 H 37
Marina di Arbus SU 118 I 7
Marina di Ascea SA 76 G 27
Marina di Avola SR 105 Q 27
Marina di Belmonte CS 86 J 30
Marina di Belvedere CS 84 I 29
Marina di Bibbona LI 48 M 13
Marina di Camerota SA 84 G 28
Marina di Campo LI 48 N 12
Marina di Caronia ME 100 M 25
Marina di Carrara MS 38 J 12
Marina di Casal Velino SA 75 G 27
Marina di Castagneto-Donoratico LI 49 M 13
Marina di Caulonia RC 88 L 31
Marina di Cecina LI 48 M 13
Marina di Cetraro CS 85 I 29
Marina di Chieuti FG 66 B 27
Marina di Davoli CZ 89 L 31
Marina di Fuscaldo CS 86 I 30
Marina di Gairo NU 119 H 11
Marina di Gioia Tauro RC 88 L 29
Marina di Gioiosa Ionica RC 91 M 30
Marina di Grosseto GR 49 N 14
Marina di Lago di Patria CE 69 E 24
Marina di Lesina FG 66 B 28
Marina di Leuca LE 83 H 37
Marina di lu Impostu SS 113 E 11
Marina di Mancaversa LE 83 H 36
Marina di Maratea PZ 84 H 29
Marina di Massa MS 38 J 12
Marina di Melilli SR 105 P 27
Marina di Minturno LT 69 D 23
Marina di Modica RG 106 Q 26
Marina di Montemarciano AN 46 L 22
Marina di Montenero CB 61 P 26
Marina di Novaglie LE 83 H 37
Marina di Orosei NU 117 F 11
Marina di Ostuni BR 80 E 34
Marina di Palma AG 103 P 23
Marina di Palmi RC 88 L 29
Marina di Paola CS 86 I 30
Marina di Patti ME 100 M 26
Marina di Pescia Romana VT 56 O 16
Marina di Pescoluse LE 83 H 36
Marina di Pietrasanta LU 38 K 12
Marina di Pisa PI 42 K 12
Marina di Pisciotta SA 76 G 27
Marina di Pisticci MT 78 G 32
Marina di Pulsano TA 79 F 34
Marina di Ragusa RG 106 Q 25
Marina di Ravenna RA 33 I 18
Marina di S. Lorenzo RC 90 N 29
Marina di Salivoli LI 48 N 13
Marina di S. Antonio CZ 89 L 31
Marina di S. Ilario RC 91 M 30
Marina di S. Lorenzo RM 62 R 19
Marina di S. Vito CH 60 P 25
Marina di Sorso SS 110 E 7
Marina di Strongoli KR 87 J 33
Marina di Torre del Lago LU 38 K 12
Marina di Torre Grande OR 114 H 7
Marina di Varcaturo NA 69 E 24
Marina di Vasto CH 61 P 26
Marina di Zambrone VV 88 K 29
Marina Faleriense AP 53 M 23
Marina Grande NA 74 F 24
Marina Palmense AP 53 M 23
Marina Piccola NA 74 F 24
Marina Romea RA 33 I 18
Marina Roseto Capo Spulico CS 85 H 31
Marina Schiavonea CS 85 I 31
Marina Serra LE 83 H 37
Marina Velca VT 57 P 17
Marine di Posto Rossi LE 83 H 36
Marinella TP 97 O 20
Marinella VE 16 E 21
Marinella di Sarzana SP 38 J 12
Marinella (Golfo di) SS 109 D 10
Marinelli (Rifugio) SO 10 C 11
Marinelli (Rifugio) UD 5 C 20
Marineo PA 98 N 22
Marineo (Monte) CT 104 P 26
Marini (Rifugio) PA 99 N 24
Marino RM 62 Q 19
Marino (Monte) FO 40 K 17
Mariotti (Rifugio) PR 38 I 12
Mariotto BA 73 D 31
Maristella SS 110 F 6
Marlengo / Marling BZ 3 C 15
Marlia LU 39 K 13
Marliana PT 39 K 14
Marling / Marlengo BZ 3 C 15
Marmagna (Monte) PR 38 I 11
Marmarole (Gruppo delle) BL 4 C 18
Marmilla SU 118 H 8
Marmirolo MN 23 G 14
Marmitte (Parco delle) SO 9 D 10
Marmolada BL 12 C 17
Marmontana (Monte) CO 9 D 9
Marmora CN 26 I 3
Marmora (Punta la) NU 115 H 9
Marmorata (Isola la) SS 109 D 9
Marmore AO 19 E 4
Marmore TR 58 O 20
Marmore (Cascata delle) TR 58 O 20
Marmorta BO 32 I 17
Marmottere (Punta) TO 18 G 3
Marmuri (Su) NU 117 H 10
Marocco TV 25 F 18
Marogella (Passo della) BG 10 E 11
Maroglio CL 104 P 24
Marola RE 38 I 13
Marola VI 24 F 16
Marone BS 22 E 12
Maropati RC 88 L 30
Marostica VI 24 E 16
Marotta PS 46 K 21
Marozzo FE 33 H 18
Marradi FI 40 J 16
Marrara FE 32 H 17
Marro RC 88 L 29
Marroggia PG 51 N 20
Marrubiu OR 114 H 7
Mars (Monte) BI 19 F 5
Marsaglia CN 27 I 5
Marsaglia PC 29 H 10
Marsala TP 96 N 19
Marsala (Punta) TP 96 N 19
Marsciano PG 51 N 19
Marsia AQ 59 P 21
Marsiai BL 12 D 18
Marsicano (Monte) AQ 64 Q 23
Marsico Nuovo PZ 76 F 29
Marsicovetere PZ 77 F 29
Marsiliana GR 56 O 16
Marsure PN 13 D 19
Marta VT 57 O 17
Marta (Fiume) VT 57 O 17
Martana (Isola) VT 57 O 17
Martani (Monti) PG 51 N 19
Martano LE 83 G 36
Martano (Monte) PG 51 N 19
Martell / Martello BZ 2 C 14
Martellago VE 25 F 18
Martello / Martell BZ 2 C 14
Martello (Pizzo) SO 9 D 9
Martello (Val) BZ 2 C 14
Marti PI 43 L 14
Martignacco UD 14 D 21
Martignana di Po CR 30 G 13
Martignano LE 83 G 36
Martignano (Lago di) RM 58 P 18
Martina Franca TA 80 E 34
Martina Olba SV 28 I 7
Martinelle VE 33 G 18
Martinengo BG 22 F 11
Martinetto SV 35 J 6
Martinez (Case) CL 103 O 24
Martiniana Po CN 26 I 4
Martino (Poggio) VT 57 O 17
Martinsicuro TE 53 N 23
Martirano CZ 86 J 30
Martirano Lombardo CZ 86 J 30
Martis SS 111 E 8
Martone RC 88 L 30
Martorano FO 41 J 18
Maru ME 100 M 26
Maruggio TA 79 G 34
Marza RG 107 Q 26
Marzabotto BO 39 I 15
Marzamemi SR 107 Q 27
Marzano PV 21 G 9
Marzano Appio CE 64 S 24
Marzano di Nola AV 70 E 25
Marzeno FO 40 J 17
Marzettelle MN 31 H 14
Marzi CS 86 J 30
Marziano (il) BA 72 D 30
Marzio VA 8 E 8
Marzo (Monte) TO 19 F 4
Marzocca AN 46 K 21
Marzolara PR 30 I 12
Mas BL 13 D 18
Masainas SU 120 J 7
Masarè BL 12 C 18
Masarolis UD 15 D 22
Masate MI 21 F 10
Mascali CT 101 N 27
Mascalucia CT 100 O 27
Mascari SS 110 E 7
Maschito PZ 72 E 29
Maser TV 24 E 17
Masera VB 8 D 6
Maserà di Padova PD 24 G 17
Maserada sul Piave TV 25 E 18
Masi PD 32 G 16
Masi di Cavalese TN 12 D 16
Masi S. Giacomo FE 32 H 17
Masi Torello FE 32 H 17
Masiennera (Punta) SS 111 F 9
Masino SO 9 D 10
Masino (Torrente) SO 9 D 10
Masio AL 28 H 7
Maso Corto / Kurzras BZ 2 B 14
Mason Vicentino VI 24 E 16
Masone GE 28 I 8
Masone RE 31 H 14
Massa MS 38 J 12
Massa Annunziata CT 100 O 27
Massa d'Albe AQ 59 P 22
Massa e Cozzile PT 39 K 14
Massa Fermana AP 52 M 22
Massa Finalese MO 31 H 15
Massa Fiscaglia FE 32 H 18
Massa Lombarda RA 40 I 17
Massa Lubrense NA 74 F 25
Massa Marittima GR 49 M 14
Massa Martana PG 51 N 19
Massa S. Giorgio ME 90 M 28
Massaciuccoli LU 38 K 13
Massaciuccoli (Lago di) LU 38 K 13
Massafra TA 78 F 33
Massama OR 114 H 7
Massanzago PD 24 F 17
Massarella FI 43 K 14
Massarosa LU 38 K 13
Massazza BI 19 F 6
Massello TO 26 H 3
Massenzatica FE 33 H 18
Masserano BI 20 F 6
Masserecci (Poggio) AR 44 L 17
Masseria / Maiern BZ 3 B 15
Massico (Monte) CE 69 D 23
Massignano AP 53 M 23
Massimino SV 35 J 6
Massino Visconti NO 20 E 7
Massone (Monte) VB 8 E 7
Mastallone VC 8 E 6
Mastaun BZ 3 B 14
Mastixi (Punta su) NU 117 H 11
Masua SU 118 I 7
Masuccio (Monte) SO 10 D 12
Masullas OR 118 H 8
Mataiur (Monte) UD 15 D 22
Matarazzo (Monte) CL 99 O 24
Matarocco TP 96 N 19
Matelica MC 52 M 21
Matera MT 73 E 31
Materdomini AV 71 E 27
Matese (Lago del) CE 65 R 25
Matese (Monti del) CB 65 R 25
Mathi TO 19 G 4
Matigge PG 51 N 20
Matine di Latta (Masseria le) BA 72 D 31
Matinella SA 75 F 27
Matino LE 83 G 36
Matraia LU 39 K 13
Matrice CB 65 R 26
Matsch / Mazia BZ 2 B 13
Mattarana SP 37 J 10
Mattarello TN 11 D 15
Matterhorn / Cervino (Monte) AO 7 G 8
Mattie TO 18 G 3
Mattina (Monte) AV 71 E 28
Mattinata FG 67 B 30

140

A B C D E F G H I J K L M N O P Q R S T U V W X Y Z

Mattinata (Porto di) FG 67 B 30
Mattinatella FG 67 B 30
Mattinella AV 71 E 27
Matto (Monte) CN 34 J 3
Matzaccara SU 118 J 7
Maucini SR 107 Q 27
Mauls / Mules BZ 3 B 16
Mauria (Passo della) BL 5 C 19
Maurin (Colle de) CN 26 I 2
Mauro (Monte) CB 65 Q 26
Maxia (Punta) SU 118 J 8
Mazara del Vallo TP 96 O 19
Mazaro TP 96 N 19
Mazia / Matsch BZ 2 B 13
Mazia (Val di) BZ 2 B 13
Mazzangrugno AN 46 L 21
Mazzano Romano RM 58 P 19
Mazzarà S. Andrea ME 101 M 27
Mazzarino CL 103 P 24
Mazzarino (Castello di) CL 103 P 24
Mazzarò ME 90 N 27
Mazzarrone CT 104 P 25
Mazzarrone (Poggio) CT 104 P 25
Mazzè TO 19 G 5
Mazzi FO 41 K 18
Mazzin TN 4 C 17
Mazzo di Valtellina SO 10 D 12
Mazzolla PI 43 L 14
Mazzorno RO 33 G 18
Meana di Susa TO 18 G 3
Meana Sardo NU 115 H 9
Meano TN 11 D 15
Meano BL 12 D 18
Mecca TO 18 G 4
Meda MI 21 F 9
Meda VI 24 E 16
Medaris (Monte) SS 111 F 9
Medaro (Pizzo) VB 8 D 7
Medau (Genna 'e) NU 115 H 10
Medau Zirimilis (Lago di) SU 118 J 8
Mede PV 28 G 8
Medea GO 17 E 22
Medelana BO 39 I 15
Medesano PR 30 H 12
Medeuzza UD 17 E 22
Mediano PR 30 I 12
Medicina BO 40 I 16
Medico (Scoglio del) PA 92 K 21
Mediglia MI 21 F 9
Mediis UD 13 C 20
Mediterraneo (Lido) TP 96 N 19
Medolago BG 21 E 10
Medole MN 22 G 13
Medolla MO 31 H 15
Meduna PN 13 D 20
Meduna di Livenza TV 16 E 19
Meduno PN 13 D 20
Megara Hyblaea SR 105 P 27
Meggiano PG 52 N 20
Megliadino S. Fidenzio PD 24 G 16
Megliadino S. Vitale PD 24 G 16
Meia (Rocca la) CN 34 I 3
Meina NO 20 E 7
Mel BL 13 D 18
Mela ME 90 M 27
Melag / Melago BZ 2 B 13
Melago / Melag BZ 2 B 13
Melandro PZ 76 F 28
Melara RO 31 G 15
Melas SS 110 F 7
Melazzo AL 28 I 7
Meldola FO 41 J 18
Mele GE 36 I 8
Mele (Capo) SV 35 K 6
Meledo VI 24 F 16
Meledrio (Val) TN 11 D 14
Melegnanello LO 21 G 10
Melegnano MI 21 F 9
Melendugno LE 81 G 37
Meleta GR 49 M 15
Meleti LO 30 G 11
Meleto SI 44 L 16
Meletole RE 31 H 13
Mélezet TO 18 G 2
Melfa FR 64 R 22
Melfa (Fiume) FR 64 R 23
Melfi PZ 71 E 28
Melia ME 90 N 27
Melia RC 90 M 29
Melicuccà RC 90 M 29
Melicucco RC 88 L 30
Melilli SR 105 P 27
Melilli (Casa) SR 105 P 27
Melisenda NU 119 I 10
Melissa KR 87 J 33
Melissano LE 83 H 36
Melito RC 90 N 29
Melito Porto Salvo RC 90 N 29
Melito Irpino AV 70 D 27
Melito Irpino Vecchia AV 70 D 27
Melizzano BN 70 D 25
Mella BS 22 E 12
Melle CN 26 I 3
Mellea CN 27 I 4
Mello SO 9 D 10
Melogno (Colle di) SV 35 J 6
Meloria (Torre della) LI 42 L 12
Melosa (Colla) IM 35 K 5
Melpignano LE 83 G 36
Meltina / Mölten BZ 3 C 15
Melzo MI 21 F 10
Menà VR 32 G 16
Menaggio CO 9 D 9
Menago VR 23 G 15
Menarola SO 9 D 10
Menata FE 32 I 18
Menconico PV 29 H 9
Mendatica IM 35 J 5
Mendelpaß / Mendola (Passo della) TN 11 C 15
Mendicino CS 86 J 30
Mendola TP 97 N 20
Mendola (Fiume della) PA 98 N 22
Mendola (Passo d.) / Mendelpaß TN 11 C 15
Menegosa (Monte) PC 29 H 11
Menfi AG 97 O 20
Menga (Punta) SU 120 K 7
Mengara PG 51 M 19
Menotre PG 52 N 20
Mensa FO 41 J 18
Mensanello SI 43 L 15
Mensano SI 49 M 15
Menta (Pizzo la) AG 98 O 22
Mentana RM 58 P 19
Mentorella RM 63 Q 20
Menzano AQ 59 O 21
Meolo VE 16 F 19
Mera SO 9 D 10
Meran / Merano BZ 3 C 15
Merano 2000 BZ 3 B 15
Merano / Meran BZ 3 C 15
Meranzen / Maranza BZ 4 B 16
Merate LC 21 E 10
Meraviglia (Monte) PG 52 N 21
Mercadante (Foresta di) BA 73 E 32
Mercallo VA 20 E 8
Mercante (Passo di) RC 88 M 30
Mercantour (Cima di) CN 34 J 3
Mercatale BO 40 I 16
Mercatale PS 45 K 19
Mercatale (vicino a Cortona) AR 51 M 18
Mercatale (vicino a Montevarchi) AR 44 L 16
Mercatale in Val di Pesa FI 43 L 15
Mercatello (vicino a Marsciano) PG 51 N 18
Mercatello (vicino a Montefalco) PG 51 N 20
Mercatello (Passo del) PC 29 I 10
Mercatello sul Metauro PS 45 L 19
Mercatino Conca PS 41 K 19
Mercato PR 30 I 12
Mercato SA 75 E 26
Mercato Cilento SA 75 G 27
Mercato S. Severino SA 70 E 26
Mercato Saraceno FO 41 K 18
Mercato Vecchio PS 41 K 19
Mercenasco TO 19 F 5
Merchis OR 115 G 8
Mercogliano AV 70 E 26
Mercore PC 30 H 11
Mercure CS 85 H 30
Mereto di Tomba UD 14 D 21
Mergo AN 46 L 21
Mergozzo VB 8 E 7
Mergozzo (Lago di) VB 8 E 7
Merì ME 95 M 27
Merine LE 81 G 36
Merizzo MS 38 J 11
Merlara PD 32 G 16
Merlino LO 21 F 10
Mernicco GO 15 D 22
Merone CO 21 E 9
Merse SI 49 M 15
Mesa LT 63 R 21
Mesa (Punta sa) SS 111 F 9
Mesagne BR 79 F 35
Meschio TV 13 E 19
Mesco (Punta) SP 37 J 10
Mescolino (Monte) FO 40 K 18
Mesiano VV 88 L 30
Mesima VV 88 L 30
Mesola FE 33 H 18
Mesola (Bosco della) FE 33 H 18
Mesoraca KR 87 J 32
Messignadi RC 91 M 29
Messina ME 90 M 28
Messina (Stretto di) ME 90 M 28
Mestre VE 25 F 18
Mestrino PD 24 F 17
Mesu 'e Roccas (Monte) OR 114 G 7
Mesule / Möseler BZ 4 B 17
Meta AQ 63 Q 22
Meta NA 74 F 25
Meta (Monti della) AQ 64 Q 23
Meta (Serra) RG 104 Q 26
Metaponto MT 78 F 32
Metapontum MT 78 F 32
Metato PI 42 K 13
Metato (Poggio) PI 49 L 14
Metauro PS 46 L 19
Metramo RC 88 L 30
Mezzalama (Rifugio) AO 7 E 5
Mezzana PI 42 K 13
Mezzana TN 11 D 14
Mezzana Bigli PV 28 G 8
Mezzana (Cima) TN 11 C 14
Mezzana Corti PV 29 G 9
Mezzana-Frido PZ 85 H 30
Mezzana Grande (Masseria) FG 66 C 27
Mezzana Rabattone PV 29 G 9
Mezzana-Salice PZ 85 H 30
Mezzane BS 22 F 13
Mezzane (Torrente) VR 23 F 15
Mezzane di Sotto VR 23 F 15
Mezzanego GE 37 I 10
Mezzanino LO 30 G 11
Mezzanino PV 29 G 9
Mezzano PC 30 G 11
Mezzano RA 41 I 18
Mezzano TN 12 D 17
Mezzano (Valle del) FE 32 H 17
Mezzano Inferiore PR 30 H 13
Mezzano (Lago di) VT 57 O 17
Mezzano Scotti PC 29 H 10
Mezzano Superiore PR 30 H 13
Mezzaselva VI 12 E 16
Mezzaselva / Mittewald BZ 3 B 16
Mezzocampo KR 87 I 32
Mezzocanale BL 13 D 18
Mezzocorona TN 11 D 15
Mezzogoro FE 33 H 18
Mezzoiuso PA 98 N 22
Mezzola (Lago di) SO 9 D 10
Mezzolago TN 11 E 14
Mezzolara BO 32 I 16
Mezzoldo BG 9 D 10
Mezzolombardo TN 11 D 15
Mezzomerico NO 20 F 7
Miale Ispina (Monte) SS 110 F 7
Miane TV 13 E 18
Miano FO 40 J 17
Miano TE 59 O 23
Miano (Monte) FG 66 C 27
Miasino NO 20 E 7
Miazzina VB 8 E 7
Micciano PI 49 M 14
Micheli (Rifugio) PR 38 I 12
Micigliano RI 59 O 21
Midia (Monte) AQ 59 P 21
Miemo PI 43 L 14
Miggiano LE 83 H 36
Migiana PG 51 M 18
Migiana di Monte Tezio PG 51 M 19
Migianella dei Marchesi PG 51 M 18
Migliana PO 39 K 15
Miglianico CH 60 O 24
Migliano PG 51 N 18
Migliara RE 30 I 13
Migliarina MO 31 H 14
Migliarino FE 32 H 17
Migliarino PI 42 K 12
Migliarino S. Rossore i Massaciuccoli (Parco Naturale) PI 42 K 12
Migliaro FE 32 H 17
Miglierina CZ 88 K 31
Miglionico MT 77 F 31
Mignagola TV 25 E 18
Mignanego GE 28 I 8
Mignano (Lago di) PC 30 H 11
Mignano Monte Lungo CE 64 R 23
Mignone VT 57 P 17
Milano MI 21 F 9
Milano-Linate (Aeroporto di) MI 21 F 9
Milano-Malpensa (Aeroporto di) VA 20 F 8
Milano Marittima RA 41 J 19
Milazzese (Punta) ME 94 L 27
Milazzo ME 95 M 27
Milazzo (Capo di) ME 95 M 27
Milazzo (Golfo di) ME 95 M 27
Milena CL 103 O 23
Mileto VV 88 L 30
Miletto (Monte) IS 65 R 25
Mili S. Pietro ME 90 M 28
Milia GR 49 M 14
Milianni ME 99 M 24
Milici ME 101 M 27
Milicia PA 98 N 22
Milione (Portella) AG 102 O 22
Milis OR 114 G 7
Militello in Val di Catania CT 104 P 26
Militello Rosmarino ME 100 M 26
Millesimo SV 35 I 6
Milo CT 101 N 27
Milzano BS 22 G 12
Mimola AQ 64 Q 23
Mincio MN 23 F 14
Mineo CT 104 P 26
Minerbe VR 24 G 16
Minerbio BO 32 I 16
Minerva (Monte) SS 110 F 7
Minervino di Lecce LE 83 G 37
Minervino Murge BA 72 D 30
Mingardo SA 76 G 28
Minniminni (Monte) SU 119 J 10
Minore SS 111 F 9
Minori SA 75 F 25
Minozzo RE 38 I 13
Minturnæ LT 69 D 23
Minturno LT 69 D 23
Minucciano LU 38 J 12
Mioglia SV 28 I 7
Mione UD 5 C 20
Mira VE 25 F 18
Mirabella VI 24 E 16
Mirabella Eclano AV 70 D 26
Mirabella Imbaccari CT 104 P 25
Mirabella (Pizzo) PA 97 M 21
Mirabello FE 32 H 16
Mirabello Monferrato AL 28 G 7
Mirabello Sannitico CB 65 R 26
Miradolo Terme PV 21 G 10
Miralago (Passo di) CE 65 R 25
Miramare RN 41 J 19
Miramare TS 17 E 23
Miranda IS 65 R 24
Mirandola MO 31 H 15
Mirano VE 25 F 18
Mirasole MN 31 G 14
Mirasole MI 21 F 9
Miratoio PS 45 K 18
Miravidi (Monte) AO 18 E 2
Miroglio CN 35 J 5
Mirra (Monte sa) CA 118 J 8
Mirto ME 100 M 26
Mirto Crosia CS 87 I 32
Mis BL 13 D 18
Mis TN 12 D 17
Mis (Canale del) BL 12 D 17
Mis (Lago del) BL 12 D 18
Misa AN 46 L 21
Misano Adriatico RN 41 K 20
Misano di Gera d'Adda BG 21 F 10
Misano Monte RN 41 K 19
Miscano AV 71 D 27
Misciano AR 45 L 17
Misegna MT 77 F 30
Miseno NA 69 E 24
Miseno (Capo) NA 69 E 24
Misericordia AR 50 L 17
Miserin (Lago) AO 19 F 4
Misilbesi (Portella) AG 97 O 20
Misilmeri PA 98 M 22
Misinto MI 21 F 9
Missaglia LC 21 E 10
Missanello PZ 77 G 30
Misserio ME 90 N 27
Missian / Missiano BZ 3 C 15
Missiano PG 51 M 18
Missiano / Missian BZ 3 C 15
Misterbianco CT 100 O 27
Mistras (Stagno di) OR 114 H 7
Mistretta ME 99 N 25
Misurina BL 4 C 18
Misurina (Lago di) BL 4 C 18
Mittertal / Val di Mezzo BZ 3 B 16
Mittewald / Mezzaselva BZ 3 B 16
Mizofato CS 85 I 31
Mizzole VR 23 F 15
Mocasina BS 22 F 13
Mocchie TO 18 G 3
Moccone CS 86 I 31
Moda (Pizzo della) ME 90 M 28
Modditzi (Punta sa) SU 119 I 10
Modena MO 31 I 14
Modesti (Masseria) BA 72 E 31
Modica RG 106 Q 26
Modica (Villa) RG 107 Q 26
Modigliana FO 40 J 17
Modione TP 97 O 20
Modolena RE 31 I 13
Modolo OR 114 G 7
Modugno BA 73 D 32
Mölten / Meltina BZ 3 C 15
Moena TN 12 C 16
Möseler / Mesule BZ 4 B 17
Moggio LC 9 E 10
Moggio Udinese UD 14 C 21
Moggiona AR 44 K 17
Moglia MN 31 H 14
Mogliano MC 52 M 22
Mogliano Veneto TV 25 F 18
Mogorella OR 115 H 8
Mogoro OR 118 H 8
Mogoro (Rio) OR 118 H 8
Moi (Col de) TV 13 D 18
Moiano PG 51 M 18
Moiano BN 70 D 25
Moiano NA 74 F 25
Moiazza (Monte) BL 12 C 18
Moie AN 46 L 21
Moimacco UD 15 D 22
Moio (Monte) SA 76 E 28
Moio Alcantara ME 100 N 27
Moio della Civitella SA 76 G 27
Moiola CN 34 J 4
Mola di Bari BA 73 D 33
Molara (Isola) SS 113 E 11
Molare AL 28 I 7
Molaro RC 90 N 29
Molassana GE 36 I 8
Molazzana LU 38 J 13
Molella LT 68 S 21
Molentina NU 117 G 10
Molentis (Punta) SU 119 J 10
Molfetta BA 73 D 31
Molfetta (Pulo di) BA 73 D 31
Molina PG 52 M 20
Molina TN 12 D 16
Molina Aterno AQ 60 P 23
Molina di Ledro TN 11 E 14
Molinaccio RA 41 I 18
Molinara BN 70 D 26
Molinatico (Monte) MS 38 I 11
Molinazzo PC 29 H 10
Molinella BO 32 I 17
Molinetto BS 22 F 13
Molini AL 28 I 8
Molini VI 23 E 15
Molini di Triora IM 35 K 5
Molini di Tures / Mühlen BZ 4 B 17
Molino dei Torti AL 28 G 8
Molino del Piano FI 40 K 16
Molino di Bascio PS 45 K 18
Molise CB 65 R 25
Moliterno PZ 77 G 29
Molla (Capo) SS 108 D 6
Molleone PS 46 L 20
Molli SI 49 M 15
Mollia VC 19 E 6
Mollières TO 26 H 2
Mollo FR 64 Q 23
Molochio RC 91 M 30
Molteno LC 21 E 9
Moltrasio CO 9 E 9
Molvena VI 24 E 16
Molveno TN 11 D 14
Molveno (Lago di) TN 11 D 14
Mombaldone AT 28 I 6
Mombarcaro CN 27 I 6
Mombaroccio PS 46 K 20
Mombaruzzo AT 28 H 7
Mombasiglio CN 35 I 5
Mombello Monferrato AL 28 G 6
Mombercelli AT 28 H 6
Momo NO 20 F 7
Mompantero TO 18 G 3
Mompiano BS 22 F 12
Monaci (Isole) SS 109 D 10
Monaci (Lago dei) LT 63 R 20
Monaci (Masseria) TA 73 E 33
Monacilioni CB 65 R 26
Monacizzo TA 79 G 34
Monaco Cappelli (Masseria) FG 66 C 28
Monaco (Monte) TP 97 M 20
Monale AT 27 H 6
Monasterace RC 89 L 31
Monasterace Marina RC 89 L 31
Monasteri SR 105 P 27
Monastero MC 52 M 21
Monastero Bormida AT 28 I 6
Monastero di Vasco CN 35 I 5
Monasterolo CR 22 G 12
Monasterolo del Castello BG 22 E 11
Monasterolo di Savigliano CN 27 H 4
Monastier di Treviso TV 16 F 19
Monastir SU 119 I 9
Monate (Lago di) VA 20 E 8
Monbello di Torino TO 27 G 5
Moncalieri TO 27 G 5
Moncalvo AT 28 G 6
Moncenisio TO 18 G 2
Monchio MO 39 I 13
Monchio delle Corti PR 38 I 12
Moncioni AR 44 L 16
Monclassico TN 11 C 14
Moncolombone TO 19 G 4
Moncrivello VC 19 G 6
Moncucco Torinese AT 27 G 5
Mondaino RN 41 K 20
Mondalavia CN 27 I 5
Mondanica-Viola RA 40 I 17
Mondavio PS 46 K 20
Mondello PA 97 M 21
Mondole (Monte) CN 35 J 5
Mondolfo PS 46 K 21
Mondovì CN 35 I 5
Mondragone CE 69 D 23
Mondrone TO 18 G 3
Monega (Monte) IM 35 J 5
Moneglia GE 37 J 10
Mónesi di Triora IM 35 J 5
Monesiglio CN 27 I 6
Monestirolo FE 32 H 17
Moneta SS 109 D 10
Monfalcon di Montanaia PN 13 C 19
Monfalcone GO 17 E 22
Monferrato AT 27 H 5
Monforte d'Alba CN 27 I 5
Monforte S. Giorgio ME 90 M 28
Monfret (Cima) TO 18 F 3
Mongardino AT 27 H 6
Mongardino BO 39 I 15
Mongerati PA 99 N 23
Monghidoro BO 40 J 15
Mongia CN 35 I 5
Mongiana VV 88 L 30
Mongiardino Ligure AL 29 I 9
Mongioia CN 26 I 2
Mongioie (Monte) CN 35 J 5
Mongiuffi ME 90 N 27
Mongrando BI 19 F 6
Monguelfo / Welsberg BZ 4 B 18
Moniga del Garda BS 23 F 13
Monna Casale (Monte) FR 64 R 23
Monno BS 10 D 13
Monopoli BA 80 E 33
Monreale SU 118 I 8
Monreale PA 97 M 21
Monreale (Castellaccio di) PA 97 M 21
Monrupino TS 17 E 23
Monsampietro Morico AP 53 M 22
Monsampolo di Tronto AP 53 N 23
Monsano AN 46 L 21

141

Monselice PD 24 G 17
Monserrato CA 119 J 9
Monsignore (Casino di) BA 72 D 31
Monsola CN 27 I 4
Monsole VE 25 G 18
Monsummano Terme PT 39 K 14
Monta CN 27 H 5
Montabone AT 28 H 7
Montacuto AL 29 H 9
Montacuto AN 47 L 22
Montafia AT 27 G 6
Montagano CB 65 R 26
Montagna AR 45 L 18
Montagna CS 84 H 29
Montagna (Cozzo) AG 103 P 23
Montagna Grande AQ 64 Q 23
Montagna / Montan BZ 12 D 15
Montagnana FI 43 K 15
Montagnana PD 24 G 16
Montagnano AR 50 L 17
Montagnareale ME 100 M 26
Montagnola AQ 64 Q 23
Montagnola (Monte) SI 49 M 15
Montagnone (il) AV 71 E 27
Montagnone-Sonico BS 22 F 12
Montaguto AV 71 D 27
Montaione FI 43 L 14
Montalbano BR 80 E 34
Montalbano RN 41 J 19
Montalbano Elicona ME 100 M 27
Montalbano FE 32 H 16
Montalbano Ionico MT 78 G 31
Montalbo PC 29 H 10
Montalcinello SI 49 M 15
Montalcino SI 50 M 16
Montaldeo AL 28 H 8
Montaldo di Cosola AL 29 H 9
Montaldo di Mondovì CN 35 J 5
Montaldo Roero CN 27 H 5
Montaldo Scarampi AT 28 H 6
Montale SP 37 J 10
Montale MO 31 I 14
Montale PT 39 K 15
Montalenghe TO 19 G 5
Montalfoglio PS 46 L 20
Montali PG 51 M 18
Montallegro AG 102 O 22
Montaltino BA 72 D 30
Montaltino FG 67 C 29
Montalto FO 41 K 18
Montalto IS 65 Q 24
Montalto RE 31 I 13
Montalto (Monte) RC 90 M 29
Montalto di Castro VT 57 O 16
Montalto di Marche AP 53 N 22
Montalto Marina VT 57 P 16
Montalto Dora TO 19 F 5
Montalto Ligure IM 35 K 5
Montalto Pavese PV 29 H 9
Montalto Uffugo CS 86 I 30
Montan / Montagna BZ 12 D 15
Montanara MN 31 G 14
Montanari RA 41 J 18
Montanaro CE 69 D 24
Montanaro PC 30 H 11
Montanaro TO 19 G 5
Montanaso Lombardo LO 21 F 10
Montanello (Pizzo) PA 97 M 21
Montanera CN 27 I 4
Montano Antilia SA 76 G 28
Montaperto AG 102 P 22
Montappone AP 52 M 22
Montaquila IS 64 R 24
Montardone MO 39 I 14
Montarso / Feverstein BZ 3 B 15
Montasio (Jôf di) UD 15 C 22
Montasola RI 58 O 20
Montata RE 30 I 13
Montauro CZ 88 K 31
Montazzoli CH 61 Q 25
Monte Amiata SI 50 N 16
Monte Antico GR 50 N 16
Monte Bianco AO 6 E 2
Monte Bianco (Traforo del) AO 6 E 2
Monte Buono PG 51 M 18
Monte Calderaro BO 40 I 16
Monte Casale (Convento di) AR 45 L 18
Monte Castello di Vibio PG 51 N 19
Monte Catone BO 40 I 16
Monte Cavallo MC 52 N 20
Monte Cerignone PS 41 K 19
Monte Codruzzo FO 41 J 18
Monte Corona PG 51 M 19
Monte Cotugno (Lago di) PZ 77 G 31
Monte Croce TN 12 D 17
Monte Croce Carnico (Passo di) / Plöckenpaß UD 5 C 20
Monte Croce di Comelico (Passo di) / Kreuzbergpass BL 5 C 19
Monte Cucco GR 50 N 15
Monte d'Accoddi SS 110 E 7
Monte del Lago PG 51 M 18
Monte di Malo VI 24 F 16
Monte di Procida NA 69 E 24
Monte Domenico GE 37 J 10
Monte Falterona, Campigna e delle Foreste Casentinesi AR 40 K 17
Monte Giberto AP 53 M 22
Monte Giovo (Passo di) / Jaufenpaß BZ 3 B 15
Monte Grande LT 64 S 22
Monte Gridolfo RN 41 K 20
Monte Grimano PS 41 K 19
Monte Isola BS 22 E 12
Monte Lattaia GR 49 N 15
Monte Livata RM 63 Q 21
Monte Maria (Abbazia di) BZ 2 B 13
Monte Mario RM 62 Q 19
Monte Martello PS 46 L 20
Monte Melino PG 51 M 18
Monte Nai SU 119 J 10
Monte Nero (Rif.) TO 26 H 2
Monte Nieddu CA 118 J 8
Monte Ombraro MO 39 I 15
Monte Orsello MO 39 I 14
Monte Paganuccio PS 46 L 20
Monte Petrosu SS 113 E 10
Monte Porzio PS 46 K 21
Monte Porzio Catone RM 63 Q 20
Monte Pranu (Lago di) SU 118 J 7
Monte Rinaldo AP 53 M 22
Monte Roberto AN 46 L 21
Monte Romano VT 57 P 17
Monte Rosa AO 7 E 5
Monte Rota / Radsberg BZ 4 B 18
Monte Sacro RM 62 Q 19
Monte S. Angelo FG 67 B 29
Monte S. Biagio LT 63 R 22
Monte S. Giacomo SA 76 F 28
Monte S. Giovanni BO 39 I 15
Monte S. Giovanni Campano FR 64 R 22
Monte S. Giovanni in Sabina RI 58 P 20
Monte S. Giusto MC 53 M 22
Monte Sta Maria Tiberina PG 45 L 18
Monte Ste Marie SI 50 M 16
Monte S. Martino MC 52 M 22
Monte S. Pietrangeli AP 53 M 22
Monte S. Pietro BO 39 I 15
Monte S. Pietro / Petersberg BZ 12 C 16
Monte S. Savino AR 50 M 17
Monte S. Vito AN 46 L 21
Monte S. Vito PG 52 N 20
Monte Santu (Capo di) NU 117 G 11
Monte Scuro (Valico di) CS 86 I 31
Monte Senario (Convento di) FI 40 K 16
Monte Sirai SU 118 J 7
Monte Sopra Rondine AR 44 L 17
Monte Terlago TN 11 D 15
Monte Urano AP 53 M 23
Monte Vergine (Santuario di) AV 70 E 26
Monte Vidon Combatte AP 53 M 22
Monte Vidon Corrado AP 52 M 22
Montea CS 85 I 29
Monteacuto delle Alpi BO 39 J 14
Monteacuto Ragazza BO 39 J 15
Monteacuto Vallese BO 39 J 15
Monteaperta UD 15 D 21
Monteaperti SI 50 M 16
Montebamboli GR 49 M 14
Montebaranzone MO 39 I 14
Montebello RN 41 K 19
Montebello PS 46 K 20
Montebello VT 57 P 17
Montebello della Battaglia PV 29 G 9
Montebello di Bertona PE 60 O 23
Montebello Ionico RC 90 N 29
Montebello sul Sangro CH 60 Q 24
Montebello Vicentino VI 24 F 16
Montebelluna TV 24 E 18
Montebenichi AR 44 L 16
Montebibico PG 58 O 20
Montebonello MO 39 I 14
Montebruno GE 29 I 9
Montebufo PG 52 N 21
Montebuono RI 58 O 19
Montebuono Alppato GR 50 N 16
Montecagnano SI 49 M 15
Montecagno RE 38 J 13
Montecalvello VT 57 O 18
Montecalvo in Foglia PS 41 K 19
Montecalvo Irpino AV 70 D 27
Montecalvo Versiggia PV 29 H 9
Montecampano TR 58 O 19
Montecanepino MC 47 L 22
Montecarelli FI 39 J 15
Montecarlo LU 39 K 14
Montecarlo (Convento) AR 44 L 16
Montecarotto AN 46 L 21
Montecarulli SI 43 L 14
Montecassiano MC 47 L 22
Montecassino (Abbazia di) FR 64 R 23
Montecastelli PG 51 L 18
Montecastelli Pisano PI 49 M 14
Montecastello AL 28 H 8
Montecastrilli TR 58 O 19
Montecatini Alto PT 39 K 14
Montecatini Terme PT 39 K 14
Montecatini Val di Cecina PI 43 L 14
Montecchia di Crosara VR 23 F 15
Montecchio AR 50 M 17
Montecchio PG 51 M 20
Montecchio PS 41 K 20
Montecchio TR 58 O 18
Montecchio Emilia RE 30 H 13
Montecchio Maggiore VI 24 F 16
Montecchio Precalcino VI 24 F 16
Montecelio RM 58 P 20
Montecerboli PI 49 M 14
Montecerreto MO 39 I 14
Montechiaro AG 103 P 23
Montechiaro d'Asti AT 27 G 6
Montechiaro Piana AL 28 I 7
Montechiarugolo PR 30 H 13
Monteciccardo PS 46 K 20
Montecilfone CB 65 Q 26
Montecompatri RM 63 Q 20
Montecontieri SI 50 M 16
Montecopiolo PS 41 K 19
Montecorice SA 75 G 26
Montecoronaro (Valico di) FO 45 K 18
Montecorvino Pugliano SA 75 E 26
Montecorvino Rovella SA 75 E 26
Montecosaro MC 53 M 22
Montecreto MO 39 J 14
Montecristo (Formica di) LI 54 O 12
Montecristo (Isola di) LI 54 O 12
Montecuccoli FI 39 J 15
Montedale PS 45 L 18
Montedinove AP 53 N 22
Montedoro CL 103 O 23
Montefalcione AV 70 E 26
Montefalco PG 51 N 19
Montefalcone PI 43 K 14
Montefalcone Appennino AP 52 N 22
Montefalcone di Val Fortore BN 70 D 27
Montefalcone nel Sannio CB 65 Q 25
Montefano MC 47 L 22
Montefegatesi LU 39 J 13
Montefelcino PS 46 K 20
Montefeltro PS 41 K 18
Monteferrante CH 60 Q 25
Montefiascone VT 57 O 18
Montefino TE 60 O 23
Montefiore Conca RN 41 K 19
Montefiore dell'Aso AP 53 M 23
Montefiorentino (Convento di) PS 45 K 19
Montefiorino MO 39 I 13
Montefiridolfi FI 43 L 15
Monteflavio RM 58 P 20
Montefollonico SI 50 M 17
Monteforte SS 110 E 6
Monteforte Cilento SA 76 F 27
Monteforte d'Alpone VR 23 F 15
Monteforte Irpino AV 70 E 26
Montefortino AP 52 N 22
Montefosca UD 15 D 22
Montefoscoli PI 43 L 14
Montefranco TR 58 O 20
Montefredane AV 70 E 26
Montefredente BO 39 J 15
Montefusco AV 70 D 26
Montegabbione TR 51 N 18
Montegalda VI 24 F 17
Montegaldella VI 24 F 17
Montegallo AP 52 N 21
Montegaudio PS 46 K 20
Montegelli FO 41 K 18
Montegemoli PI 49 M 14
Montegiordano CS 78 G 31
Montegiordano Marina CS 78 G 31
Montegiorgio AP 53 M 22
Montegiove TR 51 N 18
Montegiovi AR 45 L 17
Montegiovi GR 50 N 16
Montegonzi AR 44 L 16
Montegranaro AP 53 M 22
Montegrassano CS 85 I 30
Montegrazie IM 35 K 5
Montegrino Valtravaglia VA 8 E 8
Montegroppo PR 37 I 11
Montegrosso AT 27 H 6
Montegrosso BA 72 D 30
Montegrosso d'Asti AT 28 H 6
Montegrotto Terme PD 24 F 17
Monteguidi SI 49 M 15
Monteguiduccio PS 46 K 20
Monteiasi TA 79 F 34
Montelabate PG 51 M 19
Montelabbate PS 46 K 20
Montelabreve AR 45 K 18
Montelago AN 46 L 20
Montelaguardia CT 100 N 26
Montelanico RM 63 R 21
Monteleone PV 21 G 10
Monteleone di Fermo AP 53 M 22
Monteleone di Puglia FG 71 D 27
Monteleone di Spoleto PG 58 O 20
Monteleone d'Orvieto TR 51 N 18
Monteleone Rocca Doria SS 110 F 7
Monteleone Sabino RI 58 P 20
Montelepre PA 97 M 21
Monteleto PG 45 L 19
Montelibretti RM 58 P 20
Montelicciano PS 41 K 19
Montella AV 70 E 27
Montello (il) TV 25 E 18
Montelongo CB 66 B 26
Montelparo AP 53 M 22
Monteluco PG 52 N 20
Montelungo MS 38 I 11
Montelupo Albese CN 27 I 6
Montelupo Fiorentino FI 43 K 15
Montelupone MC 47 L 22
Montemaggio PS 41 K 19
Montemaggiore FO 40 J 17
Montemaggiore RM 58 P 20
Montemaggiore (vicino a Monteaperta) UD 15 D 22
Montemaggiore (vicino a Savogna) UD 15 D 22
Montemaggiore al Metauro PS 46 K 20
Montemaggiore Belsito PA 99 N 23
Montemagno AT 28 H 6
Montemale di Cuneo CN 26 I 4
Montemarano AV 70 E 26
Montemarcello SP 38 J 11
Montemarciano AN 46 L 21
Montemartano PG 51 N 19
Montemarzino AL 28 H 8
Montemassi GR 49 N 15
Montemerano GR 56 O 16
Montemesola TA 79 F 34
Montemignaio AR 44 K 16
Montemiletto AV 70 D 26
Montemilone PZ 72 D 29
Montemitro CB 65 Q 25
Montemonaco AP 52 N 21
Montemurlo PO 39 K 15
Montemurro PZ 77 G 29
Montenars UD 14 D 21
Montenero CS 87 J 31
Montenero FG 67 B 29
Montenero GR 50 N 16
Montenero LI 42 L 13
Montenero PG 51 N 19
Montenero SA 75 E 27
Montenero di Bisaccia CB 61 Q 26
Montenero (Portella di) PA 99 N 24
Montenero Sabino RI 58 P 20
Montenero Val Cocchiara IS 64 Q 24
Monteneroddomo CH 60 Q 24
Montenotte Superiore SV 36 I 7
Monteodorisio CH 61 P 25
Monteorsaro RE 38 J 13
Monteortone PD 24 F 17
Montepagano TE 53 N 23
Montepaone CZ 88 K 31
Montepaone Lido CZ 89 K 31
Monteparano TA 79 F 34
Montepastore BO 39 I 15
Montepescali GR 49 N 15
Montepescini SI 50 M 16
Montepiano PO 39 J 15
Monteponi SU 118 J 7
Monteponi (Lago) SU 118 I 7
Monteprandone AP 53 N 23
Montepulciano SI 50 M 17
Montepulciano (Lago di) SI 50 M 17
Montepulciano Stazione SI 50 M 17
Monterado AN 46 K 21
Monterappoli FI 43 K 14
Monterchi AR 45 L 18
Montereale AQ 59 O 21
Montereale FO 41 J 18
Montereale Valcellina PN 13 D 19
Montereggi FI 40 K 16
Montereggio MS 38 J 11
Monterenzio BO 40 J 16
Monteriggioni SI 43 L 15
Monteroduni IS 65 R 24
Monterolo PS 46 L 20
Monteroni d'Arbia SI 50 M 16
Monteroni di Lecce LE 81 G 36
Monterosi VT 58 P 18
Monterosi (Lago di) VT 58 P 18
Monterosso AN 46 L 20
Monterosso BZ 3 B 14
Monterosso al Mare SP 37 J 10
Monterosso Almo RG 104 P 26
Monterosso Calabro VV 88 K 30
Monterosso Grana CN 34 I 3
Monterotondo RM 58 P 19
Monterotondo Marittimo GR 49 M 14
Monterotondo Scalo RM 58 P 19
Monterubbiano AP 53 M 23
Monterubiaglio TR 51 N 18
Monteruga (Masseria) LE 79 F 35
Montesano Salentino LE 83 H 36
Montesano sulla Marcellana SA 76 G 29
Montesanto di Lussari UD 15 C 22
Montesarchio BN 70 D 25
Montesardo LE 83 H 37
Montescaglioso MT 78 F 32
Montescano PV 29 G 9
Montescudaio PI 49 M 13
Montescudo RN 41 K 19
Montese MO 39 J 14
Montesegale PV 29 H 9
Montesicuro AN 47 L 22
Montesilvano Marina PE 60 O 24
Montesoffio PS 45 K 19
Montesoro VV 88 K 30
Montespertoli FI 43 L 15
Montespluga SO 9 C 9
Montespluga (Lago di) SO 9 C 10
Monteti GR 56 O 16
Monteu Roero CN 27 H 5
Montevaca (Passo di) PR 29 I 10
Montevago AG 97 N 20
Montevarchi AR 44 L 16
Montevecchio SU 118 I 7
Monteveglio BO 39 I 15
Monteventano PC 29 H 10
Monteverde AV 71 D 28
Monteverdi Marittimo PI 49 M 14
Montevettolini PT 39 K 14
Monteviale VI 24 F 16
Montevitozzo GR 50 N 17
Montezemolo CN 35 I 6
Monti SS 112 E 9
Monti SI 44 L 16
Monti TO 18 G 4
Monti Sibillini (Parco Nazionale dei) AP 52 N 21
Montiano FO 41 J 18
Montiano GR 55 O 15
Monticano TV 16 E 19
Monticchiello SI 50 M 17
Monticchio AQ 59 P 22
Monticchio (Laghi di) PZ 71 E 28
Monticchio Bagni PZ 71 E 28
Monticelli FR 64 R 22
Monticelli d'Ongina PC 30 G 11
Monticelli Pavese PV 29 G 10
Monticelli Terme PR 30 H 13
Monticello GR 50 N 16
Monticello LC 21 E 9
Monticello PC 29 H 10
Montichiari BS 22 F 13
Monticiano SI 49 M 15
Montieri GR 49 M 15
Montiglio AT 27 G 6
Montignano AN 46 K 21
Montignoso MS 38 J 12
Montingegnoli SI 49 M 15
Montioni LI 49 M 14
Montirone BS 22 F 12
Montisi SI 50 M 16
Montjovet AO 19 E 5
Montjovet (Castello) AO 19 E 4
Montodine CR 21 G 11
Montoggio GE 29 I 9
Montone PG 45 L 18
Montone TE 53 N 23
Montone (Fiume) FO 40 J 17
Montone (Monte) BZ 4 B 18
Montoni-Vecchio AG 99 N 23
Montopoli di Sabina RI 58 P 20
Montopoli in Val d'Arno PI 43 K 14
Montorfano CO 21 E 9
Montorgiali GR 50 N 15
Montorio GR 50 N 17
Montorio VR 23 F 15
Montorio al Vomano TE 59 O 22
Montorio nei Frentani CB 66 B 26
Montorio Romano RM 58 P 20
Montoro AN 47 L 22
Montoro Inferiore AV 70 E 26
Montorsaio GR 49 N 15
Mont'Orso (Galleria di) LT 63 R 21
Montorso Vicentino VI 24 F 16
Montoso CN 26 H 3
Montottone AP 53 M 22
Montovolo BO 39 J 15
Montresta OR 114 F 7
Montù Beccaria PV 29 G 9
Monvalle VA 8 E 7
Monveso di Forzo AO 18 F 4
Monza MI 21 F 9
Monzambano MN 23 F 14
Monzone MS 38 J 12
Monzoni TN 12 C 17
Monzuno BO 39 J 15
Moos / S. Giuseppe BZ 4 B 19
Moos in Passeier / Moso in Passiria BZ 3 B 15
Morano Calabro CS 85 H 30
Morano sul Po AL 20 G 7
Moraro GO 17 E 22
Morasco (Lago di) VB 8 C 7
Morazzone VA 20 E 8
Morbegno SO 9 D 10
Morbello AL 28 I 7
Morcella PG 51 N 18
Morciano di Leuca LE 83 H 36
Morciano di Romagna RN 41 K 19
Morcone BN 65 R 25
Mordano BO 40 I 17
Morea (Masseria) BA 73 E 33
Morello EN 99 O 24
Morello (Monte) FI 39 K 15

A B C D E F G H I J K L M N O P Q R S T U V W X Y Z

142
A B C D E F G H I J K L M N O P Q R S T U V W X Y Z

Morena PG 45 L 19
Morena RM 62 Q 19
Morengo BG 21 F 11
Moreri ME 100 M 27
Mores SS 111 F 8
Moresco AP 53 M 23
Moretta CN 27 H 4
Morfasso PC 29 H 11
Morgantina EN 104 O 25
Morgex AO 18 E 3
Morgonaz AO 18 E 4
Morgongiori OR 115 H 8
Mori TN 11 E 14
Moria PS 45 L 19
Moriago della Battaglia TV 13 E 18
Moricone RM 58 P 20
Morigerati SA 76 G 28
Morimondo MI 20 F 8
Morino AQ 64 Q 22
Morleschio PG 51 M 19
Morlupo RM 58 P 19
Mormanno CS 85 H 29
Mornago VA 20 E 8
Mornese AL 28 I 8
Mornico Losana PV 29 G 9
Moro CH 60 P 25
Moro (Monte) RI 59 P 21
Moro (Monte) SS 109 D 10
Moro (Passo di Monte) VB 7 E 5
Moro (Sasso) SO 10 D 11
Morolo FR 63 R 21
Morone (Colle) VV 88 L 30
Moronico RA 40 J 17
Morozzo CN 35 I 5
Morra PG 45 L 18
Morra De Sanctis AV 71 E 27
Morra (Monte) RM 58 P 20
Morrano Nuovo TR 51 N 18
Morre TR 51 N 19
Morrea (Forchetta) AQ 64 Q 22
Morrice TE 52 N 22
Morro d'Alba AN 46 L 21
Morro d'Oro TE 53 O 23
Morro (Monte del) ME 100 N 26
Morro Reatino RI 58 O 20
Morrone (Montagne del) PE 60 P 23
Morrone (Monte) AQ 60 P 23
Morrone del Sannio CB 65 Q 26
Morrovalle MC 53 M 22
Morsano al Tagliamento PN 16 E 20
Morsasco AL 28 I 7
Mortara PV 20 G 8
Mortegliano UD 16 E 21
Mortelle ME 90 M 28
Morter BZ 3 C 14
Morterone LC 9 E 10
Mortizza PC 29 G 11
Mortizzuolo MO 31 H 15
Morto (Lago) TV 13 D 18
Morto di Primaro FE 32 H 16
Morto (Portella del) CL 99 O 24
Mortola Inferiore IM 35 K 4
Mortorio (Isola) SS 109 D 10
Moscazzano CR 21 G 11
Moschella FG 72 D 29
Moscheta FI 40 J 16
Moschiano AV 70 E 25
Moschin (Col) VI 12 E 17
Mosciano S. Angelo TE 53 N 23
Moscufo PE 60 O 24
Mosio MN 30 G 13
Moso in Passiria / Moos in Passeier BZ 3 B 15
Mosorrofa RC 90 M 29
Mossa GO 17 E 22
Mosso Sta Maria BI 19 F 6
Mosson VI 24 E 16
Mostri (Parco dei) VT 57 O 18
Moticella RC 91 M 30
Mòtola (Monte) SA 76 F 28
Motta MO 31 H 14
Motta VI 24 F 16
Motta Baluffi CR 30 G 12
Motta Camastra ME 101 N 27
Motta d'Affermo ME 99 N 24
Motta de Conti VC 20 G 7
Motta di Livenza TV 16 E 19
Motta Montecorvino FG 66 C 27
Motta S. Anastasia CT 100 O 26
Motta S. Giovanni RC 90 M 29
Motta Sta Lucia CZ 86 J 30
Motta Visconti MI 21 G 8
Mottafollone CS 85 I 30
Mottalciata BI 20 F 6
Mottarone VB 8 E 7
Mottaziana PC 29 G 10
Motteggiana MN 31 G 14
Mottola TA 78 F 33
Mottorra NU 117 G 10
Mozia TP 96 N 19
Mozzagrogna CH 61 P 25
Mozzanica BG 21 F 11
Mozzate CO 20 E 8
Mozzecane VR 23 G 14
Muccia MC 52 M 21
Mucone CS 85 I 30
Mucone (Lago di) CS 86 I 31
Mucrone (Monte) BI 19 F 5
Mühlbach / Rio di Pusteria BZ 4 B 16
Mühlbach / Riomolino BZ 4 B 17
Mühlen / Molini di Tures BZ 4 B 17
Mühlwald / Selva dei Molini BZ 4 B 17
Mugello (Autodromo Internazionale del) FI 40 K 16
Muggia TS 17 F 23
Muggia (Baia di) TS 17 F 23
Muglia EN 100 O 26
Mugnai BL 12 D 17
Mugnano PG 51 M 18
Mugnano del Cardinale AV 70 E 25
Mugnano di Napoli NA 69 E 24
Mugnano in Teverina VT 58 O 18
Mugnone FI 40 K 15
Mugnone (Punta) TP 96 N 18
Mulargia SU 119 H 9
Mulargia (Lago di) SU 119 I 9
Mulazzano LO 21 F 10
Mulazzano PR 30 I 12
Mulazzo MS 38 J 11
Mules / Mauls BZ 3 B 16
Mulinello EN 104 O 25
Mulino di Arzachena SS 109 D 10
Multeddu SS 111 E 8
Mumullonis (Punta) SU 118 I 7
Muntiggioni SS 108 E 8
Mura BS 22 E 13
Muraglione (Passo del) FI 40 K 16
Murano VE 25 F 19
Muravera SU 119 I 10
Murazzano CN 27 I 6
Murci GR 50 N 16
Murello CN 27 H 4
Murera SU 119 H 9
Muretto (Passo del) SO 10 C 11
Murgetta BA 72 E 31
Muri (Necropoli di li) SS 109 D 9
Murialdo SV 35 J 6
Muris UD 14 D 20
Murisengo AL 27 G 6
Murittu (Punta) NU 117 F 10
Murlo SI 50 M 16
Muro Leccese LE 83 G 37
Muro Lucano PZ 71 E 28
Muros SS 110 E 7
Murro di Porco (Capo) SR 105 P 28
Murta Maria SS 113 E 10
Murtazzolu NU 115 G 8
Musano TV 25 E 18
Muscletto UD 16 E 21
Musei SU 118 J 8
Musellaro PE 60 P 23
Musi UD 15 D 21
Musignano VA 8 D 8
Musignano VT 57 O 17
Musile di Piave VE 16 F 19
Musone MC 46 L 21
Mussolente VI 24 E 17
Mussomeli CL 99 O 23
Muta (Lago di) BZ 2 B 13
Mutignano TE 60 O 24
Mutria (Monte) BN 65 R 25
Muxarello AG 102 O 22
Muzza (Canale) MI 21 F 10
Muzza S. Angelo LO 21 G 10
Muzzana del Turgnano UD 16 E 21

N

Nago TN 11 E 14
Nai (Monte) SU 119 J 10
Naia PG 51 N 19
Nälles / Nals BZ 3 C 15
Nals / Nälles BZ 3 C 15
Nambino (Monte) TN 11 D 14
Nanno TN 11 D 15
Nanto VI 24 F 16
Napola TP 96 N 19
Napoli NA 69 E 24
Napoli-Capodichino (Aeroporto) NA 69 E 24
Napoli (Golfo di) NA 69 E 24
Narba (Monte) SU 119 I 10
Narbolia OR 114 G 7
Narcao SU 118 J 8
Narcao (Monte) SU 118 J 7
Nardis (Cascata di) TN 11 D 14
Nardo LE 83 G 36
Nardodipace VV 88 L 31
Nardodipace Vecchio VV 88 L 31
Naregno LI 48 N 13
Narni TR 58 O 19
Narni Scalo TR 58 O 19
Naro AG 103 P 23
Naro (Fiume) AG 103 P 23
Naro (Portella di) AG 103 P 23
Narzole CN 27 I 5
Nasino SV 35 J 6
Naso ME 100 M 26
Naso (Fiume di) ME 100 M 26
Naßfeld-Paß / Pramollo (Passo di) UD 15 C 21
Natile Nuovo RC 91 M 30
Natisone UD 15 D 22
Naturno / Naturns BZ 3 C 15
Naturns / Naturno BZ 3 C 15
Natz / Naz BZ 4 B 17
Nava IM 35 J 5
Nava (Colle di) IM 35 J 5
Navacchio PI 42 K 13
Nave BS 22 F 12
Nave (Monte La) CT 100 N 26
Nave S. Felice TN 11 D 15
Navelli AQ 60 P 23
Navene VR 23 E 14
Navene (Bocca di) VR 23 E 14
Navicello MO 31 H 14
Navone (Monte) EN 104 O 24
Naxos ME 90 N 27
Naz / Natz BZ 4 B 17
Nazzano RM 58 P 19
Nazzano PV 29 H 9
Nebbiano AN 46 L 20
Nebbiuno NO 20 E 7
Nebida SU 118 J 7
Nebin (Monte) CN 26 I 3
Nebius (Monte) CN 34 I 3
Nebrodi ME 100 N 25
Negra (Punta) SS 108 E 6
Negrar VR 23 F 14
Neirone GE 37 I 9
Neive CN 27 H 6
Nembro BG 22 E 11
Nemi RM 63 Q 20
Nemi (Lago di) RM 63 Q 20
Nemoli PZ 77 G 29
Neoneli OR 115 G 8
Nepi VT 58 P 19
Nera PG 52 N 20
Nera (Croda) BZ 4 B 18
Nera (Punta) AO 19 F 4
Nera (Punta) LI 48 N 12
Nera (Punta) NU 117 F 11
Nerbisci PG 45 L 19
Nercone (Monte su) NU 117 G 10
Nereto TE 53 N 23
Nerina (Val) PG 52 N 20
Nero (Capo) IM 35 K 5
Nero (Monte) CT 100 N 27
Nero (Sasso) SO 10 D 11
Nero (Sasso) / Schwarzenstein BZ 4 A 17
Nerola RM 58 P 20
Nerone (Monte) PS 45 L 19
Nervesa d. Battaglia TV 25 E 18
Nervi GE 37 I 9
Nervia (Torrente) IM 35 K 4
Nervia (Val) IM 35 K 4
Nerviano MI 21 F 8
Nery (Monte) AO 19 E 5
Nespoledo UD 16 E 21
Nespolo RI 59 P 21
Nesso CO 9 E 9
Nestore (vicino a Marsciano) PG 51 N 18
Nestore (vicino a Trestina) PG 45 L 18
Neto CS 87 J 31
Netro BI 19 F 5
Nettuno RM 62 R 19
Nettuno (Grotta di) SS 110 F 6
Neumarkt / Egna BZ 11 D 15
Neurateis / Rattisio Nuovo BZ 3 B 14
Neustift / Novacella BZ 4 B 16
Neva (Torrente) SV 35 J 6
Neva (Val) SV 35 J 6
Nevea (Passo di) UD 15 C 22
Nevegal BL 13 D 18
Néves (Lago di) BZ 4 B 17
Neviano LE 83 G 36
Neviano de' Rossi PR 30 I 12
Neviano degli Arduini PR 30 I 12
Neviera (Serra la) PZ 77 F 29
Nevola AN 46 L 21
Niardo BS 10 E 13
Nibbia NO 20 F 7
Nibbiaia LI 42 L 13
Nibbiano PC 29 H 10
Nicà CS 87 I 32
Nica (I. di Pantelleria) TP 96 Q 17
Nicastro CZ 88 K 30
Niccioleta GR 49 M 14
Niccone PG 51 M 18
Niccone (Torrente) PG 51 M 18
Nichelino TO 27 H 4
Nicola Bove (Monte) SU 119 J 10
Nicola (Monte) FG 67 B 30
Nicoletti (Lago) EN 99 O 24
Nicolosi CT 100 O 27
Nicorvo PV 20 G 8
Nicosia EN 100 N 25
Nicotera VV 88 L 29
Nicotera Marina VV 88 L 29
Nieddu (Monte) SS 113 E 10
Nieddu di Ottana (Monte) NU 115 G 9
Niederdorf / Villabassa BZ 4 B 18
Niel AO 19 E 5
Niella Belbo CN 27 I 6
Niella Tanaro CN 35 I 5
Nigra (Passo) BZ 3 C 16
Nimis UD 15 D 21
Ninfa LT 63 R 20
Niovole PT 39 K 14
Nirano MO 31 I 14
Niscemi CL 104 P 25
Nisida (Isola di) NA 69 E 24
Nissoria EN 100 O 25
Niviano PC 29 H 10
Niviere (Pizzo dello) TP 97 M 20
Nivolet (Colle del) TO 18 F 3
Nizza di Sicilia ME 90 N 28
Nizza Monferrato AT 28 H 7
Noale VE 25 F 18
Noasca TO 18 F 3
Nocara CS 78 G 31
Nocchi LU 38 K 13
Nocciano PE 60 O 23
Noce PZ 77 G 29
Noce TN 11 C 14
Nocelleto CE 69 D 24
Nocera Inferiore SA 75 E 25
Nocera Superiore SA 75 E 26
Nocera Terinese CZ 86 J 30
Nocera Umbra PG 52 M 20
Noceto PR 30 H 12
Noci BA 73 E 33
Nociara EN 104 O 24
Nociazzi PA 99 N 24
Nociglia LE 83 G 36
Noepoli PZ 77 G 30
Nogara VR 23 G 15
Nogarè TV 24 E 18
Nogaro UD 17 E 21
Nogarole Rocca VR 23 G 14
Nogarole Vicentino VI 23 F 15
Nogheredo PN 13 D 19
Nogna PG 45 L 19
Noha LE 83 G 36
Noicattaro BA 73 D 32
Nola NA 70 E 25
Nole TO 19 G 4
Noli SV 36 J 7
Noli (Capo di) SV 36 J 7
Nomi TN 11 E 15
Non (Val di) TN 11 D 15
Nona BG 10 D 12
Nonantola MO 31 H 15
None TO 27 H 4
Nongruella UD 15 D 21
Nonio VB 8 E 7
Nora CA 121 J 9
Noragugume NU 115 G 8
Norba LT 63 R 20
Norbello OR 115 G 8
Norchia VT 57 P 17
Norcia PG 52 N 21
Nordio-Deffar (Rif.) UD 15 C 22
Norge Polesine RO 33 G 18
Norma LT 63 R 20
Nortiddi NU 113 F 10
Nosate MI 20 F 8
Nosedole MN 31 G 14
Nostra Signora de Cabu Abbas SS 111 F 8
Nostra Signora della Solitudine NU 116 G 10
Nostra Signora di Bonaria SS 111 E 8
Nostra Signora di Castro SS 111 E 9
Nostra Signora di Gonari NU 115 G 9
Nostra Signora di Monserrato NU 117 G 10
Nostra Signora di Montallegro GE 37 I 9
Notaresco TE 53 O 23
Noto SR 105 Q 27
Noto (Golfo di) SR 107 Q 27
Noto Antica SR 105 Q 27
Notteri (Stagno) SU 119 J 10
Nova Levante / Welschnofen BZ 12 C 16
Nova Milanese MI 21 F 9
Nova Ponente / Deutschnofen BZ 12 C 16
Nova Siri MT 78 G 31
Nova Siri Marina MT 78 G 31
Novacella / Neustift BZ 4 B 16
Novafeltria PS 41 K 18
Novale VI 23 F 15
Novale / Rauth BZ 12 C 16
Novaledo TN 12 D 16
Novalesa TO 18 G 3
Novara NO 20 F 7
Novara di Sicilia ME 101 M 27
Novate Mezzola SO 9 D 10
Novate Milanese MI 21 F 9
Nove VI 24 E 17
Novegigola MS 38 J 11
Noveglia PR 29 I 11
Novegno (Monte) VI 24 E 15
Novellara RE 31 H 14
Novello CN 27 I 5
Noventa di Piave VE 16 F 19
Noventa Padovana PD 24 F 17
Noventa Vicentina VI 24 G 16
Novi di Modena MO 31 H 14
Novi Ligure AL 28 H 8
Novi Velia SA 76 G 27
Noviglio MI 21 F 9
Novoli LE 81 F 36
Nozza BS 22 E 13
Nozzano LU 38 K 13
Nubia TP 96 N 19
Nuccio TP 96 N 19
Nucetto CN 35 I 6
Nuchis SS 109 E 9
Nudo (Col) PN 13 D 19
Nughedu di S. Nicolò SS 111 F 9
Nughedu Sta Vittoria OR 115 G 8
Nugola LI 42 L 13
Nule SS 111 F 9
Nulvi SS 111 E 8
Numana AN 47 L 22
Nunziata CT 101 N 27
Nuoro NU 115 G 9
Nuova Bisaccia AV 71 D 28
Nuova Olonio SO 9 D 10
Nuovo (Ponte) FG 71 D 28
Nuracciolu (Punta) SU 118 I 7
Nurachi OR 114 H 7
Nuradeo OR 114 G 7
Nuraghi (Valle dei) SS 111 F 8
Nuragus CA 115 H 9
Nurallao CA 115 H 9
Nuraminis SU 118 I 9
Nuraxi (Su) (Barumini) SU 118 H 8
Nuraxi de Mesu (Valico) SU 120 K 8
Nuraxi Figus SU 118 J 7
Nure PC 29 H 11
Nureci OR 115 H 8
Nuria (Monte) RI 59 O 21
Nurri SU 119 H 9
Nurri (Cantoniera di) SU 119 H 9
Nus AO 19 E 4
Nuschele (Monte) NU 115 F 9
Nusco AV 71 E 27
Nusenna SI 44 L 16
Nuvolato MN 31 G 15
Nuvolau (Rifugio) BL 4 C 18
Nuvolento BS 22 F 13
Nuvolera BS 22 F 13
Nuxis SU 118 J 8

O

Ober Wielenbach / Vila di Sopra BZ 4 B 17
Oberbozen / Soprabolzano BZ 3 C 16
Obereggen / S. Floriano BZ 12 C 16
Obolo PC 29 H 10
Oca RO 33 H 18
Occhieppo BI 19 F 6
Occhiobello RO 32 H 16
Occhione (Punta) SS 109 D 10
Occhito (Lago di) FG 66 C 26
Occimiano AL 28 G 7
Oclini (Passo di) BZ 12 C 16
Ocre AQ 59 P 22
Ocre RI 58 O 20
Ocre (Monte) AQ 59 P 22
Odalengo Grande AL 27 G 6
Oderzo TV 16 E 19
Odle (le) / Geislerspitze BZ 4 C 17
Odolo BS 22 F 13
Oes SS 111 F 8
Ofanto AV 71 E 28
Ofanto (Foce dell') FG 72 C 30
Ofen / Forno (Monte) UD 15 C 23
Ofena AQ 60 P 23
Offagna AN 47 L 22
Offanengo CR 21 F 11
Offida AP 53 N 23
Offlaga BS 22 F 12
Oggia (Colle di) IM 35 K 5
Oggiono LC 21 E 10
Ogliastra NU 117 H 10
Ogliastra (Isola dell') NU 117 H 11
Ogliastro Cilento SA 75 F 27
Ogliastro (Lago di) EN 104 O 25
Ogliastro Marina SA 75 G 26
Oglio BS 10 D 13
Ogliolo BS 10 D 12
Ogna (Monte) SA 76 E 28
Ognina SR 105 Q 27
Ognina (Capo) SR 105 Q 27
Ognio GE 37 I 9
Ognissanti BA 73 D 32
Oisternig (Monte) UD 15 C 22
Ola NU 115 G 9
Olang / Valdaora BZ 4 B 18
Olbia SS 109 E 10
Olbia (Golfo di) SS 109 E 10
Olbicella AL 28 I 7
Olcenengo VC 20 F 6
Olcio LC 9 E 9
Olda BG 9 E 10
Oleggio NO 20 F 7
Oleggio Castello NO 20 E 7
Oleis UD 15 D 22
Olengo NO 20 F 7
Olevano di Lomellina PV 20 G 8
Olevano Romano RM 63 Q 21
Olevano sul Tusciano SA 75 F 27
Olgiasca LC 9 D 9
Olgiata RM 58 P 19
Olgiate Comasco CO 21 E 8
Olgiate Molgora LC 21 E 10
Olgiate Olona VA 20 F 8
Olginate LC 21 E 10
Olia (Monte) SS 112 E 10
Olia Speciosa SU 119 J 10
Oliena NU 117 G 10
Oliena (Rio d') NU 116 G 10
Olinie (Monte) NU 117 G 10
Olivadi CZ 88 K 31
Olivarella ME 95 M 27
Oliveri ME 100 M 27
Oliveto RC 90 M 29
Oliveto AR 44 L 17
Oliveto BO 39 I 15
Oliveto (Masseria) BA 72 E 30
Oliveto Citra SA 76 E 27
Oliveto Lario LC 9 E 9
Oliveto Lucano MT 77 F 30
Oliveto Maggiore (Abbazia di Monte) SI 50 M 16
Olivetta IM 34 K 4
Olivieri (Masseria) BA 72 E 31
Olivo EN 104 O 24
Olivo (Ponte) CL 104 P 24
Olivola MS 38 J 12
Ollastra Simaxis OR 115 H 8
Ollastu SU 119 I 10
Olle TN 12 D 16
Ollolai NU 115 G 9
Ollomont AO 6 E 3
Olmedo SS 110 F 7
Olmeneta CR 22 G 12
Olmi PT 39 K 14
Olmi (Monte degli) BZ 3 C 14
Olmo AR 44 L 17
Olmo FI 40 K 16
Olmo RE 30 H 13
Olmo SO 9 C 10
Olmo TV 24 E 17
Olmo VI 24 F 16

143

Olmo al Brembo BG 9 E 10
Olmo Gentile AT 28 I 6
Olona VA 20 E 8
Olonia MI 21 F 9
Olpeta VT 57 O 17
Oltre il Colle BG 10 E 11
Oltre Vara SP 37 J 11
Olza PC 30 G 11
Olzai NU 115 G 9
Ombrone (vicino a Grosseto) SI 50 M 16
Ombrone(vicino a Pistoia) PT 39 K 14
Ome BS 22 F 12
Omegna VB 8 E 7
Omignano SA 75 G 27
Omignano Scalo SA 75 G 27
Omodeo (Lago) OR 115 G 8
Onamarra (Punta) NU 117 G 10
Onani NU 113 F 10
Onano VT 50 N 17
Onara PD 24 F 17
Oncino CN 26 H 3
Oneglia IM 35 K 6
Ongaro VI 24 E 15
Ongina PR 30 H 12
Onifai NU 117 F 10
Oniferi NU 115 G 9
Onigo di Piave TV 12 E 17
Onno LC 9 E 9
Onzo SV 35 J 6
Opera MI 21 F 9
Opi AQ 64 Q 23
Opicina TS 17 E 23
Oppeano VR 23 G 15
Oppido Lucano PZ 72 E 29
Oppido Mamertina RC 91 M 29
Oppio (Passo di) PT 39 J 14
Ora / Auer BZ 12 C 15
Orani NU 115 G 9
Orasso VB 8 D 7
Oratino CB 65 R 25
Orba AL 28 H 7
Orbai (Monte) SU 121 J 8
Orbassano TO 27 G 4
Orbetello GR 55 O 15
Orbetello (Laguna di) GR 55 O 15
Orbetello Scalo GR 55 O 15
Orcenico Inferiore PN 13 E 20
Orcia SI 50 N 16
Orciano di Pesaro PS 46 K 20
Orciano Pisano PI 42 L 13
Orciatico PI 43 L 14
Orco TO 18 F 3
Ordini (Monte) SU 119 I 10
Ordona FG 71 D 28
Orecchiella LU 38 J 13
Oregone (Passo d.) / Hochalpljoch UD 5 C 20
Orentano PI 43 K 13
Orezzoli PC 29 I 10
Orgiano VI 24 F 16
Orgnano UD 16 D 21
Orgosolo NU 116 G 10
Oria BR 79 F 34
Oria CO 9 D 9
Oriago VE 25 F 18
Oricola AQ 59 P 21
Origgio VA 21 F 9
Orimini (Masseria) (vicino a Martina Franca) TA 80 E 33
Orimini (Masseria) (vicino a S. Simone) TA 79 F 33
Orino VA 8 E 8
Orio al Serio BG 21 E 11
Orio Litta LO 29 G 10
Oriolo CS 77 G 31
Oriolo PV 29 G 9
Oriolo PG 52 N 20
Oriolo Romano VT 57 P 18
Oristano OR 114 H 7
Oristano (Golfo di) OR 114 H 7
Orlando (Capo d') ME 100 M 26
Ormea CN 35 J 5
Ormelle TV 16 E 19
Ornaro RI 58 P 20
Ornavasso VB 8 E 7
Orneta AV 71 D 27
Ornica BG 9 E 10
Oro (Conca d') PA 97 M 21
Oro (Monte d') PA 99 N 23
Oro (S') SU 119 I 10
Orolo VI 24 F 16
Oronaye (Monte) CN 26 I 2
Oropa BI 19 F 5
Orosei NU 117 F 11
Orosei (Golfo di) NU 117 G 11
Orotelli NU 115 G 9
Orotelli (Serra d') SS 115 F 9
Orri (Monte) SU 118 J 8
Orria SA 75 G 27
Orrido di S. Anna VB 8 D 8
Orriola (Monte) SS 111 E 9
Orroli SU 119 H 9
Orru (Cuccuru) SU 119 I 9
Orsago TV 13 E 19
Orsaiola PS 45 L 19
Orsara di Puglia FG 71 D 27
Orsaria UD 15 D 22
Orsetti (Monte) TA 73 E 33
Orsia AO 7 E 5
Orsiera (Monte) TO 26 G 3
Orso (Capo d') SA 75 F 26
Orso (Capo d') SS 109 D 10
Orso (Colle dell') IS 65 R 25
Orsogna CH 60 P 24
Orta PE 60 P 24
Orta di Atella CE 69 E 24
Orta (Lago d') NO 20 E 7
Orta Nova FG 71 D 29
Orta S. Giulio NO 20 E 7
Ortacesus SU 119 I 9
Orte VT 58 O 19
Ortelle LE 83 G 37
Ortezzano AP 53 M 22
Orti RC 90 M 29
Orticelli RO 32 G 18
Ortigara (Monte) VI 12 D 16
Ortignano-Raggiolo AR 44 K 17
Ortimino FI 43 L 15
Ortisei / St. Ulrich BZ 4 C 17
Ortler / Ortles BZ 2 C 13
Ortles / Ortler BZ 2 C 13
Ortobene (Monte) NU 116 G 10
Ortolano AQ 59 O 22
Ortona CH 60 O 25
Ortona dei Marsi AQ 60 Q 23
Ortonovo SP 38 J 12
Ortovero SV 35 J 6
Ortuabis (Valico) NU 115 H 9
Ortucchio AQ 64 Q 22
Ortueri NU 115 G 8
Orune NU 116 F 10
Orvieto TR 51 N 18
Orvinio RI 58 P 20
Orzano UD 15 D 22
Orzinuovi BS 22 F 11
Orzivecchi BS 22 F 11
Osasco TO 26 H 4
Osasio TO 27 H 4
Oscasale CR 22 G 11
Oscata AV 71 D 27
Oschiri SS 111 E 9
Oschiri (Rio di) SS 111 E 9
Osento AV 71 E 28
Osento CH 61 P 25
Osidda NU 111 F 9
Osiglia SV 35 J 6
Osiglietta (Lago di) SV 35 J 6
Osilo SS 111 E 8
Osimo AN 47 L 22
Osimo Stazione AN 47 L 22
Osini-Nuovo NU 117 H 10
Osini-Vecchio NU 117 H 10
Osio Sotto BG 21 F 10
Oslavia GO 17 E 22
Osnago LC 21 E 10
Osoppo UD 14 D 21
Ospedaletti IM 35 K 5
Ospedaletto LO 21 G 10
Ospedaletto FO 41 J 18
Ospedaletto RN 41 K 19
Ospedaletto TR 51 N 18
Ospedaletto TN 12 D 16
Ospedaletto TV 25 F 18
Ospedaletto UD 14 D 21
Ospedaletto d'Alpinolo AV 70 E 26
Ospedaletto Euganeo PD 24 G 16
Ospedalicchio PG 51 M 19
Ospitale FE 32 H 16
Ospitale MO 39 J 14
Ospitale di Cadore BL 13 D 18
Ospitaletto BS 22 F 12
Ospitaletto MN 31 G 13
Ospitalleto MO 39 I 14
Ospitalmonacale FE 32 H 17
Ossago Lodigiano LO 21 G 10
Ossalengo CR 22 G 12
Ossegna SP 37 I 10
Osservanza SI 50 L 16
Ossi SS 110 E 7
Ossola (Val d') VB 8 D 6
Ossolaro CR 22 G 11
Ossona MI 20 F 8
Ossuccio CO 9 E 9
Ostana CN 26 H 3
Ostellato FE 32 H 17
Osteria del Gatto PG 51 M 20
Osteria dell'Osa RM 63 Q 20
Osteria di Morano PG 51 M 20
Osteria Grande BO 40 I 16
Osteria Nuova RM 58 P 18
Osterianova MC 47 L 22
Ostia Antica RM 62 Q 18
Ostia Parmense PR 30 I 11
Ostiano CR 22 G 12
Ostiglia MN 31 G 15
Ostigliano SA 75 G 27
Ostra AN 46 L 21
Ostra Vetere AN 46 L 21
Ostuni BR 80 E 34
Oten (Valle d') BL 4 C 18
Otranto LE 83 G 37
Otranto (Capo d') LE 83 G 37
Otricoli TR 58 O 19
Ottana NU 115 G 9
Ottati SA 76 F 27
Ottava SS 110 E 7
Ottavia RM 62 Q 19
Ottaviano NA 70 E 25
Ottiglio AL 28 G 7
Ottiolu (Punta d') NU 113 E 11
Ottobiano PV 20 G 8
Ottone PC 29 I 10
Oulx TO 26 G 2
Ovada AL 28 I 7
Ovaro UD 5 C 20
Oviglio AL 28 H 7
Ovindoli AQ 59 P 22
Ovo (Torre dell') TA 79 G 34
Ovodda NU 115 G 9
Oyace AO 6 E 4
Ozegna TO 19 G 5
Ozein AO 18 E 3
Ozieri SS 111 F 9
Ozzano dell'Emilia BO 40 I 16
Ozzano Monferrato AL 28 G 7
Ozzano Taro PR 30 H 12
Ozzero MI 20 F 8

P

Pabillonis SU 118 I 8
Pace ME 90 M 28
Pace del Mela ME 90 M 27
Paceco TP 96 N 19
Pacengo VR 23 F 14
Pacentro AQ 60 P 23
Pachino SR 107 Q 27
Paciano PG 51 M 18
Padenghe sul Garda BS 22 F 13
Padergnone TN 11 D 14
Paderno BL 12 D 18
Paderno BO 40 I 15
Paderno d'Adda LC 21 E 10
Paderno del Grappa TV 24 E 17
Paderno di Ponzano TV 25 E 18
Paderno Dugnano MI 21 F 9
Paderno Ponchielli CR 22 G 11
Padiglione AN 47 L 22
Padiglione (Bosco di) LT 62 R 19
Padola BL 5 C 19
Pàdola (Val) BL 5 C 19
Padova PD 24 F 17
Padova (Rifugio) BL 13 C 19
Padria SS 115 F 7
Padriciano TS 17 F 23
Padrio (Monte) BS 10 D 12
Padru SS 113 E 10
Padru (Monte) SS 109 D 9
Padula SA 76 F 28
Padule PG 51 M 19
Paduli BN 70 D 26
Paduli (Lago) MS 38 I 12
Padulle BO 31 I 15
Paesana CN 26 H 3
Paese TV 25 E 18
Paestum SA 75 F 27
Paestum Antica SA 75 F 27
Paganella (Monte) TN 11 D 15
Pagani SA 75 E 25
Pagania CS 85 I 31
Paganica AQ 59 O 22
Paganico GR 49 N 15
Pagano (Monte) AQ 65 Q 24
Paganuccio (Monte) PS 46 L 20
Pagazzano BG 21 F 11
Paghera BS 10 E 13
Paglia VT 50 N 17
Paglia (Portella della) PA 97 M 21
Pagliara ME 90 N 28
Pagliare AP 53 N 23
Pagliarelle KR 87 J 32
Pagliaroli TE 59 O 22
Pagliarone (Monte) FG 71 C 27
Paglieres CN 26 I 3
Pagliericcio AR 44 K 17
Paglieta CH 61 P 25
Pagliosa (Isola sa) NU 114 F 7
Pagnacco UD 14 D 21
Pagnano TV 24 E 17
Pagno CN 26 I 4
Pagnona LC 9 D 10
Pago Veiano BN 70 D 26
Pai VR 23 F 14
Paidorzu (Monte) SS 111 F 9
Paisco BS 10 D 12
Paisco (Valle) BS 10 D 12
Palade (Passo delle) / Gampenjoch BZ 3 C 15
Paladina BG 21 E 10
Palagano MO 39 J 13
Palagianello TA 78 F 32
Palagiano TA 78 F 33
Palagogna (Masseria) BR 80 F 34
Palagonia CT 104 P 26
Palai (Punta) NU 115 F 8
Palaia PI 43 L 14
Palanuda (Monte) CS 85 H 30
Palanzano PR 38 I 12
Palanzone (Monte) CO 9 E 9
Palata CB 65 Q 26
Palata Pepoli BO 31 H 15
Palau SS 109 D 10
Palavas (Monte) TO 26 H 2
Palazello CS 85 I 30
Palazzago BG 21 E 10
Palazzelli SR 104 O 26
Palazzetto SI 49 M 15
Palazzine Sta Maria MT 77 F 30
Palazzo AN 46 L 20
Palazzo LI 48 N 13
Palazzo MC 52 M 20
Palazzo PG 51 M 19
Palazzo Adriano PA 98 N 22
Palazzo d'Ascoli FG 71 D 28
Palazzo del Pero AR 45 L 17
Palazzo Foscarini (Mira) VE 24 F 18
Palazzo S. Gervasio PZ 72 E 29
Palazzolo Acreide SR 104 P 26
Palazzolo dello Stella UD 16 E 21
Palazzolo sull'Oglio BS 22 F 11
Palazzolo Vercellese VC 20 G 6
Palazzone SI 50 N 17
Palazzuolo AR 44 L 16
Palazzuolo sul Senio FI 40 J 16
Palena CH 60 Q 24
Paleparto (Monte) CS 85 I 31
Palermiti CZ 88 K 31
Palermo PA 97 M 22
Palermo (Golfo di) PA 98 M 22
Palermo (Portella) PA 99 O 23
Palermo-Punta Raisi (Aeroporto di) PA 97 M 21
Palese BA 73 D 32
Palestrina RM 63 Q 20
Palestro PV 20 G 7
Paliano FR 63 Q 21
Palidano MN 31 H 14
Palidoro RM 62 Q 18
Palinuro SA 84 G 27
Palinuro (Capo) SA 84 G 27
Palizi RC 91 N 29
Palizi Marina RC 91 N 29
Palla Palla CS 87 J 32
Pallagorio KR 87 J 32
Pallanfre CN 34 J 4
Pallanza VB 8 E 7
Pallare SV 36 J 6
Pallareta (Monte) PZ 77 G 30
Pallerone MS 38 J 12
Pallosu (Cala su) OR 114 G 7
Palma TP 96 N 19
Palma (Fiume) AG 103 P 23
Palma Campania NA 70 E 25
Palma di Montechiaro AG 103 P 23
Palmadula SS 110 E 6
Palmaiola (Isola) LI 48 N 13
Palmanova UD 17 E 21
Palmaria (Isola) SP 38 J 11
Palmariggi LE 83 G 37
Palmarini (Masseria) BR 79 F 35
Palmas SU 118 J 7
Palmas (Golfo di) SU 120 J 7
Palmas (Rio) SU 118 J 7
Palmas Arborea OR 114 H 7
Palmavera SS 110 F 6
Palme (Masseria delle) TA 78 F 32
Palmi RC 88 L 29
Palmiano AP 52 N 22
Palmieri (Rifugio) BL 4 C 18
Palmoli CH 61 Q 25
Palmori FG 66 C 28
Palmschoss / Plancios BZ 4 B 17
Palo RM 62 Q 18
Palo SV 28 I 7
Palo TN 11 E 14
Palo del Colle BA 73 D 32
Palombaio BA 73 D 31
Palombara TE 60 O 23
Palombara Sabina RM 58 P 20
Palombaro CH 60 P 24
Palombina AN 47 L 22
Palomonte SA 76 F 27
Palosco BG 22 F 11
Palù VR 23 G 15
Palù (Cima) TN 11 D 14
Palu (Lago) SO 10 D 11
Palu (Pizzo) SO 10 C 11
Palù del Fersina TN 12 D 16
Paludi CS 87 I 32
Palus San Marco BL 4 C 18
Paluzza UD 5 C 21
Pamparato CN 35 J 5
Pampeago TN 12 C 16
Pan di Zucchero SU 118 I 7
Panarea (Isola) ME 94 L 27
Panaro MO 39 I 14
Panarotta TN 12 D 16
Pancalieri TO 27 H 4
Pancarana PV 29 G 9
Panchià TN 12 D 16
Pancole GR 50 N 15
Pancole SI 43 L 15
Pandino CR 21 F 10
Pandoro (Masseria) TA 73 E 33
Panettieri CS 86 J 31
Paneveggio TN 12 D 17
Panfresco (Masseria) BA 73 D 31
Panicale PG 51 M 18
Panicarola PG 51 M 18
Pannaconi VV 88 K 30
Pannarano BN 70 D 26
Panni FG 71 D 27
Panocchia PR 30 H 12
Pantaleo SU 118 J 8
Pantalica (Necropoli di) SR 105 P 27
Pantalla PG 51 N 19
Pantanelle (Passo delle) CL 104 P 25
Pantasina IM 35 K 5
Pantelleria TP 96 Q 17
Pantelleria (Isola di) TP 96 Q 18
Pantianicco UD 16 D 21
Pantigliate MI 21 F 10
Panzano FI 44 L 15
Panzano (Golfo di) GO 17 E 22
Panzano Bagni GO 17 E 22
Paola CS 86 I 30
Paolillo (Masseria) FG 71 D 29
Paolini TP 96 N 19
Paolisi BN 70 D 25
Papa (Monte del) PZ 77 G 29
Papanice KR 87 J 33
Paparotti UD 15 D 21
Papasidero CS 84 H 29
Papiano AR 40 K 17
Papiano PG 51 N 19
Papola-Casale (Aeroporto di) BR 81 F 35
Papozze RO 32 H 18
Para FO 41 J 18
Parabiago MI 20 F 8
Parabita LE 83 G 36
Paradiso BR 81 F 35
Paradiso (Costa) SS 109 D 8
Paraggi GE 37 J 9
Paramont (Monte) AO 18 E 3
Paranesi TE 53 N 22
Paranzello (Punta) AG 102 T 20
Paras (Is) SU 116 H 9
Parasacco PV 20 G 8
Paratico BS 22 F 11
Paravati VV 88 L 30
Parcines / Partschins BZ 3 B 15
Parco dei Monaci (Masseria) MT 78 F 31
Pardu Atzei SU 118 I 7
Parenti CS 86 J 31
Parete CE 69 E 24
Parghelia VV 88 K 29
Pari GR 50 M 15
Pariana LU 39 K 13
Paringianu SU 118 J 7
Parisa (Masseria) FG 66 C 27
Parisi (Casa) EN 104 O 25
Parma PR 30 H 12
Parma (Torrente) PR 30 I 12
Parmetta PR 30 H 13
Parnacciano PG 45 L 18
Parodi Ligure AL 28 H 8
Parola PR 30 H 12
Parola (Torrente) PR 30 H 12
Paroldo CN 35 I 6
Paroletta PR 30 H 12
Parona PV 20 G 8
Parona di Valpolicella VR 23 F 14
Parrana-S. Giusto LI 42 L 13
Parrana-S. Martino LI 42 L 13
Parrano TR 51 N 18
Parre BG 10 E 11
Parredis (Monte) SU 119 I 10
Parrino (Punta) TP 96 N 19
Parrino (Serre del) PA 97 N 21
Partanna PA 97 M 21
Partanna TP 97 N 20
Partinico PA 97 M 21
Partschins / Parcines BZ 3 B 15
Parzanica BG 22 E 12
Pascarosa BR 80 E 34
Pasian di Prato UD 14 D 21
Pasiano di Pordenone PN 13 E 19
Paspardo BS 10 D 13
Pasquali PR 30 H 12
Passaggio PG 51 M 19
Passaggio d'Assisi PG 51 M 19
Passante (Serbatoio del) CZ 86 J 31
Passarella VE 16 F 19
Passariano UD 16 E 21
Passatore CN 27 I 4
Passeiertal / Passiria (Val) BZ 3 B 15
Passerano AT 27 G 6
Passero (Capo) SR 107 Q 27
Passignano FI 43 L 15
Passignano sul Trasimeno PG 51 M 18
Passirano BS 22 F 12
Passiria (Val) / Passeiertal BZ 3 B 15
Passirio BZ 3 B 15
Passo VB 8 D 7
Passo Corese RI 58 P 19
Passo di Croce Domini BS 10 E 13
Passo di Mirabella AV 70 D 27
Passo di Treia MC 52 M 21
Passo d'Orta FG 71 D 29
Passo Oscuro RM 62 Q 18
Passo S. Angelo MC 52 M 22
Passons UD 14 D 21
Passopisciaro CT 100 N 27
Pastena FR 64 R 22
Pastena IS 65 R 24
Pastena (Grotte di) FR 64 R 22
Pastorano CE 69 D 24
Pastorello PR 30 I 12
Pastrengo VR 23 F 14
Pasturana AL 28 H 8
Pasturo LC 9 E 10
Pasubio TN 23 E 15
Pasubio (Ossario) VI 23 E 15
Paternò CT 100 O 26
Paterno PZ 76 F 29
Paterno AQ 59 P 22
Paterno MC 52 M 21
Paterno Calabro CS 86 J 30
Paternopoli AV 70 E 27
Patigno MS 37 I 11
Patino (Monte) PG 52 N 21
Patria (Lago di) NA 69 E 24
Patrica FR 63 R 21
Pattada SS 111 F 9
Patti ME 100 M 26
Patti (Golfo di) ME 94 M 27
Patù LE 83 H 37
Pau OR 115 H 8
Pauceris Mannu (Monte is) SU 118 J 8
Paularo UD 5 C 21
Paularo (Monte) UD 5 C 21
Pauli Arbarei SU 118 I 8
Paulilatino OR 115 G 8
Paullo MI 21 F 10
Pauloni (Serra) SS 109 D 9
Paupisi BN 70 D 25
Pavarolo TO 27 G 5
Pavia PV 21 G 9
Pavia (Certosa di) PV 21 G 9
Pavia di Udine UD 17 E 21
Pavione (Monte) BL 12 D 17
Pavona RM 62 Q 19
Pavone SI 49 M 14
Pavone Canavese TO 19 F 5
Pavone del Mella BS 22 G 12
Pavullo nel Frignano MO 39 I 14
Pazzano MO 39 I 14
Pazzano RC 88 L 31
Pazzon VR 23 F 14
Peccioli PI 43 L 14
Pecetto di Valenza AL 28 G 8
Pecetto Torinese TO 27 G 5
Pecora GR 49 M 14
Pecora (Capo) SU 118 I 7
Pecorara PC 29 H 10
Pecoraro (Monte) VV 88 L 31

A B C D E F G H I J K L M N O P Q R S T U V W X Y Z

144

A B C D E F G H I J K L M N O P Q R S T U V W X Y Z

Pecorile RE 30 I 13
Pecorini ME 94 L 25
Pecorone PZ 77 G 29
Pedace CS 86 J 31
Pedagaggi SR 104 P 26
Pedalino RG 104 P 25
Pedara CT 101 O 27
Pedaso AP 53 M 23
Pedavena BL 12 D 17
Pedemonte GE 28 I 8
Pedemonte VR 23 F 14
Pederiva VI 24 F 16
Pederoa BZ 4 C 17
Pederobba TV 12 E 17
Pedescala VI 24 E 16
Pedesina SO 9 D 10
Pediano BO 40 J 17
Pedicino (Monte) FR 64 Q 22
Pedivigliano CS 86 J 30
Pedra Ettori SS 110 F 7
Pedrabianca (Sa) SS 113 F 10
Pedraces / Pedratsches BZ 4 C 17
Pedralunga (Monte) SS 111 F 9
Pedratsches / Pedraces BZ 4 C 17
Pegli GE 36 I 8
Peglia (Monte) TR 51 N 18
Peglio PS 45 K 19
Peglio SA 76 G 28
Pegognaga MN 31 H 14
Pegolotte VE 24 G 18
Peio TN 11 C 14
Peio Terme TN 11 C 13
Pelagatta (Passo) TN 23 E 15
Pelagie (Isole) AG 102
Pelago FI 44 K 16
Pelau NU 117 H 10
Pelizzone (Passo del) PC 29 H 11
Pellarini (Rifugio) UD 15 C 22
Pellaro RC 90 M 28
Pellaro (Punta di) RC 90 M 28
Pellecchia (Monte) RM 58 P 20
Pellegrina RC 90 M 29
Pellegrina VR 23 G 15
Pellegrino ME 90 M 28
Pellegrino (Cozzo del) CS 85 H 30
Pellegrino (Monte) PA 98 M 22
Pellegrino Parmense PR 30 H 11
Peller (Monte) TN 11 D 14
Pellestrina VE 25 G 18
Pellezzano SA 75 E 26
Pellice TO 26 H 3
Pellizzano TN 11 D 14
Pelmo (Monte) BL 13 C 18
Peloritani (Monti) ME 90 M 27
Peloro (Capo) ME 90 M 28
Pelosa PR 37 I 10
Pelosa (Spiaggia della) SS 108 E 6
Pelugo TN 11 D 14
Pelvo d'Elva CN 26 I 3
Pendenza RI 59 O 21
Pènegal (Monte) BZ 11 C 15
Penice (Monte) PC 29 H 9
Penice (Passo del) PC 29 H 9
Penna (Lago della) AR 44 L 17
Penna (Monte) AR 45 K 17
Penna (Monte) PG 52 M 20
Penna (Punta di) CH 61 P 26
Penna Alta AR 44 L 16
Penna in Teverina TR 58 O 19
Penna (Monte) PR 29 I 10
Penna S. Andrea TE 60 O 23
Penna S. Giovanni MC 52 M 22
Pennabilli PS 41 K 18
Pennadomo CH 60 P 24
Pennapiedimonte CH 60 P 24
Penne PE 60 O 23
Penne (Forca di) AQ 60 P 23
Penne (Lago di) PE 60 O 23
Penne (Punta) BR 81 E 35
Pennes / Pens BZ 3 B 16
Pennes (Passo di) / Penserjoch BZ 3 B 16
Pennes (Val di) BZ 3 B 16
Pennino (Monte) MC 52 M 20
Pens / Pennes BZ 3 B 16
Penserjoch / Pennes (Passo di) BZ 3 B 16
Penta SA 70 E 26
Pentedattilo RC 90 N 29
Pentema GE 29 I 9
Pentolina SI 49 M 15
Pentone CZ 87 K 31
Peonis UD 14 D 21
Peralba (Monte) BL 5 C 20
Perano CH 60 P 25
Perarolo VI 24 F 16
Perarolo di Cadore BL 13 C 19
Perca / Percha BZ 4 B 17
Percha / Perca BZ 4 B 17
Perciato (Punta di) ME 94 L 26
Percile RM 58 P 20
Percoto UD 17 E 21
Perd'e Sali CA 121 J 9
Perda de sa Mesa (Punta) SU 118 I 7
Perda Liana (Monte) NU 117 H 10
Perdaia (Monte) SU 120 K 8
Perdas de Fogu SU 120 J 7
Perdasdefogu NU 119 H 10
Perdaxius SU 118 J 7
Perdifumo SA 75 G 27
Perdonig / Predonico BZ 3 C 15
Perer BL 12 D 17
Pereta GR 56 O 15
Pereto AQ 59 P 21
Perfugas SS 111 E 8
Pergine Valdarno AR 44 L 17
Pergine Valsugana TN 11 D 15
Pergola PS 46 L 20
Pergola PZ 76 F 29
Pergusa EN 99 O 24
Pergusa (Lago di) EN 104 O 24
Peri VR 23 F 14
Periasc AO 7 E 5
Perignano PI 43 L 13
Perinaldo IM 35 K 5
Perino PC 29 H 10
Perito SA 75 G 27
Perletto CN 27 I 6
Perlo CN 35 J 6
Perloz AO 19 F 5
Pernate NO 20 F 8
Pernocari VV 88 L 30
Pernumia PD 24 G 17
Pero (Golfo) SS 109 D 10
Pero MI 21 F 9
Pero SV 36 I 7
Perolla GR 49 M 14
Perosa Argentina TO 26 H 3
Perotti PC 29 I 10
Peroulaz AO 18 E 3
Perrero TO 26 H 3
Perrone (Sella del) CB 65 R 25
Persano SA 75 F 27
Persi AL 28 H 8
Persico CR 22 G 12
Persignano AR 44 L 16
Pertegada UD 16 E 21
Pertengo VC 20 G 7
Pertica Alta BS 22 E 13
Pertica Bassa BS 22 E 13
Perticano PG 46 L 20
Perticara PS 41 K 18
Pertosa SA 76 F 28
Pertosa (Grotta di) SA 76 F 28
Pertusa (Portella) ME 101 N 27
Pertusillo (Lago del) PZ 77 G 29
Pertuso PC 29 I 10
Perugia PG 51 M 19
Pesa FI 43 K 15
Pesariis UD 5 C 20
Pesarina (Val) UD 5 C 20
Pesaro PS 46 K 20
Pescaglia LU 38 K 13
Pescantina VR 23 F 14
Pescara PE 60 O 24
Pescara (Fiume) PE 60 P 23
Pescarella (Masseria) BA 72 E 30
Pescarolo ed Uniti CR 22 G 12
Pescasseroli AQ 64 Q 23
Pesche IS 65 R 24
Peschici FG 67 B 30
Peschiera MT 77 F 31
Peschiera Borromeo MI 21 F 9
Peschiera del Garda VR 23 F 14
Pescia PG 52 N 21
Pescia PT 39 K 14
Pescia (Torrente) PT 39 K 14
Pescia Fiorentina GR 56 O 16
Pescia Romana VT 56 O 16
Pescina AQ 59 P 22
Pescina FI 39 K 15
Pesco Sannita BN 70 D 26
Pescocostanzo AQ 64 Q 24
Pescolanciano IS 65 Q 25
Pescomaggiore AQ 59 O 22
Pescopagano PZ 71 E 28
Pescopennataro IS 65 Q 24
Pescorocchiano RI 59 P 21
Pescosansonesco PE 60 P 23
Pescosolido FR 64 Q 22
Pescul BL 12 C 18
Peseggia TV 25 F 18
Pesek TS 17 F 23
Pesio CN 35 J 5
Pesipe CZ 88 K 31
Pessinetto TO 18 G 4
Pessola PR 30 I 11
Pessola (Torrente) PR 30 I 11
Pesus SU 118 J 7
Petacciato CB 61 P 26
Petacciato Marina CB 61 P 26
Petano (Monte) TR 58 O 20
Petersberg / Monte S. Pietro BZ 12 C 16
Petilia Policastro KR 87 J 32
Petina SA 76 F 28
Petralia Soprana PA 99 N 24
Petralia Sottana PA 99 N 24
Petralla Salto RI 59 P 21
Petrano (Monte) PS 46 L 19
Petrarca (Rifugio) BZ 3 B 15
Petrella (Monte) LT 64 S 23
Petrella Guidi PS 41 K 18
Petrella Liri AQ 59 P 21
Petrella Massana AR 45 K 18
Petrella Tifernina CB 65 Q 26
Petrelle PG 51 L 18
Petriano PS 46 K 20
Petricci GR 50 N 16
Petrignacola PR 30 I 12
Petrignano PG 51 M 19
Petrignano di Lago PG 50 M 17
Petriolo MC 52 M 22
Petritoli AP 53 M 22
Petrizzi CZ 88 K 31
Petrognanovicino a Borgo S. Lorenzo FI 40 K 16
Petrognano (vicino a Certaldo) FI 43 L 15
Petroio SI 50 M 17
Petrona CZ 87 J 32
Petrosino TP 96 N 19
Petrosino (Masseria) BA 73 E 32
Petroso (Monte) AQ 64 Q 23
Petrulli (Masseria) FG 66 C 27
Petruscio (Villaggio di) (Mottola) TA 78 F 33
Pettenasco NO 20 E 7
Pettinascura (Monte) CS 87 I 31
Pettineo ME 99 N 24
Pettino PG 52 N 20
Pettoranello del Molise IS 65 R 24
Pettorano sul Gizio AQ 60 Q 23
Pettorazza Grimani RO 32 G 17
Peveragno CN 35 J 4
Pezza (Piano di) AQ 59 P 22
Pezzana VC 20 G 7
Pezzano SA 75 E 26
Pezzaze BS 22 E 12
Pezze di Greco BR 80 E 34
Pezzo BS 11 D 13
Pezzolo ME 90 M 28
Pfalzen / Falzes BZ 4 B 17
Pfatten / Vadena BZ 12 C 15
Pfelders / Plan BZ 3 B 15
Pfitscherjoch / Vizze (Passo di) BZ 4 B 16
Pflersch / Fleres BZ 3 B 16
Pflerscher Tribulaun / Tribuláun BZ 3 B 16
Pfunders / Fundres BZ 4 B 17
Pia Camuno BS 22 E 12
Piacenza PC 29 G 11
Piacenza d'Adige PD 32 G 16
Piadena CR 30 G 13
Piagge PS 46 K 20
Piaggia PG 52 N 20
Piaggine SA 76 F 28
Piaggio di Valmara VB 8 D 8
Piamprato TO 19 F 4
Pian Castagna AL 28 I 7
Pian d'Alma GR 49 N 14
Pian d'Audi TO 19 G 4
Pian de Valli RI 58 O 20
Pian dei Ratti GE 37 I 9
Pian del Falco MO 39 J 14
Pian del Leone (Lago) PA 98 N 22
Pian del Re CN 26 H 3
Pian del Voglio BO 39 J 15
Pian dell'Osteria BL 13 D 19
Pian delle Betulle LC 9 D 10
Pian delle Fugazze (Passo) TN 23 E 15
Pian di Barca SP 37 J 11
Pian di Marte PG 51 M 18
Pian di Molino PS 45 L 19
Pian di Morrano GR 57 O 16
Pian di Novello PT 39 J 14
Pian di Sco AR 44 L 16
Pian di Venola BO 39 I 15
Pian Gelassa TO 26 G 3
Pian Munè CN 26 I 3
Pian Palu (Lago di) BS 10 D 13
Piana CB 65 R 25
Piana PG 50 M 18
Piana (Masseria la) MT 77 F 31
Piana Caruso CS 85 I 31
Piana Crixia SV 28 I 6
Piana degli Albanesi PA 97 M 21
Piana degli Albanesi (Lago di) PA 97 N 21
Piana di Monte Verna CE 69 D 25
Piana (Isola) SU 120 J 6
Piana (Isola) (vicino ad Alghero) SS 110 F 6
Piana (Isola) (vicino a Stintino) SS 110 E 6
Pianaccio BO 39 J 14
Pianazze (Passo delle) PR 29 I 10
Piancaldoli FI 40 J 16
Piancastagnaio SI 50 N 17
Piancavallo PN 13 D 19
Pianche CN 34 J 3
Piancogno BS 10 E 12
Piandelagotti MO 38 J 13
Piandimeleto PS 45 K 19
Piane di Falerone AP 52 M 22
Piane di Mocogno MO 39 J 14
Piane (le) VC 8 E 6
Pianedda (Monte sa) SS 113 E 10
Pianella PE 60 O 24
Pianella SI 50 L 16
Pianello PS 45 L 19
Pianello PA 99 N 24
Pianello AN 46 L 21
Pianello PG 51 M 19
Pianello del Lario CO 9 D 9
Pianello Val Tidone PC 29 H 10
Pianengo CR 21 F 11
Pianetto FO 40 K 17
Pianetto (Portella del) PA 98 M 22
Pianezza TO 27 G 4
Pianezze TV 12 E 18
Pianfei CN 35 I 5
Piangipane RA 41 I 18
Piani di Artavaggio LC 9 E 10
Piani Resinelli LC 9 E 10
Pianico BG 22 E 12
Pianiga VE 24 F 18
Piano AT 27 H 6
Piano PS 45 L 19
Piano RO 33 H 18
Piano d'Arta UD 5 C 21
Piano dei Peri PZ 84 G 29
Piano del Cansiglio BL 13 D 19
Piano del Monaco (Masseria) BA 72 D 30
Piano della Limina RC 88 L 30
Piano delle Fonti CH 60 P 24
Piano di Pieve PG 51 M 19
Piano di Sorrento NA 74 F 25
Piano Laceno AV 71 E 27
Piano Maggiore TE 53 N 22
Pianoconte ME 94 L 26
Pianola AQ 59 P 22
Pianopantano AV 70 D 26
Pianopoli CZ 88 K 31
Pianoro BO 40 I 16
Pianosa LI 54 O 12
Pianosa (Isola) LI 54 O 12
Pianosinatico PT 39 J 14
Piansano VT 57 O 17
Piantedo SO 9 D 10
Piantonia PR 30 I 12
Pianura NA 69 E 24
Piasco CN 26 I 4
Piateda Alta SO 10 D 11
Piave BL 5 C 19
Piave Vecchia (Porto di) VE 16 F 19
Piavola FO 41 J 18
Piavon TV 16 E 19
Piazza SI 44 L 15
Piazza CN 35 I 5
Piazza PR 30 H 13
Piazza al Serchio LU 38 J 12
Piazza Armerina EN 104 O 25
Piazza Brembana BG 9 E 11
Piazza di Brancoli LU 39 K 13
Piazzatorre BG 9 E 11
Piazze SI 50 N 17
Piazzi (Cima de) SO 10 C 12
Piazzo GE 29 I 9
Piazzola sul Brenta PD 24 F 17
Picchetta NO 20 F 8
Picciano PE 60 O 23
Piccilli CE 64 R 24
Piccione PG 51 M 19
Picco (Forcella dei) / Birnlücke BZ 4 A 18
Piccoli PC 29 H 10
Piccoli (Masseria) TA 73 E 33
Piccolo (Corno) TE 59 O 22
Piccolo (Lago) TO 26 G 4
Piccolo S. Bernardo (Colle del) AO 18 E 2
Picentini (Monti) SA 70 E 26
Picentino SA 70 E 26
Picerno PZ 76 F 28
Picinisco FR 64 R 23
Pico FR 64 R 22
Picognola (Monte) PG 46 L 19
Pideura RA 40 J 17
Pidig Alm / Malga Pudio BZ 4 B 18
Pidocchio (Masseria il) FG 71 D 28
Pie di Moggio RI 58 O 20
Pie di Via PR 30 H 11
Piedicavallo BI 19 E 5
Piediluco TR 58 O 20
Piediluco (Lago di) TR 58 O 20
Piedimonte FI 40 J 16
Piedimonte Alta FR 64 R 23
Piedimonte Etneo CT 101 N 27
Piedimonte Massicano CE 69 D 23
Piedimonte Matese CE 65 R 25
Piedimonte S. Germano FR 64 R 23
Piedimulera VB 8 D 6
Piedipaterno PG 52 N 20
Piediripa MC 52 M 22
Piedivalle PG 52 N 21
Piegaio AR 51 L 18
Piegaro PG 51 N 18
Piegolelle SA 75 E 26
Pielungo PN 14 D 20
Pienza SI 50 M 17
Pierabec UD 5 C 20
Pieranica CR 21 F 10
Pierantonio PG 51 M 19
Pierfaone (Monte) PZ 76 F 29
Pieris GO 17 E 22
Pietole MN 31 G 14
Pietra (Torre) FG 67 C 30
Pietra Bismantova RE 38 I 13
Pietra de' Giorgi PV 29 G 9
Pietra dell'Uso FO 41 K 18
Pietra Grande TN 11 D 14
Pietra Ligure SV 36 J 6
Pietra Marazzi AL 28 H 8
Pietra Spada (Passo di) VV 88 L 31
Pietrabbondante IS 65 Q 25
Pietrabruna IM 35 K 5
Pietrabuona PT 39 K 14
Pietracamela TE 59 O 22
Pietracatella CB 66 C 26
Pietracupa CB 65 Q 25
Pietracuta PS 41 K 19
Pietradefusi AV 70 D 26
Pietrafaccia GE 28 I 8
Pietraferrazzana CH 60 Q 25
Pietrafitta CS 86 J 31
Pietrafitta PG 51 N 18
Pietrafitta SI 44 L 15
Pietragalla PZ 72 E 29
Pietragavina PV 29 H 9
Pietraia AR 50 M 17
Pietraia PG 51 M 18
Pietralacroce AN 47 L 22
Pietraliscia (Serra) CT 104 P 25
Pietralunga PG 45 L 19
Pietralunga (Villa) EN 100 N 25
Pietramelara CE 65 S 24
Pietramelina PG 51 M 19
Pietramonte-corvino FG 66 C 27
Pietramurata TN 11 D 14
Pietranico PE 60 P 23
Pietransieri AQ 64 Q 24
Pietrapaola CS 87 I 32
Pietrapaola (Stazione di) CS 87 I 32
Pietrapazza FO 40 K 17
Pietrapennata RC 91 N 30
Pietrapertosa PZ 77 F 30
Pietraperzia EN 103 O 24
Pietraporzio CN 34 I 3
Pietraroia BN 65 R 25
Pietrarossa CT 104 P 25
Pietrarossa (Serbatoio di) CT 104 O 25
Pietrarúbbia PS 45 K 19
Pietrasanta LU 38 K 12
Pietrasecca AQ 59 P 21
Pietrastornina AV 70 E 26
Pietravairano CE 65 S 24
Pietravecchia (Monte) IM 35 K 4
Pietre Nere (Punta) FG 66 B 28
Pietrelcina BN 70 D 26
Pietretagliate TP 96 N 19
Pietri AV 71 E 27
Pietroso (Monte) PA 97 N 21
Pieve BS 23 E 14
Pieve a Nievole PT 39 K 14
Pieve a Salti SI 50 M 16
Pieve al Toppo AR 44 L 17
Pieve Albignola PV 28 G 8
Pieve d'Alpago BL 13 D 19
Pieve del Cairo PV 28 G 8
Pieve della Rosa PG 45 L 18
Pieve di Bono TN 11 E 13
Pieve di Cadore BL 13 C 19
Pieve di C. (Lago di) BL 13 C 19
Pieve di Cagna PS 45 K 19
Pieve di Cento BO 32 H 15
Pieve di Chio AR 50 L 17
Pieve di Compito LU 43 K 13
Pieve di Compresseto PG 51 M 20
Pieve di Coriano MN 31 G 15
Pieve di Gusaliggio PR 30 I 11
Pieve di Ledro TN 11 E 14
Pieve di Livinallongo BL 4 C 17
Pieve di Marebbe / Plaiken BZ 4 B 17
Pieve di Monti MS 38 J 12
Pieve di Rigutino AR 45 L 17
Pieve di S. Andrea BO 40 J 16
Pieve di Scalenghe TO 27 H 4
Pieve di Soligo TV 13 E 18
Pieve di Teco IM 35 J 5
Pieve d'Olmi CR 30 G 12
Pieve Emanuele MI 21 F 9
Pieve Fosciana LU 38 J 13
Pieve Ligure GE 37 I 9
Pieve Porto Morone PV 29 G 10
Pieve S. Giacomo CR 30 G 12
Pieve S. Giovanni AR 44 L 17
Pieve S. Nicolò PG 51 M 19
Pieve S. Vicenzo RE 38 I 12
Pieve Sto Stefano AR 45 K 18
Pieve Tesino TN 12 D 16
Pieve Torina MC 52 M 21
Pieve Trebbio MO 39 I 14
Pieve Vecchia AR 50 M 17
Pieve Vergonte VB 8 D 6
Pievebovigliana MC 52 M 21
Pievefavera (Lago di) MC 52 M 21
Pieveottoville PR 30 G 12
Pievepelago MO 39 J 13
Pievescola SI 49 M 15
Pievetta CN 35 J 6
Pievetta e Bosco Tosca PC 29 G 10
Pigazzano PC 29 H 10
Piglio FR 63 Q 21
Pigna IM 35 K 4
Pignataro Interamna FR 64 R 23
Pignataro Maggiore CE 69 D 24
Pignola PZ 76 F 29
Pignone SP 37 J 11
Pigra CO 9 E 9
Pila AO 18 E 3
Pila PG 51 M 18
Pila RO 33 H 19
Pila (La) LI 48 N 12
Pilastrello FE 32 H 15
Pilastrello PR 30 H 13
Pilastri FE 31 H 15
Pilastrino BO 39 I 15
Pilastro MN 31 G 13
Pilastro PR 30 H 12
Pilato (Monte) PZ 77 F 29
Pilcante TN 23 E 14
Pillaz AO 19 F 5
Pilli (Fattoria) OR 114 G 7
Pillonis (Is) SU 120 K 7
Pilo (Stagno di) SS 110 E 6
Pilosu (Monte) SS 111 E 8
Pilzone BS 22 E 12
Pimentel SU 119 I 9
Piminoro RC 91 M 30
Pimonte NA 75 E 25
Pinarella RA 41 J 19
Pinarolo Po PV 29 G 9
Pinasca TO 26 H 3
Pincara RO 32 H 16
Pinedo PN 13 D 19
Pinerolo TO 26 H 3
Pineta Grande CE 69 D 23
Pineta Mare CE 69 E 23
Pineto TE 60 O 24
Pineto (Bosco il) TA 78 F 32
Piniteddu (Monte) CT 100 N 27
Pino Grande KR 87 J 32
Pino Lago Maggiore VA 8 D 8
Pino (Porto) SU 120 K 7
Pino Torinese TO 27 G 5
Pinocchio AN 47 L 22
Pinu (Monte) SS 109 E 10

Pinzano al Tagliamento PN 14 D 20
Pinzolo TN 11 D 14
Pio XI (Rifugio) BZ 2 B 14
Piobbico PS 45 L 19
Piobesi Torinese TO 27 H 4
Piode VC 19 E 6
Pioltello MI 21 F 9
Pioltone (Pizzo) VB 7 D 6
Piombino LI 48 N 13
Piombino (Canale di) LI 48 N 13
Piombino Dese PD 24 F 17
Piombino (Monte) PA 99 N 23
Piombo (Cala) SU 120 K 7
Piona (Abbazia di) LC 9 D 9
Pione PR 29 I 10
Pioppa MO 31 H 14
Pioppi SA 75 G 27
Pioppo PA 97 M 21
Pioraco MC 52 M 20
Piosina PG 45 L 18
Piossasco TO 27 H 4
Piovà Massaia AT 27 G 6
Piovacqua (Masseria) TA 80 F 33
Piove di Sacco PD 24 G 18
Piovene Rocchette VI 24 E 16
Piovera AL 28 H 8
Pioverna LC 9 E 10
Piozzano PC 29 H 10
Piozzo CN 27 I 5
Pira (Cala) SU 119 J 10
Pira 'e Onni (Cantoniera) NU 116 G 10
Piraino ME 100 M 26
Piramide Vincent VC 7 E 5
Piras SS 113 F 10
Pirazzolu SS 109 D 10
Piretto CS 85 I 30
Piroi (Monte su) SU 119 I 10
Pirri CA 119 J 9
Pisa PI 42 K 13
Pisa (Certosa di) PI 42 K 13
Pisa-Galileo Galilei (Aeroporto) PI 42 K 13
Pisanino (Monte) LU 38 J 12
Pisano NO 20 E 7
Pisano (Monte) LU 43 K 13
Pisanu Mele (Monte) NU 115 G 9
Piscicelli (Masseria) FG 66 B 27
Piscina TO 26 H 4
Piscinasvicino a Guspini SU 118 I 7
Piscinas (vicino a Santadi) SU 118 J 8
Piscinella (Masseria) TA 73 E 33
Pisciotta SA 76 G 27
Piscopio VV 88 L 30
Piscu SU 119 I 9
Pisignano RA 41 J 18
Pisogne BS 22 E 12
Pisoniano RM 63 Q 20
Pissignano PG 52 N 20
Pisterzo LT 63 R 21
Pisticci MT 78 F 31
Pisticci Scalo MT 78 F 31
Pistoia PT 39 K 14
Pistone (Monte) SP 37 J 10
Pistrino PG 45 L 18
Pisucerbu (Bruncu 'e) NU 117 G 10
Piteccio PT 39 J 14
Piteglio PT 39 J 14
Piticchio AN 46 L 20
Pitigliano GR 57 O 16
Pitigliano PG 45 L 18
Pitino MC 52 M 21
Pittada (Monte) OR 114 F 7
Pittu (Monte) SS 111 F 8
Pitursiddo (Cozzo) CL 99 O 23
Pitziu OR 115 G 8
Piubega MN 23 G 13
Piumazzo MO 31 I 15
Piuro SO 9 D 10
Pizzale PV 29 G 9
Pizziferro (Masseria) TA 78 F 33
Pizzighettone CR 22 G 11
Pizzillo (Monte) CT 100 N 27
Pizzini-Frattola (Rif.) SO 11 C 13
Pizzo VV 88 K 30
Pizzo Alto (Rifugio) LC 9 D 10
Pizzo (Torre del) LE 83 H 35
Pizzoc (Monte) TV 13 D 19
Pizzocco (Monte) BL 12 D 18
Pizzocorno PV 29 H 9
Pizzoferrato CH 65 Q 24
Pizzoferro Monsignore TA 73 E 32
Pizzolato TP 96 N 19
Pizzoli AQ 59 O 21
Pizzolungo TP 96 M 19
Pizzone IS 64 Q 24
Pizzoni VV 88 L 30
Pizzuto (Monte) RI 58 O 20
Placanica RC 88 L 31
Place Moulin (Lago di) AO 7 E 4
Plaesano RC 88 L 30
Plätzwiesen / Prato Piazza BZ 4 C 18
Plaia (Capo) PA 99 M 23
Plaia (Lido di) CT 105 O 27
Plaiken / Pieve di Marebbe BZ 4 B 17
Plampincieux AO 6 E 2
Plan / Pfelders BZ 3 B 15
Plan (Val di) BZ 3 B 15
Plan de Gralba / Kreuzboden BZ 4 C 17
Planaval (vicino a Courmayeur) AO 18 E 3
Planaval (vicino a Leverogne) AO 18 E 3
Planca di Sotto / Unterplanken BZ 4 B 18
Plancios / Palmschoss BZ 4 B 17
Planeil / Planol BZ 2 B 13
Planol / Planeil BZ 2 B 13
Plassas (Las) SU 118 H 8
Plataci CS 85 H 31
Platamona Lido SS 110 E 7
Platani AG 98 N 23
Platania CZ 86 J 30
Plateau Rosa AO 7 E 5
Platì RC 91 M 30
Platischis UD 15 D 22
Plauris (Monte) UD 14 C 21
Plaus BZ 3 C 15
Playa Grande RG 106 Q 25
Plesio CO 9 D 9
Ploaghe SS 111 F 8
Plodio SV 35 I 6
Plöckenpaß / Monte Croce Carnico (Passo di) UD 5 C 20
Plose (Cima di) / Plose Bühel BZ 4 B 17
Plugna UD 5 C 20
Po CN 26 H 3
Po Bandino PG 50 M 17
Po della Donzella o di Gnocca FE 33 H 18
Po della Pila RO 33 H 19
Po della Pila (Bocche del) RO 33 H 19
Po delle Tolle RO 33 H 19
Po delle Tolle (Bocca del) RO 33 H 19
Po di Gnocca (Bocche del) RO 33 H 19
Po di Goro RO 33 H 18
Po di Goro (Bocca del) RO 33 H 19
Po di Levante RO 33 G 18
Po di Levante (Foce del) RO 33 G 19
Po di Maistra RO 33 H 19
Po di Maistra (Foce del) RO 33 G 19
Po di Venezia RO 33 H 19
Po di Volano FE 32 H 17
Pocapaglia CN 27 H 5
Pocenia UD 16 E 21
Pocol BL 4 C 18
Podenzana MS 38 J 11
Podenzano PC 29 H 11
Poderia SA 76 G 28
Poetto CA 119 J 9
Poffabro PN 13 D 20
Pofi FR 64 R 22
Poggetto BO 32 H 16
Poggio del Sasso GR 50 N 15
Poggiardo LE 83 G 37
Poggibonsi SI 43 L 15
Poggio BO 40 I 16
Poggio LI 48 N 12
Poggio LU 38 J 13
Poggio MC 52 M 20
Poggio a Caiano PO 39 K 15
Poggio alla Croce FI 44 L 16
Poggio alle Mura SI 50 N 16
Poggio Aquilone TR 51 N 18
Poggio Berni RN 41 J 19
Poggio Buco GR 57 O 16
Poggio Bustone RI 58 O 20
Poggio Cancelli AQ 59 O 21
Poggio Catino RI 58 P 20
Poggio Cinolfo AQ 59 P 21
Poggio d'Acona AR 45 L 17
Poggio d'Api RI 52 N 21
Poggio di Roio AQ 59 P 22
Poggio Filippo AQ 59 P 21
Poggio Imperiale FG 66 B 28
Poggio Imperiale FI 43 K 15
Poggio Mirteto RI 58 P 20
Poggio Moiano RI 58 P 20
Poggio Montone TR 51 N 18
Poggio Murella GR 50 N 16
Poggio Nativo RI 58 P 20
Poggio Picenze AQ 59 P 22
Poggio Primocaso PG 52 N 20
Poggio Renatico FE 32 H 16
Poggio Rusco MN 31 H 15
Poggio S. Polo SI 44 L 16
Poggio S. Lorenzo RI 58 P 20
Poggio S. Marcello AN 46 L 21
Poggio S. Romualdo AN 46 L 21
Poggio S. Vicino MC 46 L 21
Poggio Sannita IS 65 Q 25
Poggiodomo PG 52 N 20
Poggioferro GR 50 N 16
Poggiofiorito CH 60 P 24
Poggiola AR 44 L 17
Poggiomarino NA 70 E 25
Poggiomoretto TE 53 N 23
Poggioreale TP 97 N 21
Poggioreale (Ruderi di) TP 97 N 21
Poggiorsini BA 72 E 30
Poggiridenti SO 10 D 11
Pognana Lario CO 9 E 9
Pognano BG 21 F 10
Pogno NO 20 E 7
Poiana Maggiore VI 24 G 16
Poira (Portella di) PA 97 N 21
Poirino TO 27 H 5
Polaveno BS 22 F 12
Polcanto FI 40 K 16
Polcenigo PN 13 D 19
Polenta FO 41 J 18
Polentes BL 13 D 18
Poleo VI 24 E 15
Polesella RO 32 H 17
Polesine FE 32 H 17
Polesine (Isola di) RO 33 H 19
Polesine (Località) MN 31 H 14
Polesine Camerini RO 33 H 19
Polesine Parmense PR 30 G 12
Poli RM 63 Q 20
Polia VV 88 K 30
Policastro (Golfo di) SA 84 G 28
Policastro Bussentino SA 76 G 28
Policoro MT 78 G 32
Polignano PC 30 G 11
Polignano a Mare BA 73 E 33
Polinago MO 39 I 14
Polino TR 58 O 20
Polino (Monte) EN 103 O 24
Polistena RC 88 L 30
Polizzello CL 99 O 23
Polizzi Generosa PA 99 N 23
Polizzo (Monte) TP 97 N 20
Polla SA 76 F 28
Pollara ME 94 L 26
Pollastra AL 28 H 8
Pollena-Trocchia NA 70 E 25
Pollenza MC 52 M 22
Pollenzo CN 27 H 5
Pollica SA 75 G 27
Pollina PA 99 N 24
Pollina (Fiume) PA 99 N 24
Pollinara CS 85 H 31
Pollino PZ 85 H 30
Pollino (Monte) PZ 85 H 30
Pollino (Parco Nazionale di) PZ 85 G 30
Pollone BI 19 F 5
Polluce (Masseria) FG 67 C 28
Pollutri CH 61 P 25
Polonghera CN 27 H 4
Polpenazze del Garda BS 22 F 13
Polpet BL 13 D 18
Polsa TN 23 E 14
Polsi (Santuario di) RC 91 M 29
Poltu Quatu SS 109 D 10
Poludnig (Monte) UD 15 C 22
Polvano AR 45 L 18
Polveraia GR 50 N 15
Polveraia (Punta) LI 48 N 12
Polverara PD 24 G 17
Polverello ME 100 N 26
Polverigi AN 47 L 22
Polverina AP 52 N 22
Polverina MC 52 M 21
Polverina (Lago di) MC 52 M 21
Polvese (Isola) PG 51 M 18
Polvica Tramonti SA 75 E 25
Poma (Lago) PA 97 M 21
Poma (Passo di) BZ 4 C 17
Pomaia PI 43 L 13
Pomarance PI 49 M 14
Pomarico MT 78 F 31
Pomaro Monferrato AL 28 G 7
Pombia NO 20 F 7
Pometo PV 29 H 9
Pomezia RM 62 Q 19
Pomiere (Monte) ME 100 N 25
Pomigliano d'Arco NA 70 E 25
Pomino FI 40 K 16
Pomone PG 51 N 19
Pomonte GR 56 O 16
Pomonte LI 48 N 12
Pompagnano PG 51 N 20
Pompeano MO 39 I 14
Pompei NA 75 E 25
Pompei Scavi NA 74 E 25
Pompeiana IM 35 K 5
Pompiano BS 22 F 11
Pomponesco MN 31 H 13
Pomposa (Abbazia di) FE 33 H 18
Pompu OR 118 H 8
Poncarale BS 22 F 12
Ponente (Capo) AG 102 U 19
Ponente (Riviera di) IM 36 K 6
Ponsacco PI 43 L 13
Ponsano PI 43 L 14
Ponso PD 24 G 16
Pont AO 18 F 3
Pont Canavese TO 19 F 4
Pont-St. Martin AO 19 F 5
Pontassieve FI 44 K 16
Pontboset AO 19 F 5
Ponte TP 96 N 19
Ponte UD 14 C 21
Ponte BN 70 D 26
Ponte CE 64 S 23
Ponte Rizzoli BO 40 I 16
Ponte a Cappiano FI 43 K 14
Ponte a Egola PI 43 K 14
Ponte a Elsa PI 43 K 14
Ponte a Moriano LU 39 K 13
Ponte agli Stolli FI 44 L 16
Ponte Arche TN 11 D 14
Ponte Barizzo SA 75 F 27
Ponte Biferchia BN 70 D 25
Ponte Buggianese PT 39 K 14
Ponte Buriano AR 44 L 17
Ponte Caffaro BS 23 E 13
Ponte Cappuccini PS 41 K 19
Ponte Centesimo PG 51 M 20
Ponte d. Valle FI 40 J 17
Ponte d'Arbia SI 50 M 16
Ponte d'Assi PG 51 M 19
Ponte della Priula TV 25 E 18
Ponte della Venturina PT 39 J 14
Ponte dell'Olio PC 29 H 10
Ponte di Barbarano VI 24 F 16
Ponte di Brenta PD 24 F 17
Ponte di Ferro PG 51 N 19
Ponte di Ghiaccio (Passo) BZ 4 B 17
Ponte di Legno BS 10 D 13
Ponte di Masino FI 43 K 14
Ponte di Nava CN 35 J 5
Ponte di Piave TV 16 E 19
Ponte di Samone MO 39 I 14
Ponte di Turbigo NO 20 F 8
Ponte di Verzuno BO 39 J 15
Ponte Erro AL 28 I 7
Ponte Ete AP 53 M 23
Ponte Felcino PG 51 M 19
Ponte Fontanelle (Lago di) PZ 77 F 29
Ponte Galeria RM 62 Q 19
Ponte Gardena / Waidbruck BZ 3 C 16
Ponte in Valtellina SO 10 D 11
Ponte Lambro CO 21 E 9
Ponte Ludovico IM 35 K 4
Ponte Marmora CN 26 I 3
Ponte Messa PS 41 K 18
Ponte nelle Alpi BL 13 D 18
Ponte Nizza PV 29 H 9
Ponte Nossa BG 10 E 11
Ponte Nova / Birchabruck BZ 12 C 16
Ponte Nuovo MC 52 N 21
Ponte Nuovo PG 51 M 19
Ponte Nuovo PT 39 K 14
Ponte Pattoli PG 51 M 19
Ponte Rio AN 46 K 21
Ponte Ronca BO 31 I 15
Ponte Samoggia BO 31 I 15
Ponte S. Giovanni PG 51 M 19
Ponte S. Marco BS 22 F 13
Ponte S. Nicolò PD 24 F 17
Ponte S. Pellegrino MO 31 H 15
Ponte S. Pietro BG 21 E 10
Ponte Taro PR 30 H 12
Ponte 13 Archi FG 66 C 26
Ponte Tresa VA 8 E 8
Ponte Uso FO 41 K 18
Ponte Valleceppi PG 51 M 19
Ponte Zanano BS 22 E 12
Pontebba UD 15 C 21
Pontecagnano SA 75 F 26
Pontecasale PD 24 G 17
Pontecchio Polesine RO 32 G 17
Ponteceno (vicino a Badia) PR 29 I 10
Ponteceno (vicino a Bedonia) PR 29 I 10
Pontechianale CN 26 I 3
Pontechiusita MC 52 N 20
Pontecorvo FR 64 R 23
Pontecurone AL 28 H 8
Pontedassio IM 35 K 6
Pontedazzo PS 46 L 19
Pontedecimo GE 28 I 8
Pontedera PI 43 L 13
Ponteginori PI 49 L 14
Pontegrande CZ 89 K 31
Pontegrande VB 7 E 6
Pontegrosso PR 30 H 11
Pontelagoscuro FE 32 H 16
Pontelandolfo BN 65 S 26
Pontelatone CE 69 D 24
Pontelongo PD 24 G 18
Pontelungo PV 21 G 9
Pontenano AR 44 L 17
Pontenure PC 30 H 11
Pontepetri PT 39 J 14
Ponteranica BG 21 E 11
Ponteranica (Pizzo) BG 9 D 10
Pontericcioli PS 46 L 19
Pontestrambo PR 37 I 10
Pontestura AL 20 G 7
Pontevico BS 22 G 12
Pontey AO 19 E 4
Ponti AL 28 I 7
Ponti di Spagna FE 32 H 16
Ponti sul Mincio MN 23 F 14
Ponticelli BO 40 J 16
Ponticelli RI 58 P 20
Ponticello / Brückele BZ 4 B 18
Ponticino AR 44 L 17
Ponticino / Bundschen BZ 3 C 16
Pontida BG 21 E 10
Pontinia LT 63 R 21
Pontinvrea SV 36 I 7
Pontirolo Nuovo BG 21 F 10
Pontoglio BS 22 F 11
Pontorme FI 43 K 14
Pontremoli MS 38 I 11
Ponzalla FI 40 J 16
Ponzano TE 53 N 23
Ponzano di Fermo AP 53 M 22
Ponzano Monferrato AL 28 G 6
Ponzano Romano RM 58 P 19
Ponzano Veneto TV 25 E 18
Ponze PG 52 N 20
Ponzone BI 19 F 6
Ponzone AL 28 I 7
Popelli RC 88 L 31
Popiglio PT 39 J 14
Popoli PE 60 P 23
Poppi AR 44 K 17
Populonia LI 48 N 13
Porano TR 51 N 18
Porassey AO 18 E 2
Porcari LU 39 K 13
Porcellengo TV 25 E 18
Porchette (Foce di) LU 38 J 13
Porchia AP 53 N 22
Porchiano AP 53 N 22
Porchiano TR 58 O 19
Porcia PN 13 E 19
Porciano AR 40 K 17
Porcile (Monte) SP 37 I 10
Porco (Ponte del) FG 66 B 27
Pordenone PN 13 E 20
Pordenone (Rifugio) PN 13 C 19
Pordoi (Passo) BL 4 C 17
Poreta S. Giacomo PG 52 N 20
Porlezza CO 9 D 9
Pornassio IM 35 J 5
Pornello TR 51 N 18
Poro (Monte) VV 88 L 29
Porotto-Cassana FE 32 H 16
Porpetto UD 17 E 21
Porretta Terme BO 39 J 14
Porri (Isola dei) SS 110 E 6
Porro BZ 4 B 17
Porro (Rifugio) SO 10 D 11
Portacomaro AT 28 H 6
Portalbera PV 29 G 9
Portaria TR 58 O 19
Portatore LT 63 S 21
Porte TO 26 H 3
Portegrandi VE 16 F 19
Portelle EN 100 N 25
Portello (Passo di) GE 29 I 9
Portese BS 23 F 13
Porticelle Soprane CT 100 N 26
Porticello PA 98 M 22
Porticello-Sta Trada RC 90 M 29
Portici NA 69 E 25
Portico di Caserta CE 69 D 24
Portico di Romagna FO 40 J 17
Portigliola RC 91 M 30
Portiglione GR 49 N 14
Portile MO 31 I 14
Portio SV 36 J 7
Portiolo MN 31 G 14
Portis UD 14 C 21
Portisco SS 109 D 10
Portixeddu SU 118 I 7
Porto PG 50 M 17
Porto Alabe OR 114 G 7
Porto Azzurro LI 48 N 13
Porto Badino LT 63 S 21
Porto Badisco LE 83 G 37
Porto Botte SU 120 J 7
Porto Botte (Stagno di) SU 120 J 7
Porto Ceresio VA 8 E 8
Porto Cervo SS 109 D 10
Porto Cesareo LE 79 G 35
Porto Conte SS 110 F 6
Porto Corsini RA 33 I 18
Porto d'Ascoli AP 53 N 23
Porto di Falconera VE 16 F 20
Porto di Levante ME 94 L 26
Porto di Maratea PZ 84 H 29
Porto di Ponente ME 94 L 26
Porto di Vasto CH 61 P 26
Porto Empedocle AG 102 P 22
Porto Ercole GR 55 O 15
Porto Fuori RA 41 I 18
Porto Garibaldi FE 33 H 18
Porto Istana SS 113 E 10
Porto Levante RO 33 G 19
Porto Mandriola OR 114 G 7
Porto Mantovano MN 23 G 14
Porto Marghera VE 25 F 18
Porto Maurizio IM 35 K 6
Porto Nogaro UD 17 E 21
Porto Palma SU 118 H 7
Porto Palo AG 97 O 20
Porto Pino SU 120 K 7
Porto Potenza Picena MC 47 L 23
Porto Pozzo SS 109 D 9
Porto Raphael SS 109 D 10
Porto Recanati MC 47 L 22
Porto Rotondo SS 109 D 10
Porto S. Paolo SS 113 E 10
Porto S. Elpidio AP 53 M 23
Porto S. Giorgio AP 53 M 23
Porto Sta Margherita VE 16 F 20
Porto Sto Stefano GR 55 O 15
Porto Tolle RO 33 H 18
Porto Torres SS 110 E 7
Porto Tricase LE 83 H 37
Porto Valtravaglia VA 8 E 8
Porto Viro RO 33 G 18
Portobello di Gallura SS 109 D 9
Portobuffolé TV 13 E 19
Portocannone CB 66 B 27
Portoferraio LI 48 N 12
Portofino GE 37 J 9
Portofino (Penisola di) GE 37 J 9
Portofino Vetta GE 37 J 9
Portogreco FG 67 B 30
Portogruaro VE 16 E 20
Portole AR 51 M 18
Portomaggiore FE 32 H 17
Portonovo AN 47 L 22
Portonovo BO 32 I 17
Portopalo di Capo Passero SR 107 Q 27
Portoscuso SU 118 J 7
Portovenere SP 38 J 11
Portoverrara FE 32 H 17
Portovesme SU 118 J 7
Porziano PG 51 M 19
Posada NU 113 F 11
Posada (Fiume di) NU 113 F 11
Posada (Lago di) NU 113 F 10
Poscante BG 21 E 11
Posillesi TP 97 N 20
Posillipo NA 69 E 24
Posina VI 23 E 15
Positano SA 74 F 25
Possagno TV 12 E 17
Possidente PZ 71 E 29
Posta RI 59 O 21
Posta Fibreno FR 64 Q 23
Postal / Burgstall BZ 3 C 15
Postalesio SO 10 D 11
Postiglione SA 76 F 27
Postioma TV 25 E 18
Postua VC 20 E 6

A B C D E F G H I J K L M N O P Q R S T U V W X Y Z

Potame CS 86 J 30
Potenza PZ 76 F 29
Potenza (Macerata) MC 52 M 21
Potenza Picena MC 47 L 22
Poti (Alpe di) AR 45 L 17
Pottu Codinu (Necropoli di) SS 110 F 7
Pove del Grappa VI 24 E 17
Povegliano TV 25 E 18
Povegliano Veronese VR 23 F 14
Poverella CS 86 J 31
Poverello (Monte) ME 90 M 28
Poviglio RE 31 H 13
Povolaro VI 24 F 16
Povoletto UD 15 D 21
Poza CE 64 S 24
Pozza MO 31 I 14
Pozza di Fassa TN 12 C 17
Pozzaglia Sabino RI 58 P 20
Pozzaglio ed Uniti CR 22 G 12
Pozzale FI 43 K 14
Pozzallo RG 107 Q 26
Pozzella (Torre) BR 80 E 35
Pozzengo AL 28 G 6
Pozzilli IS 64 R 24
Pozzillo CT 101 O 27
Pozzillo (Lago) EN 100 O 25
Pozzillo (Monte) AG 103 P 23
Pozzo AL 27 G 6
Pozzo AR 50 M 17
Pozzo Guacito BR 80 E 34
Pozzo Salerno TA 80 F 34
Pozzo S. Nicola SS 110 E 6
Pozzo Terraneo FG 71 D 29
Pozzo (vicino a Pasiano di P) PN 16 E 19
Pozzo (vicino a Provesano) PN 14 D 20
Pozzol-Groppo AL 29 H 9
Pozzolengo BS 23 F 13
Pozzoleone VI 24 F 17
Pozzolo MN 23 G 14
Pozzolo Formigaro AL 28 H 8
Pozzomaggiore SS 115 F 7
Pozzoni (Monte) RI 52 O 21
Pozzonovo PD 24 G 17
Pozzuoli NA 69 E 24
Pozzuolo PG 50 M 17
Pozzuolo del Friuli UD 17 E 21
Pozzuolo Martesana MI 21 F 10
Prà GE 36 I 8
Pra Campo SO 10 D 12
Pracchia PT 39 J 14
Pracchiola MS 38 I 11
Prad am Stilfserjoch / Prato allo Stelvio BZ 2 C 13
Prada VR 23 E 14
Pradalunga BG 22 E 11
Pradamano UD 15 D 21
Pradarena (Passo di) LU 38 J 12
Prade TN 12 D 17
Pradello MN 31 G 14
Pradeltorno TO 26 H 3
Pradidali (Rifugio) TN 12 D 17
Pradielis UD 15 D 21
Pradipozzo VE 16 E 20
Pradleves CN 34 I 3
Pradovera PC 29 H 10
Pragelato TO 26 G 2
Praglia GE 28 I 8
Praglia (Abbazia di) PD 24 F 17
Prags / Braies BZ 4 B 18
Pragser Wildsee / Braies (Lago di) BZ 4 B 18
Praia a Mare CS 84 H 29
Praia a Mare TA 80 F 33
Praiano SA 75 F 25
Prainito (il) SR 105 Q 26
Pralboino BS 22 G 12
Prali TO 26 H 3
Pralormo TO 27 H 5
Pralungo BI 19 F 6
Pramaera NU 117 H 10
Pramaggiore VE 16 E 20
Pramaggiore (Monte) PN 13 C 19
Pramollo TO 26 H 3
Pramollo (Passo di) / Naßfeld-Paß UD 15 C 21
Pramper (Cima di) BL 13 D 18
Pramperet (Rifugio) BL 13 D 18
Pranello PR 30 I 12
Prano (Monte) LU 38 K 13
Pranolz BL 13 D 18
Pranu Mutteddu SU 119 I 9
Pranzo TN 11 E 14
Prarayer AO 7 E 4
Prascorsano TO 19 F 4
Prastondu TO 19 F 4
Prata AV 70 E 26
Prata GR 49 M 14
Prata Camportaccio SO 9 D 10
Prata d'Ansidonia AQ 59 P 22
Prata di Pordenone PN 13 E 19
Prata Sannita CE 65 R 24
Pratella CE 65 R 24
Pratello (Monte) AQ 64 Q 23
Prateria RC 88 L 30
Prati (i) TR 58 O 20
Prati di Tivo TE 59 O 22
Prati / Wiesen BZ 3 B 16
Pratica di Mare RM 62 R 19
Praticello RE 30 H 13
Pratieghi AR 45 K 18
Prato PO 39 K 15
Prato GE 37 I 10
Prato RE 31 H 14
Prato TR 51 N 18
Prato (Monte) LU 38 J 13
Prato (Tempa del) SA 76 F 27
Prato alla Drava / Winnebach BZ 4 B 19
Prato all'Isarco / Blumau BZ 3 C 16
Prato allo Stelvio / Prad am Stilfser-joch BZ 2 C 13
Prato Carnico UD 5 C 20
Prato di Campoli FR 64 Q 22
Prato Nevoso CN 35 J 5
Prato Perillo SA 76 F 28
Prato Piazza / Plätzwiesen BZ 4 C 18
Prato Ranieri GR 49 N 14
Prato Selva TE 59 O 22
Prato Sopralacroce GE 37 I 10
Pratobello NU 115 G 9
Pratobotrile TO 18 G 3
Pratola Peligna AQ 60 P 23
Pratola Serra AV 70 E 26
Pratolino FI 40 K 15
Pratomagno AR 44 K 16
Pratomedici MS 38 J 12
Pratorsi PT 39 J 14
Pratovecchio AR 44 K 17
Pravisdomini PN 16 E 20
Pray BI 20 E 6
Praz AO 7 E 4
Prazzo CN 26 I 3
Pré de Bar AO 6 E 3
Pré-St. Didier AO 18 E 2
Prea CN 35 J 5
Precenicco UD 16 E 21
Preci PG 52 N 21
Preda Rossa SO 9 D 11
Preda (Val) AQ 59 O 22
Predappio FO 40 J 17
Predappio Alta FO 40 J 17
Predazzo TN 12 D 16
Predel / Predil (Passo del) UD 15 C 22
Prediera RE 31 I 13
Predil (Lago del) UD 15 C 22
Predil (Passo del) / Predel UD 15 C 22
Predoi / Prettau BZ 4 A 18
Predoi (Pizzo Rosso di) / Rötspitze BZ 4 A 18
Predonico / Perdonig BZ 3 C 15
Predore BG 22 E 12
Predosa AL 28 H 7
Preganziol TV 25 F 18
Preggio PG 51 M 18
Preglia VB 8 D 6
Pregnana Milanese MI 21 F 9
Preit CN 26 I 3
Prelà IM 35 K 5
Prelerna PR 30 I 11
Premana LC 9 D 10
Premariacco UD 15 D 22
Premeno VB 8 E 7
Premia VB 8 D 7
Premilcuore FO 40 K 17
Premosello VB 8 D 7
Prena (Monte) TE 59 O 23
Prenestini (Monti) RM 63 Q 20
Preola (Lago di) TP 96 O 19
Preone UD 14 C 20
Prepotto UD 15 D 22
Presa (Isola la) SS 109 D 10
Presanella (Cima) TN 11 D 13
Presciano RM 63 R 20
Preseglie BS 22 E 13
Preselle GR 49 N 15
Presenzano CE 64 R 24
Presicce LE 83 H 36
Presolana (Passo della) BG 10 E 12
Presolana (Pizzo della) BG 10 E 12
Pressana VR 24 G 16
Presta (Forca di) AP 52 N 21
Prestianni CL 103 O 24
Prestone SO 9 C 10
Preta CE 64 S 24
Pretara TE 59 O 22
Pretare AP 52 N 21
Preti (Cima dei) PN 13 C 19
Pretoro CH 60 P 24
Prettau / Predoi BZ 4 A 18
Preturo AQ 59 O 21
Prevalle BS 22 F 13
Prezza AQ 60 P 23
Priabona VI 24 F 16
Priatu SS 109 E 9
Priero CN 35 I 6
Prignano Cilento SA 75 G 27
Prignano sulla Secchia MO 39 I 14
Prima Porta RM 58 P 19
Primaluna LC 9 E 10
Primero (Bocca di) GO 17 E 22
Primolano VI 12 E 17
Primolo SO 10 D 11
Principe (Monte) / Hoherfirst BZ 3 B 15
Principina a Mare GR 49 N 15
Priocca d'Alba CN 27 H 6
Priola CN 35 J 6
Priola (Punta di) PA 98 M 22
Priolo CL 104 P 25
Priolo Gargallo SR 105 P 27
Priora (Monte) AP 52 N 21
Prisdarella RC 88 L 31
Priverno LT 63 R 21
Prizzi PA 98 N 22
Prizzi (Lago di) PA 98 N 22
Procchio LI 48 N 12
Proceno VT 50 N 17
Procida NA 74 E 24
Procida (Canale di) NA 69 E 24
Procida (Isola di) NA 74 E 24
Prodo TR 51 N 18
Progno VR 23 F 14
Promano PG 45 L 18
Propata GE 29 I 9
Prosciutto (Punta) LE 79 G 35
Prosecco TS 17 E 23
Prossedi LT 63 R 21
Prossenicco UD 15 D 22
Provaglio d'Iseo BS 22 F 12
Provaglio Val Sabbia BS 22 E 13
Provagna BL 13 D 18
Provazzano PR 30 I 13
Proveis / Pròves BZ 3 C 15
Pròves / Proveis BZ 3 C 15
Provesano PN 14 D 20
Provonda TO 26 G 3
Provvidenti CB 65 Q 26
Prudenzini (Rifugio) BS 10 D 13
Prun VR 23 F 14
Pruna (Punta sa) NU 117 G 10
Pruna (Sa) NU 115 G 9
Prunella RC 90 N 29
Prunetta PT 39 J 14
Prunetto CN 27 I 6
Pruno LU 38 J 12
Pruno (Poggio al) PI 49 M 14
Pucciarelli PG 51 M 18
Pudiano BS 22 F 12
Puegnago sul Garda BS 22 F 13
Puez (Rifugio) BZ 4 C 17
Puglianello BN 70 D 25
Pugnochiuso FG 67 B 30
Puia PN 13 E 19
Puianello RE 31 I 13
Pula CA 121 J 9
Pula (Capo di) CA 121 J 9
Pulfero UD 15 D 22
Pulicciano AR 44 L 16
Pullir BL 12 D 17
Pulsano TA 79 F 34
Pulsano (Santuario di) FG 67 B 29
Pumenengo BG 22 F 11
Punta Ala GR 49 N 14
Punta Braccetto RG 106 Q 25
Punta del Lago VT 57 P 18
Punta Gennarta (Lago) SU 118 I 7
Punta Marina RA 41 I 18
Punta Sabbioni VE 16 F 19
Punta Secca RG 106 Q 25
Puntalazzo CT 101 N 27
Puntazza (Capo) TP 97 M 20
Punti (Li) SS 110 E 7
Puos d'Alpago BL 13 D 19
Pura (Passo del) UD 13 C 20
Puranno (Monte) PG 52 N 20
Purgatorio TP 97 M 20
Pusiano CO 21 E 9
Pusiano (Lago di) LC 21 E 9
Pusteria (Val) BZ 4 B 17
Putia (Sass de) BZ 4 C 17
Putifigari SS 110 F 7
Putignano BA 73 E 33
Putignano (Grotta di) BA 73 E 33
Putzu Idu OR 114 G 7
Puzzillo (Monte) AQ 59 P 22

Q

Quaderna BO 32 I 16
Quaderni VR 23 G 14
Quadri CH 65 Q 24
Quadro (Pizzo) SO 9 C 9
Quaglietta AV 71 E 27
Quaglio RG 104 P 25
Quáira (Lago di) BZ 3 C 14
Qualiano NA 69 E 24
Qualso UD 15 D 21
Quara RE 38 I 13
Quaranta SI 50 N 16
Quarantoli MO 31 H 15
Quargnento AL 28 H 7
Quarna VB 8 E 7
Quarnan (Rifugio) UD 14 D 21
Quarona VC 20 E 6
Quarrata PT 39 K 14
Quartaia SI 43 L 15
Quartesana FE 32 H 17
Quartiere Paolo VI TA 79 F 33
Quarto FO 41 K 18
Quarto NA 69 E 24
Quarto PC 29 G 11
Quarto (Lago di) FO 41 K 18
Quarto d'Altino VE 25 F 19
Quarto Inferiore AT 28 H 6
Quarto Inferiore BO 32 I 16
Quartu (Golfo di) CA 119 J 9
Quartu S. Elena CA 119 J 9
Quartucciu CA 119 J 9
Quasano BA 73 E 31
Quattordio AL 28 H 7
Quattro Castella RE 30 I 13
Quattrocase MN 31 H 15
Quattropani ME 94 L 26
Quattrostrade GR 55 O 15
Quattroventi CE 65 R 24
Querce al Pino SI 50 M 17
Quercegrossa SI 44 L 15
Querceta LU 38 K 12
Querceto PI 49 M 14
Quercia del Monaco (Passo della) FR 64 R 22
Quercianella LI 42 L 13
Querciola BO 39 J 14
Quero BL 12 E 17
Quezzi GE 36 I 8
Quiesa LU 38 K 13
Quiliano SV 36 J 7
Quincinetto TO 19 F 5
Quindici AV 70 E 25
Quingentole MN 31 G 15
Quinto al Mare GE 36 I 8
5° Alpini (Rifugio) SO 2 C 13
Quinto di Treviso TV 25 F 18
Quinto di Valpantena VR 23 F 15
Quinto Vercellese VC 20 F 7
Quinto Vicentino VI 24 F 16
Quinzano d'Oglio BS 22 G 12
Quirra SU 119 I 10
Quirra (Isola di) SU 119 I 10
Quirra (Rio de) NU 119 H 10
Quistello MN 31 G 14

R

Rabbi TN 11 C 14
Rabbi (Fiume) FO 40 K 17
Rabbi (Val di) TN 11 C 14
Rabbini PC 29 H 11
Rabenstein / Corvara BZ 3 B 15
Racale LE 83 H 36
Racalmuto AG 103 O 23
Raccolana (Canale di) UD 15 C 22
Racconigi CN 27 H 5
Raccuia ME 100 M 26
Racines / Ratschings BZ 3 B 16
Racines (Val di) BZ 3 B 15
Radda in Chianti SI 44 L 16
Raddusa CT 104 O 25
Radein / Redagno BZ 12 C 16
Radi SI 50 M 16
Radici (Passo delle) LU 38 J 13
Radicofani SI 50 N 17
Radicondoli SI 49 M 15
Radogna FG 71 D 28
Radsberg / Monte Rota BZ 4 B 18
Raffadali AG 102 O 22
Ragada TN 11 D 13
Ragalna CT 100 O 26
Raganello CS 85 H 30
Ragazzola PR 30 G 12
Raggiolo (Ortignano-) AR 44 K 17
Ragogna UD 14 D 20
Ragola (Monte) PR 29 I 10
Ragoli TN 11 D 14
Ragusa RG 104 Q 26
Raia (Monte) SA 75 E 26
Raialunga (Monte) SA 76 G 28
Raiamagra (Monte) AV 71 E 27
Raiano AQ 60 P 23
Rain in Taufers / Riva di Tures BZ 4 B 18
Raisi (Punta) PA 97 M 21
Raisigerbi (Capo) PA 99 M 24
Raldon VR 23 F 15
Ram BZ 2 C 13
Rama (Capo) PA 97 M 21
Ramacca CT 104 O 26
Ramaceto (Monte) GE 37 I 9
Ramière (Punta) TO 26 H 2
Ramilia (Case) CL 103 O 23
Ramiseto RE 38 I 12
Ramon TV 24 E 17
Ramponio CO 9 E 9
Ramundo CS 87 J 31
Rancale PG 51 M 19
Ranchio FO 41 K 18
Rancia (Castello della) MC 52 M 22
Rancio Valcuvia VA 8 E 8
Ranco AR 45 L 18
Ranco VA 20 E 7
Randazzo CT 100 N 26
Rangona FE 32 H 16
Ranica BG 21 E 11
Ranzanico BG 22 E 11
Ranzano PR 38 I 12
Ranzo IM 35 J 6
Ranzo TN 11 D 14
Ranzola (Colle di) AO 19 E 5
Rapagnano AP 53 M 22
Rapallo GE 37 I 9
Raparo (Monte) PZ 77 G 29
Rapegna MC 52 N 21
Rapino CH 60 P 24
Rapolano Terme SI 50 M 16
Rapolla PZ 71 E 29
Rapone PZ 71 E 28
Rasciesa BZ 4 C 16
Rascino (Lago) RI 59 O 21
Rasenna MC 52 N 20
Rasiglia PG 52 N 20
Rasocolmo (Capo) ME 90 M 28
Raspollino (Padule di) GR 49 N 15
Rassa VC 19 E 6
Rassina AR 44 L 17
Rastignano BO 40 I 16
Rastrello (Valico del) SP 37 J 11
Rasu (Monte) NU 119 I 10
Rasu (Monte) SS 115 F 9
Rasun-Anterselva / Rasen-Antholz BZ 4 B 18
Rasura SO 9 D 10
Raticosa (Passo della) FI 40 J 16
Ratschings / Racines BZ 3 B 16
Rattisio Nuovo / Neurateis BZ 3 B 14
Ratzes / Razzes BZ 3 C 16
Rauchkofel / Fumo (Monte) BZ 4 A 18
Rauscedo PN 13 D 20
Rauth / Novale BZ 12 C 16
Rava (Cimon) TN 12 D 16
Ravadese PR 30 H 13
Ravagnese RC 90 M 28
Ravalle FE 32 H 16
Ravanusa AG 103 P 23
Ravarano PR 30 I 12
Ravari (Bocca di) BO 39 J 15
Ravarino MO 31 H 15
Ravascletto UD 5 C 20
Ravello SA 75 F 25
Ravenna RA 41 I 18
Raveo UD 14 C 20
Ravi GR 49 N 14
Ravina TN 11 D 15
Raviscanina CE 65 R 24
Razzà RC 91 N 30
Razzes / Ratzes BZ 3 C 16
Razzo (Sella di) BL 5 C 19
Razzoli (Isola) SS 109 D 10
Razzuolo FI 40 J 16
Re VB 8 D 7
Re (Serra del) CT 100 N 26
Rea PV 29 G 9
Reale (Canale) BR 79 F 35
Reale (Rada della) SS 108 D 6
Realmonte AG 102 P 22
Reana del Roiale UD 15 D 21
Reatini (Monti) RI 58 O 20
Rebeccu SS 115 F 8
Recanati MC 47 L 22
Recattivo PA 99 O 24
Recattivo (Portella) PA 99 O 24
Recchio PR 30 H 12
Recco GE 37 I 9
Recetto NO 20 F 7
Recoaro Mille VI 23 E 15
Recoaro Terme VI 23 E 15
Recoleta MT 78 G 31
Recovato MO 31 I 15
Reda RA 40 J 17
Redagno / Radein BZ 12 C 16
Redasco (Cime) SO 10 C 12
Redavalle PV 29 G 9
Redebus (Passo) TN 12 D 15
Redena FE 31 H 15
Redi Castello (Monte) TN 10 D 13
Redipuglia GO 17 E 22
Redona PN 13 D 20
Redondesco MN 30 G 13
Redone BS 23 F 13
Refavaie TN 12 D 16
Refrancore AT 28 H 7
Refrontolo TV 13 E 18
Regalbuto EN 100 O 25
Regalgioffoli PA 98 N 22
Reggello FI 44 K 16
Reggio di Calabria RC 90 M 28
Reggio nell'Emilia RE 31 H 13
Reggiolo RE 31 H 14
Regi Lagni NA 70 E 25
Regina CS 85 I 30
Regina Elena (Canale) NO 20 F 7
Regnano MS 38 J 12
Regona CR 22 G 11
Rei (Costa) SU 119 J 10
Reino BN 65 S 26
Reinswald / S. Martino BZ 3 B 16
Reischach / Riscone BZ 4 B 17
Reit (Cresta di) SO 2 C 13
Reitano ME 99 N 25
Religione (Punta) RG 106 Q 26
Remanzacco UD 15 D 21
Remedello Sopra BS 22 G 13
Remedello Sotto BS 22 G 13
Remondò PV 20 G 8
Renaio LU 39 J 13
Renate MI 21 E 9
Renazzo FE 32 H 15
Rendale VI 12 E 16
Rende CS 86 J 30
Rendena (Valle) TN 11 D 14
Rendina (Lago del) PZ 71 D 29
Rendinara AQ 64 Q 22
Renna (Monte) RG 106 Q 26
Renna (Monte) SR 105 Q 26
Renno MO 39 J 14
Reno PT 39 J 14
Reno VA 8 E 7
Reno (Foce del) RA 33 I 18
Reno Finalese MO 32 H 15
Renòn (Corno di) BZ 3 C 16
Renon / Ritten BZ 3 C 16
Reppia GE 37 I 10
Resana TV 24 F 17
Rescaldina MI 20 F 8
Resceto MS 38 J 12
Reschen / Resia BZ 2 B 13
Reschenpaß / Resia (Passo di) BZ 2 B 13
Reschensee / Resia (Lago di) BZ 2 B 13
Resettum (Monte) PN 13 D 19
Resia UD 15 C 21
Resia / Reschen BZ 2 B 13
Resia (Lago di) / Reschensee BZ 2 B 13
Resia (Passo di) / Reschenpaß BZ 2 B 13
Resia (Valle di) UD 15 C 21
Resiutta UD 15 C 21
Rest (Forcola di Monte) PN 13 C 20
Resta GR 49 N 14
Restinco (Masseria) BR 80 F 35
Resuttano CL 99 N 24
Resuttano CL 99 N 24
Retorbido PV 29 H 9
Revello CN 26 I 4
Reventino (Monte) CZ 86 J 30
Revere MN 31 G 15
Revine TV 13 D 18
Revò TN 11 C 15
Rezzanello PC 29 H 10
Rezzato BS 22 F 12

Rezzo **IM** 35 J 5
Rezzoaglio **GE** 29 I 10
Rhêmes-
Notre Dame **AO** 18 F 3
Rhêmes-St. Georges **AO** 18 F 3
Rhêmes (Val di) **AO** 18 F 3
Rho **MI** 21 F 9
Riace **RC** 88 L 31
Riace Marina **RC** 89 L 31
Rialto **SV** 36 J 6
Riano **RM** 58 P 19
Riardo **CE** 65 S 24
Ribera **AG** 102 O 21
Ribolla **GR** 49 N 15
Ribordone **TO** 19 F 4
Ricadi **VV** 88 L 29
Ricaldone **AL** 28 H 7
Ricavo **SI** 43 L 15
Riccardina **BO** 32 I 16
Riccia **CB** 65 R 26
Riccio **AR** 50 M 18
Riccione **RN** 41 J 19
Riccò del Golfo
di Spezia **SP** 38 J 11
Riccovolto **MO** 39 J 13
Ricengo **CR** 21 F 11
Ricetto **RI** 59 P 21
Ricigliano **SA** 76 E 28
Ridanna / Ridnaun **BZ** 3 B 15
Ridanna (Val) **BZ** 3 B 15
Ridnaun / Ridanna **BZ** 3 B 15
Ridotti (i) **AQ** 64 Q 22
Ridracoli **FO** 40 K 17
Ridracoli (Lago di) **FO** 40 K 17
Rienza **BZ** 4 B 17
Riepenspitze / Ripa
(Monte) **BZ** 4 B 18
Ries (Vedrette di) /
Rieserfernegruppe **BZ** 4 B 18
Riese Pio X **TV** 24 E 17
Riesi **CL** 103 P 24
Rieti **RI** 58 O 20
Rifreddo **PZ** 77 F 29
Rifredo **FI** 40 J 16
Rigali **PG** 52 M 20
Righetto (Passo del) **MS** 38 I 11
Rigiurfo Grande
(Case) **CL** 104 P 25
Riglio **PC** 29 H 11
Riglio (Torrente) **PC** 30 G 11
Riglione-Oratoio **PI** 42 K 13
Rignano Flaminio **RM** 58 P 19
Rignano Garganico **FG** 67 B 28
Rignano sull'Arno **FI** 44 K 16
Rigo (Ponte del) **SI** 50 N 17
Rigolato **UD** 5 C 20
Rigoli **PI** 42 K 13
Rigolizia **SR** 104 Q 26
Rigomagno **SI** 50 M 17
Rigoso **PR** 38 I 12
Rigutino **AR** 45 L 17
Rilievo **TP** 96 N 19
Rima **VC** 7 E 6
Rimagna **PR** 38 I 12
Rimasco **VC** 7 E 6
Rimella **VC** 8 E 6
Rimendiello **PZ** 77 G 29
Rimini **RN** 41 J 19
Riminino **VT** 57 O 16
Rimiti **ME** 90 N 27
Rinalda (Torre) **LE** 81 F 36
Rinella **ME** 94 L 26
Rino **BS** 10 D 13
Rio di Lagundo /
Aschbach **BZ** 3 C 15
Rio di Pusteria /
Mühlbach **BZ** 4 B 16
Rio (il) **RM** 63 R 21
Rio Marina **LI** 48 N 13
Rio nell'Elba **LI** 48 N 13
Rio Saliceto **RE** 31 H 14
Rio Secco **FO** 40 J 17
Riobianco /
Weißenbach (vicino
a Campo Tures) **BZ** 4 B 17
Riobianco / Weißenbach
(vicino a Pennes) **BZ** 3 B 16
Riofreddo **SV** 35 J 6
Riofreddo **FO** 41 K 18
Riofreddo **RM** 59 P 21
Riofreddo **UD** 15 C 22
Riola **BO** 39 J 15
Riola Sardo **OR** 114 H 7
Riolo **MO** 31 I 15
Riolo Terme **RA** 40 J 17
Riolunato **MO** 39 J 13
Riomaggiore **SP** 37 J 11
Riomolino /
Mühlbach **BZ** 4 B 17
Riomurtas **SU** 118 J 8
Rionero in Vulture **PZ** 71 E 29
Rionero Sannitico **IS** 65 Q 24
Riosecco **PG** 45 L 18
Riotorto **LI** 49 N 14
Rioveggio **BO** 39 J 15
Ripa **TO** 26 H 2
Ripa **AQ** 59 P 22
Ripa **PG** 51 M 19
Ripa d'Orcia **SI** 50 M 16
Ripa (Monte) /
Riepenspitze **BZ** 4 B 18
Ripa Sottile (Lago di) **RI** 58 O 20
Ripa Teatina **CH** 60 O 24
Ripaberarda **AP** 53 N 22
Ripabottoni **CB** 65 Q 26
Ripacandida **PZ** 71 E 29
Ripaldina **PV** 29 G 10
Ripalimosano **CB** 65 R 25
Ripalta **FG** 66 B 27
Ripalta Arpina **CR** 21 G 11
Ripalta Cremasca **CR** 21 G 11
Ripalti (Punta dei) **LI** 48 N 13
Ripalvella **TR** 51 N 18
Ripapersico **FE** 32 H 17
Riparbella **PI** 43 L 13
Ripatransone **AP** 53 N 23
Ripe **AN** 46 K 21
Ripe **PS** 41 K 20
Ripe **TE** 53 N 22
Ripe S. Ginesio **MC** 52 M 22
Ripi **FR** 64 R 22
Ripoli **AR** 45 L 18
Riposa (la) **TO** 18 G 3
Riposto **CT** 101 N 27
Risano **UD** 17 E 21
Riscone / Reischach **BZ** 4 B 17
Risicone **CT** 104 P 26
Rispescia **GR** 49 N 15
Ristola (Punta) **LE** 83 H 37
Rittana **CN** 34 I 4
Ritten / Renon **BZ** 3 C 16
Riva **PC** 29 H 10
Riva **TO** 26 H 4
Riva (Valle di) **BZ** 4 A 17
Riva degli Etruschi **LI** 49 M 13
Riva dei Tarquini **VT** 57 P 16
Riva dei Tessali **TA** 78 F 32
Riva del Garda **TN** 11 E 14
Riva del Sole **GR** 49 N 14
Riva di Faggeto **CO** 9 E 9
Riva di Solto **BG** 22 E 12
Riva di Tures /
Rain in Taufers **BZ** 4 B 18
Riva Ligure **IM** 35 K 5
Riva presso Chieri **TO** 27 H 5
Riva Trigoso **GE** 37 J 10
Riva Valdobbia **VC** 7 E 5
Rivabella **LE** 83 G 36
Rivabella **RN** 41 J 19
Rivabella **BO** 39 I 15
Rivalba **TO** 27 G 5
Rivalta **RE** 31 I 13
Rivalta Bormida **AL** 28 H 7
Rivalta di Torino **TO** 27 G 4
Rivalta Scrivia **AL** 28 H 8
Rivalta sul Mincio **MN** 23 G 14
Rivalta Trebbia **PC** 29 H 10
Rivamonte
Agordino **BL** 12 D 18
Rivanazzano Terme **PV** 29 H 9
Rivara **MO** 31 H 15
Rivara **TO** 19 F 4
Rivarolo Canavese **TO** 19 F 5
Rivarolo del Re **CR** 30 G 13
Rivarolo Ligure **GE** 36 I 8
Rivarolo
Mantovano **MN** 30 G 13
Rivarone **AL** 28 H 8
Rivarossa **TO** 19 G 5
Rivazzurra **RN** 41 J 19
Rive **VC** 20 G 7
Rive d'Arcano **UD** 14 D 21
Rivello **PZ** 76 G 29
Rivergaro **PC** 29 H 10
Rivignano **UD** 16 E 21
Rivis **UD** 16 D 20
Rivisondoli **AQ** 64 Q 24
Rivo **TR** 58 O 19
Rivodutri **RI** 58 O 20
Rivoli **TO** 27 G 4
Rivoli Veronese **VR** 23 F 14
Rivolta d'Adda **CR** 21 F 10
Rivoltella **BS** 23 F 13
Rivoltella **PV** 20 G 7
Rivoschio Pieve **FO** 41 J 18
Rizzacorno **CH** 60 P 25
Rizziconi **RC** 88 L 29
Rizzolo **PC** 29 H 11
Rizzuto (Capo) **KR** 89 K 33
Ro Ferrarese **FE** 32 H 17
Roana **VI** 12 E 16
Roaschia **CN** 34 J 4
Roasco **SO** 10 D 12
Robassomero **TO** 19 G 4
Robbio **PV** 20 G 7
Robecco d'Oglio **CR** 22 G 12
Robecco Pavese **PV** 29 G 9
Robecco sul Naviglio **MI** 20 F 8
Robella **AT** 27 G 6
Roberti (Masseria) **BA** 73 D 33
Robilante **CN** 35 J 4
Roboaro **AL** 28 I 7
Roburent **CN** 35 J 5
Roca Vecchia **LE** 81 G 37
Rocca **BL** 12 E 17
Rocca Canterano **RM** 63 Q 21
Rocca Corneta **BO** 39 J 14
Rocca Corneta **BO** 39 J 14
Rocca d'Arazzo **AT** 28 H 6
Rocca de' Giorgi **PV** 29 H 9
Rocca d'Evandro **CE** 64 R 23
Rocca di Botte **AQ** 59 P 21
Rocca di Cambio **AQ** 59 P 22
Rocca
di Capri Leone **ME** 100 M 26
Rocca di Cave **RM** 63 Q 20
Rocca di Corno **RI** 59 O 21
Rocca di Mezzo **AQ** 59 P 22
Rocca di Neto **KR** 87 J 33
Rocca di Papa **RM** 63 Q 20
Rocca di Roffeno **BO** 39 J 15
Rocca Fiorita **ME** 90 N 27
Rocca Grimalda **AL** 28 H 7
Rocca Imperiale **CS** 78 G 31
Rocca
Imperiale Marina **CS** 78 G 31
Rocca Massima **LT** 63 Q 20
Rocca Pia **AQ** 64 Q 23
Rocca Pietore **BL** 12 C 17
Rocca Priora **AN** 47 L 22
Rocca Priora **RM** 63 Q 20
Rocca Ricciarda **AR** 44 L 16
Rocca S. angelo **PG** 51 M 19
Rocca S. Casciano **FO** 40 J 17
Rocca S. Felice **AV** 71 E 27
Rocca San Giovanni **CH** 61 P 25
Rocca Sta Maria **TE** 53 N 22
Rocca Sto Stefano **RM** 63 Q 21
Rocca Sinibalda **RI** 58 P 20
Rocca Susella **PV** 29 H 9
Rocca Tunda **OR** 114 G 7
Roccabascerana **AV** 70 D 26
Roccabernarda **KR** 87 J 32
Roccabianca **PR** 30 G 12
Roccacaramanico **PE** 60 P 24
Roccacasale **AQ** 60 P 23
Roccacinquemiglia **AQ** 64 Q 24
Roccadaspide **SA** 76 F 27
Roccaferrara **PR** 38 I 12
Roccafinadamo **PE** 60 O 23
Roccafluvione **AP** 52 N 22
Roccaforte
del Greco **RC** 90 M 29
Roccaforte Ligure **AL** 29 H 9
Roccaforte Mondovì **CN** 35 J 5
Roccaforzata **TA** 79 F 34
Roccafranca **BS** 22 F 11
Roccagiovine **RM** 58 P 20
Roccagloriosa **SA** 76 G 28
Roccagorga **LT** 63 R 21
Roccalbegna **GR** 50 N 16
Roccalumera **ME** 90 N 28
Roccalvecce **VT** 57 O 18
Roccamandolfi **IS** 65 R 25
Roccamare **GR** 49 N 14
Roccamena **PA** 97 N 21
Roccamonfina **CE** 64 S 23
Roccamontepiano **CH** 60 P 24
Roccamorice **PE** 60 P 24
Roccanova **PZ** 77 G 30
Roccantica **RI** 58 P 20
Roccapalumba **PA** 98 N 22
Roccapiemonte **SA** 70 E 26
Roccaporena **PG** 52 N 20
Roccarainola **NA** 70 E 25
Roccaraso **AQ** 64 Q 24
Roccaravindola **IS** 64 R 24
Roccaromana **CE** 65 S 24
Roccarossa
(Tempa di) **PZ** 77 G 29
Roccasalli **RI** 52 O 21
Roccascalegna **CH** 60 P 24
Roccasecca **FR** 64 R 23
Roccasecca
dei Volsci **LT** 63 R 21
Roccasicura **IS** 65 Q 24
Roccaspinalveti **CH** 61 Q 25
Roccastrada **GR** 49 M 15
Roccatamburo **PG** 52 N 20
Roccatederighi **GR** 49 M 15
Roccavaldina **ME** 90 M 28
Roccaverano **AT** 28 I 6
Roccavione **CN** 34 J 4
Roccavivara **CB** 65 Q 25
Roccavivi **AQ** 64 Q 22
Roccazzo **RG** 104 P 25
Roccelito (Monte) **PA** 99 N 23
Roccella **CL** 103 O 23
Roccella **CZ** 89 K 31
Roccella Ionica **RC** 88 M 31
Roccella
Valdemone **ME** 100 N 27
Rocchetta **CE** 69 D 24
Rocchetta **MS** 38 J 11
Rocchetta **PG** 52 N 20
Rocchetta a Volturno **IS** 64 R 24
Rocchetta **TN** 11 D 15
Rocchetta Belbo **CN** 27 I 6
Rocchetta Cairo **SV** 36 I 6
Rocchetta di Vara **SP** 37 J 11
Rocchetta Ligure **AL** 29 H 9
Rocchetta Mattei **BO** 39 J 15
Rocchetta Nervina **IM** 35 K 4
Rocchetta Nuova **IS** 64 R 24
Rocchetta
S. Antonio **FG** 71 D 28
Rocchetta Tanaro **AT** 28 H 7
Rocchette **GR** 50 N 16
Rocciamelone **TO** 18 G 3
Roccoli Lorla (Rifugio) **LC** 9 D 10
Rochemolles **TO** 18 G 2
Roddi **CN** 27 H 5
Roddino **CN** 27 I 6
Rodeano **UD** 14 D 21
Rodeneck / Rodengo **BZ** 4 B 17
Rodengo /
Rodeneck **BZ** 4 B 17
Rodengo-Saiano **BS** 22 F 12
Rodì **ME** 101 M 27
Rodi Garganico **FG** 67 B 29
Rodia **ME** 90 M 28
Rodigo **MN** 23 G 13
Rodio **SA** 76 G 27
Rodoretto **TO** 26 H 3
Roen (Monte) **BZ** 11 C 15
Rötspitze / Predoi
(Pizzo Rosso di) **BZ** 4 A 18
Rofrano **SA** 76 G 28
Roggiano Gravina **CS** 85 I 30
Roggione (Pizzo) **SO** 9 D 9
Roghudi **RC** 90 M 29
Rogio (Canale) **LU** 43 K 13
Rogliano **CS** 86 J 30
Roglio **PI** 43 L 14
Rognano **PV** 21 G 9
Rogno **BG** 10 E 12
Rognosa (Punta) **TO** 26 H 2
Rogolo **SO** 9 D 10
Roia **IM** 35 K 4
Roia / Rojen **BZ** 2 B 13
Roiano **TE** 53 N 22
Roiate **RM** 63 Q 21
Roio del Sangro **CH** 65 Q 25
Roisan **AO** 18 E 3
Rojen / Roia **BZ** 2 B 13
Roletto **TO** 26 H 3
Rolle (Cima di) **BZ** 3 B 16
Rolle (Passo di) **TN** 12 D 17
Rolo **RE** 31 H 14
Roma **RM** 62 Q 19
Roma-Ciampino
(Aeroporto) **RM** 62 Q 19
Roma-Fiumicino L. da Vinci
(Aeroporto) **RM** 62 Q 18
Romagnano
al Monte **SA** 76 F 28
Romagnano Sesia **NO** 20 F 7
Romagnese **PV** 29 H 9
Romana **SS** 110 F 7
Romanelli (Grotta) **LE** 83 G 37
Romanengo **CR** 22 F 11
Romano d'Ezzelino **VI** 24 E 17
Romano
di Lombardia **BG** 22 F 11
Romans d'Isonzo **GO** 17 E 22
Rombiolo **VV** 88 L 29
Rombo (Passo del) /
Timmelsjoch **BZ** 3 B 15
Romena
(Castello di) **AR** 44 K 17
Romena (Pieve di) **AR** 44 K 17
Romeno **TN** 11 C 15
Romentino **NO** 20 F 8
Rometta **MS** 38 J 12
Rometta **ME** 90 M 28
Romitello
(Santuario del) **PA** 97 M 21
Ron (Vetta di) **SO** 10 D 11
Roncà **VR** 23 F 15
Roncade **TV** 25 F 19
Roncadelle **BS** 22 F 12
Roncadelle **TV** 16 E 19
Roncagli **IM** 35 K 6
Roncaglia **PC** 30 G 11
Roncalceci **RA** 41 I 18
Roncanova **VR** 31 G 15
Roncarolo **PC** 30 G 11
Roncastaldo **BO** 40 J 15
Roncegno **TN** 12 D 16
Roncello **MI** 21 F 10
Ronche **PN** 13 E 19
Ronchi **SV** 35 J 6
Ronchi **TN** 23 E 15
Ronchi dei Legionari **GO** 17 E 22
Ronchi (I) **TV** 25 E 18
Ronchis (vicino
a Latisana) **UD** 16 E 20
Ronchis (vicino
a Udine) **UD** 15 D 21
Ronciglione **VT** 57 P 18
Roncitelli **AN** 46 K 21
Ronco **FO** 41 J 18
Ronco (Fiume) **RA** 41 J 18
Ronco all'Adige **VR** 23 F 15
Ronco Biellese **BI** 19 F 6
Ronco
Campo Canetto **PR** 30 H 12
Ronco Canavese **TO** 19 F 4
Ronco Scrivia **GE** 28 I 8
Roncobello **BG** 10 E 11
Roncobilaccio **BO** 39 J 15
Roncoferraro **MN** 31 G 14
Roncofreddo **FO** 41 J 18
Roncola **BG** 21 E 10
Roncole Verdi **PR** 30 H 12
Roncoleva **VR** 23 G 14
Roncone **TN** 11 E 13
Rondanina **GE** 29 I 9
Rondelli **GR** 49 N 14
Rondine
(Pizzo della) **AG** 98 O 22
Rondissone **TO** 19 G 5
Ronsecco **VC** 20 G 6
Ronta **FI** 40 J 16
Ronzo Chienis **TN** 11 E 14
Ronzone **TN** 11 C 15
Ropola (Passo di) **RC** 91 M 30
Rora **TO** 26 H 3
Rore **CN** 26 I 3
Rosa **PN** 16 E 20
Rosà **VI** 24 E 17
Rosa dei Bianchi **TO** 19 F 4
Rosa Marina **BR** 80 E 34
Rosali **RC** 90 M 29
Rosanisco **FR** 64 R 23
Rosano **FI** 44 K 16
Rosano **RE** 38 I 13
Rosapineta **RO** 33 G 18
Rosario
(Santuario del) **PA** 97 N 21
Rosarno **RC** 88 L 29
Rosaro **MS** 38 J 12
Rosasco **PV** 20 G 7
Rosate **MI** 21 F 9
Rosazza **BI** 19 E 5
Rosciano **PE** 60 P 24
Roscigno-Nuovo **SA** 76 F 28
Roscigno-Vecchio **SA** 76 F 28
Rosciolo dei Marsi **AQ** 59 P 22
Rose **CS** 86 I 30
Rose (Monte) **AG** 98 O 22
Rose (Pieve delle) **PG** 45 L 18
Rose (Timpa delle) **SA** 76 F 28
Roseg (Pizzo) **SO** 10 C 11
Roselle **GR** 49 N 15
Roselle (Località) **GR** 49 N 15
Roselli **FR** 64 R 23
Rosello **CH** 65 Q 25
Rosengarten /
Catinaccio **BZ** 4 C 16
Rosennano **SI** 44 L 16
Roseto
Capo Spulico **CS** 78 H 31
Roseto
degli Abruzzi **TE** 53 N 24
Roseto Valfortore **FG** 70 C 27
Rosia **SI** 49 M 15
Rosignano Marittimo **LI** 42 L 13
Rosignano
Monferrato **AL** 28 G 7
Rosignano Solvay **LI** 42 L 13
Rosito **KR** 87 K 33
Rosola **MO** 39 J 14
Rosolina **RO** 33 G 18
Rosolina Mare **RO** 33 G 18
Rosolini **SR** 107 Q 26
Rosone **TO** 18 F 4
Rosora **AN** 46 L 21
Rossa (Croda) /
Hohe Geisel **BL** 4 C 18
Rossa (Isola) **SU** 120 K 8
Rossa (Isola) **NU** 114 G 7
Rossa (Isola) **SS** 108 D 8
Rossa (Punta) **SS** 109 D 10
Rossa (Punta) **FG** 67 B 30
Rossa (Punta) **LI** 54 P 12
Rossana **CN** 26 I 4
Rossano **CS** 87 I 31
Rossano **MS** 38 J 11
Rossano Stazione **CS** 87 I 31
Rossano Veneto **VI** 24 E 17
Rosse (Cuddie) **TP** 96 Q 17
Rossenna **MO** 39 I 14
Rossiglione **GE** 28 I 8
Rosso (Monte) **ME** 100 N 27
Rossola (Pizzo di) **VB** 8 D 7
Rossomanno
(Monte) **EN** 104 O 25
Rosta **VR** 31 G 15
Rota **RM** 57 P 18
Rota d'Imagna **BG** 21 E 10
Rota Greca **CS** 85 I 30
Rotale **PZ** 76 G 29
Roteglia **RE** 39 I 14
Rotella **AP** 53 N 22
Rotella (Monte) **AQ** 64 Q 24
Rotello **CB** 66 B 27
Rotonda **PZ** 85 H 30
Rotondella **MT** 78 G 31
Rotondella (Monte) **CS** 78 G 31
Rotondi **AV** 70 D 25
Rotondo (Monte) **SA** 76 G 28
Rotondo (Monte) (vicino
a Campo Felice) **AQ** 59 P 22
Rotondo (Monte)
(vicino a Scanno) **AQ** 64 Q 23
Rottanova **VE** 32 G 18
Rottofreno **PC** 29 G 10
Rotzo **VI** 12 E 16
Roure **TO** 26 H 3
Rovagnate **LC** 21 E 10
Rovale **CS** 86 J 31
Rovasenda **VC** 20 F 6
Rovasenda
(Torrente) **VC** 20 F 6
Rovato **BS** 22 F 11
Roveda **TN** 11 D 15
Rovegno **GE** 29 I 9
Roveleto Landi **PC** 29 H 10
Rovellasca **CO** 21 E 9
Rovello Porro **CO** 21 F 9
Roverbella **MN** 23 G 14
Roverchiara **VR** 23 G 15
Rovere **AQ** 59 P 22
Rovere **FO** 40 J 17
Roverè della Luna **TN** 11 D 15
Rovere Veronese **VR** 23 F 15
Roveredo di Guà **VR** 24 G 16
Roveredo in Piano **PN** 13 D 19
Rovereto **FE** 32 H 17
Rovereto **TN** 11 E 15
Rovescala **PV** 29 G 10
Roveto (Pantano) **SR** 107 Q 27
Roveto (Val) **AQ** 64 Q 22
Rovetta **BG** 10 E 11
Roviasca **SV** 36 J 7
Rovigliano **PG** 45 L 18
Rovigo **RO** 32 G 17
Rovina **PR** 30 H 11
Rovito **CS** 86 J 30
Rovittello **CT** 101 N 27
Rozzano **MI** 21 F 9
Rua la Cama (Forca) **PG** 52 N 20
Rua (Monte) **PD** 24 G 17
Ruazzo (Monte) **LT** 64 S 22
Rubano **PD** 24 F 17
Rubbio **VI** 24 E 16
Rubiana **TO** 18 G 4
Rubicone **FO** 41 J 19
Rubiera **RE** 31 I 14
Rubino (Lago) **TP** 97 N 20
Rubizzano **BO** 32 H 16
Rucas **CN** 26 H 3
Ruda **UD** 17 E 22
Rudiano **BS** 22 F 11
Rueglio **TO** 19 F 5
Rufeno (Monte) **VT** 50 N 17
Ruffano **LE** 83 H 36
Ruffi (Monti) **RM** 59 Q 20
Ruffia **CN** 27 H 4
Rufina **FI** 40 K 16
Ruggiano **FG** 67 B 29
Rughe (Monte) **SS** 115 G 7
Ruia (Isola) **NU** 113 F 11
Ruina **FE** 32 H 17
Ruinas **OR** 115 H 8
Ruino **PV** 29 H 9
Ruiu (Monte) (vicino
ad Arzachena) **SS** 109 D 10
Ruiu (Monte) (vicino a
Porto S. Paolo) **SS** 113 E 10
Ruiu (Monte) (vicino
a Villanova Mont.) **SS** 110 F 7
Rumo **TN** 11 C 15
Runzi **RO** 32 H 16
Ruocce **AN** 46 L 20
Ruoti **PZ** 71 E 29
Ruscello **FO** 41 K 18
Ruscio **PG** 58 O 20
Russi **RA** 40 I 18
Russo (Masseria) **FG** 67 C 29
Rustico **AN** 47 L 22

Rustigazzo **PC** 29 H 11
Ruta **GE** 37 I 9
Rutigliano **BA** 73 D 33
Rutino **SA** 75 G 27
Ruttars **GO** 17 E 22
Ruviano **CE** 70 D 25
Ruvo del Monte **PZ** 71 E 28
Ruvo di Puglia **BA** 72 D 31
Ruvolo (Monte) **CT** 100 N 26
Ruzzano **PR** 38 I 12

S

S. Anastasia **KR** 87 I 33
S. Angelo **VV** 88 L 30
S. Anna **KR** 87 J 33
S. Benedetto **VR** 23 F 13
S. Clemente **RN** 41 K 19
S. Cono **VV** 88 K 30
S. Fiorano **LO** 29 G 11
S. Gabriele **TE** 59 O 22
S. Giacomo (Rovereto) **TN** 23 E 14
S. Giacomo di Roburent (vicino a Frabosa Soprana) **CN** 35 J 5
S. Giacomo di Teglio **SO** 10 D 12
S. Giovanni **VV** 88 L 30
S. Giuseppe **PO** 39 J 15
S. Giuseppe al lago / St. Joseph am See **BZ** 11 C 15
S. Grato **LO** 21 G 10
S. Lorenzo **VB** 8 D 6
S. Martino in Strada **LO** 21 G 10
S. Nicola (Monte) **CZ** 88 L 31
S. Nicolò **VV** 88 L 29
S. Onofrio **VV** 88 K 30
S. Paolo d'Argon **BG** 22 E 11
S. Pietro **SO** 9 D 10
S. Polo **PR** 30 H 13
S. Prospero sulla Seccia **MO** 31 H 15
S. Vigilio **VR** 23 F 14
Sabatini (Monti) **VT** 57 P 18
Sabato **AV** 70 E 26
Sabaudia **LT** 63 S 21
Sabaudia (Lago di) **LT** 68 S 21
Sabbia **VC** 8 E 6
Sabbio Chiese **BS** 22 F 13
Sabbioneta **MN** 30 H 13
Sabbioni **BO** 40 J 15
Sabbioni **FE** 32 H 17
Sabbucina (Monte) **CL** 103 O 24
Sabia (Val) **BS** 22 E 13
Sabina (Punta) **SS** 108 D 7
Sabini (Monti) **RI** 58 P 20
Sabiona (Convento di) **BZ** 3 C 16
Sabioncello S. Vittore **FE** 32 H 17
Sacca **MN** 23 G 13
Sacca **PR** 30 H 13
Saccarello (Monte) **IM** 35 J 5
Saccione **CB** 66 B 27
Sacco **FR** 63 Q 21
Sacco **SA** 76 F 28
Sacco **SO** 9 D 10
Saccolongo **PD** 24 F 17
Sacile **PN** 13 E 19
Sacra di S. Michele **TO** 26 G 4
Sacramento (Scoglio del) **AG** 102 U 19
Sacro (Monte) **FG** 67 B 30
Sacro (Monte) **SA** 76 G 28
Sacro Monte (Varallo) **VC** 20 E 6
Sacrofano **RM** 58 P 19
Sadali **SU** 115 H 9
Sadali (Rio de) **NU** 115 H 9
Sagama **OR** 114 G 7
Sagittario **AQ** 60 Q 23
Sagittario (Gole de) **AQ** 64 Q 23
Sagliano Micca **BI** 19 F 6
Sagrado **GO** 17 E 22
Sagrata **PS** 46 L 19
Sagron-Mis **TN** 12 D 17
Saiano **BS** 22 F 12
Sailetto **MN** 31 G 14
Sala **AV** 70 E 26
Sala **FO** 41 J 19
Sala **TR** 51 N 18
Sala Baganza **PR** 30 H 12
Sala Biellese **BI** 19 F 5
Sala Bolognese **BO** 31 I 15
Sala Comacina **CO** 9 E 9
Sala Consilina **SA** 76 F 28
Salamone (Case) **AG** 103 O 22
Salamu (Bruncu) **SU** 119 I 9
Salandra **MT** 77 F 30
Salandrella **MT** 77 F 30
Salaparuta **TP** 97 N 21
Salaparuta (Ruderi di) **TP** 97 N 20
Salara **RO** 32 H 16
Salarno (Lago di) **BS** 10 D 13
Salasco **VC** 20 G 6
Salassa **TO** 19 G 5
Salbertrand **TO** 26 G 2
Salboro **PD** 24 F 17
Salcito **CB** 65 Q 25
Saldura (Punta) **BZ** 2 B 14
Sale **AL** 28 H 8
Sale Marasino **BS** 22 E 12
Sale Porcus (Stagno) **OR** 114 H 7
Sale S. Giovanni **CN** 35 I 6
Salemi **TP** 97 N 20
Salento **SA** 76 G 27
Salerano sul Lambro **LO** 21 G 10
Salere **AT** 28 H 6
Salerno **SA** 75 E 26
Salerno (Golfo di) **SA** 75 F 25
Saletto **PD** 24 G 16
Saletto **UD** 15 C 22
Saletto di Piave **TV** 25 E 19
Salgareda **TV** 16 E 19
Sali Vercellese **VC** 20 G 6
Salica **KR** 87 J 33
Salice Salentino **LE** 81 F 35
Salice Terme **PV** 29 H 9
Saliceto **CN** 35 I 6
Saliceto Parano **MO** 31 I 14
Salici (Monte) **EN** 100 N 25
Salici (Punta) **SS** 109 E 8
Salina **MN** 31 H 13
Salina (Canale della) **ME** 94 L 26
Salina (Isola) **ME** 94 L 26
Salinas (Torre) **SU** 119 I 10
Saline **MC** 52 M 22
Saline (Cala) **OR** 114 G 7
Saline di Volterra **PI** 43 L 14
Saline Ioniche **RC** 90 N 29
Salinello **TE** 53 N 23
Salisano **RI** 58 P 20
Salito **CL** 103 O 23
Salitto **SA** 75 E 27
Salizzole **VR** 23 G 15
Salle (la) **AO** 18 E 3
Salle Nuova **PE** 60 P 23
Salmenta (Masseria) **LE** 79 G 35
Salmour **CN** 27 I 5
Salò **BS** 23 F 13
Salomone (Masseria) **BA** 72 E 30
Salonetto / Schlaneid **BZ** 3 C 15
Salorno / Salurn **BZ** 11 D 15
Salsa **PA** 99 N 24
Salso **EN** 100 N 25
Salso o Imera Meridionale **EN** 103 O 24
Salsola **FG** 66 C 27
Salsomaggiore Terme **PR** 30 H 11
Salsominore **PC** 29 I 10
Saltara **PS** 46 K 20
Saltaus / Saltusio **BZ** 3 B 15
Saltino **FI** 44 K 16
Salto **MO** 39 J 14
Salto di Quirra **SU** 119 I 10
Salto (Fiume) **RI** 59 P 21
Salto (Lago del) **RI** 59 P 21
Saltusio / Saltaus **BZ** 3 B 15
Saludecio **RN** 41 K 20
Saluggia **VC** 19 G 6
Salurn / Salorno **BZ** 11 D 15
Salussola **BI** 19 F 6
Saluzzo **CN** 27 I 4
Salvarano **RE** 30 I 13
Salvarosa **TV** 24 E 17
Salvaterra **RE** 31 I 14
Salve **LE** 83 H 36
Salviano **LI** 42 L 13
Salvirola **CR** 22 F 11
Salvitelle **SA** 76 F 28
Salza di Pinerolo **TO** 26 H 3
Salza Irpina **AV** 70 E 26
Salzano **VE** 25 F 18
Samarate **VA** 20 F 8
Samassi **SU** 118 I 8
Samatzai **SU** 118 I 9
Sambiase **CZ** 88 K 30
Samboseto **PR** 30 H 12
Sambuca **FI** 43 L 15
Sambuca di Sicilia **AG** 97 O 21
Sambuca (Passo) **FI** 40 J 16
Sambuca Pistoiese **PT** 39 J 15
Sambuceto **CH** 60 O 24
Sambucheto **TR** 58 O 20
Sambuchi **PA** 98 N 22
Sambuci **RM** 58 Q 20
Sambucina (Abbazia della) **CS** 85 I 30
Sambuco **CN** 34 I 3
Sambuco (Monte) **FG** 66 C 27
Sambughé **TV** 25 F 18
Sambughetti (Monte) **EN** 99 N 25
Sammartini **BO** 31 H 15
Sammichele di Bari **BA** 73 E 32
Sammommè **PT** 39 J 14
Samo **RC** 91 M 30
Samoggia **BO** 39 J 15
Samolaco **SO** 9 D 10
Samone **MO** 39 I 14
Samone **TN** 12 D 16
Sampeyre **CN** 26 I 3
Sampierdarena **GE** 36 I 8
Sampieri **RG** 106 Q 26
Sampieri (Pizzo) **PA** 99 N 23
Samugheo **OR** 115 H 8
San Feliciano **PG** 51 M 18
San Remo **IM** 35 K 5
S. Adriano **FI** 40 J 16
S. Agapito **IS** 65 R 24
S. Agata **CS** 85 I 31
S. Agata **RC** 90 M 29
S. Agata (Monte) **EN** 100 O 25
S. Agata **FI** 40 J 16
S. Agata alle Terrine **AR** 45 L 18
S. Agata **PC** 30 H 12
S. Agata Bolognese **BO** 31 I 15
S. Agata de' Goti **BN** 70 D 25
S. Agata del Bianco **RC** 91 M 30
S. Agata di Esaro **CS** 85 I 29
S. Agata di Militello **ME** 100 M 25
S. Agata di Puglia **FG** 71 D 28
S. Agata Feltria **PS** 41 K 18
S. Agata Fossili **AL** 28 H 8
S. Agata li Battiati **CT** 101 O 27
S. Agata sui Due Golfi **NA** 74 F 25
S. Agata sul Santerno **RA** 40 I 17
S. Agnello **NA** 74 F 25
S. Agostino **FE** 32 H 16
S. Agrippina (Masseria) **EN** 99 N 25
S. Albano **PV** 29 H 9
S. Albano Stura **CN** 27 I 5
S. Alberto **BO** 32 H 16
S. Alberto **RA** 33 I 18
S. Alberto **TV** 25 F 18
S. Alberto di Butrio (Abbazia) **PV** 29 H 9
S. Albino **SI** 50 M 17
S. Alessio (Capo) **ME** 90 N 28
S. Alessio in Aspromonte **RC** 90 M 29
S. Alessio Siculo **ME** 90 N 28
S. Alfio **CT** 101 N 27
S. Alfio (Chiesa di) **CT** 101 O 27
S. Allerona **TR** 51 N 18
S. Ambrogio **MO** 31 I 15
S. Ambrogio **PA** 99 M 24
S. Ambrogio di Torino **TO** 26 G 4
S. Ambrogio di Valpolicella **VR** 23 F 14
S. Ambrogio sul Garigliano **FR** 64 R 23
S. Ampeglio (Capo) **IM** 35 K 5
S. Anastasia **NA** 70 E 25
S. Anatolia **PG** 52 N 21
S. Anatolia **RI** 59 P 21
S. Anatolia di Narco **PG** 52 N 20
St. Andrä / S. Andrea in Monte **BZ** 4 B 17
S. Andrea **CA** 119 J 9
S. Andrea **CE** 69 D 24
S. Andrea **FO** 41 J 18
S. Andrea **IS** 65 Q 25
S. Andrea **LE** 83 G 37
S. Andrea **LI** 48 N 12
S. Andrea **PZ** 71 E 28
S. Andrea **SI** 43 L 15
S. Andrea (Isola) **BR** 81 F 35
S. Andrea (Isola) **LE** 83 G 35
S. Andrea **PD** 24 F 17
S. Andrea **PN** 13 E 19
S. Andrea Apostolo dello Ionio **CZ** 89 L 31
S. Andrea Apostolo dello Ionio Marina **CZ** 89 L 31
S. Andrea **VR** 23 F 15
S. Andrea (Isola) **UD** 17 E 21
S. Andrea Bagni **PR** 30 H 12
S. Andrea Bonagia **TP** 96 M 19
S. Andrea di Conza **AV** 71 E 28
S. Andrea di Foggia **GE** 37 I 9
S. Andrea di Garigliano **FR** 64 R 23
S. Andrea di Sorbello **AR** 51 M 18
S. Andrea Frius **SU** 119 I 9
S. Andrea in Monte / St. Andrä **BZ** 4 B 17
S. Andrea in Percussina **FI** 43 K 15
S. Andria Priu (Necropoli di) **SS** 115 F 8
S. Angelo **AN** 46 K 21
S. Angelo **CE** 70 E 25
S. Angelo **CS** 85 I 29
S. Angelo **NA** 74 E 23
S. Angelo (Pianella) **PE** 60 O 24
S. Angelo **PZ** 72 E 29
S. Angelo **RI** 59 O 21
S. Angelo (Lago di) **CH** 60 P 24
S. Angelo (Monte) **ME** 94 L 26
S. Angelo (Pizzo) **PA** 99 N 24
S. Angelo a Fasanella **SA** 76 F 28
S. Angelo a Scala **AV** 70 E 26
S. Angelo all'Esca **AV** 70 D 26
S. Angelo **VE** 24 F 18
S. Angelo d'Alife **CE** 65 R 24
S. Angelo dei Lombardi **AV** 71 E 27
S. Angelo del Pesco **IS** 65 Q 24
S. Angelo di Brolo **ME** 100 M 26
S. Angelo di Lomellina **PV** 20 G 7
S. Angelo di Piove di Sacco **PD** 24 F 18
S. Angelo in Colle **SI** 50 N 16
S. Angelo in Formis **CE** 69 D 24
S. Angelo in Lizzola **PS** 46 K 20
S. Angelo in Pontano **MC** 52 M 22
S. Angelo in Theodice **FR** 64 R 23
S. Angelo in Vado **PS** 45 L 19
S. Angelo in Villa **FR** 64 R 22
S. Angelo le Fratte **PZ** 76 F 28
S. Angelo Limosano **CB** 65 Q 25
S. Angelo Lodigiano **LO** 21 G 10
S. Angelo (Monte) **LT** 68 S 22
S. Angelo Muxaro **AG** 102 O 22
S. Angelo Romano **RM** 58 P 20
S. Anna **AG** 97 O 21
S. Anna **OR** 115 H 7
S. Anna (vicino a Bianco) **RC** 91 M 30
S. Anna (vicino a Seminara) **RC** 90 M 29
S. Anna **LU** 38 K 12
S. Anna Arresi **SU** 120 J 7
S. Anna **VE** 33 G 18
S. Anna (vicino a Bellino) **CN** 26 I 2
S. Anna (vicino a Cuneo) **CN** 34 I 4
S. Anna (vicino a Demonte) **CN** 34 J 3
S. Anna (Sant. di) **CN** 34 J 3
S. Anna d'Alfaedo **VR** 23 F 14
S. Anna di Boccafossa **VE** 16 F 20
S. Anna Morosina **PD** 24 F 17
S. Anna Pelago **MO** 39 J 13
S. Ansano **FI** 43 K 14
S. Antimo **NA** 69 E 24
S. Antimo (Castelnuovo dell'Abate) **SI** 50 M 16
Santu Antine **SS** 111 F 8
Santu Antine (Santuario) **OR** 115 G 8
S. Antioco **SU** 118 J 7
S. Antioco (Isola di) **SU** 118 J 7
S. Antioco di Bisarcio **SS** 111 F 8
S. Antonino di Susa **TO** 26 G 3
S. Antonio **AQ** 65 Q 24
S. Antonio **BL** 13 D 18
S. Antonio **BO** 32 I 17
S. Antonio **FR** 63 R 22
S. Antonio **MO** 39 I 14
S. Antonio (Monte) **NU** 115 G 8
S. Antonio **SO** 2 C 13
S. Antonio **VA** 8 E 8
S. Antonio **VI** 23 E 15
S. Antonio **VT** 57 O 17
S. Antonio (Eremo di) **AQ** 64 Q 24
S. Antonio (Santuario) **BR** 79 F 35
S. Antonio Abate **NA** 75 E 25
S. Antonio di Gallura **SS** 109 E 9
S. Antonio di Mavignola **TN** 11 D 14
S. Antonio di Ranverso **TO** 26 G 4
S. Antonio di Santadi **SU** 118 H 7
S. Antonio in Mercadello **MO** 31 H 14
S. Antonio (Lago di) **LT** 63 R 20
S. Antonio Negri **CR** 22 G 12
S. Antonio Ruinas **OR** 115 H 8
S. Antonio (Serra) **AQ** 63 Q 22
S. Apollinare **FR** 64 R 23
S. Apollinare in Classe **RA** 41 I 18
S. Arcangelo **PG** 51 M 18
S. Arcangelo **PZ** 77 G 30
S. Arcangelo (Monte) **MT** 77 G 31
S. Arcangelo Trimonte **BN** 70 D 26
S. Arpino **CE** 69 E 24
S. Arsenio **SA** 76 F 28
Sta Barbara **NU** 115 G 8
Sta Barbara **SA** 76 G 27
Sta Barbara **ME** 100 M 27
Sta Barbara **RG** 106 Q 25
S. Barnaba **RA** 40 J 17
S. Baronto **PT** 39 K 14
St. Barthelemy **AO** 19 E 4
S. Bartolo **ME** 95 K 27
S. Bartolo (Bivio) **AG** 97 O 21
S. Bartolomeo **CN** 35 J 4
S. Bartolomeo **PG** 45 L 19
S. Bartolomeo **TR** 58 O 19
S. Bartolomeo **TS** 17 F 23
S. Bartolomeo (Colle) **IM** 35 J 5
S. Bartolomeo al Mare **IM** 35 K 6
S. Bartolomeo de' Fossi **PG** 51 M 18
S. Bartolomeo in Bosco **FE** 32 H 16
S. Bartolomeo in Galdo **BN** 70 C 27
S. Bartolomeo Val Cavargna **CO** 9 D 9
S. Basile **CS** 85 H 30
S. Basilio **SU** 119 I 9
S. Basilio **ME** 101 M 27
S. Basilio **TA** 73 E 32
S. Bassano **CR** 22 G 11
S. Bellino **RO** 32 G 16
S. Benedetto **SU** 118 I 7
S. Benedetto (Subiaco) **RM** 63 Q 21
S. Benedetto (vicino a Pietralunga) **PG** 45 L 19
S. Benedetto (vicino ad Umbertide) **PG** 51 L 19
S. Benedetto (Alpe di) **FO** 40 K 17
S. Benedetto dei Marsi **AQ** 59 P 22
S. Benedetto del Querceto **BO** 40 J 16
S. Benedetto del Tronto **AP** 53 N 23
S. Benedetto in Alpe **FO** 40 K 17
S. Benedetto in Perillis **AQ** 60 P 23
S. Benedetto Po **MN** 31 G 14
S. Benedetto Ullano **CS** 86 I 30
S. Benedetto Val di Sambro **BO** 39 J 15
S. Benigno Canavese **TO** 19 G 5
S. Bernardino **TO** 26 G 4
S. Bernardino **PS** 46 K 19
S. Bernardino **RA** 32 I 17
S. Bernardo **SO** 10 D 11
S. Bernardo (Colla) **IM** 35 J 5
S. Bernardo (Colle) **CN** 35 J 6
S. Berniero **SA** 75 F 26
S. Bernolfo **CN** 34 J 3
S. Biagio **PV** 20 G 8
S. Biagio **ME** 101 M 27
S. Biagio **MO** 31 H 15
S. Biagio **PA** 97 O 21
S. Biagio **PD** 24 F 17
S. Biagio **FR** 64 R 23
S. Biagio (vicino ad Argenta) **FE** 32 I 17
S. Biagio (vicino a Bondeno) **FE** 32 H 16
S. Biagio (Santuario) **PZ** 84 H 29
S. Biagio della Cima **IM** 35 K 4
S. Biagio di Callalta **TV** 25 E 19
S. Biagio Platani **AG** 102 O 22
S. Biagio Saracinisco **FR** 64 R 23
Sta Bianca **FE** 32 H 16
S. Biase **CB** 65 Q 25
S. Biase **SA** 76 G 27
S. Boldo (Passo di) **TV** 13 D 18
S. Bonico **PC** 29 G 11
S. Bonifacio **VR** 23 F 15
S. Bortolo delle Montagne **VR** 23 F 15
Sta Brigida **BG** 9 E 10
Sta Brigida **FI** 40 K 16
S. Brizio **PG** 51 N 20
S. Bruzio **GR** 56 O 15
S. Buono **CH** 61 Q 25
S. Calogero **VV** 88 L 30
S. Calogero (Monte) **PA** 99 N 23
S. Candido / Innichen **BZ** 4 B 18
S. Canzian d'Isonzo **GO** 17 E 22
S. Carlo **GE** 28 I 8
S. Carlo **PA** 97 O 21
S. Carlo **FG** 71 D 29
S. Carlo **FE** 32 H 16
S. Carlo **FO** 41 J 18
S. Carlo **LI** 49 M 13
S. Carlo **RC** 90 N 29
S. Carlo (Colle) **AO** 18 E 2
S. Carlo Terme **MS** 38 J 12
S. Carlo Vanzone **VB** 7 E 6
S. Casciano (Lago di) **VT** 50 N 17
S. Casciano dei Bagni **SI** 50 N 17
S. Casciano in Val di Pesa **FI** 43 L 15
S. Cassiano **RA** 40 J 17
S. Cassiano **SO** 9 D 10
S. Cassiano / St. Kassian **BZ** 4 C 17
S. Cassiano (Cima) **BZ** 3 B 16
S. Cassiano in Pennino **FO** 40 J 17
S. Cataldo **LE** 81 F 36
S. Cataldo **CL** 103 O 23
Sta Caterina **GR** 50 N 16
Sta Caterina **LE** 83 G 35
Sta Caterina **OR** 114 G 7
Sta Caterina (Stagno di) **SU** 118 J 7
Sta Caterina **BL** 5 C 19
Sta Caterina Albanese **CS** 85 I 30
Sta Caterina **PR** 30 H 12
Sta Caterina / St. Katharina (vicino a Merano) **BZ** 3 C 15
Sta Caterina (vicino a Rattisio Nuovo) **BZ** 3 B 14
Sta Caterina del Sasso **VA** 8 E 7
Sta Caterina dello Ionio **CZ** 89 L 31
Sta Caterina dello Ionio Marina **CZ** 89 L 31
Sta Caterina di Pittinuri **OR** 114 G 7
Sta Caterina (Monte) **TP** 96 N 18
Sta Caterina Valfurva **SO** 10 C 13
Sta Caterina Villarmosa **CL** 99 O 24
S. Centignano **VT** 58 O 18
Sta Cesarea Terme **LE** 83 G 37
S. Cesareo **RM** 63 Q 20
S. Cesario di Lecce **LE** 81 G 36
S. Cesario sul Panaro **MO** 31 I 15
S. Chiaffredo **CN** 27 I 4
Sta Chiara **OR** 115 G 8
S. Chirico (Masseria) **FG** 67 C 29
S. Chirico Nuovo **PZ** 77 E 30
S. Chirico Raparo **PZ** 77 G 30
St. Christina i. Gröden / Sta Cristina Valgardena **BZ** 4 C 17
S. Cipirello **PA** 97 N 21
S. Cipriano d'Aversa **CE** 69 D 24
S. Cipriano Picentino **SA** 75 E 26
S. Cipriano Po **PV** 29 G 9
S. Ciro **TP** 97 N 20
S. Claudio al Chienti **MC** 53 M 22
S. Clemente **BO** 40 J 16
S. Clemente **CE** 64 R 23
S. Clemente a Casauria (Abbazia) **PE** 60 P 23
S. Clemente al Vomano **TE** 60 O 23
S. Colombano **BS** 22 E 13
S. Colombano al Lambro **MI** 21 G 10
S. Colombano Certenoli **GE** 37 I 9
S. Colombano **FO** 41 J 18
S. Cono **CT** 104 P 25
S. Corrado di Fuori **SR** 105 Q 27
S. Cosimo della Macchia **BR** 79 F 35
Santi Cosma e Damiano **LT** 64 S 23
S. Cosmo Albanese **CS** 85 I 31
S. Costantino **PZ** 76 G 29
S. Costantino Albanese **PZ** 77 G 30
S. Costantino Calabro **VV** 88 L 30
S. Costanzo **PS** 46 K 21
S. Cresci **FI** 40 K 16
S. Crispieri **TA** 79 F 34
Sta Crista d'Acri **CS** 85 I 31
Sta Cristina **OR** 115 G 8
Sta Cristina (Chiesa di) **OR** 115 G 8

149

Sta Cristina d'Aspromonte RC 91 M 29
Sta Cristina e Bissone PV 29 G 10
Sta Cristina Gela PA 97 N 21
Sta Cristina Valgardena / St. Christina in Gröden BZ 4 C 17
S. Cristoforo AL 28 H 8
S. Cristoforo AR 45 L 17
S. Cristoforo TN 11 D 15
Sta Croce SO 9 D 10
Sta Croce AN 46 L 20
Sta Croce CE 64 S 23
Sta Croce RI 59 O 21
Sta Croce TS 17 E 23
Sta Croce (Capo) SR 105 P 27
Sta Croce (Forca di) PG 52 N 21
Sta Croce (Monte) CE 64 S 23
Sta Croce (Monte) PZ 71 E 28
Sta Croce Cameina RG 106 Q 25
Sta Croce (Capo) SV 35 J 6
Sta Croce del Lago BL 13 D 18
Sta Croce del Sannio BN 65 R 26
Sta Croce di Magliano CB 66 B 26
Sta Croce (Lago di) BL 13 D 19
Sta Croce sull'Arno PI 43 K 14
Sta Crocella (Passo) CB 65 R 25
S. Dalmazio MO 39 I 14
S. Dalmazio PI 49 M 14
S. Dalmazio SI 50 L 15
S. Damaso MO 31 I 14
S. Damiano PG 51 N 19
S. Damiano PC 29 H 11
S. Damiano (Assisi) PG 51 M 19
S. Damiano al Colle PV 29 G 10
S. Damiano d'Asti AT 27 H 6
S. Damiano Macra CN 26 I 3
S. Daniele del Friuli UD 14 D 21
S. Daniele Po CR 30 G 12
S. Demetrio SR 105 O 27
S. Demetrio Corone CS 85 I 31
S. Demetrio ne' Vestini AQ 59 P 22
S. Desiderio GE 37 I 9
Sta Domenica VV 88 L 29
Sta Domenica (Abbazia di) CS 86 J 30
Sta Domenica Talao CS 84 H 29
Sta Domenica Vittoria ME 100 N 26
S. Domenico VB 8 D 6
S. Domenico (Masseria) TA 78 F 32
S. Domino FG 66 A 28
S. Domino (Isola) (I. Tremiti) FG 66 A 28
S. Donà di Piave VE 16 F 19
S. Donaci BR 79 F 35
S. Donato TA 79 F 33
S. Donato GR 55 O 15
S. Donato LU 38 K 13
S. Donato SI 43 L 15
S. Donato di Lecce LE 83 G 36
S. Donato di Ninea CS 85 H 30
S. Donato in Collina FI 44 K 16
S. Donato in Poggio FI 43 L 15
S. Donato in Tavignone PS 45 K 19
S. Donato Milanese MI 21 F 9
S. Donato Val di Comino FR 64 Q 23
S. Donnino FI 43 K 15
S. Donnino MO 31 I 14
S. Dono VE 24 F 18
S. Dorligo della Valle TS 17 F 23
S. Efisio CA 121 J 9
S. Egidio PG 51 M 19
S. Egidio alla Vibrata TE 53 N 23
S. Elena MC 52 M 21
S. Elena PD 24 G 17
S. Elena Sannita IS 65 R 25
S. Elia CA 119 J 9
S. Elia ME 100 N 25
S. Elia AN 46 L 21
S. Elia CZ 89 K 31
S. Elia RC 90 N 29
S. Elia RI 58 O 20
S. Elia (Monte) RC 88 L 29
S. Elia (Monte) TA 73 F 33
S. Elia a Pianisi CB 66 C 26
S. Elia (Capo) CA 119 J 9
S. Elia Fiumerapido FR 64 R 23
S. Elisabetta AG 102 O 22
S. Elisabetta TO 19 F 4
S. Ellero FI 44 K 16
S. Ellero FO 40 K 17
S. Elpidio RI 59 P 21
S. Elpidio a Mare AP 53 M 23
S. Elpidio Morico AP 53 M 22
S. Enea PG 51 M 19
S. Eraclio PG 51 N 20
S. Erasmo MC 52 M 21
S. Erasmo TR 58 O 19
S. Eufemia FO 40 K 17
S. Eufemia (Faro di) FG 67 B 30
S. Eufemia (Golfo di) VV 88 K 29
S. Eufemia a Maiella PE 60 P 24
S. Eufemia d'Aspromonte RC 90 M 29
S. Eufemia della Fonte BS 22 F 12
S. Eufemia Lamezia CZ 88 K 30
S. Eufemia Vetere CZ 88 K 30
S. Eurosia BI 19 F 6
S. Eusanio del Sangro CH 60 P 24
S. Eusebio BS 22 F 13
S. Eusebio MO 31 I 14
S. Eutizio (Abbazia di) PG 52 N 21
S. Faustino PG 45 L 19
S. Fedele Intelvi CO 9 E 9
S. Fele PZ 71 E 28
S. Felice CE 65 S 24
S. Felice a Cancello CE 70 D 25
S. Felice Circeo LT 68 S 21
S. Felice del Benaco BS 23 F 13
S. Felice del Molise CB 65 Q 26
S. Felice / St. Felix BZ 3 C 15
S. Felice sul Panaro MO 31 H 15
St. Felix / S. Felice BZ 3 C 15
S. Ferdinando RC 88 L 29
S. Ferdinando di Puglia FG 72 D 30
S. Fidenzio (Abbazia) PG 51 N 19
S. Fili CS 86 I 30
S. Filippo RI 58 O 20
S. Filippo SS 109 E 9
S. Filippo del Mela ME 90 M 27
S. Filippo di Fragala ME 100 M 26
Ss. Filippo e Giacomo TP 96 N 19
S. Fior TV 13 E 19
Sta Fiora GR 50 N 16
S. Fiorano PS 46 L 19
Sta Firmina AR 45 L 17
Sta Flavia PA 98 M 22
S. Floreano UD 14 D 21
S. Floriano / Obereggen BZ 12 C 16
S. Floriano del Collio GO 17 E 22
S. Floro CZ 89 K 31
S. Foca LE 81 G 37
S. Foca PN 13 D 20
S. Fortunato (Montefalco) PG 51 N 19
Sta Francesca FR 64 Q 22
S. Francesco RI 58 O 20
S. Francesco TA 73 E 32
S. Francesco (Santuario di) (Paola) CS 86 I 30
S. Francesco a Folloni AV 70 E 27
S. Francesco al Campo TO 19 G 4
S. Francesco PN 14 D 20
S. Francesco TN 12 D 16
S. Francesco VR 23 F 15
S. Fratello ME 100 M 25
S. Fruttuoso GE 37 J 9
S. Gabriele BO 32 I 16
S. Gaetano VE 16 F 20
S. Galgano (Abbazia di) SI 49 M 15
S. Gavino Monreale SU 118 I 8
S. Gemiliano SU 119 I 9
S. Gemini TR 58 O 19
S. Gemini Fonte TR 58 O 19
S. Genesio Atesino / Jenesien BZ 3 C 15
S. Genesio ed Uniti PV 21 G 9
S. Gennaro LU 39 K 13
S. Gennaro Vesuviano NA 70 E 25
St. Georgen / S. Giorgio BZ 4 B 17
S. Germano Chisone TO 26 H 3
S. Germano dei Berici VI 24 F 16
S. Germano Vercellese VC 20 F 6
Sta Gertrude / St. Gertraud BZ 3 C 14
S. Gervasio PI 43 L 14
S. Gervasio Bresciano BS 22 G 12
S. Giacomo RG 104 Q 26
S. Giacomo CH 61 P 25
S. Giacomo TE 53 N 22
S. Giacomo (Masseria) BR 79 F 34
S. Giacomo / St. Jakob (vicino a Bolzano) BZ 3 C 15
S. Giacomo PV 29 G 9
S. Giacomo RE 31 H 13
S. Giacomo (vicino a Boves) CN 35 J 4
S. Giacomo (vicino a Demonte) CN 34 I 3
S. Giacomo (Passo di) VB 8 C 7
S. Giacomo (Val) SO 9 C 10
S. Giacomo / St. Jakob vicino a Vipiteno BZ 4 B 16
S. Giacomo (Cima) BZ 3 B 16
S. Giacomo (Convento) RI 58 O 20
S. Giacomo d'Acri CS 85 I 31
S. Giacomo degli Schiavoni CB 61 Q 26
S. Giacomo delle Segnate MN 31 H 15
S. Giacomo di Fraele (Lago di) SO 2 C 12
S. Giacomo di Martignone BO 31 I 15
S. Giacomo di Veglia TV 13 E 18
S. Giacomo Filippo SO 9 C 10
S. Giacomo Maggiore MO 39 J 14
S. Giacomo Roncole MO 31 H 15
S. Giacomo Vercellese VC 20 F 6
S. Gillio TO 19 G 4
S. Gimignanello SI 50 M 16
S. Gimignano SI 43 L 15
S. Ginesio MC 52 M 21
S. Giorgio CA 118 J 8
S. Giorgio SV 36 J 7
S. Giorgio AG 102 O 21
S. Giorgio BA 73 D 32
S. Giorgio CT 100 O 27
S. Giorgio EN 100 O 25
S. Giorgio FE 32 I 17
S. Giorgio FO 41 J 18
S. Giorgio ME 94 M 26
S. Giorgio PS 41 K 20
S. Giorgio PZ 72 E 29
S. Giorgio RI 59 O 21
S. Giorgio TE 59 O 22
S. Giorgio (Chiesa) CS 85 I 31
S. Giorgio UD 15 C 21
S. Giorgio VR 23 E 15
S. Giorgio / St. Georgen BZ 4 B 17
S. Giorgio a Colonica FI 39 K 15
S. Giorgio a Cremano NA 69 E 25
S. Giorgio a Liri FR 64 R 23
S. Giorgio Albanese CS 85 I 31
S. Giorgio Canavese TO 19 F 5
S. Giorgio del Sannio BN 70 D 26
S. Giorgio della Richinvelda PN 14 D 20
S. Giorgio delle Pertiche PD 24 F 17
S. Giorgio di Cesena FO 41 J 18
S. Giorgio di Livenza VE 16 F 20
S. Giorgio di Lomellina PV 20 G 8
S. Giorgio di Nogaro UD 17 E 21
S. Giorgio di Pesaro PS 46 K 20
S. Giorgio di Piano BO 32 I 16
S. Giorgio in Bosco PD 24 F 17
S. Giorgio in Salici VR 23 F 14
S. Giorgio Ionico TA 79 F 34
S. Giorgio la Molara BN 70 D 26
S. Giorgio Lucano MT 77 G 31
S. Giorgio Monferrato AL 28 G 7
S. Giorgio Morgeto RC 88 L 30
S. Giorgio Piacentino PC 29 H 11
S. Giorgio (Rio di) NU 119 I 10
S. Giorio di Susa TO 18 G 3
San Giovanni PC 29 H 10
S. Giovanni AQ 59 P 21
S. Giovanni AP 52 N 22
S. Giovanni CZ 87 J 31
S. Giovanni SU 118 I 7
S. Giovanni (vicino a Castelsardo) SS 111 E 8
S. Giovanni (vicino a Sassari) SS 110 E 7
S. Giovanni (Lago) AG 103 P 23
S. Giovanni a Piro SA 76 G 28
S. Giovanni a Teduccio NA 69 E 24
S. Giovanni CN 27 I 5
S. Giovanni FE 33 H 18
S. Giovanni TN 11 E 14
S. Giovanni (vicino a Polcenigo) PN 13 D 19
S. Giovanni (vicino a S. Vito al T.) PN 13 E 20
S. Giovanni / St. Johann BZ 4 B 17
S. Giovanni al Mavone TE 59 O 23
S. Giovanni al Natisone UD 17 E 22
S. Giovanni al Timavo TS 17 E 22
S. Giovanni Bianco BG 9 E 10
S. Giovanni d'Asso SI 50 M 16
S. Giovanni del Dosso MN 31 H 15
S. Giovanni del Pantano PG 51 M 18
S. Giovanni delle Contee GR 50 N 17
S. Giovanni di Baiano PG 51 N 20
S. Giovanni di Gerace RC 88 L 30
S. Giovanni di Sinis OR 114 H 7
S. Giovanni Galermo CT 100 O 27
S. Giovanni Gemini AG 98 O 22
S. Giovanni Ilarione VR 23 F 15
S. Giovanni in Argentella RM 58 P 20
S. Giovanni in Croce CR 30 G 13
S. Giovanni in Fiore CS 87 J 32
S. Giovanni in Fonte FG 71 D 29
S. Giovanni in Galdo CB 65 R 26
S. Giovanni in Galilea FO 41 K 19
S. Giovanni in Ghiaiolo PS 45 K 19
S. Giovanni in Marignano RN 41 K 20
S. Giovanni in Persiceto BO 31 I 15
S. Giovanni in Venere CH 61 P 25
S. Giovanni Incarico FR 64 R 22
S. Giovanni Incarico (Lago di) FR 64 R 22
S. Giovanni la Punta CT 101 O 27
S. Giovanni Lipioni CH 65 Q 25
S. Giovanni Lupatoto VR 23 F 15
S. Giovanni Maggiore FI 40 K 16
S. Giovanni Reatino RI 58 O 20
S. Giovanni Rotondo FG 67 B 29
S. Giovanni Suergiu SU 118 J 7
S. Giovanni Teatino CH 60 O 24
S. Giovanni Valdarno AR 44 L 16
S. Giovenale RI 59 O 21
S. Girolamo NU 117 H 10
Sta Giulia SV 27 I 6
S. Giuliano PC 30 G 11
S. Giuliano VT 57 O 17
S. Giuliano (Lago di) MT 77 F 31
S. Giuliano del Sannio CB 65 R 25
S. Giuliano di Puglia CB 66 B 26
S. Giuliano Milanese MI 21 F 9
S. Giuliano Nuovo AL 28 H 8
S. Giuliano Terme PI 42 K 13
S. Giuliano Vecchio AL 28 H 8
S. Giulio (Isola) NO 20 E 7
S. Giuseppe FE 33 H 18
S. Giuseppe MC 52 M 21
S. Giuseppe SI 50 M 17
S. Giuseppe Jato PA 97 N 21
S. Giuseppe / Moos BZ 4 B 19
S. Giuseppe Vesuviano NA 70 E 25
Sta Giusta OR 114 H 7
Sta Giusta (Monte) SS 110 E 6
Sta Giusta (Ponte) FG 66 C 28
Sta Giusta (Stagno di) OR 114 H 7
Sta Giustina PR 29 I 10
Sta Giustina RN 41 J 19
Sta Giustina BL 12 D 18
Sta Giustina (Lago di) TN 11 C 15
Sta Giustina in Colle PD 24 F 17
S. Giustino PG 45 L 18
S. Giustino Valdarno AR 44 L 17
S. Giusto MC 52 M 21
S. Giusto Canavese TO 19 G 5
S. Godenzo FI 40 K 16
S. Grato AO 19 E 5
S. Gregorio CA 119 J 10
S. Gregorio PG 51 M 19
S. Gregorio VR 24 F 15
S. Gregorio LE 83 H 36
S. Gregorio RC 90 M 28
S. Gregorio da Sassola RM 63 Q 20
S. Gregorio di Catana CT 101 O 27
S. Gregorio d'Ippona VV 88 L 30
S. Gregorio Magno SA 76 F 28
S. Gregorio Matese CE 65 R 25
S. Gregorio nelle Alpi BL 12 D 18
S. Guglielmo al Goleto (Abbazia) AV 71 E 27
S. Guido LI 49 M 13
S. Gusme SI 44 L 16
Sto Ianni CE 69 D 24
S. Ignazio OR 115 G 8
S. Ilario PZ 71 E 28
S. Ilario dello Ionio RC 91 M 30
S. Ilario d'Enza RE 30 H 13
S. Ilario di Baganza PR 30 I 12
S. Ilario Trebbio MC 52 M 21
S. Imento PC 29 G 10
Sto Iona AQ 59 P 22
Sto Iorio CE 69 D 24
S. Ippolito PS 46 K 20
S. Ippolito PI 49 M 14
S. Isidoro LE 79 G 35
S. Isidoro (vicino a Quartu S. Elena) CA 119 J 9
S. Isidoro (vicino a Teulada) SU 120 K 8
St. Jacques AO 7 E 5
St. Johann / S. Giovanni BZ 4 B 17
S. Jorio (Passo di) CO 9 D 9
St. Kassian / S. Cassiano BZ 4 C 17
S. Latino CR 22 G 11
S. Lazzaro NA 75 F 25
S. Lazzaro PS 46 K 20
S. Lazzaro di Savena BO 40 I 16
S. Leo RC 90 M 28
S. Leo AR 44 L 17
S. Leo PS 41 K 19
S. Leonardo FG 71 D 29
S. Leonardo OR 115 G 8
S. Leonardo PA 98 N 22
S. Leonardo UD 15 D 22
S. Leonardo (Passo) AQ 60 P 24
S. Leonardo / St. Leonhard BZ 4 B 17
S. Leonardo de Siete Fuentes OR 115 G 7
S. Leonardo di Cutro KR 89 K 32
S. Leonardo di Siponto FG 67 C 29
S. Leonardo in Passiria / St. Leonhard in Passeier BZ 3 B 15
S. Leonardo Valcellina PN 13 D 20
S. Leone AG 102 P 22
St. Leonhard in Passeier / S. Leonardo in Passiria BZ 3 B 15
St. Leonhard / S. Leonardo BZ 4 B 17
S. Leucio del Sannio BN 70 D 26
S. Liberale VE 25 F 19
Sta Liberata GR 55 O 15
S. Liberato TR 58 O 19
S. Liberato (Lago di) TR 58 O 19
S. Liberatore (Cappella) AV 70 D 27
S. Loe PA 97 N 21
S. Lorenzello BN 65 S 25
St. Lorenzen / S. Lorenzo di Sebato BZ 4 B 17
S. Lorenzo RC 90 M 29
S. Lorenzo LT 64 S 23
S. Lorenzo MC 52 M 21
S. Lorenzo SS 113 E 11
S. Lorenzo SS 111 E 7
S. Lorenzo (Certosa di) (Padula) SA 76 F 28
S. Lorenzo a Merse SI 49 M 15
S. Lorenzo (vicino a Camagnola) CN 27 H 5
S. Lorenzo (vicino a Cuneo) CN 35 I 4
S. Lorenzo (vicino a Savigliano) CN 27 I 5
S. Lorenzo al Lago MC 52 M 21
S. Lorenzo al Mare IM 35 K 5
S. Lorenzo PN 13 E 20
S. Lorenzo UD 17 E 22
S. Lorenzo Bellizzi CS 85 H 30
S. Lorenzo (Capo) SU 119 I 10
S. Lorenzo de' Picenardi CR 30 G 12
S. Lorenzo del Vallo CS 85 H 30
S. Lorenzo di Rabatta PG 51 M 19
S. Lorenzo di Sebato / St. Lorenzen BZ 4 B 17
S. Lorenzo e Flaviano RI 52 O 21
S. Lorenzo (Fattoria) SR 107 Q 27
S. Lorenzo in Banale TN 11 D 14
S. Lorenzo in Campo PS 46 L 20
S. Lorenzo in Correggiano RN 41 J 19
S. Lorenzo in Noceto FO 40 J 18
S. Lorenzo Isontino GO 17 E 22
S. Lorenzo Maggiore BN 65 S 25
S. Lorenzo Nuovo VT 50 N 17
S. Lorenzo Vecchio SR 107 Q 27
S. Luca PG 51 N 20
S. Luca RC 91 M 30
Sta Luce PI 43 L 13
Sta Luce (Lago di) PI 42 L 13
Sta Lucia SU 119 I 9
Sta Lucia BA 80 E 33
Sta Lucia BN 65 R 25
Sta Lucia FI 39 J 15
Sta Lucia NU 113 F 11
Sta Lucia PG 45 L 18
Sta Lucia RI 59 P 21
Sta Lucia SI 43 L 15
Sta Lucia (vicino a Battipaglia) SA 75 F 26
Sta Lucia (vicino a Cagliari) CA 118 J 8
Sta Lucia (vicino a Nocera) AV 75 E 26
Sta Lucia (Chiesa di) AV 71 E 27
Sta Lucia CN 34 I 3
Sta Lucia MN 31 G 15
Sta Lucia SO 2 C 13
Sta Lucia (Terme di) RE 38 I 12
Sta Lucia del Mela ME 90 M 27
Sta Lucia delle Spianate RA 40 J 17
Sta Lucia di Piave TV 13 E 18
Sta Lucia di Serino AV 70 E 26
Sta Lucia (Rio) CA 118 J 8
S. Lucido CS 86 J 30
S. Lugano BZ 12 D 16
S. Lugano (Pale di) BL 12 D 17
S. Lugano (Val di) BL 12 D 17
S. Lupo BN 65 S 25
Santu Lussurgiu OR 115 H 8
Santu Lussurgiu (Località) OR 115 G 7
S. Macario in Piano LU 38 K 13
S. Macario (Isola) CA 121 J 9
Sta Maddalena in Casies / St. Magdalena BZ 4 B 18
Sta Maddalena Vallalda / St. Magdalena BZ 4 C 17
S. Magno BA 72 D 31
S. Mamete CO 9 D 9
S. Mango SA 75 G 27
S. Mango d'Aquino CZ 86 J 30
S. Mango Piemonte SA 75 E 26
S. Mango sul Calore AV 70 E 26
St. Marcel AO 19 E 4
S. Marcello AN 46 L 21
S. Marcello Pistoiese PT 39 J 14
S. Marco ME 101 M 27
S. Marco AQ 59 O 21
S. Marco BA 80 E 33
S. Marco CT 90 N 27
S. Marco PG 51 M 19
S. Marco RA 41 I 18
S. Marcovicino a Caserta CE 70 D 25
S. Marco (vicino a Castellabate) SA 75 G 26
S. Marco (vicino a Teano) CE 69 D 24
S. Marco (vicino a Teggiano) SA 76 F 28
S. Marco PD 24 G 16
S. Marco Argentano CS 85 I 30
S. Marco UD 14 D 21
S. Marco (Capo) AG 102 O 21
S. Marco (Capo) OR 114 H 7
S. Marco d'Alunzio ME 100 M 26
S. Marco dei Cavoti BN 70 D 26
S. Marco Evangelista CE 69 D 25
S. Marco in Lamis FG 67 B 28
S. Marco in Lamis (Stazione di) FG 66 B 28
S. Marco la Catola FG 66 C 27
S. Marco (Passo) BG 9 D 10
S. Marco (Rifugio) BL 4 C 18
Sta Margherita CA 121 K 8
Sta Margherita AP 52 M 22
Sta Margherita FI 39 J 15
Sta Margherita PR 30 H 12
Sta Margherita d'Adige PD 24 G 16
Sta Margherita di Belice AG 97 N 21
Sta Margherita di Staffora PV 29 H 9
Sta Margherita Ligure GE 37 J 9
Sta Maria SU 118 J 7

A B C D E F G H I J K L M N O P Q R S T U V W X Y Z

A B C D E F G H I J K L M N O P Q R S T U V W X Y Z

Sta Maria *CZ* 89 K 31
Sta Maria *ME* 100 M 26
Sta Maria (Isola) *SS* 109 D 10
Sta Maria de Siones *MO* 39 I 14
Sta Maria *TR* 58 O 19
Sta Maria (Canale) *FG* 66 C 27
Sta Maria (Monte) *CT* 100 N 26
Sta Maria *PC* 29 H 10
Sta Maria *VR* 23 F 15
Sta Maria *VC* 7 E 6
Sta Maria a Belverde *SI* 50 N 17
Sta Maria (Giogo di) / Umbrail (Pass) *SO* 2 C 13
Sta Maria a Mare *AP* 53 M 23
Sta Maria a Mare *FG* 66 A 28
Sta Maria a Monte *PI* 43 K 14
Sta Maria a Pantano *CE* 69 E 24
Sta Maria a Pié di Chienti *MC* 53 M 22
Sta Maria a Vezzano *FI* 40 K 16
Sta Maria a Vico *CE* 70 D 25
Sta Maria al Bagno *LE* 83 G 35
Sta Maria alla Fonderia *BZ* 2 C 14
Sta Maria Amaseno *FR* 64 Q 22
Sta Maria Arabona *PE* 60 P 24
Sta Maria Capua Vetere *CE* 69 D 24
Sta Maria Codifiume *BO* 32 I 16
Sta Maria Coghinas *SS* 111 E 8
Sta Maria d'Anglona *MT* 78 G 31
Sta Maria d'Armi (Santuario) *CS* 85 H 31
Sta Maria d'Attoli *TA* 78 F 32
Sta Maria degli Angeli *PG* 51 M 19
Sta Maria dei Bisognosi *AQ* 59 P 21
Sta Maria dei Lattani *CE* 64 S 23
Sta Maria dei Martiri *SA* 76 G 28
Sta Maria dei Sabbioni *CR* 22 G 11
Sta Maria del Bosco *PA* 97 N 21
Sta Maria del Bosco *VV* 88 L 30
Sta Maria del Calcinaio *AR* 50 M 17
Sta Maria del Casale *BR* 81 F 35
Sta Maria del Cedro *CS* 84 H 29
Sta Maria del Lago (Moscufo) *PE* 60 O 24
Sta Maria del Monte *VA* 8 E 8
Sta Maria del Monte *CS* 85 H 30
Sta Maria del Monte *RN* 41 K 20
Sta Maria del Patire (Santuario) *CS* 85 I 31
Sta Maria del Piano *FR* 64 R 23
Sta Maria del Rivo *PC* 29 H 11
Sta Maria del Taro *PR* 37 I 10
Sta Maria della Colonna (Convento) *BA* 72 D 31
Sta Maria della Consolazione *PG* 51 N 19
Sta Maria della Matina *CS* 85 I 30
Sta Maria della Strada *CB* 65 R 26
Sta Maria della Versa *PV* 29 H 9
Sta Maria delle Grazie di Forno *FO* 41 J 18
Sta Maria delle Grotte *AQ* 59 P 22
Sta Maria delle Vertighe *AR* 50 M 17
Sta Maria di Antico *PS* 41 K 18
Sta Maria di Arzilla *PS* 46 K 20
Sta Maria di Barbana *GO* 17 E 22
Sta Maria di Bressanoro *CR* 22 G 11
Sta Maria di Castellabate *SA* 75 G 26
Sta Maria di Cerrate (Abbazia) *LE* 81 F 36
Sta Maria di Corte (Abbazia di) *NU* 115 G 8
Sta Maria di Flumentepido *SU* 118 J 7
Sta Maria di Galeria *RM* 58 P 18
Sta Maria di Gesù *PA* 98 M 22
Sta Maria di Giano *BA* 72 D 31
Sta Maria di Legarano *RI* 58 O 20
Sta Maria di Leuca (Capo) *LE* 83 H 37
Sta Maria di Leuca (Santuario di) *LE* 83 H 37
Sta Maria di Licodia *CT* 100 O 26
Sta Maria di Loreto *SA* 76 E 27
Sta Maria di Merino *FG* 67 B 30
Sta Maria di Pieca *MC* 52 M 21
Sta Maria di Portonovo *AN* 47 L 22
Sta Maria di Propezzano *TE* 53 O 23
Sta Maria di Pugliano *FR* 63 Q 21
Sta Maria di Rambona *MC* 52 M 21
Sta Maria di Ronzano *TE* 59 O 23
Sta Maria di Sala *VE* 24 F 18
Sta Maria di Sala *VT* 57 O 17
Sta Maria di Sette *PG* 51 L 18
Sta Maria di Siponto *FG* 67 C 29
Sta Maria d'Irsi *MT* 72 E 31
Sta Maria in Castello *FO* 40 J 17
Sta Maria in Selva (Abbazia di) *MC* 52 M 22
Sta Maria in Stelle *VR* 23 F 15
Sta Maria in Valle Porclaneta *AQ* 59 P 22
Sta Maria in Vescovio *RI* 58 P 19
Sta Maria Infante *LT* 64 S 23
Sta Maria la Fossa *CE* 69 D 24
Sta Maria la Longa *UD* 17 E 21
Sta Maria la Palma *SS* 110 F 6
Sta Maria Lignano *PG* 51 M 20
Sta Maria Maddalena *SS* 111 E 8
Sta Maria Maddalena *RO* 32 H 16
Sta Maria Maggiore *VB* 8 D 7
Sta Maria Navarrese *NU* 117 H 11
Sta Maria Nuova *AN* 46 L 21
Sta Maria Nuova *FO* 41 J 18
Sta Maria Occorrevole *CE* 65 R 25
Sta Maria Orsoleo *PZ* 77 G 30
Sta Maria Pietrarossa *PG* 51 N 20
Sta Maria Rassinata *AR* 45 L 18
Sta Maria Rezzonico *CO* 9 D 9
S. Mariano *PG* 51 M 18
Ste Marie *AQ* 59 P 21
Ste Marina *FO* 40 J 17
Sta Marina *SA* 76 G 28
Sta Marina Salina *ME* 94 L 26
Sta Marinella *RM* 57 P 17
Sto Marino *MO* 31 H 14
S. Marino *TR* 51 N 18
San Marino (Repubblica di) *RSM* 41 K 19
S. Maroto *MC* 52 M 21
St. Martin / S. Martino *BZ* 4 B 18
St. Martin in Passeier / S. Martino in Passiria *BZ* 3 B 15
St. Martin in Thurn / S. Martino in Badia *BZ* 4 B 17
S. Martino *BO* 40 I 17
S. Martino *LI* 48 N 12
S. Martino *PG* 45 L 19
S. Martino *RI* 59 O 22
S. Martino / Reinswald *BZ* 3 B 16
S. Martino *BS* 22 E 13
S. Martino *CN* 26 H 4
S. Martino *NO* 20 F 8
S. Martino *PR* 30 H 13
S. Martino *SV* 36 I 7
S. Martino *SO* 9 D 10
S. Martino / St. Martin *BZ* 4 B 18
S. Martino (Pal di) *TN* 12 D 17
S. Martino a Maiano *FI* 43 L 15
S. Martino a Scopeto *FI* 40 K 16
S. Martino al Cimino *VT* 57 O 18
S. Martino al Monte *BZ* 3 C 14
S. Martino al Tagliamento *PN* 16 D 20
S. Martino Alfieri *AT* 27 H 6
S. Martino alla Palma *FI* 43 K 15
S. Martino Buon Albergo *VR* 23 F 15
S. Martino Canavese *TO* 19 F 5
S. Martino d'Agri *PZ* 77 G 30
S. Martino dall'Argine *MN* 30 G 13
S. Martino d'Alpago *BL* 13 D 19
S. Martino dei Muri *PS* 46 L 20
S. Martino del Piano *PS* 45 L 19
S. Martino della Battaglia *BS* 23 F 13
S. Martino delle Scale *PA* 97 M 21
S. Martino di Campagna *PN* 13 D 19
S. Martino di Castrozza *TN* 12 D 17
S. Martino di Finita *CS* 85 I 30
S. Martino di Lupari *PD* 24 F 17
S. Martino di Venezze *RO* 32 G 17
S. Martino in Argine *BO* 32 I 16
S. Martino in Badia / St. Martin in Thurn *BZ* 4 B 17
S. Martino in Beliseto *CR* 22 G 11
S. Martino in Campo *PG* 51 M 19
S. Martino in Colle (vicino a Gubbio) *PG* 51 L 19
S. Martino in Colle (vicino a Perugia) *PG* 51 M 19
S. Martino in Freddana *LU* 38 K 13
S. Martino in Gattara *RA* 40 J 17
S. Martino in Passiria / St. Martin in Passeier *BZ* 3 B 15
S. Martino in Pensilis *CB* 66 B 27
S. Martino in Rio *RE* 31 H 14
S. Martino in Soverzano *BO* 32 I 16
S. Martino in Strada *FO* 41 J 18
S. Martino Monteneve *BZ* 3 B 15
S. Martino Pizzo *VB* 7 D 6
S. Martino Siccomario *PV* 21 G 9
S. Martino Spino *MO* 31 H 15
S. Martino sul Fiora *GR* 50 N 16
S. Martino Valle Caudina *AV* 70 D 25
S. Marzano di S. Giuseppe *TA* 79 F 34
S. Marzano Oliveto *AT* 28 H 6
S. Marzano sul Sarno *SA* 70 E 25
S. Massimo *CB* 65 R 25
S. Matteo *CN* 34 I 4
S. Matteo *FG* 66 B 28
S. Matteo (Punta) *SO* 11 C 13
San Matteo della Decima *BO* 31 H 15
S. Matteo delle Chiaviche *MN* 31 G 13
S. Matteo in Lamis (S. Marco) *FG* 67 B 28
S. Maurizio Canavese *TO* 19 G 4
S. Maurizio d'Opaglio *NO* 20 E 7
S. Mauro *NU* 115 G 9
S. Mauro (Varco) *CS* 86 I 31
S. Mauro a Mare *FO* 41 J 19
S. Mauro Castelverde *PA* 99 N 24
S. Mauro Cilento *SA* 75 G 27
S. Mauro di Saline *VR* 23 F 15
S. Mauro Forte *MT* 77 F 30
S. Mauro la Bruca *SA* 76 G 27
S. Mauro Marchesato *KR* 87 J 32
S. Mauro (Monte) *SU* 119 I 9
S. Mauro Pascoli *FO* 41 J 19
S. Mauro Torinese *TO* 27 G 5
S. Mazzeo *CZ* 86 J 30
S. Menaio *FG* 67 B 29
S. Miai Terraseo (Monte) *SU* 118 J 7
S. Miali (Punta di) *SU* 118 I 8
S. Michele *SU* 118 I 8
S. Michele *BS* 23 E 14
S. Michele *IM* 35 K 4
S. Michele *LT* 63 R 20
S. Michele *NA* 75 F 25
S. Michele *PS* 46 L 20
S. Michele *PC* 29 H 11
S. Michele (Punta) *SU* 118 I 7
S. Michele *RA* 41 I 18
S. Michele *RE* 31 H 14
S. Michele *SA* 76 F 28
S. Michele (Abbazia) *PZ* 71 E 28
S. Michele (Monte) *FI* 44 L 16
S. Michele all'Adige *TN* 11 D 15
S. Michele al Tagliamento *VE* 16 E 20
S. Michele Arenas (Monte) *SU* 118 J 7
S. Michele dei Mucchietti *MO* 31 I 14
S. Michele di Ganzaria *CT* 104 P 25
S. Michele di Piave *TV* 25 E 19
S. Michele di Plaianu *SS* 110 E 7
S. Michele di Salvenero *SS* 111 F 8
S. Michele di Serino *AV* 70 E 26
S. Michele Gatti *PR* 30 H 12
S. Michele in Bosco *MN* 31 G 13
S. Michele in Teverina *VT* 57 O 18
S. Michele Mondovì *CN* 35 I 5
S. Michele (Monte) (Gorizia) *GO* 17 E 22
S. Michele Salentino *BR* 80 F 34
S. Miniato *PI* 43 K 14
Sta Monica *RN* 41 K 20
S. Morello *CS* 87 I 32
S. Nazario (Santuario) *FG* 66 B 28
S. Nazzaro *PR* 30 H 12
S. Nazzaro *PC* 30 G 11
S. Nazzaro Sesia *NO* 20 F 7
S. Nicola *AQ* 59 P 21
S. Nicola *ME* 100 M 26
S. Nicola *PZ* 72 E 29
S. Nicola *SA* 76 G 27
S. Nicola (vicino ad Ardore) *RC* 91 M 30
S. Nicola (vicino a Caulonia) *RC* 88 L 31
S. Nicola (Isola) (I. Tremiti) *FG* 66 A 28
S. Nicola Arcella *CS* 84 H 29
S. Nicola Baronia *AV* 71 D 27
S. Nicola da Crissa *VV* 88 L 30
S. Nicola dell'Alto *KR* 87 J 32
S. Nicola la Strada *CE* 69 D 25
S. Nicola l'Arena *PA* 98 M 22
S. Nicola Manfredi *BN* 70 D 26
S. Nicola (Monte) *BA* 80 E 33
S. Nicola (Monte) *PA* 102 O 22
S. Nicola Varano *FG* 67 B 29
St. Nicolas *AO* 18 E 3
S. Nicolò *PC* 29 G 10
S. Nicolò *FE* 32 H 17
S. Nicolò *PG* 51 N 20
S. Nicolò a Tordino *TE* 53 N 23
S. Nicolò / St. Nikolaus *BZ* 3 C 14
S. Nicolò d'Arcidano *OR* 118 H 7
S. Nicolò di Comelico *BL* 5 C 19
S. Nicolò di Trullas *SS* 115 F 8
S. Nicolò Gerrei *SU* 119 I 9
S. Nicolò Po *MN* 31 G 14
St. Nikolaus / S. Nicolò *BZ* 3 C 14
Sta Ninfa *TP* 97 N 20
S. Odorico *UD* 14 D 20
S. Olcese *GE* 28 I 8
Sta Oliva *FR* 64 R 22
S. Omero *TE* 53 N 23
S. Omobono Imagna *BG* 21 E 10
S. Onofrio *CS* 85 H 30
S. Onofrio *LT* 64 R 22
S. Onofrio *TE* 53 N 23
S. Oreste *RM* 58 P 19
S. Orsola *TN* 12 D 15
S. Osvaldo (Passo di) *PN* 13 D 19
St. Oyen *AO* 6 E 3
Sto Padre delle Perriere *TP* 96 N 19
Sta Panagia *SR* 105 P 27
Sta Panagia (Capo) *SR* 105 P 27
S. Pancrazio *SS* 109 D 9
S. Pancrazio *AR* 44 L 16
S. Pancrazio *FI* 43 L 15
S. Pancrazio *PR* 30 H 12
S. Pancrazio *RA* 41 I 18
S. Pancrazio Salentino *BR* 79 F 35
S. Pancrazio / St. Pankraz *BZ* 3 C 15
S. Panfilo d'Ocre *AQ* 59 P 22
St. Pankraz / S. Pancrazio *BZ* 3 C 15
S. Pantaleo *SS* 109 D 10
S. Pantaleo (Isola) *TP* 96 N 19
S. Pantaleone *RC* 90 N 29
Sta Paolina *AV* 70 D 26
S. Paolino (Monte) *CL* 103 O 23
S. Paolo *SR* 107 Q 27
S. Paolo *SS* 113 E 10
S. Paolo *TA* 80 F 33
S. Paolo (Isola) *TA* 78 F 33
S. Paolo (Masseria) *TA* 79 F 33
S. Paolo Albanese *PZ* 77 G 31
S. Paolo *BS* 22 F 12
S. Paolo Bel Sito *NA* 70 E 25
S. Paolo Cervo *BI* 19 F 6
S. Paolo di Civitate *FG* 66 B 27
S. Paolo di Jesi *AN* 46 L 21
S. Paolo *PN* 16 E 20
S. Paolo Solbrito *AT* 27 H 5
S. Pasquale *SS* 109 D 9
S. Paterniano *AN* 47 L 22
S. Patrizio *RA* 32 I 17
Santu Pedru (Tomba) *SS* 110 F 7
S. Pelino (Corfinio) *AQ* 60 P 23
S. Pelino (vicino ad Avezzano) *AQ* 59 P 22
S. Pelino (vicino a Montereale) *AQ* 59 O 21
S. Pellegrinetto *MO* 39 I 14
S. Pellegrino *FI* 40 J 16
S. Pellegrino *PT* 39 J 14
S. Pellegrino (vicino a Fossato di Vico) *PG* 51 M 20
S. Pellegrino (vicino a Norcia) *PG* 52 N 21
S. Pellegrino (Passo) *TN* 12 C 17
S. Pellegrino (Val di) *TN* 12 C 17
S. Pellegrino in Alpe *MO* 38 J 13
S. Pellegrino Terme *BG* 21 E 10
St. Peter / S. Pietro *BZ* 4 A 18
S. Pier d'Isonzo *GO* 17 E 22
S. Pier Niceto *ME* 90 M 28
S. Piero a Grado *PI* 42 K 13
S. Piero a Ponti *FI* 39 K 15
S. Piero a Sieve *FI* 40 K 15
S. Piero in Bagno *FO* 40 K 17
S. Piero in Campo *LI* 48 N 12
S. Piero in Campo *SI* 50 N 17
S. Piero Patti *ME* 100 M 26
St. Pierre *AO* 18 E 3
S. Pietro *AQ* 59 O 22
Sto Pietro *CT* 104 P 25
S. Pietro *SU* 118 I 8
S. Pietro *ME* 94 L 27
S. Pietro *ME* 95 M 27
S. Pietro *NA* 74 F 25
S. Pietro *OR* 114 G 7
S. Pietro *PG* 51 N 20
S. Pietro *RI* 58 O 20
S. Pietro *VT* 57 O 17
S. Pietro (Badia di) *AN* 47 L 22
S. Pietro (Lago di) *AV* 71 D 28
S. Pietro (Monte) *SU* 118 J 7
S. Pietro (Monte) *SS* 109 E 9
S. Pietro (Chiesa) *LC* 21 E 9
S. Pietro a Maida *CZ* 88 K 31
S. Pietro a Maida Scalo *CZ* 88 K 30
S. Pietro a Monte *PG* 51 L 18
S. Pietro *VE* 33 G 18
S. Pietro *VR* 23 G 15
S. Pietro / St. Peter *BZ* 4 A 18
S. Pietro (Canale di) *UD* 5 C 21
S. Pietro Acquaeortus *TR* 50 N 17
S. Pietro al Natisone *UD* 15 D 22
S. Pietro al Tanagro *SA* 76 F 28
S. Pietro all'Olmo *MI* 21 F 9
S. Pietro Apostolo *CZ* 86 J 31
S. Pietro Avellana *IS* 65 Q 24
S. Pietro Belvedere *PI* 43 L 13
S. Pietro Casasco *PV* 29 H 9
S. Pietro Clarenza *CT* 100 O 27
S. Pietro di Carida *RC* 88 L 30
S. Pietro di Carnia *UD* 5 C 21
S. Pietro di Feletto *TV* 13 E 18
S. Pietro di Morubio *VR* 23 G 15
S. Pietro di Ruda *SS* 109 E 9
S. Pietro di Simbranos *SS* 111 E 8
S. Pietro di Sorres *SS* 111 F 8
Ss. Pietro e Paolo *ME* 90 N 27
S. Pietro in Amantea *CS* 86 J 30
S. Pietro in Bevagna *TA* 79 G 35
S. Pietro in Campiano *RA* 41 J 18
S. Pietro in Cariano *VR* 23 F 14
S. Pietro in Casale *BO* 32 H 16
S. Pietro in Cerro *PC* 30 G 11
S. Pietro in Curolis *FR* 64 R 23
S. Pietro in Gu *PD* 24 F 16
S. Pietro in Guarano *CS* 86 I 30
S. Pietro in Lama *LE* 81 G 36
S. Pietro in Palazzi *LI* 48 M 13
S. Pietro in Silvis *RA* 40 I 17
S. Pietro in Valle *IS* 65 R 25
S. Pietro in Valle *TR* 58 O 20
S. Pietro in Vincoli *RA* 41 J 18
S. Pietro in Volta *VE* 25 G 18
S. Pietro Infine *CE* 64 R 23
S. Pietro (Isola) *TA* 78 F 33
S. Pietro (Isola di) *SU* 120 J 6
S. Pietro Mosezzo *NO* 20 F 7
S. Pietro Mussolino *VI* 23 F 15
S. Pietro Polesine *RO* 32 G 15
S. Pietro Valdastico *VI* 12 E 16
S. Pietro Vara *SP* 37 I 10
S. Pietro Vernotico *BR* 81 F 35
S. Pietro Viminario *PD* 24 G 17
S. Pio delle Camere *AQ* 59 P 22
S. Polo *AR* 45 L 17
S. Polo dei Cavalieri *RM* 58 P 20
S. Polo d'Enza *RE* 30 I 13
S. Polo di Piave *TV* 25 E 19
S. Polo in Chianti *FI* 44 K 16
S. Polo Matese *CB* 65 R 25
S. Possidonio *MO* 31 H 14
S. Potito *AQ* 59 P 22
S. Potito Sannitico *CE* 65 R 25
S. Presto *PG* 51 M 20
S. Priamo *SU* 119 I 10
S. Primo (Monte) *CO* 9 E 9
S. Prisco *CE* 69 D 24
S. Procopio *RC* 90 M 29
Sta Procula Maggiore *RM* 62 R 19
S. Prospero *BO* 39 I 15
S. Prospero *PR* 30 H 13
S. Protaso *PC* 30 H 11
S. Puoto (Lago) *LT* 64 S 22
San Quirico *PO* 39 J 15
S. Quirico *GR* 50 N 17
S. Quirico *LU* 38 K 13
S. Quirico *PG* 51 M 19
S. Quirico d'Orcia *SI* 50 M 16
S. Quirino *PN* 13 D 20
Sta Rania *KR* 87 J 32
S. Regolo *SI* 44 L 16
Sta Reparata *FO* 40 J 17
Sta Reparata *SS* 109 D 9
Sta Reparata (Chiesa) *SS* 111 F 9
Sta Restituta *SS* 115 F 9
Sta Restituta *TR* 58 O 19
Sta Rita *CL* 103 O 24
S. Roberto *RC* 90 M 29
S. Rocco *CN* 27 I 6
S. Rocco *GE* 37 I 9
S. Rocco *LU* 38 K 13
S. Rocco *RE* 31 H 13
S. Rocco *SO* 2 C 12
S. Rocco (Galleria) *RI* 59 P 21
S. Rocco a Pilli *SI* 50 M 15
S. Rocco al Porto *LO* 29 G 11
S. Romano *PI* 43 K 14
S. Romano *RE* 31 I 13
S. Romano in Garfagnana *LU* 38 J 13
S. Romedio *TN* 11 C 15
S. Romolo *IM* 35 K 5
Sta Rosalia *AG* 98 O 22
S. Rossore (Tenuta di) *PI* 42 K 12
Sta Rufina *RI* 58 O 20
S. Rufino (Abbazia di) *AP* 52 M 22
S. Rufo *SA* 76 F 28
S. Saba *ME* 90 M 28
Sta Sabina *BR* 80 E 35
Sta Sabina *NU* 115 G 8
S. Salvatore *BS* 10 D 13
S. Salvatore *OR* 114 H 7
S. Salvatore *AV* 70 E 26
S. Salvatore *BA* 72 D 30
S. Salvatore *FG* 67 B 29
S. Salvatore (Monte) *PA* 99 N 24
S. Salvatore (Badia) *PG* 51 M 19
S. Salvatore di Fitalia *ME* 100 M 26
S. Salvatore Monferrato *AL* 28 G 7
S. Salvatore Telesino *BN* 70 D 25
S. Salvo *CH* 61 P 26
S. Salvo Marina *CH* 61 P 26
S. Saturnino (Terme di) *SS* 115 F 9
S. Savino *FO* 40 J 17
S. Savino *PG* 51 M 18
S. Savino *PS* 46 L 20
S. Savino *RA* 40 I 17
S. Savino *SI* 50 M 17
Sta Scolastica (Subiaco) *RM* 63 Q 21
S. Sebastiano al Vesuvio *NA* 70 E 25
S. Sebastiano Curone *AL* 29 H 9
S. Sebastiano da Po *TO* 19 G 5
S. Secondo *PG* 45 L 18
S. Secondo di Pinerolo *TO* 26 H 3
S. Secondo Parmense *PR* 30 H 12
Sta Severa *RM* 57 P 17
Sta Severina *KR* 87 J 32
S. Severino Lucano *PZ* 77 G 30
S. Severino Marche *MC* 52 M 21
S. Severo *FG* 66 B 28
S. Severo *TR* 51 N 18
S. Silvestro *PE* 60 O 24
S. Silvestro (vicino a Fabriano) *AN* 52 M 20
S. Silvestro (vicino a Senigallia) *AN* 46 L 21
S. Silvestro *MN* 31 G 14
S. Silvestro (Rocca di) *LI* 49 M 13
S. Simone *BG* 9 D 11
S.Simone *SU* 119 I 9
S. Simone *TA* 80 F 33
S. Simone (Rio) *SS* 113 E 10
S. Siro *CO* 9 D 9
S. Siro *PD* 24 G 17
S. Siro Foce *GE* 37 I 10
S. Sisto *PS* 45 K 19
S. Sisto *RE* 30 H 13
Sta Sofia *FO* 40 K 17
Sta Sofia d'Epiro *CS* 85 I 30
S. Sosio *FR* 63 R 22

151

S. Sossio Baronia AV ... 71 D 27
S. Sostene CZ ... 88 L 31
S. Sosti CS ... 85 I 30
S. Sperate SU ... 118 I 9
Sto Spirito BA ... 73 D 32
Sto Spirito CL ... 103 O 24
Sto Spirito PE ... 60 P 24
Sto Stefano (Isola) SS ... 109 D 10
Sto Stefano AN ... 46 L 20
Sto Stefano AQ ... 59 P 21
Sto Stefano CB ... 65 R 25
Sto Stefano FI ... 43 L 14
Sto Stefano LI ... 48 M 11
Sto Stefano RA ... 41 J 18
Sto Stefano TE ... 53 O 22
Sto Stefano (Monte) LT ... 63 R 21
Sto Stefano al Mare IM ... 35 K 5
Sto Stefano RO ... 31 G 15
Sto Stefano VR ... 24 F 16
Sto Stefano Belbo CN ... 27 H 6
Sto Stefano d'Aveto GE ... 29 I 10
Sto Stefano del Sole AV ... 70 E 26
Sto Stefano di Briga ME ... 90 M 28
Sto Stefano di Cadore BL ... 5 C 19
Sto Stefano di Camastra ME ... 99 M 25
Sto Stefano di Magra SP ... 38 J 11
Sto Stefano di Sessanio AQ ... 59 O 22
Sto Stefano in Aspromonte RC ... 90 M 29
Sto Stefano Lodigiano LO ... 29 G 11
Sto Stefano Quisquina AG ... 98 O 22
Sto Stino di Livenza VE ... 16 E 20
S. Tammaro CE ... 69 D 24
Sta Tecla CT ... 101 O 27
S. Teodoro ME ... 100 N 26
S. Teodoro SS ... 113 E 11
S. Teodoro (Grotta di) ME ... 100 M 25
S. Teodoro (Stagno di) SS ... 113 E 11
S. Teodoro (Terme di) AV ... 71 E 27
S. Terenziano PG ... 51 N 19
S. Terenzo SP ... 38 J 11
Sta Teresa di Riva ME ... 90 N 28
Sta Teresa Gallura SS ... 109 D 9
Sto Todaro VV ... 88 L 31
S. Tomaso Agordino BL ... 12 C 17
S. Tommaso CH ... 60 P 25
S. Tommaso PE ... 60 P 23
SS. Trinità di Delia TP ... 97 N 20
SS. Trinità di Saccargia SS ... 111 E 8
S. Trovaso TV ... 25 F 18
S. Ubaldo Gubbio PG ... 45 L 19
St. Ulrich / Ortisei BZ ... 4 C 17
S. Urbano PD ... 32 G 16
S. Urbano MC ... 46 L 21
S. Urbano TR ... 58 O 19
Sta Valburga / St. Walburg BZ ... 3 C 15
St. Valentin a. d. Haide / S. Valentino alla Muta BZ ... 2 B 13
S. Valentino TN ... 23 E 14
S. Valentino GR ... 50 N 17
S. Valentino PG ... 51 N 19
S. Valentino TR ... 58 O 19
S. Valentino alla Muta / St. Valentin a. d. Haide BZ ... 2 B 13
S. Valentino in Abruzzo PE ... 60 P 24
S. Valentino Torio SA ... 70 E 25
St. Veit / S. Vito BZ ... 4 B 18
S. Venanzio MO ... 31 I 14
S. Venanzo TR ... 51 N 18
S. Vendemiano TV ... 13 E 19
Sta Venera CT ... 101 N 27
Sta Venere (Monte) SR ... 104 P 26
S. Venere (Ponte) FG ... 71 D 28
Sta Venerina CT ... 101 N 27
S. Vero Milis OR ... 114 G 7
S. Vicino (Monte) MC ... 52 M 21
St. Vigil / S. Vigilio BZ ... 3 C 15
St. Vigil / S. Vigilio di Marebbe BZ ... 4 B 17
S. Vigilio / St Vigil BZ ... 3 C 15
S. Vigilio di Marebbe / St. Vigil BZ ... 4 B 17
St. Vincent AO ... 19 E 4
S. Vincenzo BO ... 32 H 16
S. Vincenzo ME ... 95 K 27
S. Vincenzo FR ... 64 Q 22
S. Vincenzo LI ... 49 M 13
S. Vincenzo (Masseria) BA ... 72 D 30
S. Vincenzo a Torri FI ... 43 K 15
S. Vincenzo al Volturno IS ... 64 R 24
S. Vincenzo la Costa CS ... 86 I 30
S. Vincenzo Valle Roveto AQ ... 64 Q 22
S. Vincenzo Valle Roveto Superiore AQ ... 64 Q 22
S. Vitale (Pineta) RA ... 33 I 18
S. Vitale di Baganza PR ... 30 I 12
S. Vito SU ... 119 I 10
S. Vito (I. di Pantelleria) TP ... 96 Q 17
S. Vito AV ... 71 D 27
S. Vito BA ... 73 D 33
S. Vito BN ... 70 D 26
S. Vito LT ... 63 S 21
S. Vito MO ... 31 I 14
S. Vito TE ... 53 N 22
S. Vito TR ... 58 O 19
S. Vito (vicino a Bassano del G.) TV ... 24 E 17
S. Vito (vicino a Valdobbiadene) TV ... 12 E 17
S. Vito / St. Veit BZ ... 4 B 18
S. Vito al Tagliamento PN ... 16 E 20
S. Vito al Torre UD ... 17 E 22
S. Vito (Capo) TA ... 78 F 33
S. Vito (Capo) TP ... 97 M 20
S. Vito Chietino CH ... 61 P 25
S. Vito dei Normanni BR ... 80 F 35
S. Vito di Cadore BL ... 4 C 18
S. Vito di Fagagna UD ... 14 D 21
S. Vito di Leguzzano VI ... 24 E 16
S. Vito in Monte TR ... 51 N 18
S. Vito lo Capo TP ... 97 M 20
S. Vito (Monte) CL ... 99 O 23
S. Vito (Monte) FG ... 71 D 27
S. Vito Romano RM ... 63 Q 20
S. Vito sullo Ionio CZ ... 88 K 31
S. Vittore FO ... 41 J 18
S. Vittore MC ... 46 L 21
S. Vittore del Lazio FR ... 64 R 23
S. Vittore di Chiuse AN ... 46 L 20
S. Vittore Olona MI ... 20 F 8
S. Vittore VR ... 23 F 15
Sta Vittoria AQ ... 59 O 21
Sta Vittoria RE ... 31 H 13
Sta Vittoria SS ... 111 E 8
Sta Vittoria (Monteleone Sabino) RI ... 58 P 20
Sta Vittoria d'Alba CN ... 27 H 5
Sta Vittoria in Matenano AP ... 52 M 22
Sta Vittoria (Monte) SU ... 115 H 9
Sta Vittoria (Nuraghe) SU ... 119 H 9
S. Vittorino AQ ... 59 O 21
S. Vittorino PE ... 60 P 23
S. Vivaldo FI ... 43 L 14
St. Walburg / Sta Valburga BZ ... 3 C 15
S. Zaccaria PZ ... 72 E 29
S. Zeno di Montagna VR ... 23 F 14
S. Zeno Naviglio BS ... 22 F 12
S. Zenone al Lambro MI ... 21 G 10
S. Zenone al Po PV ... 29 G 10
S. Zenone degli Ezzelini TV ... 24 E 17
Sanarica LE ... 83 G 37
Sand in Taufers / Campo Tures BZ ... 4 B 17
Sandalo (Capo) SU ... 120 J 6
Sandjöchl / Santicolo (Passo di) BZ ... 3 B 16
Sandrà VR ... 23 F 14
Sandrigo VI ... 24 F 16
Sanfatucchio PG ... 51 M 18
Sanfrè CN ... 27 H 5
Sanfront CN ... 26 I 3
Sangiano VA ... 8 E 7
Sangineto CS ... 84 I 29
Sangineto Lido CS ... 84 I 29
Sangone TO ... 27 G 4
Sangro AQ ... 64 Q 23
Sangro (Lago di) CH ... 60 Q 25
Sanguigna PR ... 30 H 13
Sanguignano PV ... 29 H 9
Sanguinaro PR ... 30 H 12
Sanguinetto VR ... 23 G 15
Sanluri SU ... 118 I 8
Sannace (Monte) BA ... 73 E 32
Sannazzaro de' Burgondi PV ... 28 G 8
Sannicandro di Bari BA ... 73 D 32
Sannicandro Garganico FG ... 66 B 28
Sannicola LE ... 83 G 36
Sannio (Monti del) CB ... 65 R 26
Sannoro FG ... 71 D 27
Sansepolcro AR ... 45 L 18
Santadi SU ... 118 J 8
Santadi Basso SU ... 118 J 8
Santandra TV ... 25 E 18
Santarcangelo di Romagna RN ... 41 J 19
Santena TO ... 27 H 5
Santeramo in Colle BA ... 73 E 32
Santerno FI ... 40 J 16
Santhià VC ... 19 F 6
Santicolo (Passo di) / Sandjöchl BZ ... 3 B 16
Santo SS ... 110 E 6
Santo (Col) TN ... 23 E 15
Santo (Lago) MO ... 39 J 13
Santo (Lago) TN ... 11 D 15
Santo (Monte) SU ... 121 J 8
Santo (Monte) SS ... 111 F 8
Santomenna SA ... 71 E 27
Santopadre FR ... 64 R 22
Santorso VI ... 24 E 16
Santoru (Porto) NU ... 119 I 10
Santuario SV ... 36 I 7
Sanza SA ... 76 G 28
Sanzeno TN ... 11 C 15
Saonara PD ... 24 F 17
Saonda PG ... 51 M 19
Saoseo (Cima) SO ... 10 C 12
Sapienza (Rifugio) CT ... 100 N 26
Saponara ME ... 90 M 28
Sappada BL ... 5 C 20
Sapri SA ... 76 G 28
Sara (Monte) AG ... 102 O 22
Saracco Volante CN ... 35 J 5
Saracena CS ... 85 H 30
Saraceni (Monte dei) ME ... 100 M 26
Saraceno CS ... 85 H 31
Saraceno (Monte) AG ... 103 P 23
Saraceno (Punta del) TP ... 97 M 20
Saracinesco RM ... 58 P 20
Saragiolo SI ... 50 N 16
Saraloi (Monte) NU ... 113 F 10
Sarbene (Genna) NU ... 117 G 10
Sarcedo VI ... 24 E 16
Sarche TN ... 11 D 14
Sarcidano SU ... 115 H 9
Sarconi PZ ... 77 G 29
Sardagna TN ... 11 D 15
Sardara SU ... 118 I 8
Sardigliano AL ... 28 H 8
Sarego VI ... 24 F 16
Sarentina (Valle) BZ ... 3 C 16
Sarentino / Sarnthein BZ ... 3 C 16
Sarezzano AL ... 28 H 8
Sarezzo BS ... 22 F 12
Sarginesco MN ... 23 G 13
Sariano RO ... 32 G 16
Sarmato PC ... 29 G 10
Sarmede TV ... 13 E 19
Sarmego VI ... 24 F 17
Sarmento PZ ... 77 G 31
Sarnano MC ... 52 M 21
Sarnico BG ... 22 E 11
Sarno SA ... 70 E 25
Sarno (Fiume) SA ... 75 E 25
Sarnonico TN ... 11 C 15
Sarone PN ... 13 E 19
Saronno VA ... 21 F 9
Sarrabus SU ... 119 I 9
Sarraina (Cala) SS ... 109 D 8
Sarre AO ... 18 E 3
Sarro CT ... 101 N 27
Sarroch CA ... 121 J 9
Sarsina FO ... 41 K 18
Sartano CS ... 85 I 30
Sarteano SI ... 50 N 17
Sartirana Lomellina PV ... 28 G 7
Sarturano PC ... 29 H 10
Sarule NU ... 115 G 9
Sarzana SP ... 38 J 11
Sarzano RO ... 32 G 17
Sassa PI ... 49 M 14
Sassalbo MS ... 38 J 12
Sassano SA ... 76 F 28
Sassari SS ... 110 E 7
Sassello SV ... 28 I 7
Sassetta LI ... 49 M 13
Sassi (Musone dei) PD ... 24 F 17
Sassinoro BN ... 65 R 25
Sasso PR ... 30 I 12
Sasso RM ... 57 P 18
Sasso VI ... 12 E 16
Sasso di Castalda PZ ... 76 F 29
Sasso d'Ombrone GR ... 50 N 15
Sasso Marconi BO ... 39 I 15
Sasso Morelli BO ... 40 I 17
Sassocorvaro PS ... 45 K 19
Sassofeltrio PS ... 41 K 19
Sassoferrato AN ... 46 L 20
Sassofortino GR ... 49 M 15
Sassoleone BO ... 40 J 16
Sassonero BO ... 40 J 16
Sassovivo (Abbazia di) PG ... 51 N 20
Sassu (Monte) SS ... 111 E 8
Sassuolo MO ... 31 I 14
Sataria TP ... 96 Q 17
Satriano CZ ... 88 L 31
Satriano di Lucania PZ ... 76 F 28
Saturnia GR ... 56 O 16
Sauris UD ... 5 C 20
Sauris (Lago di) UD ... 5 C 20
Sauro MT ... 77 F 30
Sauze di Cesana TO ... 26 H 2
Sauze d'Oulx TO ... 26 G 2
Sava TA ... 79 F 34
Sava (Masseria) BA ... 73 E 32
Savara AO ... 18 F 3
Savarenche (Val) AO ... 18 F 3
Savarna RA ... 33 I 18
Savelletri BR ... 80 E 34
Savelli KR ... 87 J 32
Savelli PG ... 52 N 21
Savena BO ... 40 J 15
Savi AT ... 27 H 5
Saviano NA ... 70 E 25
Savigliano CN ... 27 I 4
Savignano di Rigo FO ... 41 K 18
Savignano Irpino AV ... 71 D 27
Savignano sul Panaro MO ... 39 I 15
Savignano sul Rubicone FO ... 41 J 19
Savigno BO ... 39 I 15
Savignone GE ... 28 I 8
Savio RA ... 41 J 18
Savio (Fiume) FO ... 41 J 18
Savio (Foce del) RA ... 41 J 18
Saviore (Val di) BS ... 10 D 13
Saviore dell'Adamello BS ... 10 D 13
Savoca ME ... 90 N 28
Savogna UD ... 15 D 22
Savogna d'Isonzo GO ... 17 E 22
Savognatica RE ... 39 I 13
Savoia di Lucania PZ ... 76 F 28
Savona SV ... 36 J 7
Savoniero MO ... 39 I 13
Savorgnano AR ... 45 L 17
Savorgnano PN ... 16 E 20
Savorgnano UD ... 15 D 21
Savoulx TO ... 26 G 2
Savuto CS ... 86 J 30
Savuto (Fiume) CS ... 86 J 31
Scacciano RN ... 41 K 19
Scafa PE ... 60 P 24
Scafati SA ... 75 E 25
Scaglieri LI ... 48 N 12
Scagnello CN ... 35 J 5
Scai RI ... 59 O 21
Scala ME ... 90 M 28
Scala SA ... 75 F 25
Scala Coeli CS ... 87 I 32
Scala (Monte della) CT ... 104 P 25
Scala Ruia SS ... 111 E 8
Scalambri (Capo) RG ... 106 Q 25
Scaldasole PV ... 28 G 8
Scale (Corno alle) BO ... 39 J 14
Scalea CS ... 84 H 29
Scalea (Capo) CS ... 84 H 29
Scalenghe TO ... 27 H 4
Scalera PZ ... 71 E 29
Scaleres / Schalders BZ ... 4 B 16
Scaletta Uzzone CN ... 27 I 6
Scaletta Zanclea ME ... 90 M 28
Scalino (Pizzo) SO ... 10 D 11
Scalo dei Saraceni FG ... 67 C 29
Scalone (Passo dello) CS ... 86 I 29
Scaltenigo VE ... 25 F 18
Scalvaia SI ... 49 M 15
Scalve (Val di) BS ... 10 E 12
Scampitella AV ... 71 D 27
Scanaiol (Cima) TN ... 12 D 17
Scanarello RO ... 33 G 19
Scandale KR ... 87 J 32
Scandarello (Lago di) RI ... 59 O 21
Scandiano RE ... 31 I 14
Scandicci FI ... 43 K 15
Scandolara Ravara CR ... 30 G 12
Scandolara Ripa d'Oglio CR ... 22 G 12
Scandolaro PG ... 52 N 20
Scandriglia RI ... 58 P 20
Scannata (Portella) PA ... 98 N 22
Scanno AQ ... 64 Q 23
Scanno SA ... 75 F 27
Scanno (Lago di) AQ ... 64 Q 23
Scano di Montiferro OR ... 114 G 7
Scansano GR ... 50 N 16
Scanzano AQ ... 59 P 21
Scanzano Ionico MT ... 78 G 32
Scanzano (Lago dello) PA ... 98 N 22
Scanzorosciate BG ... 21 E 11
Scapezzano AN ... 46 K 21
Scapoli IS ... 64 R 24
Scaramia (Capo) RG ... 106 Q 25
Scarcelli CS ... 86 I 30
Scardovari RO ... 33 H 19
Scardovari (Sacca degli) RO ... 33 H 19
Scario SA ... 76 G 28
Scarlino GR ... 49 N 14
Scarlino Scalo GR ... 49 N 14
Scarmagno TO ... 19 F 5
Scarnafigi CN ... 27 H 4
Scarperia FI ... 40 K 16
Scarperia (Giogo di) FI ... 40 J 16
Scarzana FO ... 40 J 17
Scattas (Is) SU ... 120 J 8
Scauri LT ... 69 D 23
Scauri (I. di Pantelleria) TP ... 96 Q 17
Scavignano RA ... 40 J 17
Scavo (Portella dello) PA ... 99 N 23
Scena / Schenna BZ ... 3 B 15
Scerne TE ... 53 O 24
Scerni CH ... 61 P 25
Scesta LU ... 39 J 13
Schabs / Sciaves BZ ... 4 B 16
Schalders / Scaleres BZ ... 4 B 16
Scheggia PG ... 46 L 20
Scheggia (Valico di) AR ... 45 L 17
Scheggino PG ... 52 N 20
Schenna / Scena BZ ... 3 B 15
Schia PR ... 38 I 12
Schiara (Monte) BL ... 13 D 18
Schiava NA ... 70 E 25
Schiavi di Abruzzo CH ... 65 Q 25
Schiavon VI ... 24 E 16
Schievenin BL ... 12 E 17
Schignano PO ... 39 K 15
Schilpario BG ... 10 D 12
Schino della Croce (Monte) EN ... 100 N 25
Schio VI ... 24 E 16
Schisò (Capo) ME ... 90 N 27
Schivenoglia MN ... 31 H 15
Schlanders / Silandro BZ ... 2 C 14
Schlaneid / Salonetto BZ ... 3 C 15
Schluderbach / Carbonin BZ ... 4 C 18
Schluderns / Sluderno BZ ... 2 C 13
Schnals / Senales BZ ... 3 B 14
Schönau / Belprato BZ ... 3 B 15
Schwarzenstein / Nero (Sasso) BZ ... 4 A 17
Sciacca AG ... 102 O 21
Scianne (Masseria) LE ... 83 G 35
Sciara PA ... 99 N 23
Sciarborasca GE ... 36 I 7
Sciaves / Schabs BZ ... 4 B 16
Scicli RG ... 106 Q 26
Scido RC ... 90 M 29
Scifelli FR ... 64 Q 22
Scigliano CS ... 86 J 30
Sciliar (Monte) BZ ... 3 C 16
Scilla RC ... 90 M 29
Scillato PA ... 99 N 23
Sciolze TO ... 27 G 5
Sciorino (Monte) EN ... 103 O 24
Sclafani Bagni PA ... 99 N 23
Scoffera (Passo di) GE ... 29 I 9
Scoglietti (Punta) SS ... 110 E 6
Scoglitti RG ... 104 Q 25
Scoltenna MO ... 39 J 14
Scomunica (Punta della) SS ... 108 D 6
Scontrone AQ ... 64 Q 24
Scopello TP ... 97 M 20
Scopello VC ... 19 E 6
Scopetone (Foce di) AR ... 45 L 17
Scoppio TR ... 51 N 19
Scoppito AQ ... 59 O 21
Scorace (Monte) TP ... 97 N 20
Scorciavacche (Portella) PA ... 97 N 21
Scorda (Monte) RC ... 91 M 29
Scordia CT ... 104 P 26
Scorgiano SI ... 49 L 15
Scorno (Punta dello) SS ... 108 D 6
Scorrano LE ... 83 G 36
Scortichino FE ... 32 H 15
Scorzè VE ... 25 F 18
Scorzo SA ... 76 F 27
Scova (Monte sa) NU ... 115 H 9
Scravaion (Colle) SV ... 35 J 6
Scrisà RC ... 91 M 30
Scritto PG ... 51 M 19
Scrivia GE ... 28 I 9
Scudo (Porto) SU ... 120 K 8
Scurcola Marsicana AQ ... 59 P 22
Scurtabò SP ... 37 I 10
Scurzolengo AT ... 28 H 6
Sdobba (Punta) GO ... 17 E 22
Sdruzzina TN ... 23 E 14
Sebera (Punta) SU ... 121 J 8
Seborga IM ... 35 K 5
Seccagrande AG ... 102 O 21
Secchia RE ... 31 I 14
Secchia (Fiume) RE ... 39 I 13
Secchiano (vicino a Cagli) PS ... 46 L 19
Secchiano (vicino a S. Leo) PS ... 41 K 18
Secchiello RE ... 38 J 13
Secchieta (Monte) FI ... 44 K 16
Secinaro AQ ... 59 P 23
Secine (Monte) AQ ... 65 Q 24
Secondigliano NA ... 69 E 24
Secugnago LO ... 21 G 10
Seddanus SU ... 118 I 8
Sedegliano UD ... 16 D 20
Sedico BL ... 13 D 18
Sedilis UD ... 15 D 21
Sedilo OR ... 115 G 8
Sedini SS ... 111 E 8
Sedita (Monte) AG ... 102 O 22
Sedrano PN ... 13 D 20
Sedriano MI ... 20 F 8
Sedrina BG ... 21 E 10
Seduto (Monte) RC ... 88 L 30
Seekofel / Becco (Croda di) BL ... 4 B 18
Sefro MC ... 52 M 20
Sega VR ... 23 F 14
Segalare FE ... 33 H 18
Segariu SU ... 118 I 8
Segesta TP ... 97 N 20
Seggiano GR ... 50 N 16
Seghe VI ... 24 E 16
Segni RM ... 63 Q 21
Segno SV ... 36 J 7
Segonzano TN ... 11 D 15
Segrate MI ... 21 F 9
Segromigno in Monte LU ... 39 K 13
Segusino TV ... 12 E 17
Seigne (Col de la) AO ... 18 E 2
Seis / Siusi BZ ... 3 C 16
Seiser Alm / Siusi (Alpe di) BZ ... 4 C 16
Selargius CA ... 119 J 9
Selbagnone FO ... 41 J 18
Selci PG ... 45 L 18
Selci RI ... 58 P 19
Sele AV ... 71 E 27
Sele (Foce del) SA ... 75 F 26
Sele (Piana del) SA ... 75 F 26
Selegas SU ... 119 I 9
Selinunte TP ... 97 O 20
Sella TN ... 12 D 16
Sella di Corno AQ ... 59 O 21
Sella (Gruppo di) TN ... 4 C 17
Sella (Passo di) TN ... 4 C 17
Sella (Lago della) CN ... 34 J 3
Sella Nevea UD ... 15 C 22
Sellano PG ... 52 N 20
Sellate SI ... 49 M 14
Sellia CZ ... 87 K 31
Sellia Marina CZ ... 89 K 32
Selva BR ... 80 E 33
Selva GR ... 50 N 16
Selva PC ... 29 I 10
Selva TN ... 12 D 16
Selva (Bocca della) BN ... 65 R 25
Selva dei Molini / Mühlwald BZ ... 4 B 17
Selva dei Molini (Val) BZ ... 4 B 17
Selva del Montello TV ... 25 E 18
Selva di Cadore BL ... 4 C 18
Selva di Progno VR ... 23 F 15
Selva di Trissino VI ... 24 F 15
Selva di Val Gardena / Wölkenstein in Gröden BZ ... 4 C 17
Selva Grossa PR ... 30 I 12
Selva Malvezzi BO ... 32 I 16
Selvacava FR ... 64 R 23
Selvanizza PR ... 38 I 12
Selvapiana (Cona di) RM ... 63 R 21
Selvazzano Dentro PD ... 24 F 17
Selvena GR ... 50 N 16
Selvino BG ... 22 E 11
Semestene SS ... 115 F 8
Semiana PV ... 28 G 8
Seminara RC ... 90 L 29
Semonte PG ... 45 L 19
Sempio (Monte) SS ... 113 E 10
Sempione (Galleria del) VB ... 8 D 6
Semprevisa (Monte) RM ... 63 R 21
Semproniano GR ... 50 N 16
Senago MI ... 21 F 9
Senáiga TN ... 12 D 17
Senáiga (Lago di) BL ... 12 D 17
Senale / Unsere liebe Frau im Walde BZ ... 3 C 15
Senales / Schnals BZ ... 3 B 14

A B C D E F G H I J K L M N O P Q R S T U V W X Y Z

152

Senales (Val di) **BZ** 3 B 14
Senalonga (Punta di) **SS** 111 E 9
Seneghe **OR** 114 G 7
Senerchia **AV** 71 E 27
Senes (Monte) **NU** 113 F 10
Seniga **BS** 22 G 12
Senigallia **AN** 46 K 21
Senio **RA** 40 J 16
Senis **OR** 115 H 8
Senise **PZ** 77 G 30
Senna Lodigiano **LO** 29 G 10
Sennariolo **OR** 114 G 7
Sennori **SS** 110 E 7
Senora di Boccadirio **BO** 39 J 15
Senorbì **SU** 119 I 9
Sentino **PG** 46 L 20
Sepino **CB** 65 R 25
Seppio **MC** 52 M 21
Sequals **PN** 13 D 20
Serano (Monte) **PG** 52 N 20
Serapo **LT** 68 S 22
Seravezza **LU** 38 K 12
Serchio **LU** 38 J 12
Serdiana **SU** 119 I 9
Seregno **MI** 21 F 9
Seren del Grappa **BL** 12 E 17
Sergnano **CR** 21 F 11
Seriana (Valle) **BG** 10 E 11
Seriate **BG** 21 E 11
Serina **BG** 9 E 11
Serino **AV** 70 E 26
Serino (Monte) **CS** 87 I 32
Serio **BG** 10 D 11
Serio (Monte) **BA** 73 E 33
Serle **BS** 22 F 13
Sermenza **VC** 7 E 6
Sermide **MN** 32 G 15
Sermoneta **LT** 63 R 20
Sermugnano **VT** 57 O 18
Sernaglia della Battaglia **TV** 13 E 18
Sernio (Monte) **UD** 5 C 21
Serole **AT** 28 I 6
Serottini (Monte) **SO** 10 D 13
Serpeddì (Punta) **SU** 119 I 9
Serpentara (Isola) **SU** 119 J 10
Serra **SS** 110 F 7
Serra (Alpe di) **AR** 45 K 17
Serra d'Aiello **CS** 86 J 30
Serra de' Conti **AN** 46 L 21
Serra del Corvo (Lago di) **BA** 72 E 30
Serra della Stella **BA** 72 E 31
Serra di Croce **MT** 77 F 31
Serra di Sotto **RN** 41 K 19
Serra Ficaia (Murgia di) **BA** 72 E 31
Serra Marina (Masseria) **MT** 78 F 32
Serra (Monte) I. d'Elba **LI** 48 N 13
Serra (Monte) **PG** 51 M 19
Serra Orrios (Nuraghe) **NU** 117 F 10
Serra Ricco **GE** 28 I 8
Serra S. Abbondio **PS** 46 L 20
Serra S. Bruno **VV** 88 L 30
Serra S. Quirico **AN** 46 L 21
Serracapriola **FG** 66 B 27
Serrada **TN** 11 E 15
Serrada (Monte) **LC** 9 E 10
Serradarce **SA** 75 F 27
Serradica **AN** 52 M 20
Serradifalco **CL** 103 O 23
Serradipiro **CS** 86 J 31
Serraglio **MN** 31 G 14
Serraia (Lago di) **TN** 11 D 15
Serralta di S. Vito **CZ** 88 K 31
Serralunga **SA** 76 G 29
Serralunga d'Alba **CN** 27 I 6
Serralunga di Crea **AL** 28 G 6
Serramale (Monte) **CS** 84 H 29
Serramanna **SU** 118 I 8
Serramazzoni **MO** 39 I 14
Serramezzana **SA** 75 G 27
Serramonacesca **PE** 60 P 24
Serrano **LE** 83 G 37
Serranova **BR** 80 E 35
Serrapetrona **MC** 52 M 21
Serrastretta **CZ** 86 J 31
Serratore (Monte) **CS** 86 J 30
Serravalle **AT** 27 H 6
Serravalle **AR** 44 K 17
Serravalle **FE** 32 H 18
Serravalle **PG** 52 N 21
Serravalle **RSM** 41 K 19
Serravalle a Po **MN** 31 G 15
Serravalle all'Adige **TN** 23 E 15
Serravalle di Carda **PS** 45 L 19
Serravalle di Chienti **MC** 52 M 20
Serravalle Langhe **CN** 27 I 6
Serravalle Pistoiese **PT** 39 K 14
Serravalle Scrivia **AL** 28 H 8
Serravalle Sesia **VC** 20 E 6
Serrazzano **PI** 49 M 14
Serre **CN** 26 H 3
Serre **PA** 98 N 22
Serre **SA** 75 F 27
Serre (Passo di) **FR** 64 R 23
Serre di Rapolano **SI** 50 M 16
Serrenti **SU** 118 I 8
Serri **SU** 119 H 9
Serriola (Bocca) **PG** 45 L 19
Serristori (Rifugio) **BZ** 2 C 13
Serrone **FR** 63 Q 21
Serrungarina **PS** 46 K 20
Sersale **CZ** 87 J 32
Seruci (Nuraghe) **SU** 118 J 7
Serva (Monte) **BL** 13 D 18
Servedio (Masseria) **BA** 73 E 32
Servigliano **AP** 52 M 22
Servo **BL** 12 D 17
Sesi **TP** 96 Q 17
Sesia **VC** 7 E 6
Sesia (Cascata di) **VC** 7 E 5
Sesia (Val) **VC** 19 E 6
Sessa Aurunca **CE** 69 D 23
Sessa Cilento **SA** 75 G 27
Sessame **AT** 28 H 7
Sessano del Molise **IS** 65 R 25
Sesso **RE** 31 H 13
Sesta Godano **SP** 37 J 11
Sestino **AR** 45 K 18
Sesto / Sexten **BZ** 4 B 19
Sesto (Val di) / Sextental **BZ** 4 B 19
Sesto al Reghena **PN** 13 E 20
Sesto Calende **VA** 20 E 7
Sesto Campano **IS** 64 R 24
Sesto ed Uniti **CR** 22 G 11
Sesto Fiorentino **FI** 39 K 15
Sesto Imolese **BO** 40 I 17
Sesto S. Giovanni **MI** 21 F 9
Sestola **MO** 39 J 14
Sestri Levante **GE** 37 J 10
Sestri Ponente **GE** 36 I 8
Sestriere **TO** 26 H 2
Sestu **CA** 119 J 9
Sesvenna (Piz) **BZ** 2 B 13
Setta **BO** 39 I 15
Settala **MI** 21 F 10
Sette Comuni (Altopiano dei) **VI** 24 E 16
Sette Feudi **CT** 104 P 25
Sette Fratelli (Monte dei) **SU** 119 J 10
Sette Poste **FG** 67 C 29
Sette Selle (Cima di) **TN** 12 D 16
Sette Soldi (Monte) **TP** 97 N 20
Sette Vene **VT** 58 P 19
Settebagni **RM** 58 P 19
Settecamini **RM** 62 Q 19
Settefrati **FR** 64 Q 23
Settepani (Monte) **SV** 35 J 6
Settignano **FI** 44 K 15
Settignano **FR** 64 R 23
Settima **PC** 29 H 10
Settimana (Val) **PN** 13 D 19
Settime **AT** 27 G 6
Settimo **VR** 23 F 14
Settimo Milanese **MI** 21 F 9
Settimo San Pietro **CA** 119 J 9
Settimo Torinese **TO** 19 G 5
Settimo Vittone **TO** 19 F 5
Settingiano **CZ** 88 K 31
Setzu **SU** 118 H 8
Seui **CA** 115 H 9
Seulo **CA** 115 H 9
Seuni **CA** 119 I 9
Seveso **MI** 21 F 9
Seveso (Torrente) **CO** 21 E 9
Sevizzano **PC** 29 H 10
Sexten / Sesto **BZ** 4 B 19
Sextental / Sesto (Val di) **BZ** 4 B 19
Sezzadio **AL** 28 H 7
Sezze **LT** 63 R 21
Sfercia **MC** 52 M 21
Sferracavallo **PA** 97 M 21
Sferracavallo (Capo) **NU** 119 H 11
Sferro **CT** 100 O 26
Sforzacosta **MC** 52 M 22
Sforzesca **GR** 50 N 17
Sforzesca **PV** 20 G 8
Sfruz **TN** 11 C 15
Sgolgore (Murgia) **BA** 73 E 32
Sgonico **TS** 17 E 23
Sgurgola **FR** 63 Q 21
Siamaggiore **OR** 114 H 7
Siamanna **OR** 115 H 8
Siano **SA** 70 E 26
Siapiccia **OR** 115 H 8
Siba **TP** 96 Q 17
Sibari **CS** 85 H 31
Sibari (Piana di) **CS** 85 H 31
Sibilla (Monte) **AP** 52 N 21
Sibillini (Monti) **MC** 52 N 21
Sicaminò **ME** 90 M 27
Sicani (Monti) **AG** 97 O 21
Sicignano degli Alburni **SA** 76 F 27
Sicili **SA** 76 G 28
Sicilia (Parco Zoo di) **CT** 100 O 26
Siculiana **AG** 102 O 22
Siculiana Marina **AG** 102 O 22
Siddi **SU** 118 H 8
Siderno **RC** 91 M 30
Siderno Superiore **RC** 91 M 30
Sieci **FI** 44 K 16
Siena **SI** 50 M 16
Sierio (Monte) **PZ** 76 F 28
Sieti **SA** 75 E 26
Sieve **FI** 40 K 16
Sigillo **PG** 51 M 20
Sigillo **RI** 59 O 21
Signa **FI** 43 K 15
Signora Pulita (Monte) **BA** 80 E 34
Signoressa **TV** 25 E 18
Signorino **PT** 39 J 14
Sila Grande **CS** 86 I 31
Sila Greca **CS** 85 I 31
Sila Piccola **CZ** 87 J 31
Silana (Genna) **NU** 117 G 10
Silandro / Schlanders **BZ** 2 C 14
Silanus **NU** 115 G 8
Sile **PN** 13 E 20
Sile **TV** 25 F 18
Silea **TV** 25 F 18
Sili **OR** 114 H 7
Siligo **SS** 111 F 8
Siliqua **SU** 118 J 8
Silis **SS** 111 E 7
Silius **SU** 119 I 9
Silla **BO** 39 J 14
Silla **SA** 76 F 28
Sillano **LU** 38 J 12
Sillara (Monte) **MS** 38 I 12
Sillara (Passo di) **PR** 38 I 12
Sillaro **BO** 40 J 16
Silvana Mansio **CS** 86 J 31
Silvano d'Orba **AL** 28 H 8
Silvano Pietra **PV** 28 G 8
Silvi Marina **TE** 60 O 24
Silvi Paese **TE** 60 O 24
Silvignano **PG** 52 N 20
Simala **OR** 118 H 8
Simaxis **OR** 115 H 8
Simbario **VV** 88 L 31
Simbirizzi (Lago di) **CA** 119 J 9
Simbruini (Monti) **FR** 63 Q 21
Simeri **CZ** 89 K 31
Simeri-Crichi **CZ** 89 K 31
Simeto **CT** 100 N 26
Simeto (Foce di) **CT** 105 O 27
Similaun **BZ** 3 B 14
Simoncello **PS** 41 K 18
Sinagra **ME** 100 M 26
Sinalunga **SI** 50 M 17
Sinarca **CB** 61 Q 26
Sindacale **VE** 16 E 20
Sindia **NU** 115 G 7
Sinello **CH** 61 P 25
Sini **OR** 115 H 8
Sinio **CN** 27 I 6
Sinis **OR** 114 H 7
Siniscola **NU** 113 F 11
Siniscola (Rio de) **NU** 113 F 11
Sinnai **CA** 119 J 9
Sinni **PZ** 77 G 29
Sinopoli **RC** 90 M 29
Sinzias (Cala di) **SU** 119 J 10
Sipicciano **CE** 64 S 23
Sipicciano **VT** 57 O 18
Sipiu **SU** 119 I 9
Siracusa **SR** 105 P 27
Sirente (Monte) **AQ** 59 P 22
Sirino (Monte) **PZ** 77 G 29
Siris **OR** 118 H 8
Sirmione **BS** 23 F 13
Sirolo **AN** 47 L 22
Siror **TN** 12 D 17
Sirri **SU** 118 J 7
Sises (Monte) **TO** 26 H 2
Sisini **SU** 119 I 9
Sissa **PR** 30 H 12
Sistiana **TS** 17 E 22
Sisto **LT** 63 R 21
Sitigliano **MC** 52 M 21
Sitria (Badia di) **PG** 46 L 20
Sitzerri **OR** 118 I 7
Sitzzon **BL** 12 E 17
Siurgus-Donigala **SU** 119 I 9
Siusi allo Sciliar / Seis am Schlern **BZ** 3 C 16
Siusi (Alpe di) / Seiser Alm **BZ** 4 C 16
Siziano **PV** 21 G 9
Slingia **BZ** 2 B 13
Slizza **UD** 15 C 22
Sluderno / Schluderns **BZ** 2 C 13
Smeralda (Costa) **SS** 109 D 10
Smeraldo (Grotta delle) **SA** 75 F 25
Smerillo **AP** 52 M 22
Smirra **PS** 46 L 20
Soana **TO** 19 F 4
Soarza **PC** 30 G 12
Soave **MN** 23 G 14
Soave **VR** 23 F 15
Sobretta (Monte) **SO** 10 C 13
Socchieve **UD** 13 C 20
Soci **AR** 44 K 17
Sodano (Monte) **MT** 77 G 31
Soddì **OR** 115 G 8
Soffi (Isola) **SS** 109 D 10
Sogliano al Rubicone **FO** 41 J 18
Sogliano Cavour **LE** 83 G 36
Soglio **AT** 27 G 6
Soglio **CN** 26 I 3
Sola **BG** 21 F 11
Solagna **VI** 24 E 17
Solaio **SI** 49 M 14
Solanas (Cagliari) **CA** 119 J 10
Solanas (Oristano) **OR** 114 H 7
Solanas (Rio) **CA** 119 J 10
Solano **RC** 90 M 29
Solanto (Punta di) **TP** 97 M 20
Solara **MO** 31 H 15
Solarino **SR** 105 P 27
Solaro **MI** 21 F 9
Solaro (Monte) **NA** 74 F 24
Solarolo **RA** 40 I 17
Solarussa **OR** 115 H 8
Solbiate Olona **VA** 20 F 8
Solda / Sulden **BZ** 2 C 13
Solda di Fuori / Ausser Sulden **BZ** 2 C 13
Sole (Monti del) **BL** 13 D 18
Sole (Vado di) **AQ** 60 O 23
Sole (Val di) **TN** 11 C 14
Soleminis **SU** 119 I 9
Solere **CN** 27 I 4
Solero **AL** 28 H 7
Solesino **PD** 24 G 17
Soleto **LE** 83 G 36
Solfagnano **PG** 51 M 19
Solferino **MN** 23 F 13
Solicchiata **CT** 100 N 27
Soliera **MO** 31 H 14
Solighetto **TV** 13 E 18
Solignano **PR** 30 I 11
Solignano Nuovo **MO** 31 I 14
Soligo **TV** 13 E 18
Solofra **AV** 70 E 26
Sologno **RE** 38 I 13
Sologo **NU** 117 F 10
Solopaca **BN** 70 D 25
Solto Collina **BG** 22 E 12
Solunto **PA** 98 M 22
Somaggia **SO** 9 D 10
Somaglia **LO** 29 G 10
Somana **LC** 9 E 9
Somano **CN** 27 I 6
Sombreno **BG** 21 E 10
Sambucheto **MC** 47 L 22
Somma Lombardo **VA** 20 E 8
Somma (Monte) **NA** 70 E 25
Somma (Valico di) **PG** 51 N 20
Somma Vesuviana **NA** 70 E 25
Sommacampagna **VR** 23 F 14
Sommariva del Bosco **CN** 27 H 5
Sommariva Perno **CN** 27 H 5
Sommati **RI** 59 O 21
Sommatino **CL** 103 O 23
Sommeiller (Punta) **TO** 18 G 2
Sommo **PV** 29 G 9
Sommo (Monte) **BZ** 4 B 17
Sommo (Passo di) **TN** 11 E 15
Sompdogna (Sella di) **UD** 15 C 22
Sompiano **PS** 45 L 18
Somplago **UD** 14 C 21
Sona **VR** 23 F 14
Soncino **CR** 22 F 11
Sondalo **SO** 10 D 12
Sondrio **SO** 10 D 11
Sonico **BS** 10 D 13
Sonino (Rifugio) **BL** 12 C 18
Sonnino **LT** 63 R 21
Soprabolzano / Oberbozen **BZ** 3 C 16
Sopramonte **NU** 117 G 10
Sopramonte **TN** 11 D 15
Soprano (Monte) **CS** 78 G 31
Soprano (Monte) **SA** 75 F 27
Sora **FR** 64 Q 22
Soraga di Fassa **TN** 12 C 16
Soragna **PR** 30 H 12
Sorano **GR** 50 N 17
Soratte (Monte) **RM** 58 P 19
Sorbara **MO** 31 H 15
Sorbo **AQ** 59 P 21
Sorbo S. Basile **CZ** 87 J 31
Sorbolo **PR** 30 H 13
Sordevolo **BI** 19 F 5
Sordiglio **RE** 30 I 13
Sordillo (Monte) **CS** 87 I 31
Soresina **CR** 22 G 11
Sorga **VR** 23 G 14
Sorgono **NU** 115 G 9
Sori **GE** 37 I 9
Sorianello **VV** 88 L 30
Soriano Calabro **VV** 88 L 30
Soriano nel Cimino **VT** 57 O 18
Sorico **CO** 9 D 10
Soriso **NO** 20 E 7
Sorisole **BG** 21 E 10
Sormano **CO** 9 E 9
Soro (Monte) **ME** 100 N 26
Sorradile **OR** 115 G 8
Sorrentina (Penisola) **NA** 74 F 25
Sorrento **NA** 74 F 25
Sorrivoli **FO** 41 J 18
Sorso **SS** 110 E 7
Sorti **MC** 52 M 20
Sortino **SR** 105 P 27
Sospiro **CR** 30 G 12
Sospirolo **BL** 12 D 18
Sossano **VI** 24 F 16
Sostegno **BI** 20 F 6
Sostegno **PV** 29 G 10
Sottile (Punta) (I. di Lampedusa) **AG** 102 U 19
Sottile (Punta) (I. Favignana) **TP** 96 N 18
Sotto di Troina **EN** 100 N 25
Sotto il Monte Giovanni XXIII **BG** 21 E 10
Sottoguda **BL** 12 C 17
Sottomarina **VE** 25 G 18
Sottomonte **PN** 13 D 20
Sovana **GR** 57 O 16
Sover **TN** 12 D 15
Soverato **CZ** 89 K 31
Sovere **BG** 22 E 12
Sovereto **BA** 73 D 31
Soveria Mannelli **CZ** 86 J 31
Soveria Simeri **CZ** 89 K 32
Soverzene **BL** 13 D 18
Sovicille **SI** 49 M 15
Sovico **MI** 21 F 9
Sovizzo **VI** 24 F 16
Sozzago **NO** 20 F 8
Spaccato (Colle) **CH** 60 P 24
Spada (Monte) **NU** 115 G 9
Spadafora **ME** 90 M 28
Spadarolo **RN** 41 J 19
Spadillo (Punta) **TP** 96 Q 18
Spadola **VV** 88 L 31
Spagnoletti (Masseria) **BA** 72 D 30
Spalavera (Monte) **VB** 8 D 7
Spalmatore (Punta dello) **ME** 92 K 21
Sparacia **AG** 99 O 23
Sparacollo **EN** 100 N 25
Sparagio (Monte) **TP** 97 M 20
Sparanise **CE** 69 D 24
Spargi (Isola) **SS** 109 D 10
Sparone **TO** 19 F 4
Sparta **ME** 90 M 28
Spartivento (Capo) **SU** 121 K 8
Spartivento (Capo) **RC** 91 N 30
Sparviere (Monte) **CS** 85 H 31
Sparviero (Scoglio dello) **GR** 49 N 14
Sparvo **BO** 39 J 15
Spazzate Sassatelli **BO** 32 I 17
Specchia **LE** 83 H 36
Specchia (Torre) **LE** 81 G 37
Specchiolla **BR** 80 E 35
Speco (Convento lo) **TR** 58 O 19
Spello **PG** 51 N 20
Spelonga **AP** 52 N 21
Spergolaia **GR** 49 N 15
Sperlinga **EN** 99 N 25
Sperlinga (Bosco di) **EN** 99 N 24
Sperlonga **LT** 68 S 22
Sperone **TP** 97 M 20
Sperone (Capo) **SU** 120 K 7
Spert **BL** 13 D 19
Spessa **PV** 29 G 10
Spessa **UD** 15 D 22
Spessa **VI** 24 F 16
Spezia (Golfo della) **SP** 38 J 11
Speziale **BR** 80 E 34
Speziale (Monte) **TP** 97 M 20
Spezzano Albanese **CS** 85 H 30
Spezzano Albanese Terme **CS** 85 H 30
Spezzano della Sila **CS** 86 J 31
Spezzano Piccolo **CS** 86 J 31
Spiaggia di Rio Torto **RM** 62 R 19
Spiaggia Scialmarino **FG** 67 B 30
Spiazzi **BG** 10 E 11
Spiazzi **VR** 23 F 14
Spiazzo **TN** 11 D 14
Spigno Monferrato **AL** 28 I 7
Spigno (Monte) **FG** 67 B 29
Spigno Saturnia **LT** 64 S 23
Spigno Saturnia Superiore **LT** 64 S 23
Spigone **RE** 38 I 13
Spilamberto **MO** 31 I 15
Spilimbergo **PN** 14 D 20
Spilinga **VV** 88 L 29
Spina **FE** 33 H 18
Spina (Località) **PG** 51 N 18
Spina (Genna) **OR** 115 H 8
Spina (Monte la) **PZ** 77 G 29
Spina Nuova **PG** 52 N 20
Spinacceto **RI** 58 O 20
Spinaceto **RM** 62 Q 19
Spinadesco **CR** 30 G 11
Spinale (Monte) **TN** 11 D 14
Spinazzola **BA** 72 E 30
Spindoli **MC** 52 M 20
Spinea **VE** 25 F 18
Spineda **CR** 30 G 13
Spinello **FO** 40 K 17
Spinetta Nuova **SA** 75 F 26
Spinete **CB** 65 R 25
Spinetoli **AP** 53 N 23
Spinetta **AL** 28 H 8
Spinetta **CN** 35 I 4
Spino d'Adda **CR** 21 F 10
Spino (Monte) **BS** 23 E 13
Spino (Valico dello) **AR** 45 K 17
Spinone al Lago **BG** 22 E 11
Spinoso **PZ** 77 G 29
Spirano **BG** 21 F 11
Spluga (Passo dello) / Splügenpass **SO** 9 C 9
Spoleto **PG** 51 N 20
Spoltore **PE** 60 O 24
Spondigna / Spondinig **BZ** 2 C 13
Spondinig / Spondigna **BZ** 2 C 13
Spongano **LE** 83 G 37
Spormaggiore **TN** 11 D 15
Sporminore **TN** 11 D 15
Spotorno **SV** 36 J 7
Spresiano **TV** 25 E 18
Spriana **SO** 10 D 11
Spropolo **RC** 91 N 30
Spugna (Passo di) **PS** 45 K 18
Spulico (Capo) **CS** 85 H 31
Squaneto **AL** 28 I 7
Squaranto **VR** 23 F 15
Squarzanella **MN** 31 G 13
Squillace **CZ** 89 K 31
Squillace (Golfo di) **CZ** 89 K 32
Squinzano **LE** 81 F 36
St. Christophe **AO** 18 E 4
St. Gertraud / Sta Gertrude **BZ** 3 C 14
St. Jakob / S. Giacomo vicino a Bolzano **BZ** 3 C 15
St. Jakob / S. Giacomo vicino a Vipiteno **BZ** 4 B 16
St. Joseph am See / S.Giuseppe al lago **BZ** 11 C 15
St. Katharina / Sta Catrina vicino a Merano **BZ** 3 C 15
St. Rhémy-en-Bosses **AO** 6 E 3
Stabiae **NA** 75 E 25
Stabiziane **BL** 4 C 18
Stacciola **PS** 46 K 21
Staffarda (Abbazia di) **CN** 26 H 4
Staffoli **PI** 43 K 14
Staffolo **AN** 46 L 21
Staffolo **VE** 16 F 20
Staffora **PV** 29 H 9
Staggia **SI** 43 L 15
Stagnali **SS** 109 D 10
Stagnataro (Cozzo) **AG** 98 O 22
Stagno **PR** 30 G 12
Stagno **LI** 42 L 13
Stagno Lombardo **CR** 30 G 12

A B C D E F G H I J K L M N O P Q R S T U V W X Y Z

153

Stagnone (Isole dello) TP 96 N 19
Staiti RC 91 M 30
Staletti CZ 89 K 31
Staletti (Punta di) CZ 89 K 31
Stallavena VR 23 F 14
Stalle (Passo) / Stallersattel BZ 4 B 18
Stallersattel / Stalle (Passo) BZ 4 B 18
Stanghella PD 32 G 17
Staranzano GO 17 E 22
Starleggia SO 9 C 9
Starlex (Piz) BZ 2 C 13
Stasulli (Masseria) BA 73 E 31
Statte TA 78 F 33
Staulanza (Forcella) BL 13 C 18
Stava TN 12 D 16
Stavel TN 11 D 13
Stazione di Roccastrada GR 49 N 15
Stazzano AL 28 H 8
Stazzano RM 58 P 20
Stazzema LU 38 K 12
Stazzo CT 101 O 27
Stazzona CO 9 D 9
Stazzona SO 10 D 12
Steccato KR 89 K 32
Stefanaconi VV 88 K 30
Steinegg / Collepietra BZ 3 C 16
Steinhaus / Cadipietra BZ 4 B 17
Steinkarspitz / Antola (Monte) BL 5 C 20
Stella AP 53 N 23
Stella MO 39 I 14
Stella (Monte della) SA 75 G 27
Stella Cilento SA 75 G 27
Stella SV 36 I 7
Stella UD 16 E 21
Stella (Pizzo) SO 9 C 10
Stella (Torrente) PT 39 K 14
Stellata FE 32 H 16
Stelle delle Sute (Monte) TN 12 D 16
Stellone TO 27 H 4
Stelvio / Stilfs BZ 2 C 13
Stelvio (Parco Nazionale dello) BZ 2 C 13
Stelvio (Passo dello) / Stilfserjoch SO 2 C 13
Stenico TN 11 D 14
Stephanago PV 29 H 9
Stern / La Villa BZ 4 C 17
Sternai (Cima) BZ 2 C 14
Sternatia LE 83 G 36
Sterza PI 49 M 14
Sterzing / Vipiteno BZ 3 B 16
Stezzano BG 21 F 10
Stia AR 40 K 17
Sticciano GR 49 N 15
Stienta RO 32 H 16
Stigliano MT 77 F 30
Stignano RC 88 L 31
Stilfs / Stelvio BZ 2 C 13
Stilfserjoch / Stelvio (Passo dello) SO 2 C 13
Stilla (Masseria) FG 66 C 27
Stilo RC 88 L 31
Stilo (Punta) RC 89 L 31
Stimigliano RI 58 P 19
Stimpato (Masseria) CT 104 O 26
Stintino SS 108 E 6
Stio SA 76 G 27
Stipes RI 58 P 20
Stirone PR 30 H 11
Stivo (Monte) TN 11 E 14
Stolvizza UD 15 C 22
Stoner VI 12 E 17
Stornara FG 71 D 29
Stornarella FG 71 D 29
Storo TN 23 E 13
Strà VE 24 F 18
Stracia RC 91 N 29
Straciugo (Monte) VB 7 D 6
Strada MC 46 L 21
Strada Casale (La) RA 40 J 17
Strada in Chianti FI 44 L 15
Strada S. Zeno FO 40 J 17
Stradella PV 29 G 9
Stradella vicino a Borgo Val di T. PR 29 I 11
Stradella vicino a Parma PR 30 H 12
Stradola AV 71 D 27
Strambino TO 19 F 5
Strangolagalli FR 64 R 22
Strano RC 88 L 31
Strasatti TP 96 N 19
Strassoldo UD 17 E 21
Straulas SS 113 E 10
Stregna UD 15 D 22
Stresa VB 8 E 7
Stretti VE 16 F 20
Strettoia LU 38 K 12
Strettura PG 58 O 20
Strevi AL 28 H 7
Striano NA 70 E 25
Stribugliano GR 50 N 16
Strigno TN 12 D 16
Strognano PR 30 I 12
Stromboli (Isola) ME 95 K 27
Strombolicchio (Isola) ME 95 K 27
Strona BI 19 F 6
Strona (Torrente) VA 20 E 8
Strona (Torrente) VB 8 E 7
Stroncone TR 58 O 20
Strongoli KR 87 J 33
Stroppiana VC 20 G 7
Stroppo CN 26 I 3
Strove SI 43 L 15
Strovina SU 118 I 8
Strozzacapponi PG 51 M 18
Struda LE 81 G 36
Stuetta SO 9 C 10
Stuffione MO 31 H 15
Stupinigi TO 27 G 4
Stupizza UD 15 D 22
Stura (vicino a Murisengo) AL 28 G 6
Stura (vicino ad Ovada) GE 28 I 8
Stura (Valle) CN 34 J 3
Stura di Ala TO 18 G 3
Stura di Demonte CN 34 I 2
Stura di Lanzo TO 19 G 4
Stura di Val Grande TO 18 F 3
Stura di Viù TO 18 G 3
Sturno AV 71 D 27
Su Canale SS 113 E 10
Suardi PV 28 G 8
Subasio (Monte) PG 51 M 20
Subbiano AR 45 L 17
Subiaco RM 63 Q 21
Subit UD 15 D 22
Succiano AQ 59 P 22
Succiso RE 38 I 12
Succiso (Alpe di) RE 38 J 12
Sud (Costa del) SU 121 K 8
Sueglio LC 9 D 9
Suelli SU 119 I 9
Sugana (Val) TN 12 D 16
Sugano TR 51 N 18
Sughera FI 43 L 14
Suisio BG 21 F 10
Sulau OR 115 H 9
Sulcis SU 118 J 7
Sulden / Solda BZ 2 C 13
Sulmona AQ 60 P 23
Sulpiano TO 19 G 6
Sulzano BS 22 E 12
Sumbraida (Monte) SO 2 C 13
Summaga VE 16 E 20
Suni OR 114 G 7
Suno NO 20 F 7
Superga TO 27 G 5
Supersano LE 83 G 36
Supino FR 63 R 21
Surano LE 83 G 37
Surbo LE 81 F 36
Suretta (Pizzo) SO 9 C 10
Surier AO 18 F 3
Susa TO 18 G 3
Susa (Valle di) TO 18 G 2
Susano MN 23 G 14
Susegana TV 13 E 18
Sustinente MN 31 G 15
Sutera CL 103 O 23
Sutri VT 57 P 18
Sutrio UD 5 C 20
Suvaro (Monte) KR 87 I 32
Suvereto LI 49 M 14
Suvero SP 38 J 11
Suvero (Capo) CZ 88 K 30
Suviana BO 39 J 15
Suviana (Lago di) BO 39 J 15
Suzza (Monte) AG 102 O 22
Suzzara MN 31 H 14
Suzzi PC 29 I 9
Swölferkofel / Toni (Croda di) BL 4 C 19
Sybaris CS 85 H 31
Sybaris Marine CS 85 H 31

T

Tabaccaro TP 96 N 19
Tabellano MN 31 G 14
Tabiano PR 30 H 12
Tabiano Bagni PR 30 H 12
Tablà / Tabland BZ 3 C 14
Taburno (Monte) BN 70 D 25
Taccone MT 72 E 30
Taceno LC 9 D 10
Tacina KR 87 J 32
Tadasuni OR 115 G 8
Tafuri (Masseria) TA 73 E 32
Taggia IM 35 K 5
Tagliacozzo AQ 59 P 21
Tagliaferro (Monte) VC 7 E 5
Tagliamento UD 13 C 19
Tagliamento (Foce del) VE 16 F 21
Tagliata MO 39 I 14
Tagliata RE 31 H 14
Tagliata (Monte La) PR 30 I 11
Taglio Corelli RA 32 I 18
Taglio della Falce FE 33 H 18
Taglio di Po RO 33 G 18
Tagliolo Monferrato AL 28 I 8
Tai di Cadore BL 13 C 19
Taibon Agordino BL 12 D 18
Taiet (Monte) PN 14 D 20
Taino VA 20 E 7
Taio TN 11 D 15
Taipana UD 15 D 22
Taisten / Tesido BZ 4 B 18
Talamello PS 41 K 18
Talamona SO 9 D 10
Talamone GR 55 O 15
Talana NU 117 G 10
Talarico CN 34 J 2
Talbignano MO 39 I 14
Taleggio BG 9 E 10
Talla AR 44 L 17
Tallacano AP 52 N 22
Talmassons UD 16 E 21
Talocci RI 58 P 20
Taloro NU 115 G 9
Talsano TA 79 F 33
Talucco TO 26 H 3
Talvacchia AP 53 N 22
Talvera BZ 3 B 16
Tamai PN 13 E 19
Tamara FE 32 H 17
Tambo (Pizzo) SO 9 C 9
Tambre BL 13 D 19
Tambulano (Pizzo) ME 100 N 25
Tambura (Monte) LU 38 J 12
Tamburello (Bivio) AG 102 O 21
Tamburino FI 40 K 16
Tamer (Monte) BL 13 D 18
Tammaro CB 65 R 25
Tanabuto (Portella) AG 98 O 22
Tanagro SA 76 F 28
Tanai / Thanai BZ 2 B 14
Tanamea (Passo di) UD 15 D 22
Tanaro CN 35 J 5
Tanas / Tannas BZ 2 C 14
Tanaunella SS 113 E 11
Tanca (Sa) CA 119 J 9
Tanca Marchese OR 118 H 7
Taneto RE 30 H 13
Tanga (Masseria) AV 71 D 27
Tangi TP 97 N 20
Tannas / Tanas BZ 2 C 14
Tannure (Punta) TP 97 M 20
Taormina ME 90 N 27
Taormina (Capo) ME 90 N 27
Tappino CB 65 R 26
Taramelli (Rifugio) TN 12 C 17
Tarano RI 58 O 19
Taranta Peligna CH 60 P 24
Tarantasca CN 27 I 4
Taranto TA 80 F 33
Taranto (Golfo di) TA 79 G 33
Tarcento UD 15 D 21
Tarderia CT 100 O 27
Tarino (Monte) FR 63 Q 21
Tarmassia VR 23 G 15
Tarnello BZ 2 C 14
Taro PR 29 I 10
Tarquinia VT 57 P 17
Tarres BZ 3 C 14
Tarsia CS 85 I 30
Tarsia (Lago di) CS 85 I 30
Tarsogno PR 37 I 10
Tartano SO 9 D 11
Tartano (Passo di) SO 9 D 11
Tartaro VR 23 G 14
Tarugo PS 46 L 20
Tarvisio UD 15 C 22
Tarvisio (Foresta di) UD 15 C 22
Tarzo TV 13 E 18
Tassara PC 29 H 10
Tassarolo AL 28 H 8
Tassei BL 13 D 18
Tassu (Serra di lu) SS 109 D 9
Tatti GR 49 M 15
Taufers im Münstertal / Tubre BZ 2 C 13
Taurasi AV 70 D 26
Taureana RC 88 L 29
Tauri (Passo dei) / Krimmlertauern BZ 4 A 18
Tauriano PN 14 D 20
Taurianova RC 88 L 30
Taurine (Terme) RM 57 P 17
Taurisano LE 83 H 36
Tauro (Monte) SR 105 P 27
Tavagnacco UD 15 D 21
Tavarnelle Val di Pesa FI 43 L 15
Tavarnuzze FI 43 K 15
Tavarone SP 37 J 10
Tavazzano con Villavesco LO 21 G 10
Tavenna CB 65 Q 26
Taverna RN 41 K 19
Taverna CZ 87 J 31
Taverna FR 64 R 23
Taverna Nuova (Masseria) BA 72 E 30
Taverna (Pizzo) ME 99 N 24
Tavernacce PG 51 M 19
Tavernazza FG 71 C 28
Taverne MC 52 M 20
Taverne d'Arbia SI 50 M 16
Tavernelle MS 38 J 12
Tavernelle PG 51 M 18
Tavernelle PS 46 K 20
Tavernelle SI 50 M 16
Tavernelle VI 24 F 16
Tavernelle d'Emilia BO 31 I 15
Tavernerio CO 21 E 9
Tavernette TO 26 H 4
Tavernola FG 67 C 29
Tavernola Bergamasca BG 22 E 12
Tavernole CE 64 R 24
Tavernole sul Mella BS 22 E 12
Taverone MS 38 J 12
Taviano LE 83 H 36
Tavo PE 60 O 23
Tavolara (Isola) SS 113 E 11
Tavole Palatine MT 78 F 32
Tavoleto PS 41 K 19
Tavolicci FO 41 K 18
Tavullia PS 41 K 20
Teana PZ 77 G 30
Teano CE 69 D 24
Tebaldi VR 23 F 15
Tebano RA 40 J 17
Tecchia Rossa MS 38 I 11
Teggiano SA 76 F 28
Téglia (Monte) AP 52 N 22
Teglio SO 10 D 12
Teglio Veneto VE 16 E 20
Teia (Punta della) LI 48 M 11
Telegrafo (il) GR 55 O 15
Telegrafo (Pizzo) AG 97 O 21
Telese BN 70 D 25
Telesia BN 70 D 25
Telessio (Lago di) TO 18 F 4
Telgate BG 22 F 11
Tellaro SP 38 J 11
Tellaro SR 105 Q 26
Tellaro (Villa Romana del) SR 105 Q 27
Telti SS 112 E 10
Telti (Monte) SS 113 E 10
Telve TN 12 D 16
Temo SS 110 F 7
Tempio Pausania SS 111 E 9
Templi (Valle dei) AG 103 P 22
Tempone SA 76 G 28
Temù BS 10 D 13
Tenaglie TR 58 O 18
Tenda (Colle di) CN 35 J 4
Tendola MS 38 J 12
Tenna AP 52 N 21
Tenna TN 11 D 15
Tenno TN 11 E 14
Tenno (Lago di) TN 11 E 14
Teodorano FO 41 J 18
Teodulo (Colle di) AO 7 E 5
Teolo PD 24 F 17
Teor UD 16 E 21
Teora AV 71 E 27
Teora AQ 59 O 21
Teppia LT 63 R 20
Teramo TE 53 N 23
Terdobbiate NO 20 F 8
Terdoppio NO 20 F 7
Terdoppio PV 20 G 8
Tereglio LU 39 J 13
Terelle FR 64 R 23
Terenten / Terento BZ 4 B 17
Terento / Terenten BZ 4 B 17
Terenzo PR 30 I 12
Tergola PD 24 F 17
Tergu SS 111 E 8
Terlago TN 11 D 15
Terlan / Terlano BZ 3 C 15
Terlano / Terlan BZ 3 C 15
Terlato (Villa) RG 104 Q 25
Terlizzi BA 73 D 31
Terme di Bagnolo GR 49 M 14
Terme di Brennero / Brennerbad BZ 3 B 16
Terme di Cotilia RI 59 O 21
Terme di Firenze FI 43 K 15
Terme di Fontecchio PG 45 L 18
Terme di Miradolo PV 21 G 10
Terme di Salvarola MO 31 I 14
Terme di S. Calogero ME 94 L 26
Terme di Sardara SU 118 I 8
Terme di Saturnia GR 56 O 16
Terme di Suio LT 64 S 23
Terme di Valdieri CN 34 J 3
Terme Luigiane CS 85 I 29
Terme Pompeo FR 63 Q 21
Terme Vigliatore ME 101 M 27
Termeno s. str. d. vino / Tramin BZ 11 C 15
Termina PR 30 I 13
Termine AQ 59 O 21
Termine Grosso KR 87 J 32
Termine (Passo di) PG 52 M 20
Termini NA 74 F 25
Termini Imerese PA 98 N 23
Termini Imerese (Golfo di) PA 99 M 23
Terminillo RI 58 O 20
Terminillo (Monte) RI 59 O 20
Terminio (Monte) AV 70 E 26
Termoli CB 61 P 26
Ternavasso TO 27 H 5
Terni TR 58 O 19
Terno d'Isola BG 21 E 10
Terontola AR 51 M 18
Terra del Sole FO 40 J 17
Terra (Pizzo) VB 7 D 6
Terracina LT 63 S 21
Terracino RI 52 N 21
Terradura SA 76 G 27
Terragnolo TN 11 E 15
Terralba OR 118 H 7
Terralba (Monte) NU 115 H 10
Terrana (Poggio) CT 104 P 25
Terranera AQ 59 P 22
Terranova AL 20 G 7
Terranova da Sibari CS 85 I 31
Terranova dei Passerini LO 21 G 10
Terranova di Pollino PZ 85 H 30
Terranova Sappo Minulio RC 91 M 30
Terranuova Bracciolini AR 44 L 16
Terrarossa GE 37 I 10
Terrasini PA 97 M 21
Terrati CS 86 J 30
Terrauzza SR 105 P 27
Terravecchia CS 87 I 32
Terrazzo VR 24 G 16
Terrenove TP 96 N 19
Terreti RC 90 M 29
Terria RI 58 O 20
Terriccio PI 43 L 13
Terricciola PI 43 L 14
Tersadia (Monte) UD 5 C 21
Tersiva (Punta) AO 19 F 4
Tertenia NU 119 H 10
Tertiveri FG 66 C 27
Terza Grande (Monte) BL 5 C 19
Terzigno NA 70 E 25
Terzo d'Aquileia UD 17 E 22
Terzo S. Severo PG 51 N 19
Terzone S. Pietro RI 59 O 21
Tesa BL 13 D 19
Tesero TN 12 D 16
Tesido / Taisten BZ 4 B 18
Tesimo / Tisens BZ 3 C 15
Tesina VI 24 F 16
Tesino AP 53 N 23
Tesoro (Becca del) SV 36 I 7
Tessa (Giogaia di) / Texelgruppe BZ 3 B 14
Tessennano VT 57 O 17
Tessera VE 25 F 18
Testa (Capo) SS 109 D 9
Testa del Rutor AO 18 F 3
Testa dell'Acqua SR 105 Q 26
Testa Grigia AO 7 E 5
Testa Grossa (Capo) ME 94 L 26
Testa (Pozzo Sacro sa) SS 109 E 10
Testico SV 35 J 6
Tête Blanche AO 7 G 8
Teti NU 115 G 9
Tetto (Sasso) MC 52 M 21
Teulada SU 120 K 8
Teulada (Capo) SU 120 K 7
Teulada (Porto di) SU 120 K 8
Teveno BG 10 E 12
Tevere AR 45 K 18
Teverola CE 69 E 24
Teverone PG 51 N 19
Texelgruppe / Tessa (Giogaia di) BZ 3 B 14
Tezio (Monte) PG 51 M 19
Tezze TN 12 E 17
Tezze TV 25 E 19
Tezze sul Brenta VI 24 E 17
Thanai / Tanai BZ 2 B 14
Thapsos SR 105 P 27
Tharros OR 114 H 7
Thiene VI 24 E 16
Thiesi SS 111 F 8
Tho (Pieve del) RA 40 J 17
Thuile (la) AO 18 E 2
Thuins / Tunes BZ 3 B 16
Thuras TO 26 H 2
Thures TO 26 H 2
Thurio CS 85 H 31
Tiana NU 115 G 9
Tiarno di Sopra TN 11 E 13
Tiberina (Val) PG 45 L 18
Tiberio (Grotta di) (Sperlonga) LT 68 S 22
Tibert (Monte) CN 34 I 3
Tiburtini (Monti) RM 63 Q 20
Ticchiano (Passo di) PR 38 I 12
Ticengo CR 22 F 11
Ticineto AL 28 G 7
Ticino MI 20 F 8
Tidone PC 29 H 10
Tiepido MO 39 I 14
Tiers / Tires BZ 3 C 16
Tiezzo PN 13 E 20
Tiggiano LE 83 H 37
Tigliano FI 40 K 16
Tiglieto GE 28 I 7
Tigliole AT 27 H 6
Tiglione AT 28 H 7
Tignaga (Pizzo) VC 7 E 6
Tignale BS 23 E 14
Tignino (Serra) PA 99 N 23
Tigullio (Golfo del) GE 37 J 9
Timau UD 5 C 21
Timeto ME 100 M 26
Timidone (Monte) SS 110 F 6
Timmari MT 77 F 31
Timmelsjoch / Rombo (Passo del) BZ 3 B 15
Timone VT 57 O 17
Timone (Punta) SS 113 E 11
Timpa del Grillo PA 99 N 24
Tinchi MT 78 F 31
Tindari (Capo) ME 100 M 27
Tinnari (Monte) SS 108 D 8
Tinnura OR 114 G 7
Tino NU 115 G 9
Tino (Isola del) SP 38 J 11
Tintinnano SI 50 M 16
Tione VR 23 G 14
Tione degli Abruzzi AQ 59 P 22
Tione di Trento TN 11 D 14
Tirano SO 10 D 12
Tires / Tiers BZ 3 C 16
Tiria (Monte) NU 115 F 9
Tiriolo CZ 88 K 31
Tirivolo CZ 87 J 31
Tirli GR 49 N 14
Tirolo / Tirol BZ 3 B 15
Tirrenia PI 42 L 12
Tirso SS 111 F 9
Tirso (Cantoniera del) SS 115 G 9
Tirso (Foce del) OR 114 H 7
Tisens / Tesimo BZ 3 C 15
Tissi SS 110 E 7
Titelle BL 12 D 17
Titiano UD 16 E 21
Tito PZ 76 F 29
Tivoli BO 31 I 15
Tivoli RM 63 Q 20
Tizzano Val Parma PR 30 I 12
Toano RE 39 I 13
Tobbiana PT 39 K 15
Tobbio (Monte) AL 28 I 8
Tobia VT 57 O 18
Toblach / Dobbiaco BZ 4 B 18
Toblacher Pfannhorn / Fana (Corno di) BZ 4 B 18
Toblino (Lago di) TN 11 D 14
Tocco Caudio BN 70 D 25
Tocco da Casauria PE 60 P 23
Toce (Cascata di) VB 8 C 7
Toce (Fiume) VB 8 D 7
Toceno VB 8 D 7
Todi PG 51 N 19
Togano (Monte) VB 8 D 7
Toggia (Lago di) VB 8 C 7
Togliano UD 15 D 22
Toiano PI 43 L 14
Toirano SV 35 J 6
Toirano (Giogo di) SV 35 J 6

A B C D E F G H I J K L M N O P Q R S T U V W X Y Z

A B C D E F G H I J K L M N O P Q R S T U V W X Y Z

Toirano (Grotte di) **SV** 35 J 6
Tolè **BO** 39 J 15
Tolentino **MC** 52 M 21
Tolfa **RM** 57 P 17
Tolfa (Monti della) **RM** 57 P 17
Tolfaccia (Monte) **RM** 57 P 17
Tolle **RO** 33 H 19
Tollegno **BI** 19 F 6
Tollo **CH** 60 O 24
Tolmezzo **UD** 14 C 21
Tolu **SU** 119 I 10
Tolve **PZ** 77 E 30
Tomaiolo **FG** 67 B 29
Tomba (Monte) **VR** 23 E 15
Tombolo **PD** 24 F 17
Tombolo (Pineta del) **GR** 49 N 14
Tombolo (Tenuta di) **PI** 42 L 12
Tommaso Natale **PA** 97 M 21
Ton **TN** 11 D 15
Tonadico **TN** 12 D 17
Tonale (Monte) **BS** 11 D 13
Tonale (Passo del) **BS** 11 D 13
Tonara **NU** 115 G 9
Tonco **AT** 27 G 6
Tonengo **TO** 19 G 6
Tonengo **AT** 27 G 5
Tonezza del Cimone **VI** 12 E 16
Toni (Croda dei) / Swölferkofel **BL** 4 C 19
Tonini (Rifugio) **TN** 12 D 16
Tonnara Bonagia **TP** 96 M 19
Tonnare **SU** 120 J 6
Tonneri (Monte) **NU** 116 H 10
Tonnicoda **RI** 59 P 21
Tonno **GE** 29 I 9
Tono **ME** 95 M 27
Tonolini (Rifugio) **BS** 10 D 13
Tontola **FO** 40 J 17
Topi (Isola dei) **LI** 48 N 13
Topino **PG** 52 M 20
Toppe del Tesoro **AQ** 64 Q 24
Toppo **PN** 13 D 20
Tordandrea **PG** 52 N 20
Tor Paterno **RM** 62 Q 19
Tor S. Lorenzo **RM** 62 R 19
Tor Sapienza **RM** 62 Q 19
Tor Vaianica **RM** 62 R 19
Tora **CE** 64 R 24
Torano **RI** 59 P 21
Torano Castello **CS** 85 I 30
Torano Nuovo **TE** 53 N 23
Torbido **RC** 88 L 30
Torbole **TN** 11 E 14
Torbole-Casaglia **BS** 22 F 12
Torcegno **TN** 12 D 16
Torcello **VE** 16 F 19
Torchiara **SA** 75 G 27
Torchiarolo **BR** 81 F 36
Torchiati **AV** 70 E 26
Tordinia **TE** 59 O 22
Tordino **TE** 53 O 22
Torella dei Lombardi **AV** 71 E 27
Torella del Sannio **CB** 65 R 25
Torena (Monte) **BG** 10 D 12
Torgiano **PG** 51 M 19
Torgnon **AO** 19 E 4
Toricella del Pizzo **CR** 30 G 12
Torricella Sicura **TE** 53 O 22
Torino **TO** 27 G 5
Torino di Sangro **CH** 61 P 25
Torino di Sangro Marina **CH** 61 P 25
Torino (Rifugio) **AO** 6 E 2
Toritto **BA** 73 E 32
Torlano **UD** 15 D 21
Tormine **VR** 23 G 14
Tormini **BS** 22 F 13
Tornaco **NO** 20 F 8
Tornareccio **CH** 60 P 25
Tornata **CR** 30 G 13
Tornimparte **AQ** 59 P 21
Tornitore (Poggio) **ME** 100 N 25
Torno **CO** 9 E 9
Torno **SA** 76 G 27
Tornolo **PR** 29 I 10
Tornova **RO** 33 G 18
Toro **CB** 65 R 26
Toro (Isola il) **SU** 120 K 7
Torpè **NU** 113 F 11
Torraca **SA** 76 G 28
Torralba **SS** 111 F 8
Torrate **PN** 13 E 20
Torrazza Coste **PV** 29 H 9
Torrazza Piemonte **TO** 19 G 5
Torrazzo **BI** 19 F 5
Torre **MC** 46 L 21
Torre **UD** 15 D 21
Torre a Mare **BA** 73 D 33
Torre Alfina **VT** 50 N 17
Torre Annunziata **NA** 74 E 25
Torre Astura **RM** 63 R 20
Torre Beretti e Castellaro **PV** 28 G 8
Torre Bormida **CN** 27 I 6
Torre Caietani **FR** 63 Q 21
Torre Calzolari **PG** 51 M 20
Torre Canavese **TO** 19 F 5
Torre Canne **BR** 80 E 34
Torre Cavallo (Capo di) **BR** 81 F 36
Torre Cervia (Faro di) **LT** 68 S 21
Torre Ciana (Punta di) **GR** 55 O 15
Torre Civette **GR** 49 N 14
Torre Colimena **TA** 79 G 35
Torre de' Busi **LC** 21 E 10
Torre de' Passeri **PE** 60 P 23
Torre de' Picenardi **CR** 30 G 12
Torre degli Alberi **PV** 29 H 9
Torre dei Corsari **SU** 118 H 7
Torre del Colle **PG** 51 N 19
Torre del Greco **NA** 70 E 25
Torre del Lago Puccini **LU** 38 K 12
Torre del Lauro **ME** 100 M 25
Torre del Mangano **PV** 21 G 9
Torre delle Stelle **CA** 119 J 10
Torre dell'Impiso **TP** 97 M 20
Torre dell'Orso **LE** 81 G 37
Torre di Bari **NU** 117 H 11
Torre di Bocca (Masseria) **BA** 72 D 30
Torre di Fine **VE** 16 F 20
Torre di Mosto **VE** 16 E 20
Torre di Palme **AP** 53 M 23
Torre di Ruggiero **CZ** 88 L 31
Torre di Sta Maria **SO** 10 D 11
Torre d'Isola **PV** 21 G 9
Torre d'Ovarda **TO** 18 G 3
Torre Falcone **SS** 110 E 6
Torre Faro **ME** 90 M 28
Torre Lapillo **LE** 79 G 35
Torre le Nocelle **AV** 70 D 26
Torre Lupara **RM** 58 P 19
Torre Maggiore (Monte) **TR** 58 O 19
Torre Maina **MO** 31 I 14
Torre Mattarelle **BR** 81 F 36
Torre Melissa **KR** 87 J 33
Torre Mileto **FG** 66 B 28
Torre Mozza **LE** 83 H 36
Torre Olevola **LT** 68 S 21
Torre Orsaia **SA** 76 G 28
Torre Pali **LE** 83 H 36
Torre Pallavicina **BG** 22 F 11
Torre Pedrera **RN** 41 J 19
Torre Pellice **TO** 26 H 3
Torre S. Giovanni **LE** 83 H 36
Torre S. Gennaro **BR** 81 F 36
Torre S. Giorgio **CN** 27 H 4
Torre S. Marco **PS** 46 L 20
Torre S. Patrizio **AP** 53 M 22
Torre Sta Susanna **BR** 79 F 35
Torre Spagnola (Masseria) **MT** 73 E 32
Torre Suda **LE** 83 H 36
Torre Vado **LE** 83 H 36
Torre Varcaro (Masseria) **FG** 67 C 29
Torrebelvicino **VI** 24 E 15
Torrebruna **CH** 65 Q 25
Torrechiara **PR** 30 I 12
Torrecuso **BN** 70 D 26
Torregaveta **NA** 69 E 24
Torreglia **PD** 24 F 17
Torregrotta **ME** 90 M 28
Torremaggiore **FG** 66 B 27
Torremenapace **PV** 29 G 8
Torremuzza **ME** 99 M 24
Torrenieri **SI** 50 M 16
Torrenova **ME** 100 M 26
Torrenova **RM** 62 Q 19
Torresina **CN** 35 I 6
Torretta **PI** 42 L 13
Torretta **RO** 32 G 15
Torretta **TA** 79 F 34
Torretta **CL** 103 O 23
Torretta **PA** 97 M 21
Torretta (Portella) **PA** 97 M 21
Torretta-Granitola **TP** 97 O 19
Torretta (Masseria) **FG** 71 D 29
Torretta (Monte) **PZ** 72 E 29
Torrette **AN** 47 L 22
Torrette **PS** 46 K 21
Torrevecchia **PV** 21 G 9
Torrevecchia **RM** 62 Q 19
Torrevecchia Teatina **CH** 60 O 24
Torri **IM** 35 K 4
Torri **RA** 33 I 18
Torri **SI** 49 M 15
Torri del Benaco **VR** 23 F 14
Torri di Quartesolo **VI** 24 F 16
Torri in Sabina **RI** 58 O 19
Torriana **RN** 41 K 19
Torrice **FR** 63 R 22
Torricella **CS** 85 I 31
Torricella **TA** 79 F 34
Torricella in Sabina **RI** 58 P 20
Torricella **MN** 31 G 14
Torricella **PR** 30 H 12
Torricella Peligna **CH** 60 P 24
Torriglia **GE** 29 I 9
Torrile **PR** 30 H 12
Torrita **RI** 59 O 21
Torrita di Siena **SI** 50 M 17
Torrita Tiberina **RM** 58 P 19
Torsa **UD** 16 E 21
Torsana **MS** 38 J 12
Torto **PA** 99 N 23
Torto **TO** 26 H 4
Tortolì **NU** 117 H 10
Tortolì (Stagno di) **NU** 117 H 11
Tortona **AL** 28 H 8
Tortora **CS** 84 H 29
Tortorella **SA** 76 G 28
Tortoreto **TE** 53 N 23
Tortoreto Lido **TE** 53 N 23
Tortorici **ME** 100 M 26
Torviscosa **UD** 17 E 21
Torza **SP** 37 J 10
Tosa (Cima) **TN** 11 D 14
Toscanella **BO** 40 I 16
Toscano (Arcipelago) **LI** 48 M 12
Toscolano **TR** 58 O 19
Toscolano-Maderno **BS** 23 F 13
Tosi **FI** 44 K 16
Tossicia **TE** 59 O 22
Tossignano **BO** 40 J 16
Tossino **FO** 40 J 17
Tottubella **SS** 110 E 7
Tout Blanc (Monte) **AO** 18 F 3
Tovel (Lago di) **TN** 11 D 14
Tovena **TV** 13 E 18
Tovio **BL** 12 E 17
Tovo di S. Agata **SO** 10 D 12
Tovo (Monte) **TO** 18 F 4
Tovo S. Giacomo **SV** 36 J 6
Trabacche (Grotta delle) **RG** 104 Q 25
Trabaria (Bocca) **PG** 45 L 18
Trabia **PA** 98 N 22
Trabuccato (Punta) **SS** 108 D 7
Tracchi **VR** 23 E 15
Tracino **TP** 96 Q 18
Tracino (Punta) **TP** 96 Q 18
Tradate **VA** 20 E 8
Traessu (Monte) **SS** 111 F 8
Trafficanti **BG** 22 E 11
Traffiume **VB** 8 D 8
Trafoi **BZ** 2 C 13
Traghetto **FE** 32 I 17
Tragliata **RM** 62 Q 18
Tramariglio **SS** 110 F 6
Tramatza **OR** 115 G 7
Tramazzo **FO** 40 J 17
Trambileno **TN** 11 E 15
Tramin / Termeno **BZ** 11 C 15
Tramontana (Punta) **SS** 111 E 7
Tramonti (Lago di) **PN** 13 D 20
Tramonti di Sopra **PN** 13 D 20
Tramonti di Sotto **PN** 13 D 20
Tramuschio **MN** 31 H 15
Tramutola **PZ** 77 G 29
Trana **TO** 26 G 4
Trani **BA** 72 D 31
Tranquillo (Monte) **AQ** 64 Q 23
Traona **SO** 9 D 10
Trapani **TP** 96 M 19
Trapani-Birgi (Aeroporto di) **TP** 96 N 19
Trappa **BI** 19 F 5
Trappeto **PA** 97 M 21
Trappeto Bambino **RC** 88 L 30
Trarego Viggiona **VB** 8 D 7
Trasacco **AQ** 59 Q 22
Trasaghis **UD** 14 D 21
Traschio **PC** 29 I 9
Trasimeno (Lago) **PG** 51 M 18
Trasquera **VB** 8 D 6
Trassani **PS** 46 K 20
Tratalias **SU** 118 J 7
Travacò Siccomario **PV** 29 G 9
Travagliato **BS** 22 F 12
Travale **GR** 49 M 15
Travalle **FI** 39 K 15
Travedona Monate **VA** 20 E 8
Traversa **FI** 40 J 15
Traversara **RA** 40 I 18
Traversella **TO** 19 F 5
Traversetolo **PR** 30 I 13
Travesio **PN** 14 D 20
Travignolo (Val) **TN** 12 D 17
Travo **PC** 29 H 10
Trazzonara (Monte) **TA** 79 F 34
Tre Cancelli **RM** 63 R 20
Tre Cancelli (Valico) **MT** 77 F 30
Tre Croci **VT** 57 O 18
Tre Croci (Passo) **BL** 4 C 18
Tre Fontane **TP** 97 O 20
Tré-la-Tête **AO** 6 E 2
Tre Pietre (Punta dei) **TP** 96 Q 17
Tre Pizzi **MC** 52 M 20
Tre Signori (Corno dei) **TN** 11 C 13
Tre Signori (Picco dei) / Dreiherrnspitze **BZ** 4 A 18
Tre Signori (Pizzo dei) **BG** 9 D 10
Tre Termini (Passo del) **BS** 22 F 12
Trearie **CT** 100 N 26
Trebaseleghe **PD** 24 F 18
Trebbia **PC** 29 I 9
Trebbiantico **PS** 46 K 20
Trebbio **FI** 40 K 15
Trebbo di Reno **BO** 32 I 15
Trebecco **PC** 29 H 9
Trebecco (Lago di) **PV** 29 H 9
Trebisacce **CS** 85 H 31
Trecasali **PR** 30 H 12
Trecastagni **CT** 101 O 27
Trecate **NO** 20 F 8
Trecchina **PZ** 77 G 29
Trecenta **RO** 32 G 16
Trecine **PG** 51 M 18
Tredozio **FO** 40 J 17
Trefinaidi (Monte) **ME** 100 N 25
Treglio **CH** 60 P 25
Tregnago **VR** 23 F 15
Treia **MC** 52 M 21
Tremalzo (Passo di) **TN** 23 E 14
Trematerra (Monte) **CZ** 88 L 31
Tremenico **LC** 9 D 10
Tremestieri **ME** 90 M 28
Tremezzo **CO** 9 E 9
Tremiti (Isole) **FG** 66 A 28
Tremoli **CS** 84 H 29
Tremosine **BS** 23 E 14
Trenta **CS** 86 J 30
Trentangeli (Masseria) **PZ** 72 D 29
Trentinara **SA** 75 F 27
Trento **TN** 11 D 15
Trentola-Ducenta **CE** 69 E 24
Trenzano **BS** 22 F 12
Trepalle **SO** 2 C 12
Trepidò Soprano **KR** 87 J 32
Trepidò Sottano **KR** 87 J 32
Treponti **PD** 24 F 17
Treporti **VE** 16 F 19
Treppio **PT** 39 J 15
Treppo Carnico **UD** 5 C 21
Treppo Grande **UD** 14 D 21
Trepuzzi **LE** 81 F 36
Trequanda **SI** 50 M 17
Tres **TN** 11 D 15
Tresa **PG** 51 M 18
Tresa **VA** 8 E 8
Tresana **MS** 38 J 11
Tresauro **RG** 104 Q 25
Trescore Balneario **BG** 22 E 11
Trescore Cremasco **CR** 21 F 10
Tresenda **SO** 10 D 12
Tresigallo **FE** 32 H 17
Tresinaro **RE** 39 I 13
Tresino (Monte) **SA** 75 F 26
Tresino (Punta) **SA** 75 F 27
Tresivio **SO** 10 D 11
Tresnuraghes **OR** 114 G 7
Tressanti **FG** 67 C 29
Tressi **TO** 19 F 4
Treste **CH** 61 P 25
Trestina **PG** 45 L 18
Tretto **VI** 24 E 16
Trevenzuolo **VR** 23 G 14
Trevesina (Pizzo) **SO** 10 D 12
Trevi **PG** 51 N 20
Trevi nel Lazio **FR** 63 Q 21
Trevico **AV** 71 D 27
Treviglio **BG** 21 F 10
Trevignano **TV** 25 E 18
Trevignano Romano **RM** 57 P 18
Treville **TV** 24 F 17
Trevinano **VT** 50 N 17
Treviolo **BG** 21 E 10
Treviso **TV** 25 E 18
Treviso (Rifugio) **TN** 12 D 17
Treviso Bresciano **BS** 22 E 13
Trevozzo **PC** 29 H 10
Trexenta **SU** 119 I 9
Trezzano sul Naviglio **MI** 21 F 9
Trezzo sull'Adda **MI** 21 F 10
Trezzo Tinella **CN** 27 H 6
Triana **GR** 50 N 16
Trianelli **BA** 72 D 30
Triangolo di Riva / Dreieck-Spitze **BZ** 4 B 18
Tribano **PD** 24 G 17
Tribiano **MI** 21 F 10
Tribolina **BG** 22 E 11
Tribuláun / Pflerscher Tribulaun **BZ** 3 B 16
Tricarico **MT** 77 F 30
Tricase **LE** 83 H 37
Tricerro **VC** 20 G 6
Tricesimo **UD** 15 D 21
Trichiana **BL** 13 D 18
Tricoli (Punta) **NU** 117 H 10
Tridentina (Rifugio) **BZ** 4 A 18
Triei **NU** 117 G 10
Trieste **TS** 17 F 23
Trieste (Golfo di) **TS** 17 F 22
Triggianello **BA** 73 E 33
Triggiano **BA** 73 D 32
Trigna (Pizzo della) **PA** 98 N 22
Trigno **IS** 65 Q 24
Trigolo **CR** 22 G 11
Trigona **SR** 104 P 26
Trigus (Serra) **SU** 118 I 7
Trimezzo **RI** 59 O 21
Trinità **SA** 76 F 28
Trinità **RE** 30 I 13
Trinità (vicino ad Entracque) **CN** 34 J 4
Trinità (vicino a Fossano) **CN** 27 I 5
Trinità (Abbazia della) (Cava de' Tirreni) **SA** 75 E 26
Trinità (Abbazia della) (Venosa) **PZ** 72 E 29
Trinità d'Agultu e Vignola **SS** 108 E 8
Trinità (Lago della) **TP** 97 N 20
Trinitapoli **FG** 72 C 30
Trinkstein / Fonte alla Roccia **BZ** 4 A 18
Trino **VC** 20 G 6
Triolo **FG** 66 C 27
Triona (Monte) **PA** 97 N 21
Trionto **CS** 85 I 31
Trionto (Capo) **CS** 87 I 32
Triora **IM** 35 K 5
Tripi **ME** 101 M 27
Triponzo **PG** 52 N 20
Trischiamps **UD** 5 C 20
Triscina **TP** 97 O 20
Trisobbio **AL** 28 I 7
Trissino **VI** 24 F 16
Trisulti (Certosa di) **FR** 63 Q 22
Triuggio **MI** 21 F 9
Trivento **CB** 65 Q 25
Trivero **BI** 19 E 6
Trivigliano **FR** 63 Q 21
Trivignano **VE** 25 F 18
Trivignano Udinese **UD** 17 E 22
Trivigno **PZ** 77 F 29
Trivio **PG** 58 O 20
Trodena / Truden **BZ** 12 D 16
Trodica **MC** 53 M 22
Trofarello **TO** 27 H 5
Trogkofel / Aip (Creta di) **UD** 14 C 21
Trognano **PG** 59 O 21
Troia **FG** 71 C 27
Troia (Ponte di) **FG** 66 C 28
Troia (Punta) **TP** 96 N 18
Troina **EN** 100 N 25
Troina (Fiume) **ME** 100 N 25
Tromello **PV** 20 G 8
Trompia (Val) **BS** 22 E 12
Trona (Lago di) **SO** 9 D 10
Troncia **SU** 118 J 7
Trontano **VB** 8 D 7
Tronto **TE** 53 N 22
Tronzano Vercellese **VC** 19 F 6
Tropea **VV** 88 K 29
Troviggiano **MC** 46 L 21
Trovo **PV** 21 G 9
Truccazzano **MI** 21 F 10
Trucchi **CN** 35 I 4
Trucco **IM** 35 K 4
Truden / Trodena **BZ** 12 D 16
Trulli (Regione dei) **BA** 80 E 33
Trulli (Zona dei) **BA** 80 E 33
Trullo (Masseria) **BA** 72 E 30
Truzzo (Lago del) **SO** 9 C 9
Tualis **UD** 5 C 20
Tubre / Taufers im Münstertal **BZ** 2 C 13
Tudaio di Razzo (Monte) **UD** 5 C 19
Tudderi (Monte) **SS** 111 E 8
Tudia **PA** 99 N 23
Tuenno **TN** 11 D 15
Tufara **CB** 66 C 26
Tufillo **CH** 65 Q 25
Tufo **AV** 70 D 26
Tufo Basso **AQ** 59 P 21
Tuglie **LE** 83 G 36
Tuili **SU** 118 H 8
Tula **SS** 111 E 8
Tului (Monte) **NU** 117 G 10
Tumbarino (Punta) **SS** 108 D 6
Tumboi **OR** 115 H 8
Tundu (Monte) **NU** 113 F 10
Tundu (Monte) **SS** 111 E 9
Tunes / Thuins **BZ** 3 B 16
Tuoma **SI** 50 M 16
Tuoro sul Trasimeno **PG** 51 M 18
Tupei **SU** 118 J 7
Turago Bordone **PV** 21 G 9
Turania **RI** 59 P 21
Turano **RI** 58 O 20
Turano (Lago di) **RI** 58 P 20
Turano Lodigiano **LO** 21 G 10
Turate **CO** 21 F 9
Turbigo **MI** 20 F 8
Turchi (Balata dei) **TP** 96 Q 18
Turchino (Passo del) **GE** 28 I 8
Turchio (Monte) **CT** 100 N 26
Turcio **VI** 24 E 16
Tures (Val di) **BZ** 4 B 17
Turi **BA** 73 E 33
Turlago **MS** 38 J 12
Turri **SU** 118 H 8
Turri (Monte) **SU** 119 I 9
Tursi **MT** 77 G 31
Turuddo (Monte) **NU** 113 F 10
Turusele **NU** 117 G 10
Tusa **ME** 99 N 24
Tusa (Fiume di) **ME** 99 N 24
Tuscania **VT** 57 O 17
Tusciano **SA** 75 E 27
Tussio **AQ** 59 P 22
Tuttavista (Monte) **NU** 117 F 10
Tuturano **BR** 79 F 35
Tyndaris **ME** 100 M 27

U

Uatzu **NU** 115 H 9
Uboldo **VA** 21 F 9
Uccea **UD** 15 D 22
Ucina (Pizzo d') **ME** 100 M 26
Ucria **ME** 100 M 26
Uda (Monte) **SU** 119 I 9
Udine **UD** 15 D 21
Uffente **LT** 63 R 21
Ufita **AV** 71 D 27
Ugento **LE** 83 H 36
Uggiano la Chiesa **LE** 83 G 37
Uggiano Montefusco **TA** 79 F 34
Uggiate Trevano **CO** 20 E 8
Uia Bessanese **TO** 18 G 3
Uia di Ciamarella **TO** 18 G 3
Uia (Monte) **TO** 26 G 3
Ulà Tirso **OR** 115 G 8
Ulassai **NU** 117 H 10
Ulignano **PI** 43 L 14
Uliveto Terme **PI** 42 K 13
Ulmeta (Cantoniera dell') **BA** 72 D 30
Ulmi **TP** 97 N 20
Ulten / Ultimo **BZ** 3 C 15
Ultental / Ultimo (Val d') **BZ** 3 C 14
Ultimo / Ulten **BZ** 3 C 15
Ultimo (Val d') / Ultental **BZ** 3 C 14
Umbertide **PG** 51 M 18
Umbra (Foresta) **FG** 67 B 29
Umbrail (Pass) / Sta Maria (Giogo di) **SO** 2 C 13
Umbriatico **KR** 87 I 32
Umito **AP** 52 N 22
Ummari **TP** 97 N 20
Uncinano **PG** 51 N 19
Unghiasse (Monte) **TO** 18 F 3
Ungroni (S') **OR** 114 H 7
Unnichedda (Punta) **NU** 113 F 11
Unsere liebe Frau im Walde / Senale **BZ** 3 C 15
Unserfrau / Madonna di Senales **BZ** 3 B 14
Untermoi / Antermoia **BZ** 4 B 17
Unterplanken / Planca di Sotto **BZ** 4 B 18
Unturzu (Monte) **SS** 110 F 7
Uomo (Capo d') **GR** 55 O 15
Upega **CN** 35 J 5
Urachi (Nuraghe s') **OR** 114 G 7
Urago d'Oglio **BS** 22 F 11
Uras **OR** 118 H 8
Urbana **PD** 24 G 16
Urbania **PS** 45 K 19
Urbe **SV** 28 I 7
Urbino **PS** 46 K 19
Urbino (Monte) **PG** 51 M 19
Urbisaglia **MC** 52 M 22

155

Urbs Salvia MC 52 M 22
Urgnano BG 21 F 11
Uri SS 110 F 7
Uri (Flumini) SU 119 I 10
Ursini RC 88 L 31
Urtigu (Monte) OR 114 G 7
Ururi CB 66 B 27
Urzano PR 30 I 12
Urzulei NU 117 G 10
Usago PN 14 D 20
Uscerno AP 52 N 22
Uscio GE 37 I 9
Usellus OR 115 H 8
Usi GR 50 N 16
Usini SS 110 F 7
Usmate Velate MI 21 F 10
Uso FO 41 K 18
Ussana SU 119 I 9
Ussaramanna SU 118 H 8
Ussassai NU 116 H 10
Usseglio TO 18 G 3
Ussita MC 52 N 21
Ustica PA 92 K 21
Ustica (Isola di) PA 92 K 21
Uta CA 118 J 8
Utero (Monte) RI 52 N 21
Uttenheim / Villa Ottone BZ 4 B 17

V

Vacca (Isola la) SU 120 K 7
Vaccarile AN 46 L 21
Vaccarizza PV 29 G 9
Vaccarizzo CT 105 O 27
Vaccarizzo CS 86 I 30
Vaccarizzo Albanese CS 85 I 31
Vacchelli (Canale) CR 21 F 10
Vaccolino FE 33 H 18
Vacheres AO 19 F 5
Vacone RI 58 O 19
Vacri CH 60 P 24
Vada LI 48 L 13
Vada (Secche di) LI 48 M 13
Vadena / Pfatten BZ 12 C 15
Vado BO 39 J 15
Vado (Capo di) SV 36 J 7
Vado Ligure SV 36 J 7
Vado Mistongo BN 65 R 26
Vaggimal VR 23 F 14
Vaggio FI 44 L 16
Vagli (Lago di) LU 38 J 12
Vagli Sopra LU 38 J 12
Vagli Sotto LU 38 J 12
Vaglia FI 40 K 15
Vagliagli SI 44 L 16
Vaglie RE 38 J 12
Vaglierano AT 27 H 6
Vaglio Basilicata PZ 77 E 29
Vagnole (le) CE 69 D 23
Vahrn / Varna BZ 4 B 16
Vaiano PO 39 K 15
Vaiano Cremasco CR 21 F 10
Vailate CR 21 F 10
Vaiont (Lago del) PN 13 D 19
Vairano Patenora CE 65 R 24
Vairano Scalo CE 64 S 24
Vairo PR 38 I 12
Vajont PN 13 D 20
Val d'Asso SI 50 M 16
Val della Torre TO 19 G 4
Val di Meda FI 40 J 16
Val di Mela SS 109 D 9
Val di Mezzo / Mittertal BZ 3 B 16
Val di Nizza PV 29 H 9
Val di Sogno VR 23 E 14
Val Grande (Parco Nazionale) TO 18 F 3
Val Grande (Parco Nazionale della) VB 8 D 7
Val Noana (Lago di) TN 12 D 17
Valas / Flaas BZ 3 C 15
Valbella (Punta) BZ 2 B 14
Valbona (Cima di) TN 11 D 13
Valbondione BG 10 D 12
Valbrevenna GE 29 I 9
Valbrona CO 9 E 9
Valbruna UD 15 C 22
Valcaira CN 35 J 5
Valcanale BG 10 E 11
Valcasotto CN 35 J 5
Valcava LC 21 E 10
Valcavera (Colle di) CN 34 I 3
Valchiusella TO 19 F 5
Valcimarra MC 52 M 21
Valda TN 11 D 15
Valdagno VI 24 F 15
Valdaora / Olang BZ 4 B 18
Valdarno AR 44 L 16
Valdena PR 38 I 11
Valdengo BI 19 F 6
Valderice TP 96 M 19
Valdicastello Carducci LU 38 K 12
Valdichiesa ME 94 L 26
Valdidentro SO 2 C 12
Valdieri CN 34 J 4
Valdimonte PG 45 L 18
Valdina ME 90 M 28
Valdobbiadene TV 12 E 17
Valdorbia PG 46 L 20
Valdritta (Cima) VR 23 E 14
Valduggia VC 20 E 6
Valdurna BZ 3 B 16
Valdurna / Durnholz BZ 3 B 16
Valeggio PV 20 G 8
Valeggio sul Mincio VR 23 F 14
Valentano VT 57 O 17
Valenza AL 28 G 7
Valenzano BS 22 F 12
Valenzano BA 73 D 32
Valera Fratta LO 21 G 10
Valeriano PN 14 D 20
Valestra RE 39 I 13
Valfabbrica PG 51 M 19
Valfenera AT 27 H 5
Valfloriana TN 12 D 16
Valfredda (Sasso di) TN 12 C 17
Valfurva SO 11 C 13
Valgioie TO 26 G 4
Valgoglio BG 10 E 11
Valgrana CN 34 I 4
Valgrisenche AO 18 F 3
Valguarnera EN 104 O 25
Valiano SI 50 M 17
Vallà TV 24 E 17
Vallada Agordina BL 12 C 17
Vallalta MO 31 H 15
Vall'Alta (Cala) SS 109 D 9
Vallarga / Weitental BZ 4 B 17
Vallarsa TN 23 E 15
Vallata AV 71 D 27
Valle BO 39 J 15
Valle BS 10 D 13
Valle MS 38 I 11
Valle Agricola CE 65 R 24
Valle Aurina / Ahrntal BZ 4 B 17
Valle Castellana TE 53 N 22
Valle Dame AR 51 M 18
Valle di Cadore BL 13 C 18
Valle di Maddaloni CE 70 D 25
Valdisotto SO 10 C 13
Valle Lomellina PV 20 G 7
Valle Mosso BI 19 F 6
Valle S. Bartolomeo AL 28 H 7
Valle S. Felice TN 11 E 14
Valle S. Giovanni TE 59 O 22
Vallebona IM 35 K 5
Vallecorsa FR 64 R 22
Vallecrosia IM 35 K 4
Vallecupa AQ 59 P 22
Valledolmo PA 99 N 23
Valledoria SS 108 E 8
Vallefiorita CZ 88 K 31
Vallegrande FR 64 R 23
Vallelonga VV 88 L 30
Vallelunga CE 65 R 24
Vallelunga RM 58 P 19
Vallelunga Pratameno CL 99 N 23
Vallemaio FR 64 R 23
Vallemare RI 59 O 21
Valleoncello PN 13 E 19
Vallenzona GE 29 I 9
Vallepietra RM 63 Q 21
Valleranello RM 62 Q 19
Vallerano PR 30 I 12
Vallerano VT 58 O 18
Valleremita AN 52 M 20
Vallermosa SU 118 I 8
Vallerona GR 50 N 16
Vallerotonda FR 64 R 23
Valles / Vals BZ 4 B 16
Valles (Passo di) TN 12 C 17
Valles (Val di) BZ 4 B 16
Vallesaccarda AV 71 D 27
Valleverde (Santuario di) FG 71 D 28
Vallevona (Cima di) AQ 59 P 21
Vallevona (Masseria) FG 66 C 27
Valli del Pasubio VI 23 E 15
Valli Grandi Veronesi VR 32 G 15
Valli Mocenighe PD 32 G 16
Vallicciola SS 111 E 9
Vallico LU 38 J 13
Vallinfante MC 52 N 21
Vallinfreda RM 59 P 20
Vallingegno (Abbazia di) PG 51 M 19
Vallio Terme BS 22 F 13
Vallisnera RE 38 I 12
Vallo TO 19 G 5
Vallo della Lucania SA 76 G 27
Vallo di Nera PG 52 N 20
Vallocchia PG 52 N 20
Vallombrosa FI 44 K 16
Valloni IS 64 R 24
Valloria LO 29 G 10
Valloriate CN 34 I 4
Vallugana VI 24 F 16
Vallurbana PG 45 L 18
Valmacca AL 28 G 7
Valmadonna AL 28 H 7
Valmadrera LC 21 E 10
Valmala CN 26 I 4
Valmeronte (Monte) PG 45 L 18
Valmontone RM 63 Q 20
Valmorel BL 13 D 18
Valmozzola PR 30 I 11
Valnogaredo PD 24 G 16
Valnontey AO 18 F 4
Valosio AL 28 I 7
Valpantena VR 23 F 14
Valparola (Passo di) BL 4 C 17
Valpelina VE 16 F 21
Valpelline AO 7 E 4
Valpelline (Località) AO 6 E 3
Valperga TO 19 F 4
Valpiana GR 49 M 14
Valpolicella VR 23 F 14
Valprato Soana TO 19 F 4
Valpromaro LU 38 K 13
Valrovina VI 24 E 17
Vals / Valles BZ 4 B 16
Valsanzibio PD 24 G 17
Valsassina LC 9 E 10
Valsavarenche AO 18 F 3
Valsavignone AR 45 K 18
Valsecca BG 21 E 10
Valsinni MT 77 G 31
Valsolda CO 9 D 9
Valstagna VI 12 E 16
Valstrona VB 8 E 6
Valsura BZ 3 C 15
Valtellina SO 10 D 12
Valtina / Walten BZ 3 B 15
Valtopina PG 51 M 20
Valtorta BG 9 E 10
Valtournenche AO 7 E 4
Valtournenche (Località) AO 7 E 4
Valva SA 71 E 27
Valvasone PN 16 E 20
Valverde CT 101 O 27
Valverde FO 41 J 19
Valverde PV 29 H 9
Valverde (Santuario di) SS 110 F 7
Valvestino BS 23 E 13
Valvestino (Lago di) BS 23 E 13
Valvisciolo (Abbazia di) LT 63 R 20
Valvori FR 64 R 23
Valzurio BG 10 E 11
Vancimuglio VI 24 F 16
Vancori (i) ME 95 K 27
Vandoies / Vintl BZ 4 B 17
Vandra IS 65 R 24
Vaneze TN 11 D 15
Vanga / Wangen BZ 3 C 16
Vannino (Lago) VB 8 C 7
Vanoi TN 12 D 17
Vanzago MI 21 F 8
Vanzanghello MI 20 F 8
Vanze LE 81 G 36
Vaprio d'Adda MI 21 F 10
Vaprio d'Agogna NO 20 F 7
Vara SP 37 I 10
Vara Inferiore SV 28 I 7
Varaita CN 26 I 3
Varaita (Valle) CN 26 I 3
Varallo VC 20 E 6
Varallo Pombia NO 20 E 7
Varano Borghi VA 20 E 8
Varano de Melegari PR 30 H 12
Varano (Lago di) FG 67 B 29
Varano Marchesi PR 30 H 12
Varapodio RC 91 M 29
Varazze SV 36 I 7
Varco Sabino RI 59 P 21
Varedo MI 21 F 9
Varena TN 12 D 16
Varenna LC 9 D 9
Varese VA 20 E 8
Varese (Lago di) VA 20 E 8
Varese Ligure SP 37 I 10
Vargo AL 28 H 8
Vari MC 52 N 21
Varignana BO 40 I 16
Varigotti SV 36 J 7
Varmo UD 16 E 20
Varna / Vahrn BZ 4 B 16
Varone TN 11 E 14
Varrone LC 9 D 10
Varsi PR 30 I 11
Varzi PV 29 H 9
Varzo VB 8 D 6
Vas BL 12 E 17
Vasanello VT 58 O 19
Vasco CN 35 I 5
Vascon TV 25 E 18
Vasia IM 35 K 5
Vason TN 11 D 15
Vasto CH 61 P 26
Vasto MN 23 G 13
Vastogirardi IS 65 Q 24
Vaticano (Capo) VV 88 L 29
Vaticano (Città del) RM 62 Q 19
Vatolla SA 75 G 27
Vauda Canavese TO 19 G 4
Vazia RI 58 O 20
Vazzano VV 88 L 30
Vazzola TV 25 E 18
Vazzoler (Rifugio) BL 12 C 18
Vecchiano PI 42 K 13
Vedano Olona VA 20 E 8
Veddasca (Val) VA 8 D 8
Vedegheto BO 39 I 15
Vedelago TV 24 E 18
Vedeseta BG 9 E 10
Vedrana BO 32 I 16
Vedriano RE 30 I 13
Veggiano PD 24 F 17
Veggio BO 39 J 15
Veglie LE 81 G 35
Veiano VT 57 P 18
Veio RM 58 P 19
Veirera SV 28 I 7
Vela (Villa) SR 105 Q 27
Vélan (Monte) AO 6 E 3
Veleso CO 9 E 9
Velezzo Lomellina PV 20 G 8
Velia SA 75 G 27
Velino RI 58 O 20
Velino (Gole del) RI 59 O 21
Velino (Monte) AQ 59 P 22
Vellano PT 39 K 14
Vellego SV 35 J 6
Velleia PC 29 H 11
Velletri RM 63 Q 20
Velloi / Vellau BZ 3 B 15
Velo d'Astico VI 24 E 16
Velo Veronese VR 23 F 15
Velturno / Feldthurns BZ 4 B 16
Velva SP 37 J 10
Vena CT 101 N 27
Vena CZ 88 K 31
Venafro IS 64 R 24
Venagrande AP 53 N 22
Venaria Reale TO 19 G 4
Venarotta AP 52 N 22
Venas di Cadore BL 13 C 18
Venasca CN 26 I 4
Venaus TO 18 G 3
Venda (Monte) PD 24 G 17
Vendicari (Isola) SR 107 Q 27
Vendone SV 35 J 6
Vendrogno LC 9 D 9
Venegazzu' TV 25 E 18
Venegono VA 20 E 8
Venere AQ 59 Q 22
Venere (Monte) VT 57 O 18
Veneria VC 20 G 6
Venetico ME 90 M 28
Venezia VE 25 F 19
Venezia (Rifugio) BL 13 C 18
Venezia (Cima) BZ 2 C 14
Venezia-Marco Polo (Aeroporto) VE 25 F 19
Venezzano BO 32 H 16
Venina (Lago di) SO 10 D 11
Venina (Passo) SO 10 D 11
Venosa PZ 72 E 29
Venosta (Val) / Vinschgau BZ 3 C 14
Venticano AV 70 D 26
Ventimiglia IM 35 K 4
Ventimiglia di Sicilia PA 98 N 22
Vento (Grotta del) LU 38 J 13
Vento (Portella del) CL 99 O 24
Vento (Serra del) PA 99 N 24
Vento (Torre del) BA 72 D 31
Venturina LI 49 M 13
Veny (Val) AO 18 E 2
Venzone UD 14 D 21
Verano / Vöran BZ 3 C 15
Verazzano AR 45 L 18
Verbania VB 8 E 7
Verbicaro CS 84 H 29
Verceia SO 9 D 10
Vercelli VC 20 G 7
Verchiano PG 52 N 20
Verde (Capo) IM 35 K 5
Verde (Costa) SU 118 I 7
Verde (Isola) VE 33 G 18
Verde (la) RC 91 M 30
Verde (Lago) BZ 2 C 14
Verdéggia IM 35 J 5
Verdello BG 21 F 10
Verdi PA 99 N 24
Verdins BZ 3 B 15
Verduno CN 27 I 5
Verdura AG 97 O 21
Verena (Monte) VI 12 E 16
Verezzi SV 36 J 6
Verezzo IM 35 K 5
Vergato BO 39 J 15
Vergemoli LU 38 J 13
Verghereto PO 43 K 15
Verghereto FO 45 K 18
Vergiano RN 41 J 19
Vergiate VA 20 E 8
Vergine Maria PA 98 M 22
Vergineto PS 46 K 20
Vergnasco BI 19 F 6
Verica MO 39 J 14
Vermenagna CN 35 J 4
Vermica KR 87 K 33
Vermiglio TN 11 D 14
Vermiglio (Val) TN 11 C 13
Vernà (Pizzo di) ME 101 M 27
Vernago / Vernagt BZ 3 B 14
Vernago (Lago di) BZ 3 B 14
Vernagt / Vernago BZ 3 B 14
Vernante CN 35 J 4
Vernasca PC 30 H 11
Vernazza SP 37 J 11
Vernazzano PG 51 M 18
Vernio PO 39 J 15
Vernole LE 81 G 36
Verolanuova BS 22 G 12
Verolavecchia BS 22 G 12
Verolengo TO 19 G 5
Veroli FR 64 Q 22
Verona VR 23 F 14
Verona (Pizzo) SO 10 C 11
Veronella VR 24 G 15
Verrand AO 18 E 2
Verrayes AO 19 E 4
Verrecchie AQ 59 P 21
Verrès AO 19 F 5
Verrino IS 65 Q 24
Verrone BI 19 F 6
Verrua Po PV 29 G 9
Verrua Savoia TO 19 G 6
Verrutoli (Monte) MT 72 E 30
Versa GO 17 E 22
Versa AT 27 G 6
Versa (Fiume) VE 16 E 20
Versa PV 29 G 9
Versano CE 64 S 24
Versciaco / Vierschach BZ 4 B 18
Versilia (Riviera della) LU 38 K 12
Vertana (Cima) BZ 2 C 13
Verteglia (Piano di) AV 70 E 26
Vertemate CO 21 E 9
Vertova BG 22 E 11
Verucchio RN 41 K 19
Vervio SO 10 D 12
Vervò TN 11 D 15
Verza PC 29 G 11
Verzegnis UD 14 C 20
Verzegnis (Monte) UD 14 C 20
Verzi SV 35 J 6
Verzino KR 87 J 32
Verzuolo CN 27 I 4
Vescia Scanzano PG 51 N 20
Vescona SI 50 M 16
Vescovado SI 50 M 16
Vescovana PD 32 G 17
Vescovato CR 22 G 12
Vesime AT 27 I 6
Vesio BS 23 E 14
Vesole (Monte) SA 75 F 27
Vespolate NO 20 F 7
Vespolo (Monte) SO 10 D 11
Vessalico IM 35 J 5
Vesta BS 23 E 13
Vestea PE 60 O 23
Vestenanova VR 23 F 15
Vestigne TO 19 F 5
Vestone BS 22 E 13
Vesuvio NA 70 E 25
Vetan AO 18 E 3
Veternigo VE 24 F 18
Vetralla VT 57 P 18
Vetrano (Serra) SR 104 P 26
Vetria SV 35 J 6
Vetriolo Terme TN 12 D 15
Vette (le) TN 12 D 17
Vettica Maggiore SA 75 F 25
Vettigne VC 20 F 6
Vetto RE 38 I 13
Vettore (Monte) AP 52 N 21
Vetulonia GR 49 N 14
Veveri NO 20 F 7
Vezza AR 44 L 17
Vezza d'Oglio BS 10 D 13
Vezza (Torrente) VT 57 O 18
Vezzanello MS 38 J 12
Vezzano PR 30 I 12
Vezzano TN 11 D 14
Vezzano Ligure SP 38 J 11
Vezzano sul Crostolo RE 31 I 13
Vezzena (Passo di) TN 12 E 16
Vezzo VB 8 E 7
Vezzola RE 31 H 14
Vezzolano (Abbazia di) AT 27 G 5
Viadana MN 31 H 13
Viadana Bresciana BS 22 F 13
Viagrande CT 101 O 27
Viamaggio AR 45 K 18
Viamaggio (Passo di) AR 45 K 18
Vianino PR 30 H 11
Viano RE 31 I 13
Viarago TN 11 D 15
Viareggio LU 38 K 12
Viarigi AT 28 G 7
Viarolo PR 30 H 12
Viarovere MO 31 H 15
Viazzano PR 30 H 12
Vibo Valentia VV 88 K 30
Vibo Valentia Marina VV 88 K 30
Viboldone MI 21 F 9
Vibonati SA 76 G 28
Vibrata TE 53 N 23
Vicalvi FR 64 Q 23
Vicarello LI 42 L 13
Vicarello RM 57 P 18
Vicari PA 98 N 22
Vicari (Fiume) PA 98 N 22
Vicchio FI 40 K 16
Viceno TR 51 N 18
Viceno VB 8 D 6
Vicenza VI 24 F 16
Viciomaggio AR 44 L 17
Vico LU 39 J 14
Vico del Gargano FG 67 B 29
Vico d'Elsa FI 43 L 15
Vico Equense NA 74 F 25
Vico (Lago di) VT 57 P 18
Vico nel Lazio FR 63 Q 22
Vicobarone PC 29 H 10
Vicofertile PR 30 H 12
Vicoforte CN 35 I 5
Vicoforte (Santuario di) CN 35 I 5
Vicoli PE 60 O 23
Vicomero PR 30 H 12
Vicomoscano CR 30 H 13
Vicopisano PI 43 K 13
Vicovaro RM 58 P 20
Vidalenzo PR 30 G 12
Viddalba SS 108 E 8
Vidiciatico BO 39 J 14
Vidigulfo PV 21 G 9
Vidor TV 12 E 18
Vidracco TO 19 F 5
Viepri PG 51 N 19
Vierschach / Versciaco BZ 4 B 18
Viesci RI 59 O 21
Vieste FG 67 B 30
Vietri di Potenza PZ 76 F 28
Vietri sul Mare SA 75 F 26
Vietti TO 19 G 4
Vieyes AO 18 F 3
Viganella VB 8 D 6
Vigarano Mainarda FE 32 H 16
Vigarano Pieve FE 32 H 16
Vigasio VR 23 G 14
Vigatto PR 30 H 12
Vigevano PV 20 G 8
Vigezzo (Piana di) VB 8 D 7
Vigezzo (Val) VB 8 D 7
Viggianello PZ 85 H 30
Viggiano PZ 77 F 29
Viggiù VA 8 E 8
Vighizzolo BS 22 F 13
Vighizzolo CO 21 E 9
Vighizzolo d'Este PD 24 G 16
Vigliano AQ 59 O 21
Vigliano Biellese BI 19 F 6
Viglio (Monte) AQ 63 Q 22
Viglione (Masseria) BA 73 E 32
Vigna di Valle RM 57 P 18
Vignai IM 35 K 5
Vignale Monferrato AL 28 G 7
Vignanello VT 58 O 18
Vignate MI 21 F 10
Vigne TR 58 O 19
Vignola SS 109 D 9
Vignola MS 38 I 11
Vignola MO 39 I 15
Vignola Mare SS 109 D 9
Vignola (Monte) TN 23 E 14
Vignole BL 13 D 18
Vignole Borbera AL 28 H 8

A B C D E F G H I J K L M N O P Q R S T U V W X Y Z

156

A B C D E F G H I J K L M N O P Q R S T U V W X Y Z

Vignolo CN 34 I 4
Vigo VR 32 G 15
Vigo di Cadore BL 5 C 19
Vigo di Fassa TN 12 C 17
Vigo Rendena TN 11 D 14
Vigodarzere PD 24 F 17
Vigoleno PC 30 H 11
Vigolo BG 22 E 12
Vigolo Baselga TN 11 D 15
Vigolo Marchese PC 30 H 11
Vigolo Vattaro TN 11 D 15
Vigolzone PC 29 H 11
Vigone TO 27 H 4
Vigonovo PN 13 E 19
Vigonovo VE 24 F 18
Vigonza PD 24 F 17
Vigorovea PD 24 G 18
Viguzzolo AL 28 H 8
Vila di Sopra / Ober Wielenbach BZ 4 B 17
Villa PG 51 M 18
Villa BS 10 E 12
Villa SV 28 I 6
Villa a Sesta SI 44 L 16
Villa UD 14 C 20
Villa Adriana (Tivoli) RM 63 Q 20
Villa Baldassarri LE 81 F 35
Villa Barbaro Maser TV 24 E 17
Villa Bartolomea VR 32 G 16
Villa Basilica LU 39 K 13
Villa Bozza TE 60 O 23
Villa Caldari CH 60 P 25
Villa Canale IS 65 Q 25
Villa-Carcina BS 22 F 12
Villa Carlotta (Tremezzo) CO 9 E 9
Villa Castelli BR 79 F 34
Villa Celiera PE 60 O 23
Villa Col de' Canali PG 46 L 20
Villa Collemandina LU 38 J 13
Villa Cordellina-Lombardi (Tavernelle) VI 24 F 16
Villa d'Adda BG 21 E 10
Villa d'Agri PZ 77 F 29
Villa d'Aiano BO 39 J 14
Villa d'Almè BG 21 E 10
Villa d'Artimino PO 43 K 15
Villa del Bosco BI 20 F 6
Villa del Bosco PD 24 G 18
Villa del Conte PD 24 F 17
Villa del Foro AL 28 H 7
Villa della Petraia FI 39 K 15
Villa di Artimino PO 43 K 15
Villa di Briano CE 69 D 24
Villa di Castello FI 39 K 15
Villa di Chiavenna SO 9 D 10
Villa di Poggio a Caiano PO 39 K 15
Villa di Sério BG 21 E 11
Villa di Tirano SO 10 D 12
Villa Dogana FI 39 J 15
Villa d'Ogna BG 10 E 11
Villa d'Orri CA 118 J 9
Villa Estense PD 24 G 17
Villa Faraldi IM 35 K 6
Villa Fastiggi PS 46 K 20
Villa Fontana BO 32 I 16
Villa Forci LU 38 K 13
Villa Foscari (Malcontenta) VE 25 F 18
Villa Gamberaia (Settignano) FI 44 K 15
Villa Garibaldi MN 31 G 14
Villa Grande CH 60 P 25
Villa Hanbury IM 35 K 4
Villa Jovis Capri NA 74 F 24
Villa La Rotonda VI 24 F 16
Villa Lagarina TN 11 E 15
Villa Lante (Bagnaia) VT 57 O 18
Villa Latina FR 64 R 23
Villa le Sabine LI 49 M 13
Villa Literno CE 69 D 24
Villa Littorio SA 76 F 28
Villa Manin (Passariano) UD 16 E 21
Villa Mansi (Segromigno) LU 39 K 13
Villa Margherita LI 49 M 13
Villa Minozzo RE 38 I 13
Villa Napoleone (S. Martino) LI 48 N 12
Villa Oliveti PE 60 O 24
Villa Olmo CO 21 E 9
Villa Ottone / Uttenheim BZ 4 B 17
Villa Pasquali MN 30 G 13
Villa Passo TE 53 N 22
Villa Pisani Strà VE 24 F 18
Villa Pliniana Torno CO 9 E 9
Villa Poma MN 31 H 15
Villa Potenza MC 52 M 22
Villa Reale di Marlia LU 39 K 13
Villa Rendena TN 11 D 14
Villa Rosa TE 53 N 23
Villa S. Giovanni PE 60 O 24
Villa S. Giovanni RC 90 M 28
Villa Saletta PI 43 L 14
Villa S. Angelo AQ 59 P 22
Villa S. Antonio AP 53 N 23
Villa Sta Croce CE 69 D 24
Villa S. Faustino PG 51 N 19
Villa S. Giovanni in Tuscia VT 57 P 18
Villa S. Leonardo CH 60 P 25
Villa Sta Lucia FR 64 R 23
Villa Sta Lucia degli Abruzzi AQ 60 O 23
Villa Sta Maria CH 60 Q 25
Villa S. Pietro CA 121 J 8
Villa S. Sebastiano AQ 59 P 21
Villa S. Secondo AT 27 G 6
Villa Sto Stefano FR 63 R 21
Villa Santina UD 14 C 20
Villa Saviola MN 31 G 14
Villa Serraglio RA 32 I 17
Villa Torrigiani (Segromigno) LU 39 K 13
Villa Vallucci TE 59 O 22
Villa Verde OR 115 H 8
Villa Verdi (S. Agata) PC 30 G 12
Villa Verucchio RN 41 J 19
Villa Vomano TE 60 O 23
Villabassa / Niederdorf BZ 4 B 18
Villabate PA 98 M 22
Villabella AL 28 G 7
Villaberza RE 38 I 13
Villabruna BL 12 D 17
Villachiara BS 22 F 11
Villacidro SU 118 I 8
Villadeati AL 27 G 6
Villadoro EN 99 N 24
Villadose RO 32 G 17
Villadossola VB 8 D 6
Villafalletto CN 27 I 4
Villafelice FR 64 R 22
Villafontana VR 23 G 15
Villafora RO 32 G 16
Villafranca d'Asti AT 27 H 6
Villafranca di Forlì FO 40 J 18
Villafranca di Verona VR 23 F 14
Villafranca in Lunigiana MS 38 J 11
Villafranca Padovana PD 24 F 17
Villafranca Piemonte TO 27 H 4
Villafranca Sicula AG 97 O 21
Villafranca Tirrena ME 90 M 28
Villafrati PA 98 N 22
Villaggio Amendola FG 67 C 29
Villaggio Frasso CS 85 I 31
Villaggio Mancuso CZ 87 J 31
Villaggio Mosé AG 103 P 22
Villaggio Racise CZ 87 J 31
Villaggio Resta LE 83 G 35
Villaggio Sta Margherita EN 100 N 25
Villagrande PS 41 K 19
Villagrande (Tornimparte) AQ 59 P 21
Villagrande Strisaili NU 117 H 10
Villagrappa FO 40 J 17
Villagrazia PA 97 M 21
Villagrazia di Carini PA 97 M 21
Villagreca SU 118 I 9
Villalago AQ 64 Q 23
Villalba CL 99 O 23
Villalfonsina CH 61 P 25
Villalunga SV 35 J 6
Villalvernia AL 28 H 8
Villamagna CH 60 P 24
Villamagna FI 44 K 16
Villamagna PI 43 L 14
Villamaina AV 71 E 27
Villamar SU 118 I 8
Villamarina FO 41 J 19
Villamarzana RO 32 G 17
Villamassargia SU 118 J 7
Villammare SA 76 G 28
Villandro / Villanders BZ 3 C 16
Villandro (Monte) BZ 3 C 16
Villanetto PZ 77 G 30
Villanoce GE 29 I 10
Villanova BO 32 I 16
Villanova FI 43 K 14
Villanova FO 40 J 17
Villanova MO 31 H 14
Villanova CR 30 G 13
Villanova PE 60 O 24
Villanova RA 41 I 18
Villanova TO 26 H 3
Villanova VE 16 E 20
Villanova (Masseria) BR 81 F 36
Villanova d'Albenga SV 35 J 6
Villanova d'Ardenghi PV 21 G 9
Villanova d'Asti AT 27 H 5
Villanova del Battista AV 71 D 27
Villanova del Ghebbo RO 32 G 16
Villanova del Sillaro LO 21 G 10
Villanova di Camposampiero PD 24 F 17
Villanova Franca SU 118 I 9
Villanova Maiardina MN 23 G 14
Villanova Marchesana RO 32 H 17
Villanova Mondovì CN 35 I 5
Villanova Monferrato AL 20 G 7
Villanova Monteleone SS 110 F 7
Villanova Solaro CN 27 H 4
Villanova Strisaili NU 117 H 10
Villanova sull'Arda PC 30 G 11
Villanova Truschedu OR 115 H 8
Villanova Tulo CA 115 H 9
Villanovaforru SU 118 I 8
Villanterio PV 21 G 10
Villanuova BS 22 F 11
Villanuova sul Clisi BS 22 F 13
Villaorba UD 16 D 21
Villapaiera BL 12 D 17
Villaperuccio SU 118 J 8
Villapiana BL 12 D 17
Villapiana CS 85 H 31
Villapiana Lido CS 85 H 31
Villapiana Scalo CS 85 H 31
Villapriolo EN 99 O 24
Villaputzu SU 119 I 10
Villar Focchiardo TO 26 G 3
Villar Pellice TO 26 H 3
Villar Perosa TO 26 H 3
Villarbasse TO 27 G 4
Villarboit VC 20 F 7
Villareggia TO 19 G 5
Villareia PE 60 O 24
Villaretto TO 26 G 3
Villarios SU 120 J 7
Villaro CN 26 H 3
Villaromagnano AL 28 H 8
Villarosa EN 99 O 24
Villarosa (Lago) EN 99 O 24
Villarotta RE 31 H 14
Villasalto SU 119 I 10
Villasanta MI 21 F 9
Villaseta AG 102 P 22
Villasimius SU 119 J 10
Villasmundo SR 105 P 27
Villasor SU 118 I 8
Villaspeciosa SU 118 J 8
Villastellone TO 27 H 5
Villastrada MN 31 H 13
Villastrada PG 50 M 18
Villata CN 26 I 4
Villata VC 20 F 7
Villatalla IM 35 K 5
Villatella IM 35 K 4
Villaurbana OR 115 H 8
Villaurea PA 99 N 23
Villavallelonga AQ 64 Q 22
Villaverla VI 24 F 16
Ville di Fano AQ 59 O 21
Ville sur Sarre AO 18 E 3
Villefranche AO 19 E 4
Villeneuve AO 18 E 3
Villerose RI 59 P 21
Villesse GO 17 E 22
Villetta Barrea AQ 64 Q 23
Villimpenta MN 31 G 15
Villnöß / Funes BZ 4 C 17
Villongo BG 22 E 11
Villorba TV 25 E 18
Villore FI 40 K 16
Villoresi (Canale) MI 20 F 8
Villotta PN 13 E 20
Vilminore di Scalve BG 10 E 12
Vilpian / Vilpiano BZ 3 C 15
Vilpiano / Vilpian BZ 3 C 15
Vimercate MI 21 F 10
Vimodrone MI 21 F 9
Vinadio CN 34 J 3
Vinaio UD 5 C 20
Vinca MS 38 J 12
Vinchiaturo CB 65 R 25
Vinchio AT 28 H 6
Vinci FI 43 K 14
Vinciarello CZ 89 L 31
Vinco RC 90 M 29
Vindoli RI 59 O 21
Vinovo TO 27 H 4
Vinschgau / Venosta (Val) BZ 2 C 13
Vintl / Vandoies BZ 4 B 17
Vinzaglio NO 20 G 7
Viola CN 35 J 5
Viola (Val) SO 2 C 12
Vione BS 10 D 13
Viòz (Monte) TN 11 C 13
Viozene CN 35 J 5
Vipiteno / Sterzing BZ 3 B 16
Virgilio MN 31 G 14
Virle Piemonte TO 27 H 4
Visaille (la) AO 6 E 2
Visano BS 22 G 13
Vische TO 19 G 5
Visciano NA 70 E 25
Visciglieto (Masseria) FG 66 C 28
Visdende (Valle) BL 5 C 19
Visentin (Col) TV 13 D 18
Viserba RN 41 J 19
Viserbella RN 41 J 19
Visgnola CO 9 E 9
Visiano PR 30 H 12
Visnadello TV 25 E 18
Viso (Monte) CN 26 H 3
Visome BL 13 D 18
Visone AL 28 I 7
Visso MC 52 N 21
Vistarino PV 21 G 9
Vistrorio TO 19 F 5
Vita TP 97 N 20
Vita (Capo della) LI 48 N 13
Vitalba (Poggio) PI 43 L 13
Vitamore (Masseria) AV 71 E 28
Viterbo VT 57 O 18
Viticuso FR 64 R 23
Vitinia RM 62 Q 19
Vito (Serra di) CT 100 N 26
Vitorchiano VT 57 O 18
Vitravo KR 87 J 32
Vitriola MO 39 I 13
Vittoria RG 104 Q 25
Vittoriale (il) BS 23 F 13
Vittorio Veneto TV 13 E 18
Vittorio Veneto (Rifugio) BZ 4 A 17
Vittorito AQ 60 P 23
Vittuone MI 20 F 8
Vitulano BN 70 D 25
Vitulazio CE 69 D 24
Viù TO 18 G 4
Viù (Val di) TO 18 G 3
Vivaro PN 13 D 20
Vivaro Romano RM 59 P 21
Viverone BI 19 F 6
Viverone (Lago di) BI 19 F 6
Viviere CN 26 I 2
Vivione (Passo del) BG 10 D 12
Vivo d'Orcia SI 50 N 16
Vizze (Passo di) / Pfitscherjoch BZ 4 B 16
Vizze (Val di) BZ 3 B 16
Vizzini CT 104 P 26
Vizzola Ticino VA 20 F 8
Vo PD 24 G 16
Vo VI 24 F 16
Vobarno BS 22 F 13
Vobbia GE 29 I 9
Vocca VC 8 E 6
Vodo Cadore BL 13 C 18
Völs am Schlern / Fiè allo Sciliar BZ 3 C 16
Voghera PV 29 H 9
Voghiera FE 32 H 17
Vogogna VB 8 D 6
Volania FE 33 H 18
Volano FE 33 H 18
Volano TN 11 E 15
Volargne VR 23 F 14
Volciano BS 22 F 13
Volla NA 69 E 25
Vollan / Foiana BZ 3 C 15
Volmiano FI 39 K 15
Vologno RE 38 I 13
Volongo CR 22 G 12
Volpago del Montello TV 25 E 18
Volpara PV 29 H 9
Volpara AL 29 H 9
Volparo SA 75 F 27
Volpe (Cala di) SS 109 D 10
Volpe (Punta della) SS 109 D 10
Volpedo AL 28 H 8
Volperino PG 52 N 20
Volpiano TO 19 G 5
Volsini (Monti) VT 57 O 17
Volta SO 9 D 10
Volta Mantovana MN 23 G 13
Voltaggio AL 28 I 8
Voltago Agordino BL 12 D 18
Voltana RA 32 I 17
Volterra PI 43 L 14
Voltido CR 30 G 13
Voltone VT 57 P 17
Voltre FO 41 J 18
Voltri GE 36 I 8
Volturara Appula FG 66 C 27
Volturara Irpina AV 70 E 26
Volturino FG 66 C 27
Volturino (Fiumara) FG 66 C 27
Volturino (Monte) PZ 77 F 29
Volturno IS 64 R 24
Volumni (Ipogeo dei) PG 51 M 19
Volvera TO 27 H 4
Vomano TE 59 O 22
Vomano (Val di) AQ 59 O 22
Vöran / Verano BZ 3 C 15
Vorno LU 42 K 13
Vottignasco CN 27 I 4
Votturino (Lago) CS 86 J 31
Voturo (Pizzo) PA 99 N 24
Vulcanello (Monte) ME 94 L 26
Vulcano (Bocche di) ME 94 L 26
Vulcano (Isola) ME 94 L 26
Vulcano (Monte) AG 102 T 20
Vulci VT 57 O 16
Vulgano FG 71 C 27
Vulture (Monte) PZ 71 E 28

W

Waidbruck / Ponte Gardena BZ 3 C 16
Walten / Valtina BZ 3 B 15
Wangen / Vanga BZ 3 C 16
Weißenbach / Riobianco (vicino a Campo Tures) BZ 4 B 17
Weißenbach / Riobianco (vicino a Pennes) BZ 3 B 16
Weißkugel / Bianca (Palla) BZ 2 B 14
Weisslahnbad / Bagni di Lavina Bianca BZ 3 C 16
Weißseespitze / Lago Bianco (Punta) BZ 2 B 14
Weitental / Vallarga BZ 4 B 17
Welsberg / Monguelfo BZ 4 B 18
Welschnofen / Nova Levante BZ 12 C 16
Wengen / La Valle BZ 4 C 17
Wiesen / Prati BZ 3 B 16
Wieser Alm / Malga Prato BZ 4 A 18
Wilde Kreuzspitze / Croce (Picco di) BZ 3 B 16
Willy Jervis TO 26 H 3
Winnebach / Prato alla Drava BZ 4 B 19
Wölkenstein in Gröden / Selva di Valgardena BZ 4 C 17
Wölfl / Lupicino BZ 12 C 16

X-Z

Xirbi CL 99 O 24
Xireni (Masseria) PA 99 N 23
Xitta TP 96 N 19
Xomo (Passo di) VI 23 E 15
Xon (Passo) VI 23 E 15
Zaccanopoli VV 88 L 29
Zaccaria NA 69 E 24
Zaccheo TE 53 N 23
Zacchi (Rifugio) UD 15 C 23
Zafferana Etnea CT 101 N 27
Zafferano (Capo) PA 98 M 22
Zafferano (Porto) SU 120 K 7
Zagarise CZ 87 K 31
Zagarolo RM 63 Q 20
Zaiama UD 15 D 21
Zambana TN 11 D 15
Zambla BG 10 E 11
Zamboni RE 38 J 13
Zambrone VV 88 K 29
Zambrone (Punta di) VV 88 K 29
Zancona GR 50 N 16
Zané VI 24 E 16
Zangarona CZ 88 K 31
Zanica BG 21 F 11
Zanotti CN 34 J 2
Zappolino BO 39 I 15
Zapponeta FG 67 C 29
Zappulla ME 100 M 26
Zappulla (Case) RG 107 Q 26
Zatta (Monte) GE 37 I 10
Zattaglia RA 40 J 17
Zavattarello PV 29 H 9
Zeccone PV 21 G 9
Zeda (Monte) VB 8 D 7
Zeddiani OR 114 H 7
Zelbio CO 9 E 9
Zelo RO 32 G 16
Zelo Buon Persico LO 21 F 10
Zeme PV 20 G 7
Zena BO 40 I 16
Zenna VA 8 D 8
Zenobito (Punta del) LI 48 M 11
Zenson di Piave TV 16 E 19
Zeppara OR 115 H 8
Zerba PC 29 I 9
Zerbio PC 30 G 11
Zerbion (Monte) AO 19 E 4
Zerbolò PV 21 G 9
Zerfaliu OR 115 H 8
Zeri MS 38 I 11
Zerman TV 25 F 18
Zero TV 25 F 18
Zero Branco TV 25 F 18
Zevio VR 23 F 15
Ziano di Fiemme TN 12 D 16
Ziano Piacentino PC 29 G 10
Zibello PR 30 G 12
Zibido PV 21 G 9
Zibido S. Giacomo MI 21 F 9
Zignano SP 37 J 11
Zimardo RG 107 Q 26
Zimella VR 24 F 16
Zimmara (Monte) PA 99 N 24
Zimone BI 19 F 6
Zinasconuovo PV 29 G 9
Zinascovecchio PV 29 G 9
Zinga KR 87 J 32
Zingarini RM 62 R 19
Zingonia BG 21 F 10
Zinnigas SU 118 J 8
Zinola SV 36 J 7
Zinzulusa (Grotta) LE 83 G 37
Zippo (Masseria) TA 80 E 33
Ziracco UD 15 D 22
Zita (Passo della) ME 100 M 26
Zoagli GE 37 I 9
Zocca MO 39 I 14
Zóccolo (Lago di) BZ 3 C 14
Zogno BG 21 E 10
Zola Pedrosa BO 31 I 15
Zoldo Alto BL 13 C 18
Zoldo (Valle di) BL 13 C 18
Zollino LE 83 G 36
Zomaro RC 91 M 30
Zone BS 22 E 12
Zone LU 39 K 13
Zoppé TV 13 E 19
Zoppé di Cadore BL 13 C 18
Zoppo (Portella dello) ME 100 N 26
Zoppola PN 13 E 20
Zorlesco LO 21 G 10
Zorzoi BL 12 D 17
Zovallo (Passo) PR 29 I 10
Zovello UD 5 C 20
Zovo (Passo del) BL 5 C 19
Zsigmondy-Comici (Rifugio) BZ 4 C 19
Zubiena BI 19 F 5
Zuccarello SV 35 J 6
Zucchi (Piano) PA 99 N 23
Zucco (Lo) PA 97 M 21
Zuccone Campelli LC 9 E 10
Zuccone (Monte) SP 37 I 10
Zuddas (Is) SU 120 J 8
Zuel BL 4 C 18
Zugliano VI 24 E 16
Zuglio UD 5 C 21
Zugna (Monte) TN 23 E 15
Zula BO 40 I 16
Zum Zeri MS 37 I 11
Zumaglia BI 19 F 6
Zumelle (Castello di) BL 13 D 18
Zungoli AV 71 D 27
Zungri VV 88 L 29
Zupo (Pizzo) SO 10 C 11
Zuppino SA 76 F 27
Zurco RE 31 H 13
Zuri OR 115 G 8
Zurrone (Monte) AQ 64 Q 24
Zwischenwasser / Longega BZ 4 B 17

Piante di città
Town plans / Plans de villes / Stadtpläne / Stadsplattegronden / Planos de ciudades

ITALIA

- Agrigento 159
- Alessandria 160
- Ancona 160
- Arezzo 161
- Ascoli Piceno 161
- Assisi 162
- Bari 163
- Bergamo 163
- Bologna 164/165
- Bolzano 166
- Brindisi 167
- Cagliari 167
- Catania 168
- Como 168
- Cortina d'Ampezzo 169
- Cosenza 169
- Courmayeur 170
- Cremona 170
- Cuneo 171
- Ferrara 171
- Firenze 172/173
- Genova 174/175
- L'Aquila 176
- Lecce 176
- Lucca 177
- Mantova 178
- Messina 179
- Milano 180/181
- Modena 182
- Napoli 183
- Novara 184
- Padova 184
- Palermo 185
- Parma 186
- Perugia 187
- Pesaro 187
- Pescara 188
- Pisa 188
- Reggio di Calabria 189
- Rimini 189
- Roma 190/191
- Salerno 192
- San Gimignano 192
- San Remo 193
- Sassari 193
- Siena 194
- Siracusa 195
- Sorrento 196
- Spoleto 196
- Stresa 197
- Taormina 198
- Taranto 199
- Torino 200/201
- Trento 202
- Treviso 203
- Trieste 204
- Udine 205
- Urbino 205
- Venezia 206
- Verona 207
- Vicenza 208
- Viterbo 208

Courmayeur
Stresa
Bolzano
Cortina d'Ampezzo
Como
Bergamo
Trento
Udine
Novara
Treviso
Vicenza
Milano
Verona
Trieste
Torino
Cremona
Padova
Piacenza
Mantova
Venezia
Alessandria
Parma
Ferrara
Cuneo
Genova
Modena
Ravenna
Bologna
La Spezia
Rimini
Lucca
San Remo
Firenze
Pesaro
Livorno
Pisa
Urbino
MAR LIGURE
Arezzo
Ancona
MARE ADRIATICO
San Gimignano
Assisi
Siena
Isola d'Elba
Perugia
Ascoli Piceno
Grosseto
Spoleto
Viterbo
Pescara
L'Aquila
ROMA
Latina
Campobasso
Foggia
Sassari
Bari
Napoli
Sardegna
Salerno
Brindisi
Isola d'Ischia
Potenza
Taranto
Sorrento
Lecce
Cagliari
Cosenza
MAR TIRRENO
MAR IONIO
Catanzaro
Ilsole Eolie
Trapani
Palermo
Messina
Reggio di Calabria
Taormina
Stretto di Messina
Sicilia
Catania
Agrigento
Isola di Pantelleria
Siracusa

Piante

Curiosità
Edificio interessante
Costruzione religiosa interessante:
Chiesa - Tempio

Viabilità
Autostrada - Doppia carreggiata tipo autostrada
Svincoli numerati: completo, parziale
Grande via di circolazione
Via regolamentata o impraticabile
Via pedonale - Tranvia
Parcheggio - Parcheggio Ristoro
Galleria
Stazione e ferrovia
Funicolare - Funivia, cabinovia

Simboli vari
Ufficio informazioni turistiche
Moschea - Sinagoga
Torre - Ruderi
Mulino a vento
Giardino, parco, bosco - Cimitero
Stadio - Golf - Ippodromo
Piscina: all'aperto, coperta
Vista - Panorama
Monumento - Fontana
Porto turistico - Faro
Aeroporto - Stazione della metropolitana
Autostazione
Trasporto con traghetto:
passeggeri ed autovetture - solo passeggeri
Ufficio centrale di fermo posta - Ospedale
Mercato coperto
Carabinieri - Polizia
Municipio
Università, scuola superiore
Edificio pubblico indicato con lettera:
Museo - Municipio
Prefettura, sottoprefettura - Teatro

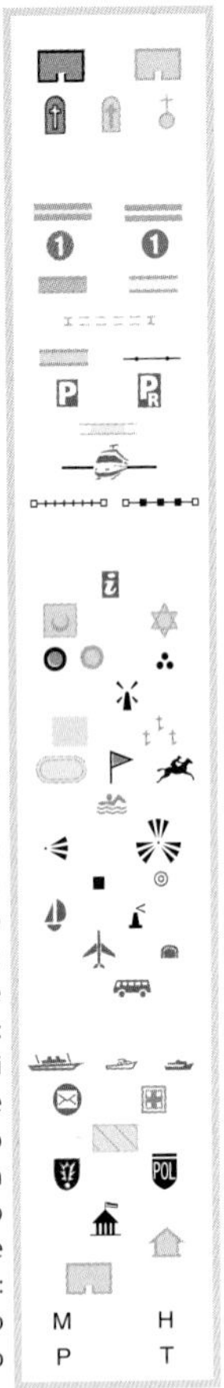

M H
P T

Plans

Curiosités
Bâtiment intéressant
Édifice religieux intéressant :
catholique - protestant

Voirie
Autoroute - Double chaussée de type autoroutier
Échangeurs numérotés : complet - partiels
Grande voie de circulation
Rue réglementée ou impraticable
Rue piétonne - Tramway
Parking - Parking Relais
Tunnel
Gare et voie ferrée
Funiculaire, voie à crémaillère - Téléphérique, télécabine

Signes divers
Information touristique
Mosquée - Synagogue
Tour - Ruines
Moulin à vent
Jardin, parc, bois - Cimetière
Stade - Golf - Hippodrome
Piscine de plein air, couverte
Vue - Panorama
Monument - Fontaine
Port de plaisance - Phare
Aéroport - Station de métro
Gare routière
Transport par bateau :
passagers et voitures, passagers seulement
Bureau principal de poste restante - Hôpital
Marché couvert
Gendarmerie - Police
Hôtel de ville
Université, grande école
Bâtiment public repéré par une lettre :
Musée - Hôtel de ville
Préfecture, sous-préfecture - Théâtre

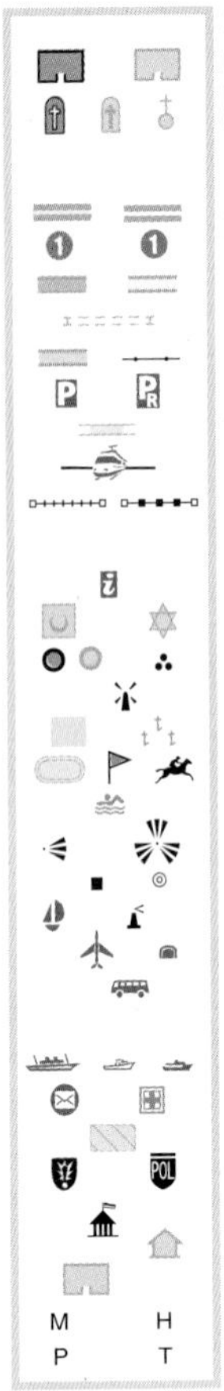

M H
P T

Town plans

Sights
Place of interest
Interesting place of worship:
Church - Protestant church

Roads
Motorway - Dual carriageway
Numbered junctions: complete, limited
Major thoroughfare
Unsuitable for traffic or street subject to restrictions
Pedestrian street - Tramway
Car park - Park and Ride
Tunnel
Station and railway
Funicular - Cable-car

Various signs
Tourist Information Centre
Mosque - Synagogue
Tower - Ruins
Windmill
Garden, park, wood - Cemetery
Stadium - Golf course - Racecourse
Outdoor or indoor swimming pool
View - Panorama
Monument - Fountain
Pleasure boat harbour - Lighthouse
Airport - Underground station
Coach station
Ferry services:
passengers and cars - passengers only
Main post office with poste restante - Hospital
Covered market
Gendarmerie - Police
Town Hall
University, College
Public buildings located by letter:
Museum - Town Hall
Prefecture or sub-prefecture - Theatre

M H
P T

Stadtpläne

Sehenswürdigkeiten
Sehenswertes Gebäude
Sehenswerter Sakralbau:
Katholische - Evangelische Kirche

Straßen
Autobahn - Schnellstraße
Nummerierte Voll- bzw. Teilanschlussstellen
Hauptverkehrsstraße
Gesperrte Straße oder mit Verkehrsbeschränkungen
Fußgängerzone - Straßenbahn
Parkplatz - Park-and-Ride-Plätze
Tunnel
Bahnhof und Bahnlinie
Standseilbahn - Seilschwebebahn

Sonstige Zeichen
Informationsstelle
Moschee - Synagoge
Turm - Ruine
Windmühle
Garten, Park, Wäldchen - Friedhof
Stadion - Golfplatz - Pferderennbahn
Freibad - Hallenbad
Aussicht - Rundblick
Denkmal - Brunnen
Yachthafen - Leuchtturm
Flughafen - U-Bahnstation
Autobusbahnhof
Schiffsverbindungen:
Autofähre, Personenfähre
Hauptpostamt (postlagernde Sendungen) - Krankenhaus
Markthalle
Gendarmerie - Polizei
Rathaus
Universität, Hochschule
Öffentliches Gebäude, durch einen Buchstaben gekennzeichnet:
Museum - Rathaus
Präfektur, Unterpräfektur - Theater

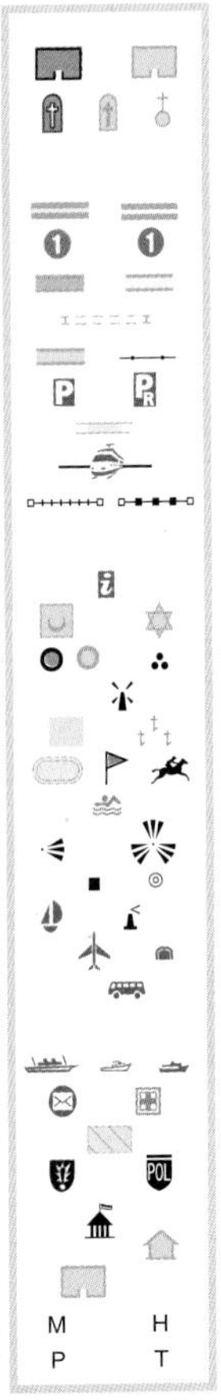

M H
P T

Plattegronden

Bezienswaardigheden
Interessant gebouw
Interessant kerkelijk gebouw:
Kerk - Protestantse kerk

Wegen
Autosnelweg - Weg met gescheiden rijbanen
Knooppunt / aansluiting: volledig, gedeeltelijk
Hoofdverkeersweg
Onbegaanbare straat, beperkt toegankelijk
Voetgangersgebied - Tramlijn
Parkeerplaats - P & R
Tunnel
Station, spoorweg
Kabelspoor - Tandradbaan

Overige tekens
Informatie voor toeristen
Moskee - Synagoge
Toren - Ruïne
Windmolen
Tuin, park, bos - Begraafplaats
Stadion - Golfterrein - Renbaan
Zwembad: openlucht, overdekt
Uitzicht - Panorama
Gedenkteken, standbeeld - Fontein
Jachthaven - Vuurtoren
Luchthaven - Metrostation
Busstation
Vervoer per boot:
Passagiers en auto's - uitsluitend passagiers
Hoofdkantoor voor poste-restante - Ziekenhuis
Overdekte markt
Marechaussee / rijkswacht - Politie
Stadhuis
Universiteit, hogeschool
Openbaar gebouw, aangegeven met een letter::
Museum - Stadhuis
Prefectuur, onderprefectuur - Schouwburg

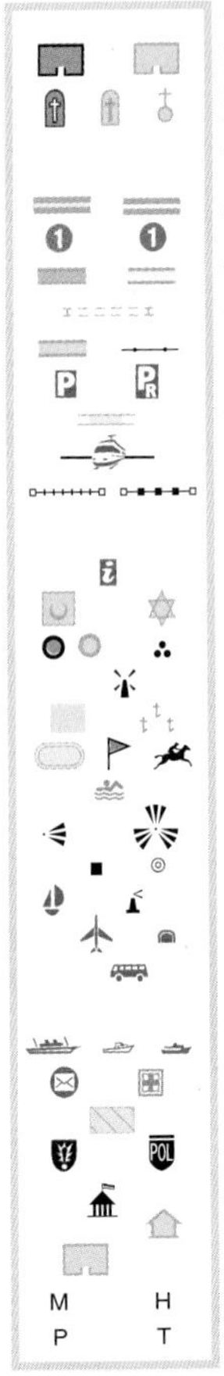

M H
P T

Planos

Curiosidades
Edificio interessante
Edificio religioso interessante:
católica - protestante

Vías de circulación
Autopista - Autovía
Enlaces numerados: completo, parciales
Via importante de circulacíon
Calle reglamentada o impracticable
Calle peatonal - Tranvía
Aparcamiento - Aparcamientos «P+R»
Túnel
Estación y línea férrea
Funicular, línea de cremallera - Teleférico, telecabina

Signos diversos
Oficina de Información de Turismo
Mezquita - Sinagoga
Torre - Ruinas
Molino de viento
Jardín, parque, madera - Cementerio
Estadio - Golf - Hipódromo
Piscina al aire libre, cubierta
Vista parcial - Vista panorámica
Monumento - Fuente
Puerto deportivo - Faro
Aeropuerto - Estación de metro
Estación de autobuses
Transporte por barco:
pasajeros y vehículos, pasajeros solamente
Oficina de correos - Hospital
Mercado cubierto
Policía National - Policía
Ayuntamiento
Universidad, escuela superior
Edificio público localizado con letra :
Museo - Ayuntamiento
Prefectura, subprefectura - Teatro

M H
P T

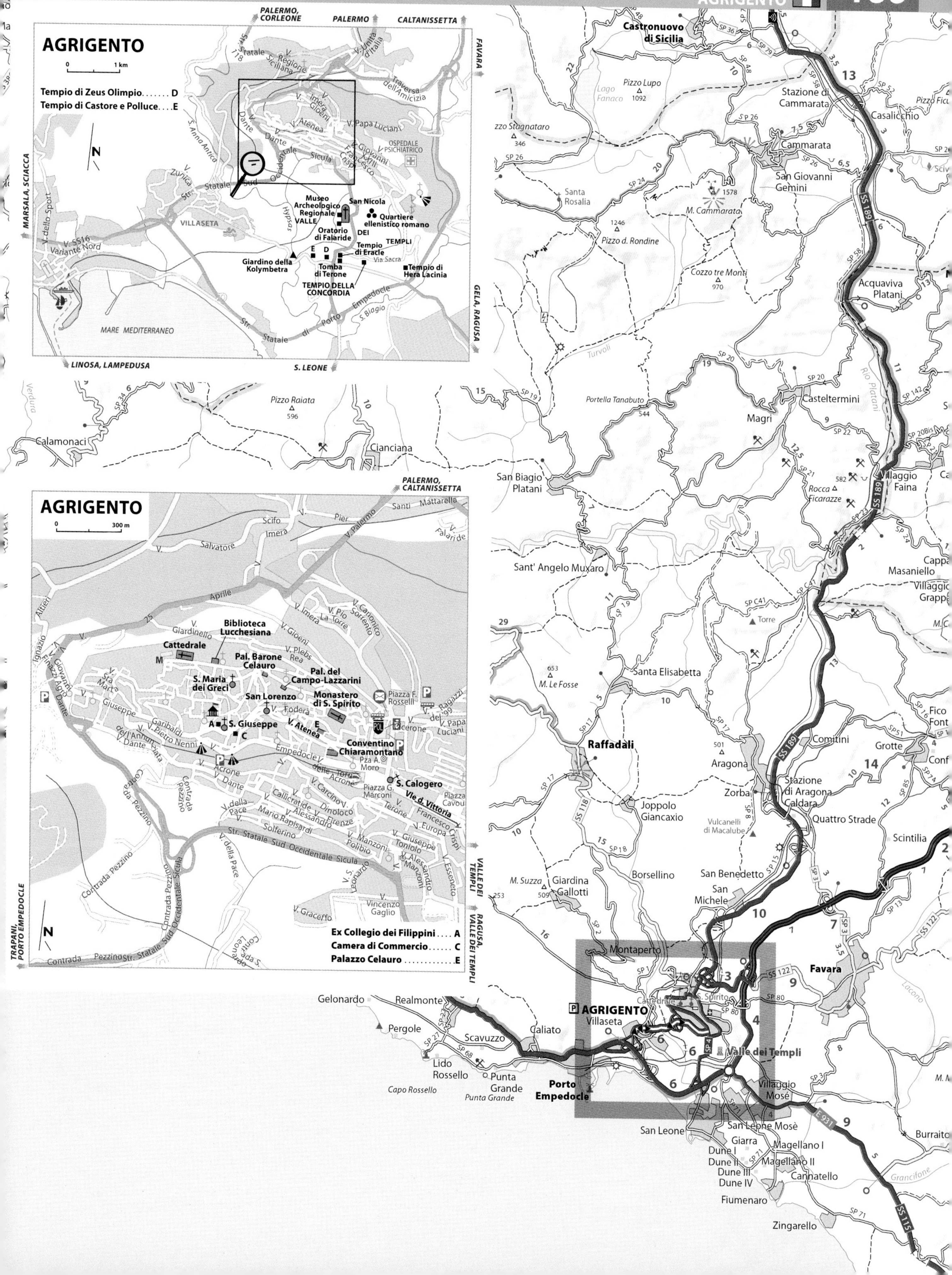

AGRIGENTO

0   1 km

Tempio di Zeus Olimpio . . . . D
Tempio di Castore e Polluce . . . . E

N

PALERMO, CORLEONE   PALERMO   CALTANISSETTA

FAVARA

Statale 118
V. Vittoria d'Italia
V. Regione Siciliana
Traversa dell'Amicizia
V. Inferi
V. Gioeni
V. Atenea
V. Papa Luciani
V. Dante
Occidentale Statale
Sicula
V. Giovanni XXIII
Francesco Crispi
OSPEDALE PSICHIATRICO
GELA, RAGUSA

Museo Archeologico Regionale VALLE
San Nicola
Quartiere ellenistico romano
DEI
Oratorio di Falaride
TEMPLI
Giardino della Kolymbetra
E   D
Tempio di Eracle
Via Sacra
Tomba di Terone
Tempio di Hera Lacinia
TEMPIO DELLA CONCORDIA

S. Anno Antico
Str. Statale Sud
Hypsas
VILLASETA
V-SS16 Variante Nord
V. dello Sport
MARSALA, SCIACCA

MARE MEDITERRANEO

Str. Statale di Porto Empedocle
S. Biagio

LINOSA, LAMPEDUSA   S. LEONE

AGRIGENTO

0   300 m

N

PALERMO, CALTANISSETTA

Scifo
V. Pier Santi Mattarella
V. Imera
V. Papalermo
V. Falaride

Aprile
25
Salvatore
Giardinello
Biblioteca Lucchesiana
Cattedrale
M
Pal. Barone Celauro
V. Gioeni
V. Plebs Rea
V. Pio La Torre
V. Imera
V. Carlentino
V. Sorrento
Pal. del Campo-Lazzarini
S. Maria dei Greci
San Lorenzo
Monastero di S. Spirito
Piazza F. Rosselli
V. dei Ragazzi '99
S. Giuseppe
A
V. Fodera
V. Atenea
E
Conventino Chiaramontano
Pza A. Moro
Cicerone
V. Papa Luciani
V. Ignazio
V. Giovanni Fiorini Fazio
V. San Marte
V. Giuseppe
Garibaldi
V. Pietro Nenni
C
Empedocle
S. Calogero
Vle d. Vittoria
V. Acrone
V. delle Torri
Piazza Cavour
V. Acrone
V. Dante
V. Callicratide
V. Dinolocco
V. Alessandro
V. di Firenze
Piazza G. Marconi
Francesco Crispi
V. Europa
V. Mario Rapisardi
V. Solferino
V. Manzoni
V. Polibio
V. Giuseppe Toniolo
V. Alessandro Manzoni
V. Esseneto
V. S. Leonardo
V. della Pace
Str. Statale Sud Occidentale Sicula
V. Vincenzo Gaglio
V. Graceffo

P

TRAPANI, PORTO EMPEDOCLE

Contrada Pezzino
Str. Statale Sud Occidentale Sicula
Cozze L. Pirandello
Contrada Pezzino

VALLE DEI TEMPLI
RAGUSA, VALLE DEI TEMPLI

Ex Collegio dei Filippini . . . . A
Camera di Commercio C
Palazzo Celauro . . . . E

Castronuovo di Sicilia
Lago Fanaco
Pizzo Lupo 1092
Stazione di Cammarata
Casalicchio
SP 36
SP 79
SP 52
Pizzo Fico
13
SP 48
SS 189
Pizzo Stagnataro 346
SP 26
Cammarata
San Giovanni Gemini
M. Cammarata 1578
SP 24
Santa Rosalia
Pizzo d. Rondine 1246
Cozzo tre Monti 970
Acquaviva Platani
SP 20
19
Turvoli
Portella Tanabuto 544
Casteltermini
Magri
SP 22
SP 20Bis
Rio Platani
SP 142
Rocca Ficarazze 582
Villaggio Faina
SP 24
Pizzo Raiata 596
Cianciana
San Biagio Platani
SP 19
15
Verdura
10
Calamonaci
Sant' Angelo Muxaro
M. Le Fosse 653
Santa Elisabetta
Torre
SP C41
Cappa Masaniello
Villaggio Grappa
M. C.
Raffadali
501
Aragona
Zorbai
Stazione di Aragona Caldara
Comitini
Grotte
Conf
14
Joppolo Giancaxio
Vulcanelli di Macalube
Quattro Strade
Scintilia
SS 122
M. Suzza
Giardina Gallotti
253 509
Borsellino
San Benedetto
San Michele
SP 3
10
7
Gelonardo
Realmonte
Pergole
Scavuzzo
Caliato
Montaperto
AGRIGENTO
Villaseta
Cattedrale
S. Spirito
SS 122
Favara
Lacono
3
SS 80
4
Valle dei Templi
6
Lido Rossello
Punta Grande
Porto Empedocle
6
Villaggio Mosè
SS 115
Capo Rossello
San Leone
San Leone Mosè
Giarra
Magellano I
E 931
9
Dune I
Dune II
Dune III
Dune IV
Magellano II
Cannatello
Burraito
Fiumenaro
Zingarello
SP 71
Grancifone

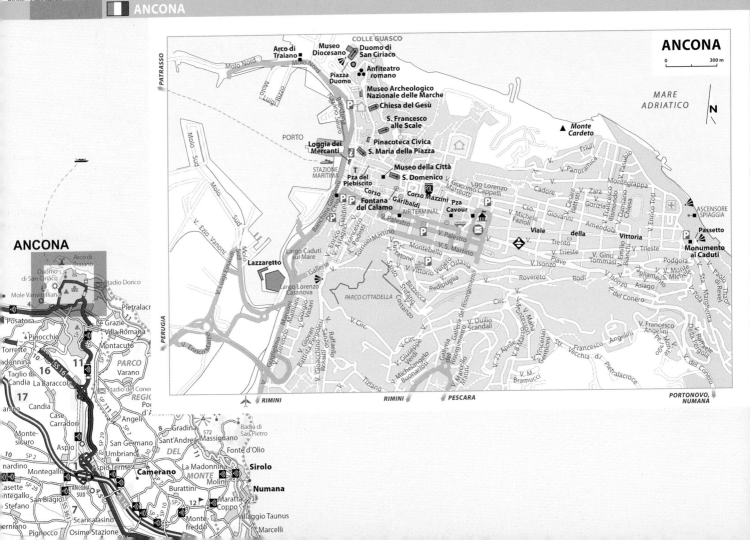

ALESSANDRIA

0   300 m

CITTADELLA

MORTARA   MORTARA

PARROCCHIA DI CASCINAGROSSA

STA MARIA DI CASTELLO

CUORE IMMACOLATO DI MARIA

PARROCCHIA SAN LORENZO

CATTEDRALE DI ALESSANDRIA

Cento Cannoni

VONA, ACQUI TERME

Valenza

ALESSANDRIA OVEST

ALESSANDRIA EST

ALESSANDRIA

Duomo

ALESSANDRIA SUD

Spinetta Marengo

Borgoratto Alessandrino

Castellazzo Bormida

Bosco Marengo

ANCONA

COLLE GUASCO

Arco di Traiano   Museo Diocesano   Duomo di San Ciriaco

Piazza Duomo   Anfiteatro romano

Museo Archeologico Nazionale delle Marche

Chiesa del Gesù

S. Francesco alle Scale

PORTO

Loggia dei Mercanti   Pinacoteca Civica

S. Maria della Piazza

STAZIONE MARITTIMA   Museo della Città

S. Domenico

Pza del Plebiscito

Corso   Corso Mazzini

Fontana del Calamo   Garibaldi   Pza Cavour

AIR TERMINAL

Lazzaretto

PARCO CITTADELLA

MARE ADRIATICO

Monte Cardeto

ASCENSORE SPIAGGIA

Viale   della   Vittoria

Passetto

Monumento ai Caduti

0   300 m

N

PATRASSO

MOLO NORD

PORTO

PERUGIA

ANCONA

Arco di Traiano

Duomo di San Ciriaco

Mole Vanvitelliana

Stadio Dorico

Pietralacroce

Posatora   Le Grazie   Villa Romana

Pinocchio   Montacuto

Torrette   PARCO Varano

Taglio di Candia   La Baraccola

Candia   Stadio del Conero

Montesicuro

Aspio

Montegallo   ANCONA SUD

San Biagio

Camerano   Sirolo

Numana

RIMINI   RIMINI   PESCARA   PORTONOVO, NUMANA

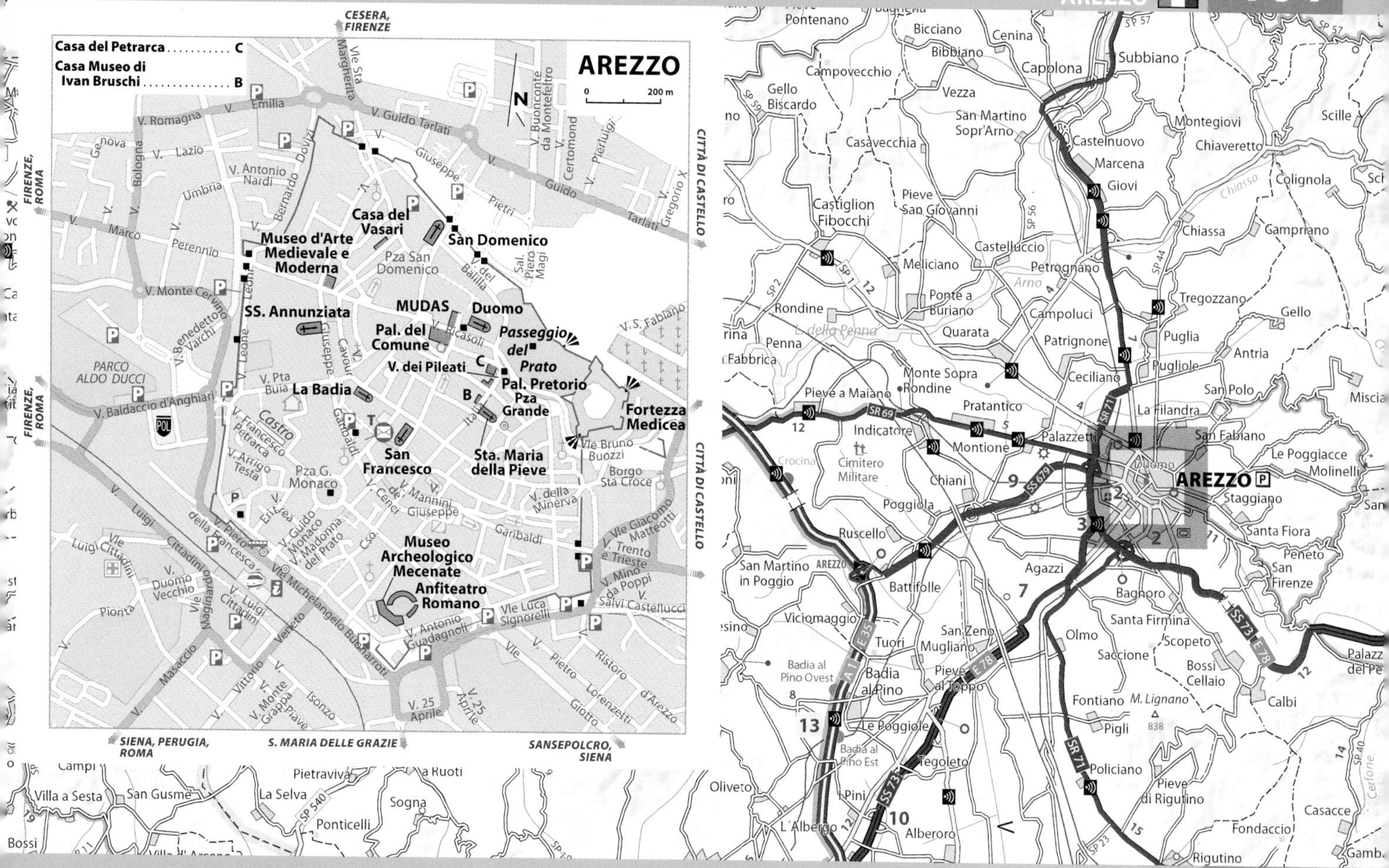

AREZZO

Casa del Petrarca C
Casa Museo di
Ivan Bruschi .... B

CESERA,
FIRENZE

0   200 m

N

V. Sta Margherita
V. Guido Tarlati
V. Emilia
V. Romagna
V.
V. Giuseppe
V. Pietri
V. Lazio
V. Antonio Nardi
V. Umbria
V. Monte Cavino
V. Marco
V. Perennio
V. Benedetto Varchi
V. Bologna
V. Leone
Barnaldo
Dovizi

Casa del
Vasari
San Domenico
Pza San Domenico
Sal. Pietro Magi
Museo d'Arte
Medievale e
Moderna
V.S. Fabiano
SS. Annunziata
MUDAS   Duomo
Pal. del
Comune
Passeggio del Prato
V. dei Pileati   C
La Badia   B   Pal. Pretorio
Pza Grande
V. Pta Buia
V. Cavour
Castro
V. Francesco Petrarca
San Francesco
Fortezza Medicea
V. Arrigo Testa
V. Guido Monaco
Pza G. Monaco
Sta. Maria della Pieve
Borgo Sta Croce
V. Madonna del Prato
Vle Bruno Buozzi
V. Trento e Trieste
V. della Minerva
Museo Archeologico Mecenate
Anfiteatro Romano
V. Mino da Poppi
Garibaldi
V. Luigi Cittadini
Duomo Vecchio
V. Luigi
V. Mattaccio
Vle Luca Signorelli
Salvi Castellucci
V. Antonio Guadagnoli
V. 25 Aprile
V. Pietro Lorenzetti
V. Giotto
V. Ristoro

CITTÀ DI CASTELLO

FIRENZE, ROMA

SIENA, PERUGIA, ROMA   S. MARIA DELLE GRAZIE   SANSEPOLCRO, SIENA

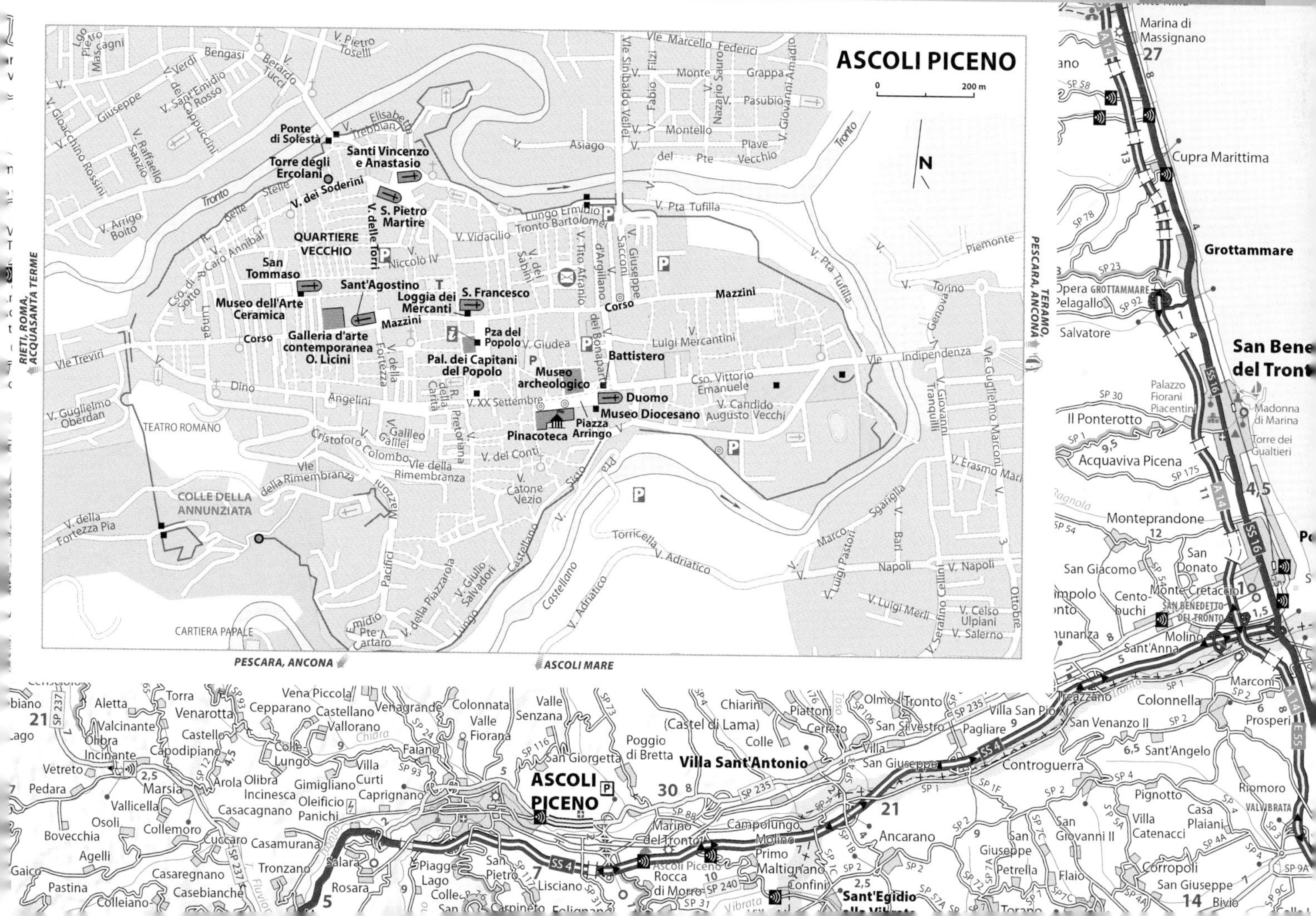

ASCOLI PICENO

0   200 m

N

V. Pietro Toselli
V. Verdi
Bengasi
V. Giuseppe
V. Sant'Emidio Rosso
V. Raffaello Sanzio
V. Giacchino Rossini
V. Arrigo Boito
Ponte di Solestà
Torre degli Ercolani
Santi Vincenzo e Anastasio
V. dei Soderini
S. Pietro Martire
V. delle Torri
QUARTIERE VECCHIO
San Tommaso
Sant'Agostino
Loggia dei Mercanti
S. Francesco
Museo dell'Arte Ceramica
Galleria d'arte contemporanea O. Licini
Mazzini
Pza del Popolo
Pal. dei Capitani del Popolo
Museo archeologico
Duomo
Museo Diocesano
Pinacoteca
Piazza Arringo
Corso
Battistero
Luigi Mercantini
V. XX Settembre
V. del Conti
COLLE DELLA ANNUNZIATA
V. della Fortezza Pia
TEATRO ROMANO

RIETI, ROMA, ACQUASANTA TERME

PESCARA, ANCONA   ASCOLI MARE

TERAMO, PESCARA, ANCONA

Marina di Massignano
Cupra Marittima
Grottammare
San Benedetto del Tronto
ASCOLI PICENO

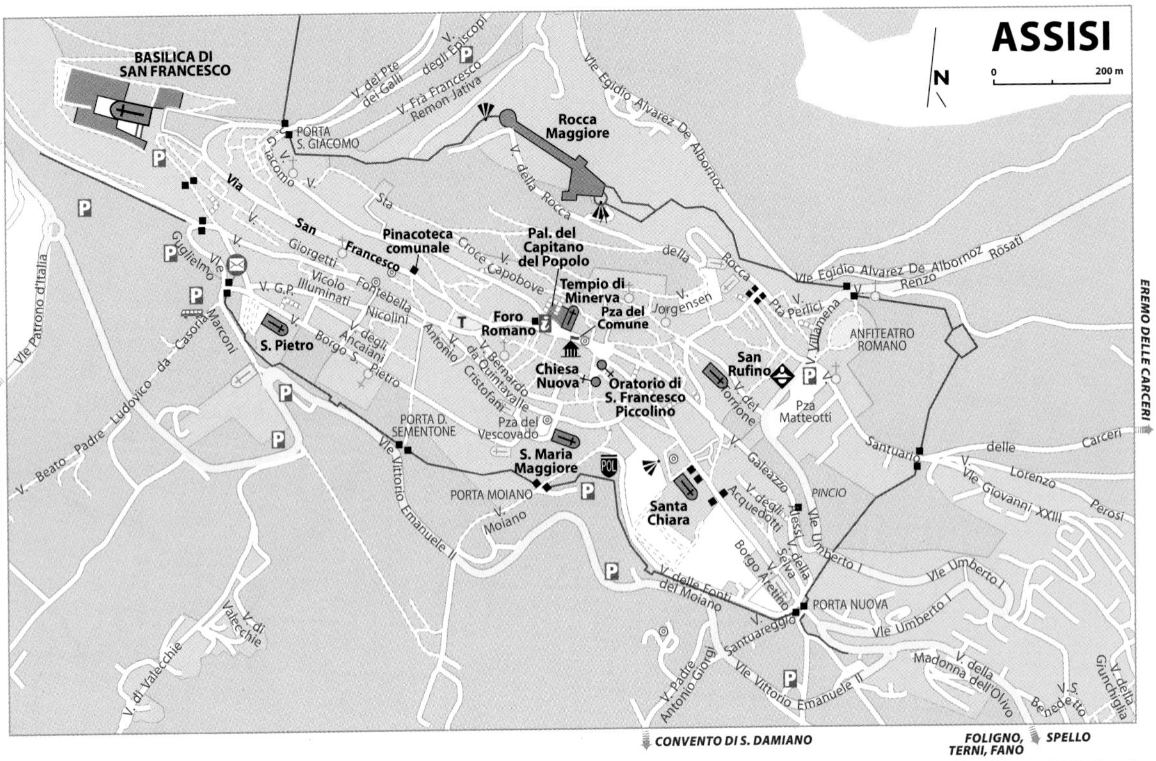

ASSISI

N 0 — 200 m

BASILICA DI SAN FRANCESCO

Rocca Maggiore

PERUGIA

PORTA S. GIACOMO

V. del Pre del Galli
V. Fra Francesco Remon Jativa
V. degli Episcopi

Pinacoteca comunale
San Francesco
Pal. del Capitano del Popolo

Via
V. Giorgetti
Vicolo Fontebella
Croce Capobove

V. Eremo
della Rocca

Vie Egidio Alvarez De Albornoz Rosati

Tempio di Minerva
Foro Romano
Pza del Comune

S. Pietro
V. G.P. Illuminati
V. degli Nicolini

Chiesa Nuova
Oratorio di S. Francesco Piccolino

San Rufino
Pza Matteotti

ANFITEATRO ROMANO

V. Portica
V. Jorgensen

PORTA D. SEMENTONE
Pza del Vescovado

S. Maria Maggiore

V. degli Ancaiani
V. Antonio Cristofani
V. Bernardo di Quintavalle

ROL
V. Galeazzo
V. degli Acquedotti

Santa Chiara

PINCIO

PORTA MOIANO
V. di Moiano

Borgo Aretino
V. della Fonte del Moiano

PORTA NUOVA
Vie Umberto I

Vie Giovanni XXIII
Carceri

Santuario

Madonna dell'Olivo

V. Padre Antonio Giorgi Santuareggio
V. Vittorio Emanuele II

EREMO DELLE CARCERI

S. MARIA DEGLI ANGELI

PERUGIA

V. Patrono d'Italia

V. Beato Padre Ludovico da Casoria Marconi

V. Vittorio Emanuele II

V. di Valecchie
V. di Valecchie

CONVENTO DI S. DAMIANO

FOLIGNO, TERNI, FANO   SPELLO

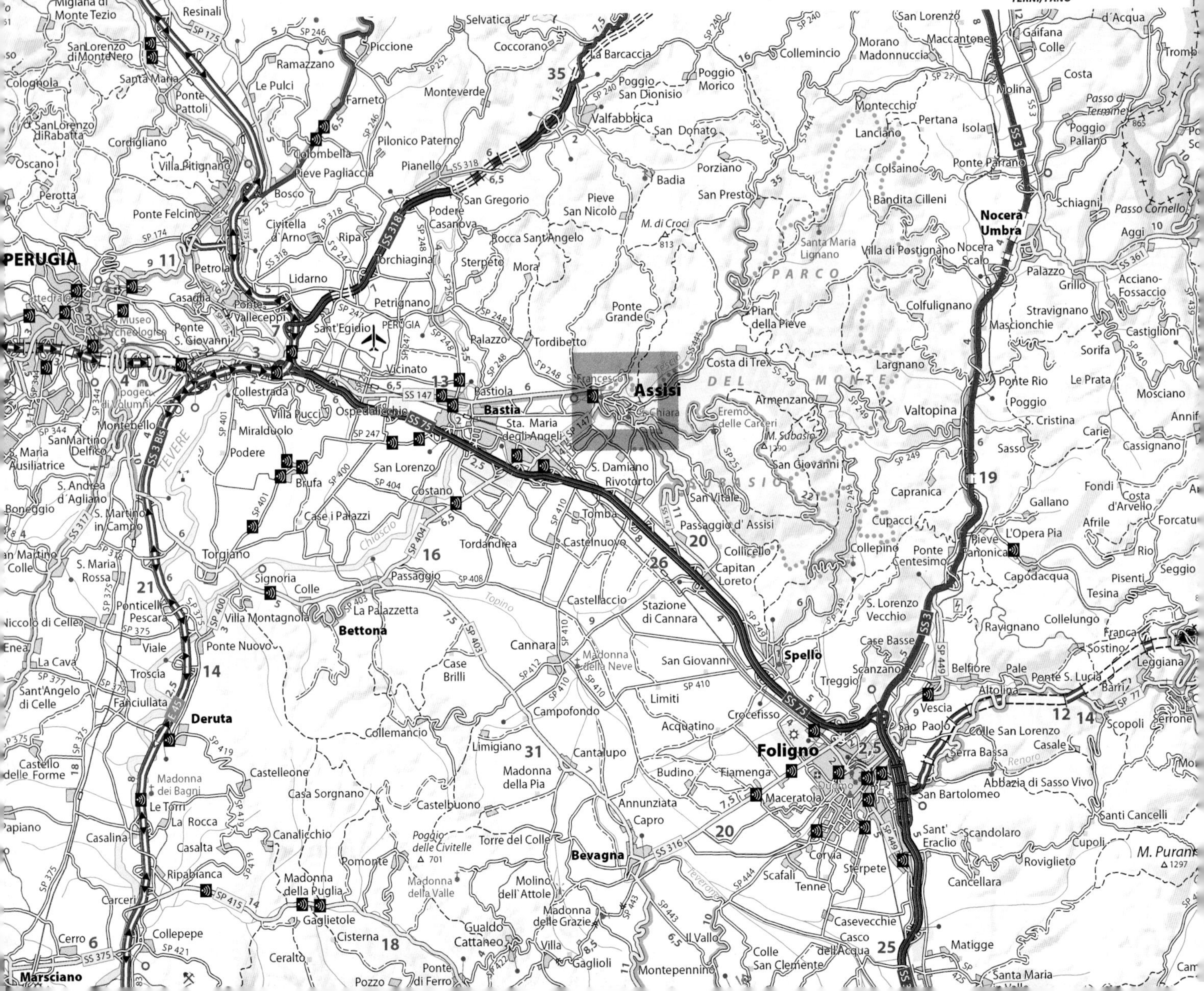

Lower regional map

San Faustine
M. Civitello SS 219
Pisciano
Decima
Campo Reggiano
Madonn
San Benedetto
Molino di Camporeggiano
Brunetta
Montelovesco
Vitella nieri
Pian d'Assino

SP 169
Pierantonio
Col Francesco
Sant'Angelo di Chiel
Rancale
Vicolo Rancolfo
Tavernacce
Coltav
nola
Parlesca
Pizzo Guglielmi
Pieve San Quirico
Migiana di Monte Tezio
SanLorenzo di MonteNero
Colognola
Santa Maria
Ponte Pattoli
O S.Lorenzo di Rabatta
Oscano
Perotta
Cordigliano
Villa Pitignano
Bosco
Ponte Felcino
Colombella
Pieve Pagliaccia
Pilonico Paterno
Pianello SS 318
San Gregorio
Podere Casanova
Civitella d'Arno
Ripa
Petrola
Lidarno
SP 174
SP 318
PERUGIA
Cedraglia
Museo Archeologico
Ponte Vallecceppi
Sant'Egidio
PERUGIA
Casaglia
Ponte S. Giovanni
Vicinato
Collestrada
Ospedalicchio
Villa Pucci
Bastiola
Bastia
SS 147
Sta. Maria degli Angeli
Assisi
Santa Chiara
Miraldulo
Petrignano
Palazzo
Tordibetto
Ponte Grande
Costa di Trex
Armenzano
Eremo delle Carceri
M. Subasio
Podere
San Lorenzo
Brufa
Case i Palazzi
Costano
Tomba
San Damiano
Rivotorto
San Vitale
San Giovanni
Capranica
Torgiano
Signoria
Colle
Passaggio
Tordandrea
Castelnuovo
Castellaccio
Passaggio d'Assisi
Collicello
Capitan Loreto
Cupacci
Collepino
Ponte Centesimo
Bettona
Villa Montagnola
La Palazzetta
Stazione di Cannara
San Lorenzo Vecchio
S. Lorenzo
Case Basse
Pieve Fanonica
Viale
Ponte Nuovo
Cannara
Madonna della Neve
San Giovanni
Spello
Treggio
Scanzano
Belfiore
Pale
Ponte S. Lucia
Altolina
Vescia
Deruta
Troscia
Fanciullata
Sant'Angelo di Celle
Case Brilli
Limiti
Crocifisso
San Paolo
Colle San Lorenzo
Serra Bassa
Leggiana
Scopoli
La Cava
Campofondo
Acquatino
Foligno
Franca
Sostino
Castello delle Forme
Madonna dei Bagni
Le Torri
La Rocca
Limigiano
Cantalupo
Budino
Fiamenga
Maceratola
San Bartolomeo
Abbazia di Sasso Vivo
Casale
Ripabianca
Carceri
SP 415
Gaglietole
Madonna della Puglia
Casa Sorgnano
Castelbuono
Madonna della Pia
Capro
Annunziata
Corvia
Sterpete
Sant' Eraclio
Scandolaro
Santi Cancelli
Cupoli
Casalina
Cerro
Collepepe
Canalicchio
Pomonte
Torre del Colle
Bevagna
Molino dell'Attole
Scafali
Tenne
Cancellara
Casevecchie Casco dell'Acqua
M. Puranti
M. 1297
Marsciano
Ponte di Ferro
Gualdo Cattaneo
Madonna delle Grazie
Villa
Montepennino
Colle San Clemente
Matigge
Santa Maria
Cangi

Nocera Umbra
Nocera Scalo
Palazzo Grillo
Acciano-Fossaccio
Stravignano
Mascionchie
Sorifa
Ponte Rio
Le Prata
Mosciano
Castiglioni
Valtopina
S. Cristina
Carie
Cassignano
Sasso
Annif
Fondi
Costa d'Arvello
Gallano
Afrile
Forcatu
Rio
L'Opera Pia
Capodacqua
Pisenti
Tesina
Collelungo
Ravignano
Seggio
Barri
Scopoli

PARCO DEL MONTE SUBASIO

Passo di Termine SS 3
Poggio Pallano
Ponte Parrano
Passo Cornello
Aggi
Schiagni
Gaifana
Colle
Costa
Molina
SS 3
Poggio Morico
Collemincio
Morano Madonnuccia
Maccantone
d'Acqua
SP 277
SP 444
Montecchio
Lanciano
Pertana Isola
Colsaino
Bandita Cilleni
Santa Maria Lignano
Villa di Postignano
Selvatica
Coccorano
La Barcaccia
Poggio San Dionisio
Valfabbrica
San Donato
Porziano
Badia
San Presto
M. di Croci
813
Pian della Pieve
Largnano
Ramazzano
Piccione
Le Pulci
Farneto
Monteverde
SP 246
SP 252
SP 246
SS 318

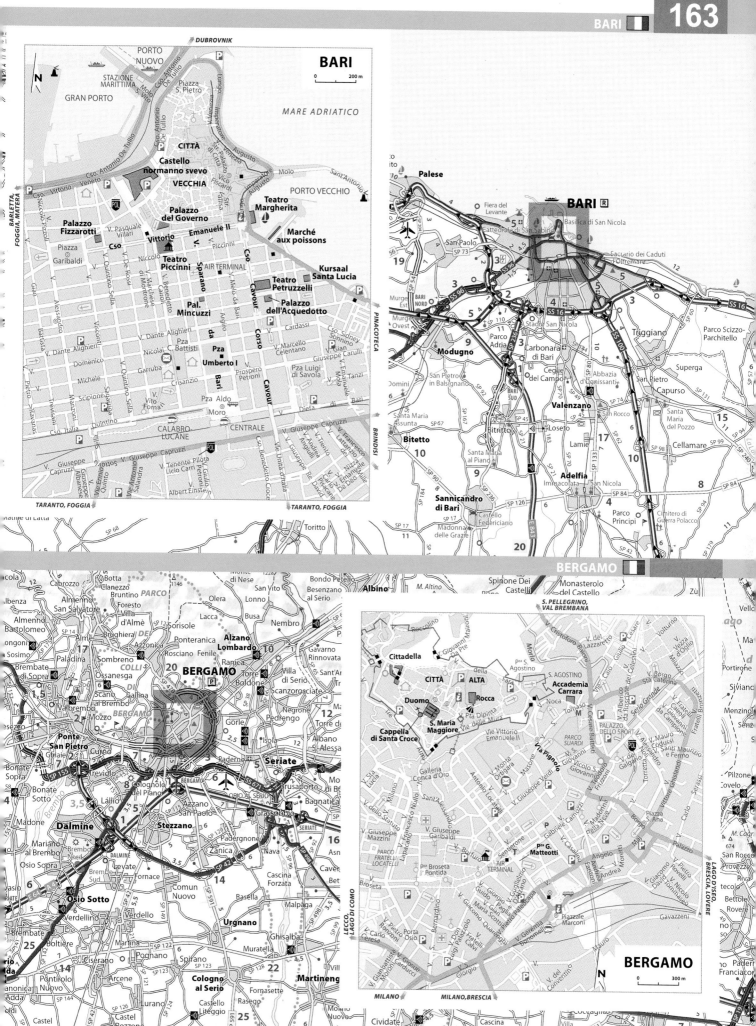

BARI

0   200 m

DUBROVNIK

PORTO NUOVO
STAZIONE MARITTIMA
GRAN PORTO

N

MARE ADRIATICO

CITTÀ
Castello normanno svevo
VECCHIA

Palazzo del Governo
Teatro Margherita

PORTO VECCHIO

Marché aux poissons

Palazzo Fizzarotti
Cso   Vittorio
V. Emanuele II
Piazza Garibaldi

Teatro Piccinni

Kursaal Santa Lucia

AIR TERMINAL

Teatro Petruzzelli

Pal. Mincuzzi

Palazzo dell'Acquedotto

PINACOTECA

Pza Umberto I

Corso   Cavour

Pza Luigi di Savoia

BRINDISI

Pza Aldo Moro

CALABRO LUCANE

CENTRALE

POL

TARANTO, FOGGIA

TARANTO, FOGGIA

BARLETTA, FOGGIA, MATERA

Palese

BARI Ⓡ

Fiera del Levante

Basilica di San Nicola

Cattedrale di San Sabino

San Paolo

SP 73

Sacrario dei Caduti d'Oltremare

BARI NORD

SS 96

SS 16

Modugno

Carbonara di Bari

Triggiano

Parco Scizzo-Parchitello

Murge Est

Murge Ovest

Parco Adria

Stadio San Nicola

Ceglie del Campo

Abbazia d'Ognissanti

San Pietro

Capurso

Superga

San Pietro in Balsignano

Valenzano

San Rocco

Santa Maria del Pozzo

Cellamare

Santa Maria Assunta

Bitetto

Bitritto

Loseto

Lamie

Adelfia

Immacolata   San Nicola

Sannicandro di Bari

Castello Federiciano

Madonna delle Grazie

Parco Principi

Cimitero di Guerra Polacco

Toritto

E 843

SS 100

---

di Nese
Monte di Nese
Bondo Petello
Albino
M. Altino
Spinone Dei Castelli
Monasterolo del Castello
Zù

Cabrozzo
Clanezzo
Bruntino
PARCO
Olera
Lonno
Sedrina
al Serio
Besenzano
dispo

S. PELLEGRINO, VAL BREMBANA

Almenno San Salvatore
Foresto
Villa d'Almè
Sorisole
Lacca
Busa
Nembro

DEI

Cittadella

Brughiera
Azzonica
Ponteranica
Rosciano
Fenile
Alzano Lombardo
Gavarno Rinnovata

BERGAMO
20
Torre Boldone
Villa di Serio

S. AGOSTINO
CITTÀ ALTA
Rocca
Accademia Carrara

Almenno Bartolomeo

COLLI DI
BERGAMO

Scano al Brembo
Mozzo

Gorle
Scanzorosciate

Duomo
S. Maria Maggiore
Cappella di Santa Croce

Ranica

Paladina
Sombreno
Ossanesga

Negrono
Pedrengo
Torre de'

PALAZZO DELLO SPORT

Ponte San Pietro
Ghiaie
Curno

Gorle
Isola
Albano S. Alessa

Via Pignolo

PARCO SUARDI

Mapello
Treviolo
Cologno al Piano

Seriate

SS 671

AIR TERMINAL

Dalmine
Stezzano
Azzano San Paolo
Grassobbio
Seriate

P.za G. Matteotti

Bonate Sotto

Lallio

Brusaporto

Bagnatica

16

Osio Sopra

Zanica
Nava

Piazzale Marconi

Osio Sotto
Verdellino
Verdello

Comun Nuovo
Fornace

Cascina Forzata

Basella
Malpaga

Boltiere

Ghisalba

Muratella

Urgnano

Pognano
Spirano

22

Martinengo

Pontirolo Nuovo

Arcene

Cologno al Serio

Fornasette
Rasego

Castello Liteggio

Castel Cerreto

Molino Nuovo

BERGAMO

0   300 m

N

MILANO

MILANO, BRESCIA

LECCO, LAGO DI COMO

LAGO D'ISEO BRESCIA, LOVERE

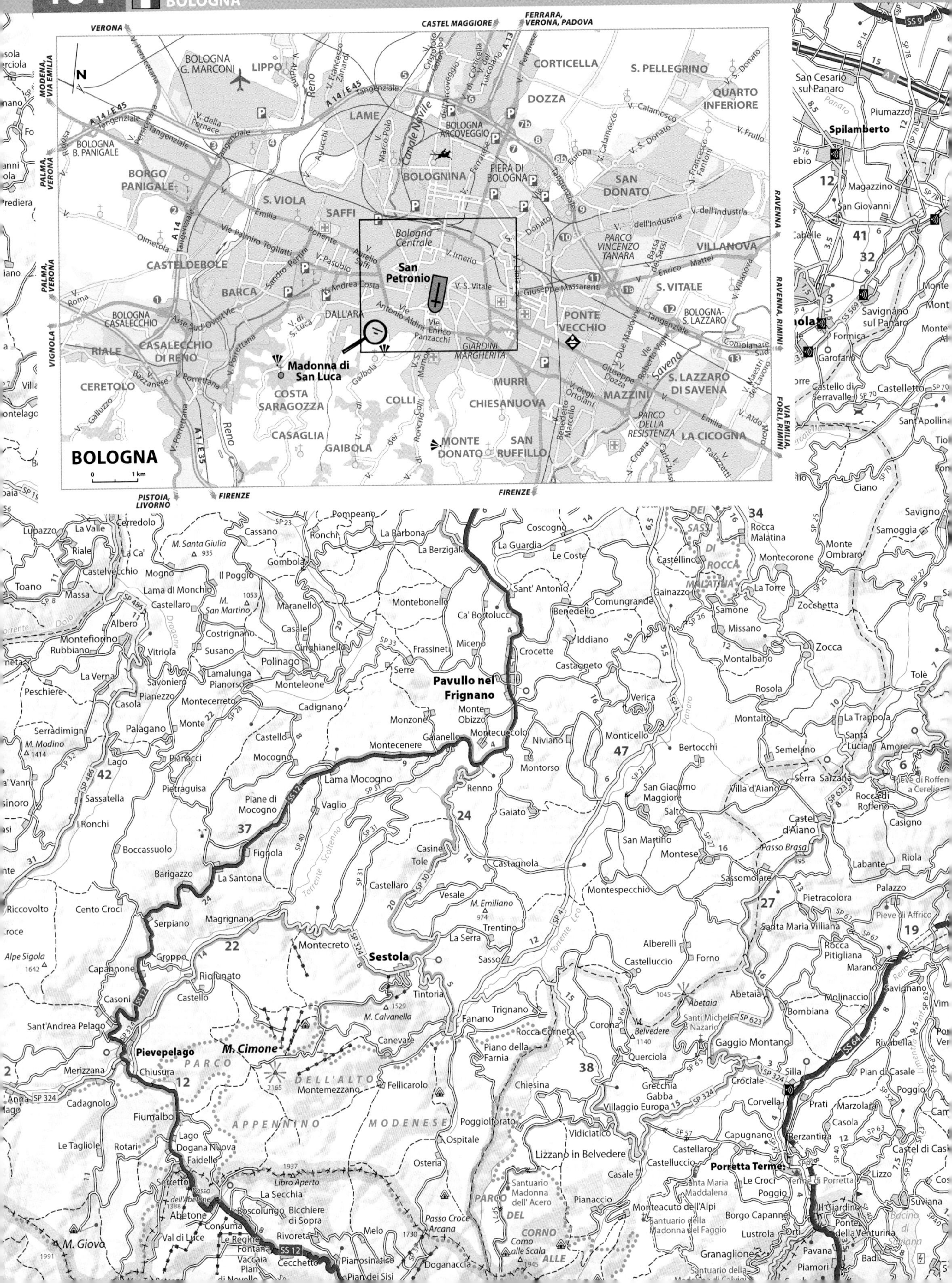

BOLOGNA

VERONA — MODENA, VIA EMILIA — CASTEL MAGGIORE — FERRARA, VERONA, PADOVA — A 13

BOLOGNA G. MARCONI — LIPPO — CORTICELLA — S. PELLEGRINO — QUARTO INFERIORE — DOZZA — LAME — BOLOGNA ARCOVEGGIO — FIERA DI BOLOGNA — BOLOGNINA — SAN DONATO

BORGO PANIGALE — BOLOGNA B. PANIGALE — S. VIOLA — SAFFI — VILLANOVA

CASTELDEBOLE — BARCA — Bologna Centrale — San Petronio — S. VITALE — BOLOGNA S. LAZZARO

BOLOGNA CASALECCHIO — RIALE — CASALECCHIO DI RENO — CERETOLO — DALL'ARA — Madonna di San Luca — PONTE VECCHIO — S. LAZZARO DI SAVENA — LA CICOGNA

COSTA SARAGOZZA — COLLI — MURRI — CHIESANUOVA — MAZZINI — PARCO DELLA RESISTENZA

CASAGLIA — GAIBOLA — MONTE DONATO — SAN RUFFILLO

PISTOIA LIVORNO — FIRENZE — FIRENZE

Scale: 0 — 1 km

PALMA, VERONA — VIGNOLA — A 1 E 35 — Reno — GIARDINI MARGHERITA — RAVENNA, RIMINI — FORLÌ, RIMINI

Spilamberto — San Cesario sul Panaro — Piumazzo — A 1 — Magazzino — San Giovanni — Savignano sul Panaro — Castello di Serravalle — Castelletto — Sant'Apollinare — SP 70

12 — 41 — 32 — 3 — Garofano

Lupazzo — La Valle — Cerredolo — Pompeano — La Barbona — La Guardia — DEI SASSI DI ROCCA MALATINA — Rocca Malatina — Samoggia — Savigno

Riale — La Ca' — M. Santa Giulia △ 935 — Cassano — SP 23 — Ronchi — La Berzigala — Le Coste — Castellino — Montecorone — Monte Ombraro

Toano — Castelvecchio — Massa — Gombola — Montebonello — Sant'Antonio — Comungrande — Benedello — Gainazzo — Samone — Zocchetta — La Torre

SP 486 — Lama di Monchio — Castellaro — M. San Martino 1053 — Maranello — Ca' Bortolucci — Iddiano — Missano — Zocca

Albero — Vitriola — Costrignano — Casale — Frassineti — Miceno — Crocette — Castagneto — Montalbano

Montefiorino — Rubbiano — Susano — Cinghianello — SP 33 — Serre — Pievepelago — Verica — Rosola — Tolè

La Verna — Savoniero — Polinago — Montecerreto — Cadignano — Monzone — Monte Obizzo — Montecucolo — Niviano — Monticello — Bertocchi — Semelano — Santa Lucia

Peschiere — Pianezzo — Montecerreto — Monteleone — Gaianello — Montecenere — Renno — San Giacomo Maggiore — Villa d'Aiano — Serra Salzana — Pieve di Roffeno a Cerelio

Serradimigni — M. Modino △ 1414 — Palagano — Monte — Lama Mocogno — Montorso — Gaiato — Salto — Castel d'Aiano — Rocca di Roffeno — Casigno

Lago — 42 — Pianacci — Pietraguisa — Piane di Mocogno — Vaglio — San Martino — Montese — Passo Brasa 895 — Labante — Riola

Sassatella — I Ronchi — Mocogno — Fignola — Casine Tole — Castagnola — Sassomolare — Montespecchio — Pietracolora — SP 67 — Pieve di Affrico

Riccovolto — Cento Croci — Barigazzo — La Santona — Castellaro — Vesale — M. Emiliano 974 — Alberelli — Santa Maria Villiana — 27

Alpe Sigola 1642 — Serpiano — Magrignana — Trentino — La Serra — Sasso — Castelluccio — Forno — Rocca Pitigliana — Marano — 19

Capannone — Groppo — Montecreto — SP 324 — Sestola — Abetaia 1045 — Santi Michele e Nazario — Savignano — Molinaccio

Casoni — Castello — Riolunato — Tintoria — Trignano — Fanano — Rocca Corneta — Belvedere 1140 — Gaggio Montano — SP 623 — Bombiana

Sant'Andrea Pelago — Pievepelago — M. Cimone — △ 1529 M. Calvanella — Canevare — Piano della Farnia — Corona — Querciola — SP 324 — Silla — SS 64

PARCO — Chiusura — 12 — DELL'ALTO — Montemezzano — Fellicarolo — Chiesina — Grecchia Gabba — Crociale — Corvella — Prati — Marzolara

Merizzana — SP 324 — Fiumalbo — △ 2165 — APPENNINO MODENESE — Poggiolforato — Villaggio Europa — 38 — Capugnano — Berzantina

Le Taglione — Rotari — Lago Dogana Nuova Faidello — Ospitale — Lizzano in Belvedere — Castelluccio — Casola — SP 40

M. Giova 1991 — Abetone — Passo dell'Abetone 1388 — Libro Aperto 1937 — La Secchia — Boscolungo — Bicchiere di Sopra — Passo Croce Arcana 1730 — Melo — CORNO ALLE SCALE 1945 — Pianaccio — Santuario Madonna dell'Acero — Monteacuto dell'Alpi — Santuario della Madonna del Faggio — Borgo Capanne — Porretta Terme — Terme di Porretta — Il Giardino — SS 12

Val di Luce — Le Regine — Consuma — Rivoreta — Pianosinatico — Doganaccia — Cecchetto — Granaglione — Lustrola — Orri — Pavana — Piamori — Badi

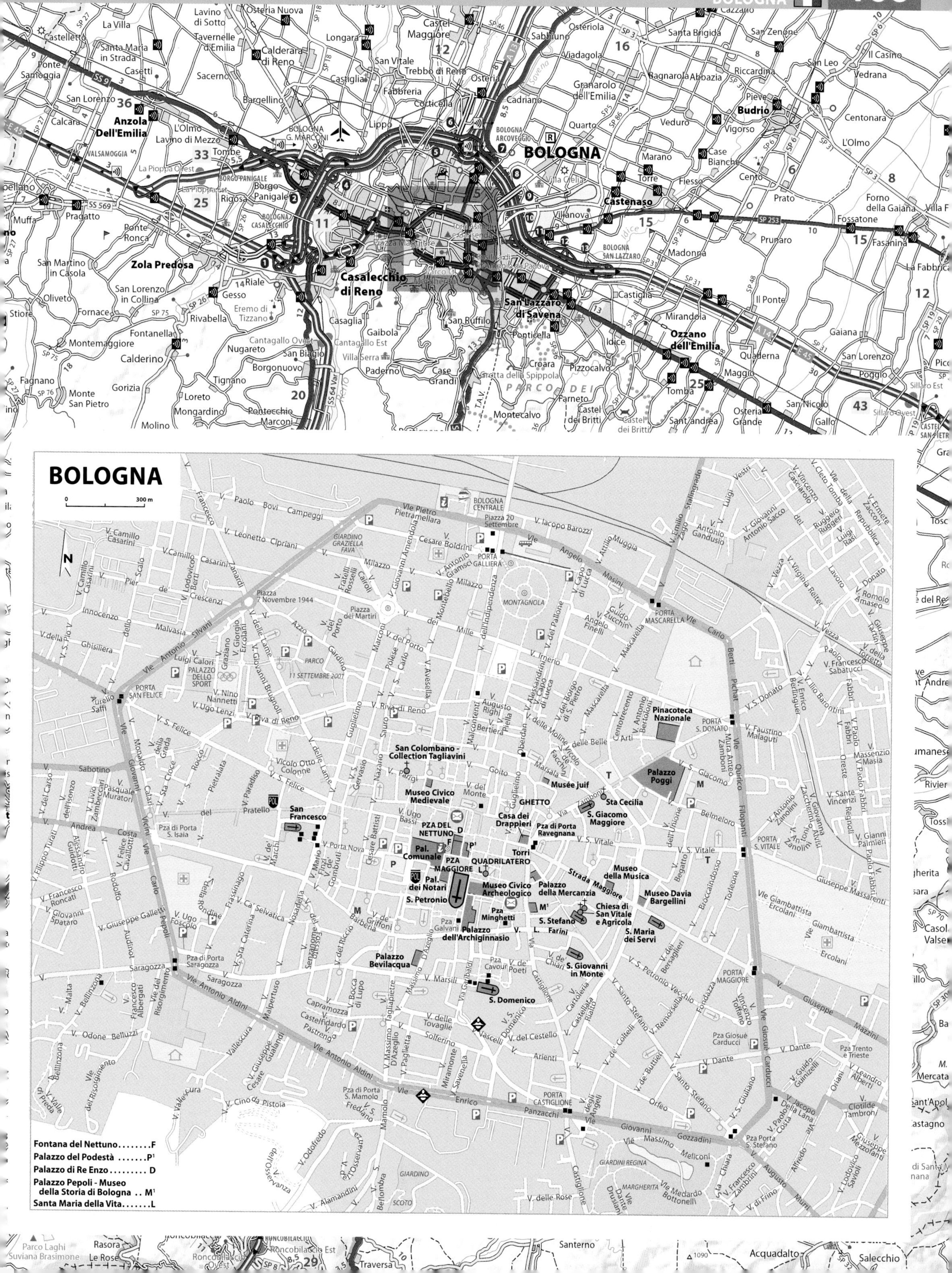

BOLOGNA
Anzola Dell'Emilia
Zola Predosa
Casalecchio di Reno
San Lazzaro di Savena
Castenaso
Budrio
Ozzano dell'Emilia
BOLOGNA G. MARCONI
BOLOGNA
0 300 m
N
BOLOGNA CENTRALE
Piazza 20 Settembre
PORTA GALLIERA
MONTAGNOLA
Piazza 7 Novembre 1944
Piazza dei Martiri
PARCO 11 SETTEMBRE 2001
PALAZZO DELLO SPORT
PORTA SAN FELICE
PORTA MASCARELLA
Pinacoteca Nazionale
PORTA S. DONATO
Palazzo Poggi
San Colombano - Collection Tagliavini
Museo Civico Medievale
Musée juif
GHETTO
Sta Cecilia
S. Giacomo Maggiore
Casa dei Drappieri
Pza di Porta Ravegnana
Torri
San Francesco
PZA DEL NETTUNO
Pal. Comunale
PZA MAGGIORE
QUADRILATERO
Pal. dei Notari
S. Petronio
Museo Civico Archeologico
Palazzo della Mercanzia
Strada Maggiore
Museo della Musica
Museo Davia Bargellini
PORTA S. VITALE
Chiesa di San Vitale e Agricola
S. Stefano
S. Maria dei Servi
Palazzo dell'Archiginnasio
Pza Galvani
Pza Minghetti
Palazzo Bevilacqua
S. Giovanni in Monte
Pza Cavour
S. Domenico
PORTA MAGGIORE
Pza di Porta S. Isaia
Pza di Porta Saragozza
Pza di Porta S. Mamolo
PORTA CASTIGLIONE
Pza Porta S. Stefano
Pza Giosuè Carducci
Pza Trento e Trieste
GIARDINI REGINA MARGHERITA
Fontana del Nettuno.......F
Palazzo del Podestà ....P[1]
Palazzo di Re Enzo......... D
Palazzo Pepoli - Museo della Storia di Bologna .. M[1]
Santa Maria della Vita.......L

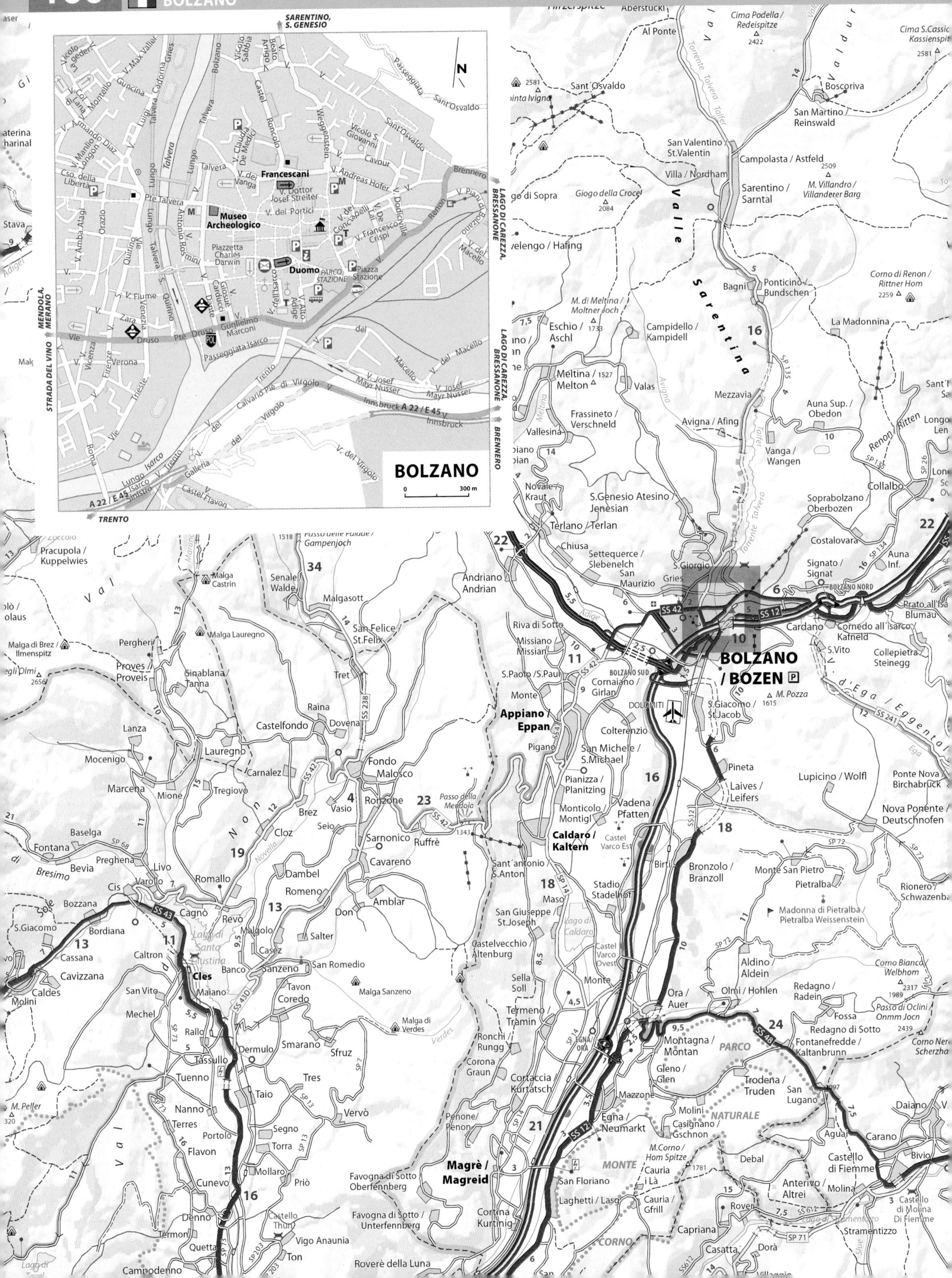

BOLZANO (inset city map)

SARENTINO, S. GENESIO

N

Vicolo gederl, Via Max Valier, Vicolo Sabbia, Vicolo S. Giovanni, Bolzano, Cavour, V. Claudia De Medici, V. dei Vanga, V. Andreas Hofer, V. Dottor Josef Streiter, **Francescani**, V. dei Portici, V. Dodiciville, V. de Conciapelli, V. Francesco Crispi, **Museo Archeologico**, Antonio Rosmini, Piazzetta Charles Darwin, **Duomo**, Giosue Carducci, PARCO STAZIONE, Piazza Stazione, V. dell'Isarco, V. del Macello, Piazza Stazione, V. Flume, Quirino, Zara, V. Venezia, V. Druso, Pte Druso, Guglielmo Marconi, POL, Passeggiata Isarco, Firenze, Verona, V. Vicenza, Vie, Roma, Lungo Isarco, V. Trento, Galleria, Castel Flavon, A 22 / E 45, TRENTO, Calvario Piè di Virgolo, V. del Virgolo, V. Josef Mayr Nusser, Innsbruck A 22 / E 45, Innsbruck, BRENNERO

MENDOLA / MERANO, STRADA DEL VINO

Lungo Talvera, Pte Talvera, Cadorna, Via Cadorna, Talvera, Castel Roncolo, Sant'Osvaldo, Weggenstein, Renon, Brennero, V. del Macello, V. Piani d'Isarco

LAGO DI CAREZZA, BRESSANONE

BOLZANO

0   300 m

Regional map

Cima Podella / Redeispitze 2422, Cima S. Cassio / Kassienspit 2581, Al Ponte, Aberstuckl, Hirzerspitze, 2581, Sant Osvaldo, Boscoriva, San Martino Reinswald, pinta Ivigna, San Valentino / St.Valentin, Villa / Nordham, Campolasta / Astfeld 2509, M. Villandro / Villanderer Barg, Sarentino / Sarntal, Lago di Sopra, Giogo della Croce 2084, Bagni, Ponticino / Bundschen, Corno di Renon / Rittner Horn 2259, La Madonnina, M. di Meltina / Moltner Joch, Eschio / Aschl 1733, Campidello / Kampidell, Valle Sarentina, **16**, Meltina / Melton 1527, Valas, Mezzavia, Auna Sup. / Obedon, Sant'..., Renon / Ritten, Frassineto / Verschneld, Vallesina, Avigna / Afing, Vanga / Wangen, Longo Len, piano, pian, Novale / Kraut, S.Genesio Atesino / Jenesian, Terlano / Terlan, Soprabolzano / Oberbozen, Collalbo, Costalovara, Signato / Signat, Auna Inf., **22**, Chiusa, Settequerce / Siebenelch, San Maurizio, S.Giorgio, Gries, BOLZANO NORD, Prato all'Isa / Blumau, Cornedo all'Isarco / Karfneid, Collepietra / Steinegg, Riva di Sotto, Missiano / Missian, S.Paolo / S.Paul, Cornaiano / Girlan, **11**, BOLZANO SUD, DOLOMITI, S.Giacomo / St.Jacob, **BOLZANO / BOZEN**, Cardano, S.Vito, M. Pozza 1615, d'Ega / Eggenta, Monte, Colterenzio, Pigano, San Michele / S.Michael, Pianizza / Planitzing, Vadena / Pfatten, Pineta, Laives / Leifers, Lupicino / Wolfl, Ponte Nova / Birchabruck, Nova Ponente / Deutschnofen, **Appiano / Eppan**, Monticolo / Montigl, **16**, **18**, Sant'antonio / S.Anton, **Caldaro / Kaltern**, Castel Varco Est, Birti, Bronzolo / Branzoll, Monte San Pietro / Pietralba, Rionero / Schwazenba, **18**, Maso, Stadio Stadelhof, Madonna di Pietralba / Pietralba Weissenstein, San Giuseppe / St.Joseph, Lago di Caldaro, Castel Varco Ovest, Aldino / Aldein, Corno Bianco / Welbhom 2317, Castelvecchio / Altenburg, Sella Soll, Monte, Ora / Auer, Olmi / Hohlen, Redagno / Radein, Passo di Oclini / Onmm Joch 2439, Corno Ner, Termeno / Tramin, **4,5**, Redagno di Sotto, Fontanefredde / Kaltanbrunn, **24**, Ronchi Rungg, Corona Graun, Cortaccia / Kurtatsch, Montagna / Montan, Gleno / Glen, PARCO, Trodena / Truden, San Lugano, Aguai, **21**, Penone / Penon, Mazzone, Molini, NATURALE, **Magrè / Magreid**, San Floriano, Egna / Neumarkt, M.Corno / Hom Spitze 1781, Cauria i Là, Casignano / Gschnon, MONTE, Debal, Castello di Fiemme, Antervio / Altrei, Molina, Laghetti / Laag, Cauria / Gfrill, Roven, Capriana, CORNO, Casatta, Dorà, Castello di Molina Di Fiemme, Stramentizzo, Daiano, Carano, Bivio

Lower-left regional map

Zoccolo, Pracupola / Kuppelwies, Val, Malga Castrin, Passo delle Palade / Gampenjoch 1518, Senale / Walde, **34**, Andriano / Andrian, **22**, olaus, Malga di Brez / Ilmenspitz, Malga Laurego, Malgasott, Perghen, San Felice / St.Felix, egli Olmi 2656, Proves / Proveis, Sinablana / Tanna, Tret, SS 238, Adige, SS 5, Lanza, Mocenigo, Castelfondo, Lauregno, Raina, Dovena, Fondo / Malosco, S.Paolo / S.Paul, **9**, **21**, Marcena, Mione, Tregiovo, Carnalez, **4**, Ronzone, **23**, Passo della Mendola 1343, Pianizza / Planitzing, Baselga, Brez, Vasio, Seio, Sarnonico, Ruffrè, SS 42, Fontana, Preghena, Cloz, Cavareno, **18**, **19**, Bevia, Livo, Varollo, Romallo, Dambel, Amblar, Romeno, **13**, Cis, **1,1**, Cagnò, Revò, Malgolo, Don, Salter, **13**, Cles, SS 43, Lago di Santa Giustina, Casez, Bordiana, Caltron, Banco, Sanzeno, San Romedio, Malga Sanzeno, **13**, Cassana, Cavizzana, San Vito, Maiano, Tavon, Coredo, Malga di Verdes, Caldes, Mechel, Rallo, SP 73, Dermulo, Smarano, Sfruz, Verdes, Molini, Tassullo, Taio, SP 7, Tres, M. Peller 320, Nanno, Terres, Segno, SP 13, Tuenno, Portolo, Flavon, Torra, Vervò, **16**, Cunevo, Mollaro, Priò, Denno, Quetta, Ton, Castello Thun, Vigo Anaunia, Campodenno, Termon, SS 612, SP 71, Roverè della Luna

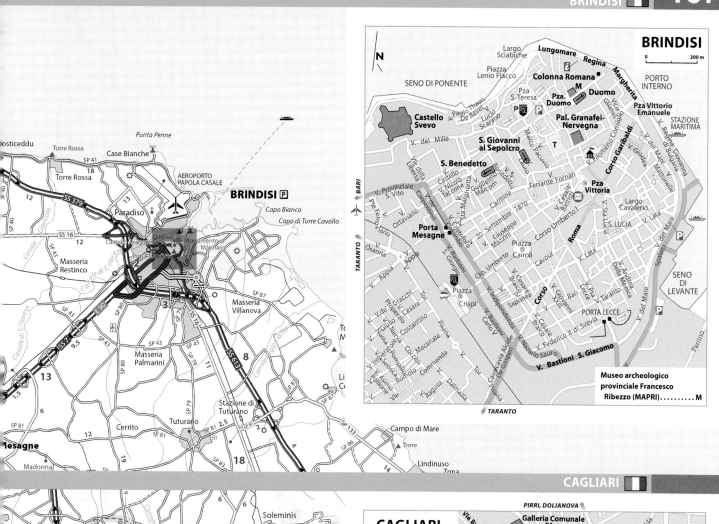

BRINDISI

0 — 200 m

N

SENO DI PONENTE

Largo Sciabiche
Lungomare Regina Margherita
Piazza Lenio Flacco
Colonna Romana
Pza. S. Teresa
Pza. Duomo
Duomo
M
PORTO INTERNO
Pza Vittorio Emanuele
STAZIONE MARITIMA
Castello Svevo
Pal. Granafei-Nervegna
S. Giovanni al Sepolcro
S. Benedetto
Corso Garibaldi
Pza Vittoria
Porta Mesagne
Piazza Cairoli
Corso Umberto I
Roma
Corso
Piazza Crispi
PORTA LECCE
Porta Svevia
SENO DI LEVANTE
V. Bastioni S. Giacomo
BARI
TARANTO
TARANTO

Museo archeologico provinciale Francesco Ribezzo (MAPRI) .... M

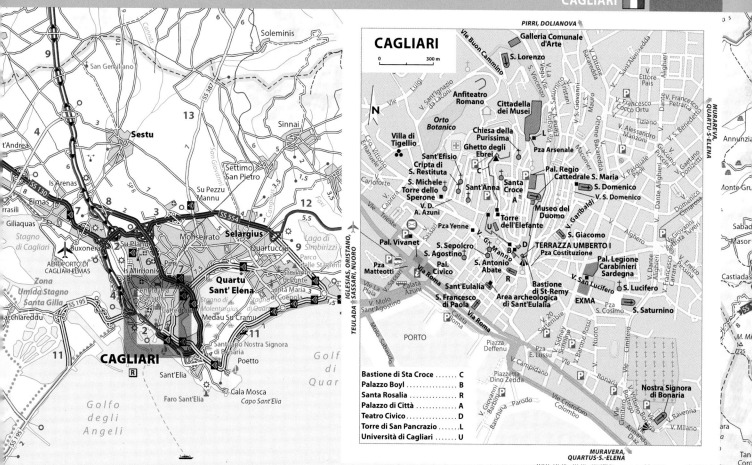

CAGLIARI

0 — 300 m

N

PIRRI, DOLIANOVA

Vle Buon Cammino
Galleria Comunale d'Arte
S. Lorenzo
Anfiteatro Romano
Cittadella dei Musei
Orto Botanico
Villa di Tigellio
Chiesa della Purissima
Ghetto degli Ebrei
Sant'Efisio
Cripta di S. Restituta
S. Michele
Torre dello Sperone
Santa Croce
Sant'Anna
V. D. A. Azuni
Pza Arsenale
Pal. Regio
Cattedrale S. Maria
S. Domenico
V. S. Domenico
Museo del Duomo
Torre dell'Elefante
S. Giacomo
Pza Yenne
TERRAZZA UMBERTO I
Pza Costituzione
Pal. Vivanet
S. Sepolcro
S. Agostino
Manno
S. Antonio Abate
Pal. Legione Carabinieri Sardegna
S. Lucifero
Pza Matteotti
Pal. Civico
Bastione di St-Remy
EXMA
S. Cosimo
S. Saturnino
Sant'Eulalia
Area archeologica di Sant'Eulalia
S. Francesco di Paola
Via Roma
PORTO
Piazza Deffenu
Piazzetta Dino Zedda
Nostra Signora di Bonaria
IGLESIAS, ORISTANO, NUORO
TEULADA, SASSARI, NUORO
MURAVERA, QUARTUS-S.-ELENA

Bastione di Sta Croce C
Palazzo Boyl .... B
Santa Rosalia .... R
Palazzo di Città .... A
Teatro Civico .... D
Torre di San Pancrazio L
Università di Cagliari ...... U

CATANIA

Orto Botanico
V. Federico Ciccaglione
V. Nicola Fabrizi
Salemi
Monterosso
Santa Tecla
Ronzini
Volta
Santa Maria,
Santa Maria L
Piano Tapi
ACIREALE
Madonna di Tremonti
Sanbuco
Santa Stella
Blandano
San Domenico
Duomo di Acireale
Acireale
Nicolosi
Pedara
Pigno
Acireale
Sant'Antonio
Sant'Antonio
Aci Platani
Trecastagni
Aci Catena
Gazzena
Scalonazzo
Viagrande
Aci Bonaccorsi
Aci
Catena
Nicolosi-Pedara
Pietra Forcella
Paternostro Piano
Sant'Antonio Ovest
Capo Mulini
Mascalucia
San Giovanni La Punta
Eremo
Sant'Anna
Vambolieri
Tremestieri Etneo
Valverde
Nizzeti
Aci San Filippo
Sant'Agata Li Battiati
San Gregorio di Catania
Aci Trezza
Gravina di Catania
Portiere-Crocifisso
Villaggio Sant'Antonio
San Giovanni Galermo
Badalà
Aci Castello
Cappella di Sant'Antonio al Romito
San Giuseppe
Monastero
Aci Castello
Piano Tavola
Madonna degli Ammalati
Cerza
Cannizzaro
Belvedere
Misterbianco
Piano Tavola
San Nullo
CATANIA
Palazzo Biscari
Misterbianco
Castello Ursino
San Giorgio
San Giorgio
San Giorgio Ovest
San Giorgio Est
San Giorgio Est
CATANIA SUD
Gelso Bianco Nord
CATANIA
Selso Bianco Nord
AEROPORTO INT. FONTANAROSSA
Bicocca
Gelso Bianco Sud
ASSE DEI SERVIZI
Villaggio Paradiso degli Aranci
PASSO MARTINO
Primosole Beach
Primosole Est
Foce di Simeto
Collina
Vaccarizzo

Legend (Catania)

Badia di Sant'Agata	B	San Francesco Borgia	G	Terme Achilliane	N
Palazzo San Demetrio	C	Palazzo Senatorio o degli Elefanti	H	San Michele Arcangelo	S2
Collegiata	D			Seminario Arcivescovile	S3
Monastero di San Benedetto	E	Marché aux poissons	K	Palazzo Sangiuliano	S4
		Museo Belliniano, Museo Emilio Greco	M	Teatro Antico	T
Pza del Duomo	F1			Università	U
Pza dell'Università	F2	San Giuliano	S1	Terme della Rotonda	V

COMO

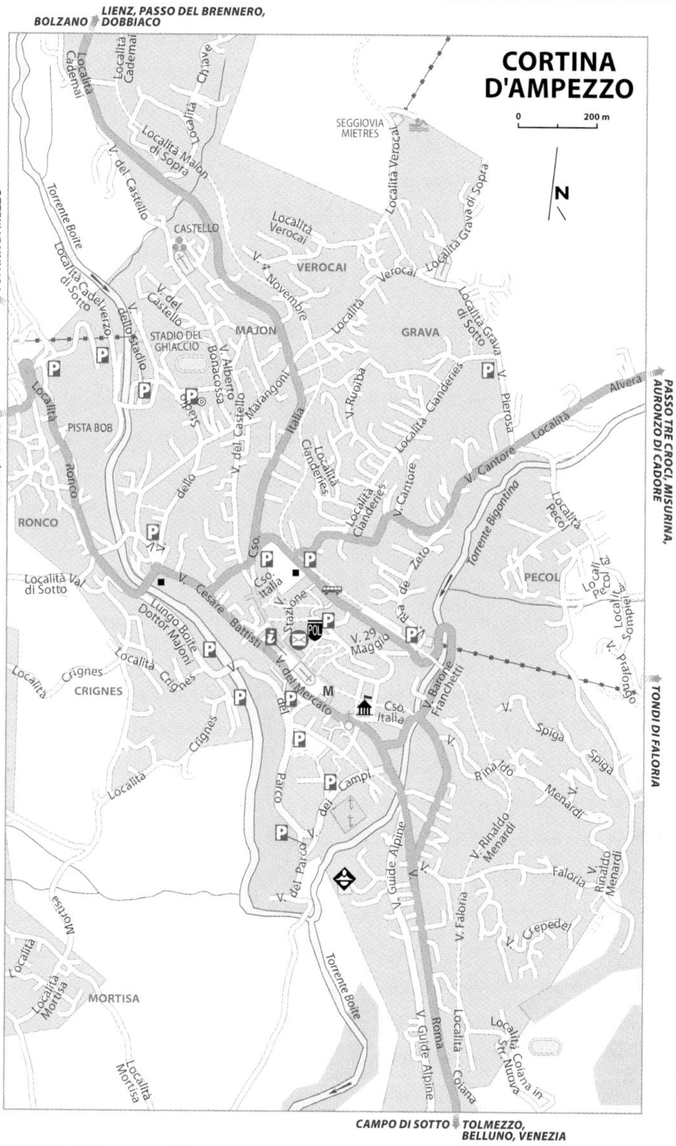

CORTINA D'AMPEZZO

LIENZ, PASSO DEL BRENNERO,
BOLZANO, DOBBIACO

0   200 m

N

SEGGIOVIA MIETRES

TOFANA DI MEZZO

Località Cademai
Località Cademai
V. dei Castello
CASTELLO
Località Majon di Sopra
Località Verocai
VEROCAI
V. Novembre
Località Grava di Sopra
GRAVA
MAJON
STADIO DEL GHIACCIO
V. Alberto Bonacossa
V. Ruoiba
PISTA BOB
V. Cesare Battisti
Cso. Italia
V. 29 Maggio
Località Clanderies
V. Cantore
Torrente Bigontina
PECOL
RONCO
Località Val di Sotto
V. del Mercato
POL
M
Cso. Italia
Località Crig
CRIGNES
V. Baron Franchetti
Località Crignes
V. Guide Alpine
V. dei Campi
V. Rinaldo Menardi
Spiga
V. Faloria
V. Crepei
PASSO PORDOI, BOLZANO, POCOL
PASSO TRE CROCI, MISURINA, AURONZO DI CADORE
TONDI DI FALORIA
V. del Parco
Parco Alpine
V. Guide Alpine
V. Roma
Località Coiana in Str. Nuova
MORTISA
Località Mortisa
CAMPO DI SOTTO   TOLMEZZO,
BELLUNO, VENEZIA

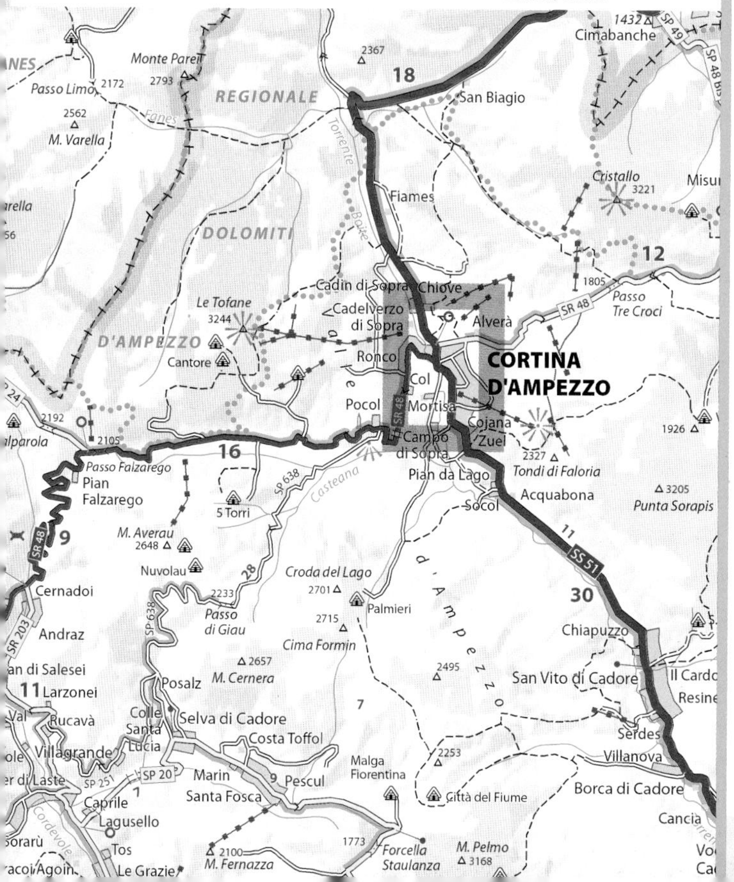

1432
Cimabanche
SP 49
SP 48 bis
San Biagio
REGIONALE
18
Monte Parei
Passo Limo
M. Varella
Cristallo
3221
Misur
DOLOMITI
Fiames
Cadin di Sopra
Chiove
Cadelverzo di Sopra
12
Le Tofane
3244
Alverà
Passo Tre Croci
D'AMPEZZO
Cantore
Ronco
Col
Pocol
Mortisa
CORTINA D'AMPEZZO
Cojana
'Zuel
Tondi di Faloria
1926
Passo Falzarego
Pian Falzarego
16
5 Torri
Pian da Lago
Acquabona
Punta Sorapis
3205
9
M. Averau
2648
Nuvolau
Croda del Lago
2701
Palmieri
30
SS 51
11
Cernadoi
Andraz
Passo di Giau
Cima Formin
2495
Chiapuzzo
11 Larzonei
Posalz
M. Cernera
2657
San Vito di Cadore
Il Cardo
Resine
Selva di Cadore
Costa Toffol
2253
Villanova
Serdes
Caprile
Santa Lucia
Malga Fiorentina
Città del Fiume
Borca di Cadore
Cancia
M. Pelmo
3168
Forcella Staulanza

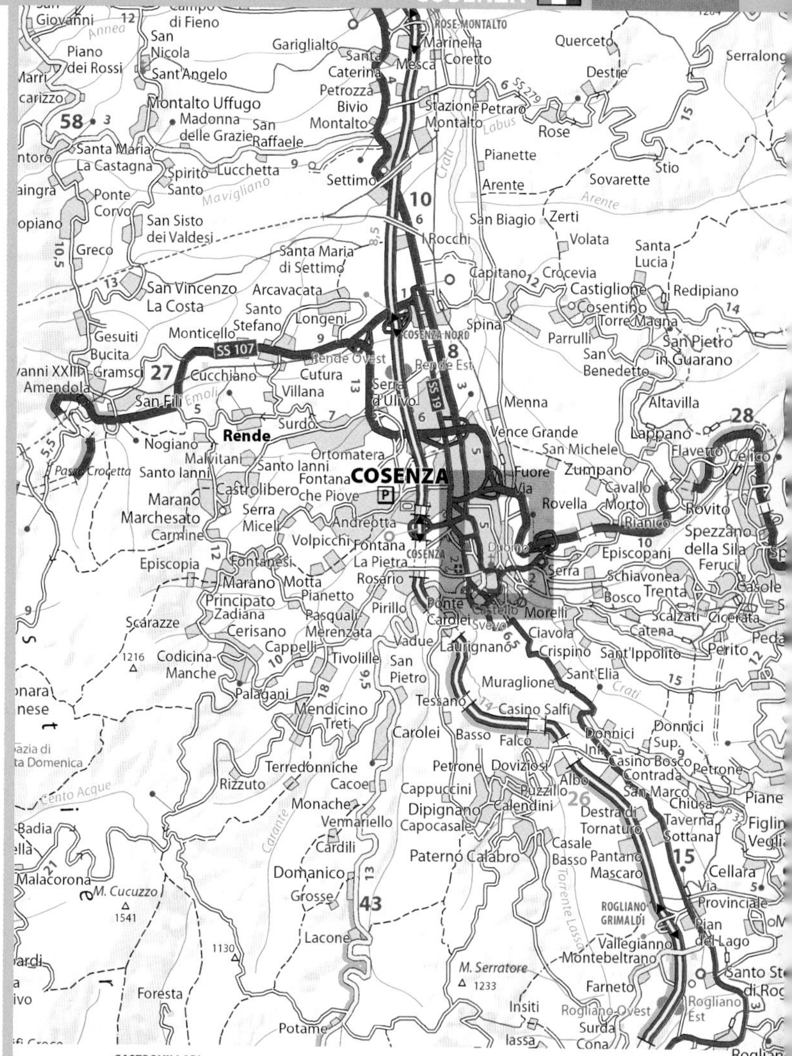

COSENZA

CASTROVILLARI, PAOLA   *NAPOLI, PAOLA*

0   300 m

N

58
27
28
10
COSENZA NORD
SS 107
Rende
Rende Ovest
Cosenza Est
COSENZA
SS 19
Amendola
Gramsci
San Fili
26
15
43
Montalto Uffugo
Marinella
Querceto
Destra
Serralong
San Sisto dei Valdesi
San Biagio
Zerti
Volata
Santa Lucia
Arcavacata
La Costa
Monticello
Castiglione Cosentino
Torre Magna
San Pietro in Guarano
Rovito
Spezzano della Sila
Lappano
Zumpano
San Michele
Vence Grande
Marano Marchesato
Marano Principato
Mendicino
Carolei
Dipignano
Paterno Calabro
Domanico
M. Cucuzzo
1541
Rogliano
Grimaldi
Marzi
Altilia
Pedace

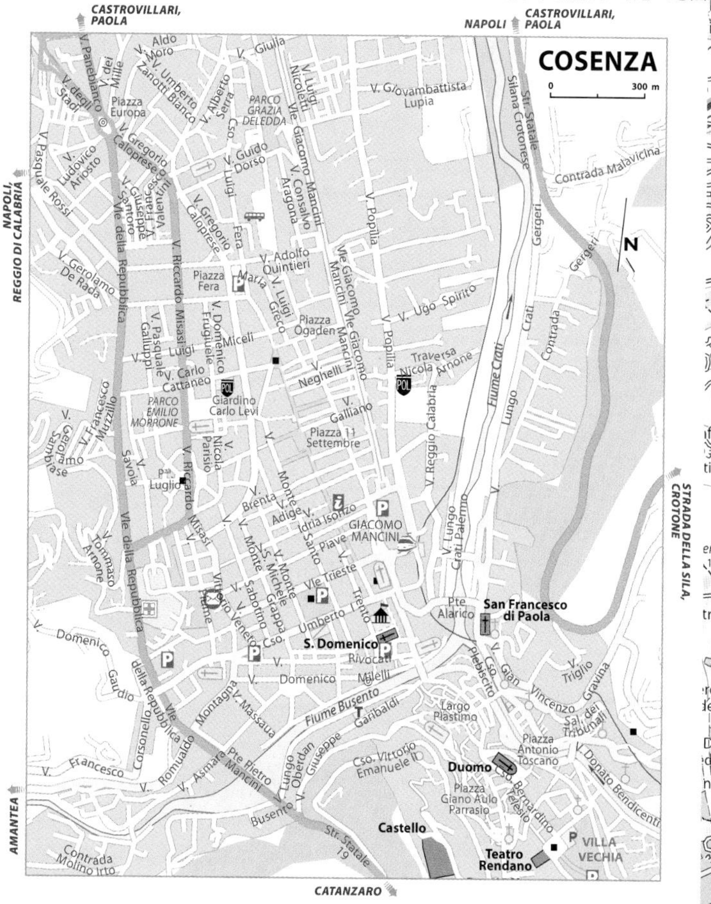

AMANTEA   *CATANZARO*   *STRADA DELLA SILA, CROTONE*

Piazza Europa
Parco Grazia Deledda
Parco Emilio Morrone
Parco Carlo Levi
V. della Repubblica
Piazza Fera
Piazza Ogaden
Piazza 11 Settembre
GIACOMO MANCINI
POL
Giardino Carlo Levi
Piazza Bilotti
Fiume Crati
Fiume Busento
S. Domenico
Duomo
Ponte Alarico
San Francesco di Paola
Castello
Teatro Rendano
VILLA VECCHIA
Piazza Antonio Toscano
Corso Vittorio Emanuele II
REGGIO DI CALABRIA
NAPOLI,

COURMAYEUR

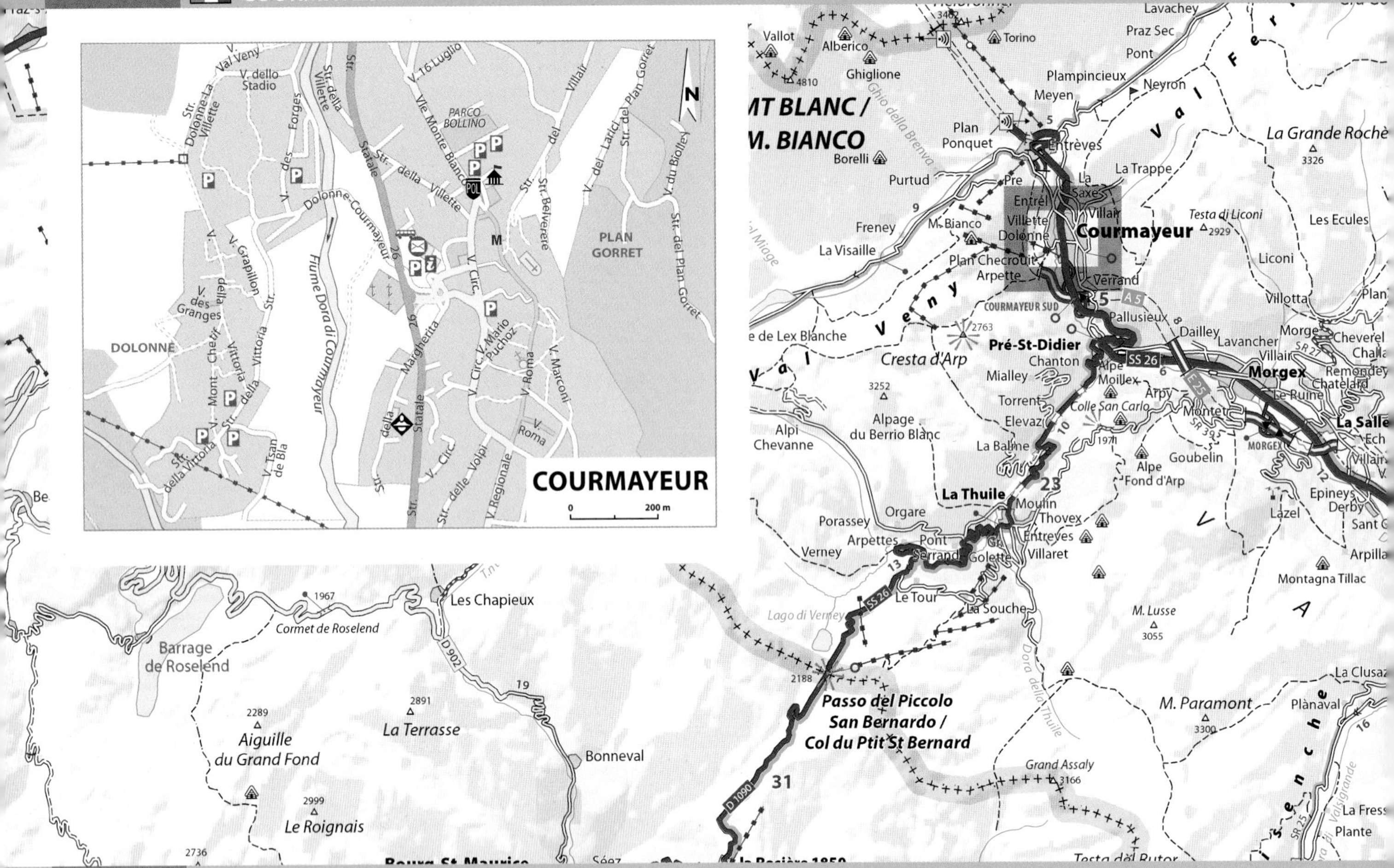

PARCO BOLLINO

DOLONNE

PLAN GORRET

0   200 m

MT BLANC / M. BIANCO

Courmayeur

Pré-St-Didier

Morgex

La Salle

La Thuile

Cresta d'Arp

Val Veny

Val Ferret

Barrage de Roselend

Les Chapieux

Aiguille du Grand Fond

La Terrasse

Le Roignais

Bonneval

Passo del Piccolo San Bernardo / Col du Ptit St Bernard

M. Paramont

Lago di Verney

CREMONA

BERGAMO   BRESCIA

Piazza Stazione

Museo Stradivariano

Sant'Agostino

TORRAZZO   Duomo

Palazzo Fodri

Battistero

MILANO, CREMA

CODOGNO

MILANO, PIACENZA

MANTOVA, BRESCIA

MANTOVA, PARMA, CASALMAGGIORE

PARMA

PARCO CADUTI DI NASSIRYA

PARCO IGINIO SARTORI

0   300 m

CREMONA

Castelvetro Piacentino

AEROPORTO DI CREMONA-MIGLIARO

PIACENZA

Cortemaggiore

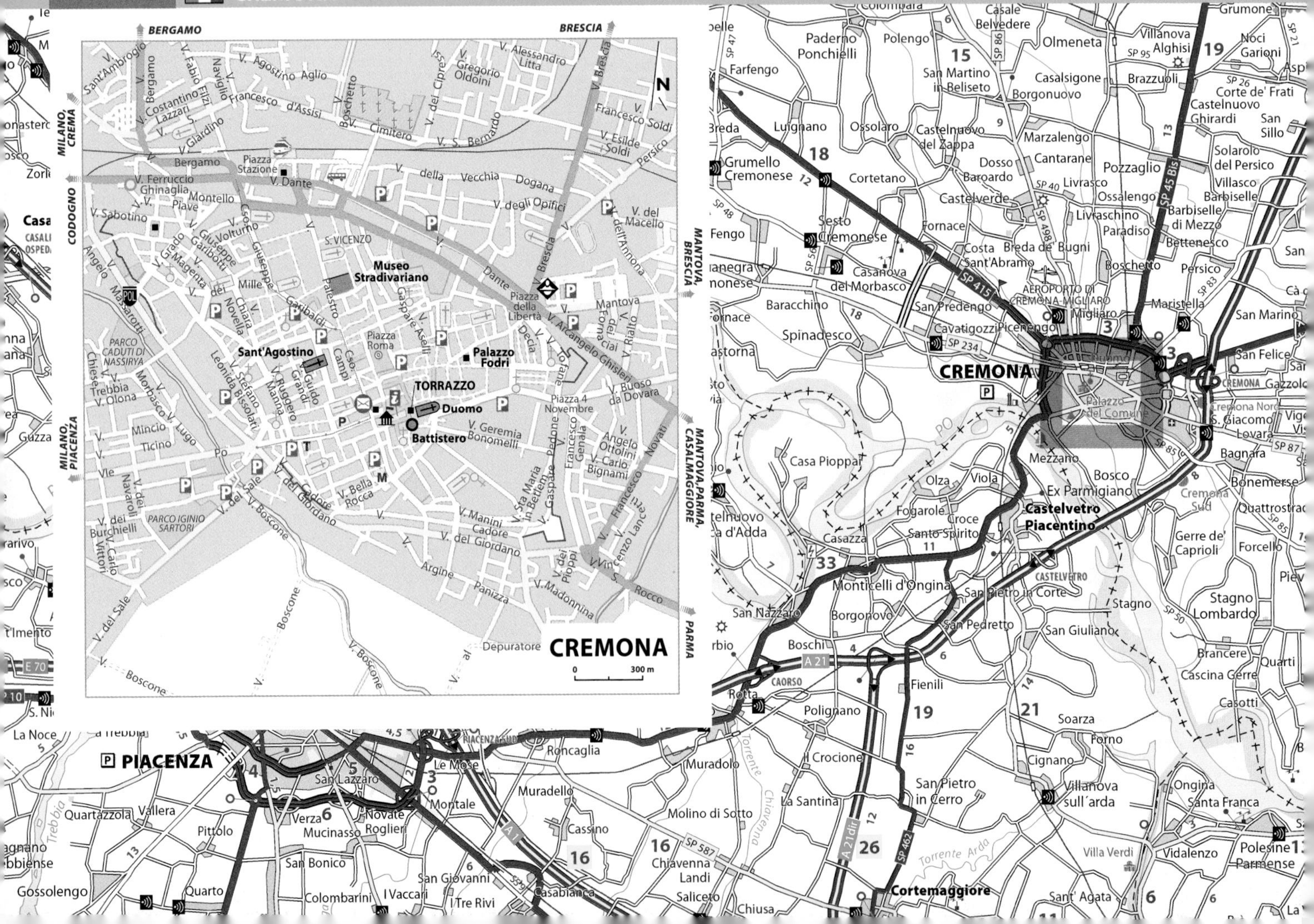

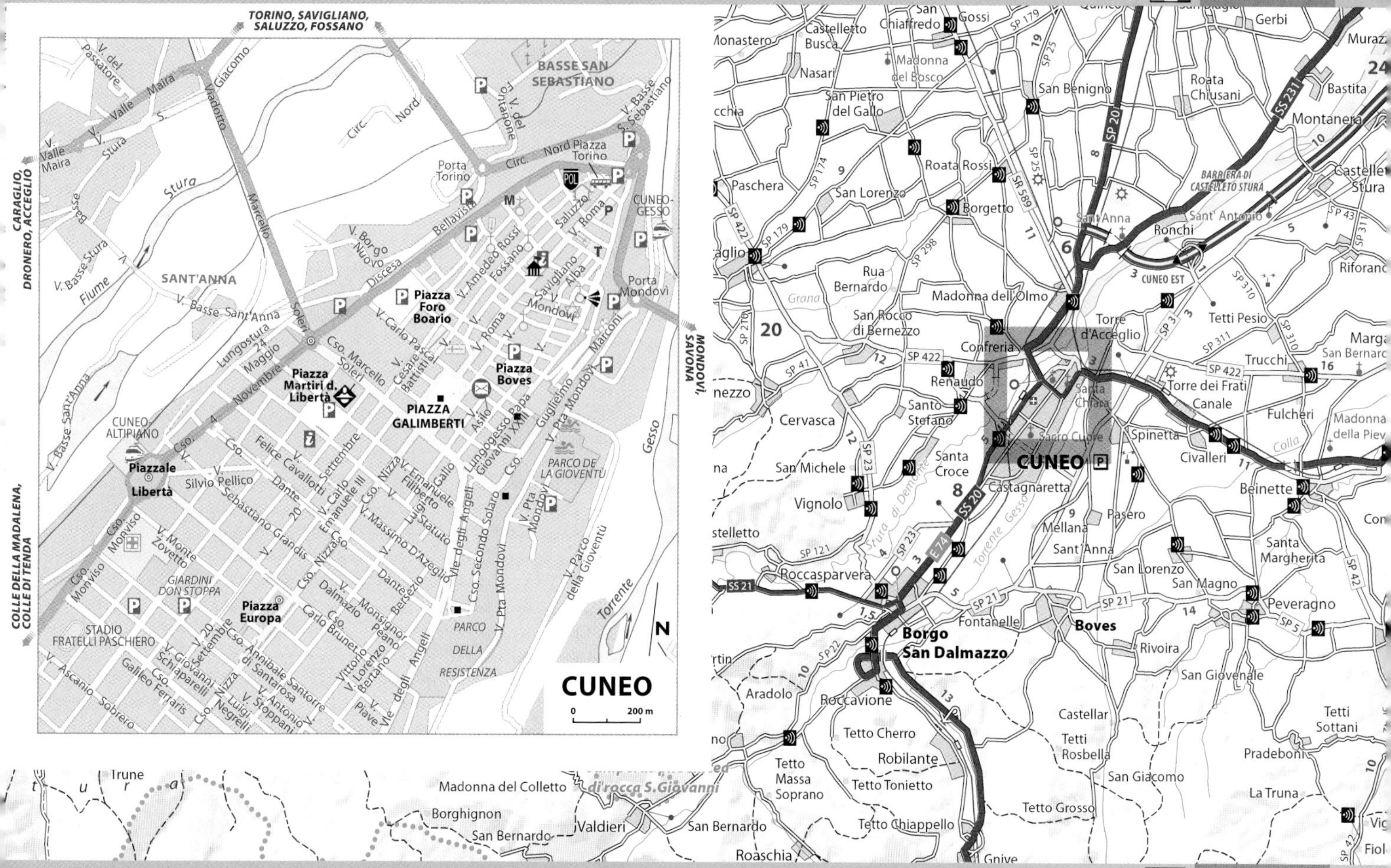

CUNEO

0 — 200 m

TORINO, SAVIGLIANO, SALUZZO, FOSSANO

BASSE SAN SEBASTIANO

Porta Torino
Nord Piazza Torino
POL
CUNEO-GESSO
Porta Mondovì

SANT'ANNA

Piazza Foro Boario
Piazza Martiri d. Libertà
Piazza Boves
PIAZZA GALIMBERTI

CUNEO-ALTIPIANO

Piazzale Libertà
Giardini Don Stoppa
Piazza Europa
STADIO FRATELLI PASCHIERO
PARCO DE LA GIOVENTÙ
PARCO DELLA RESISTENZA

COLLE DELLA MADALENA, COLLE DI TENDA
CARAGLIO, DRONERO, ACCEGLIO
MONDOVÌ, SAVONA

N

CUNEO (regional)

San Chiaffredo
Castelletto Busca
Madonna del Bosco
San Benigno
Roata Chiusani
Montanera

CUNEO
Borgo San Dalmazzo
Boves
Peveragno
Beinette
Roccasparvera
Roccavione
Robilante

Madonna del Colletto
Valdieri
San Bernardo
Roaschia

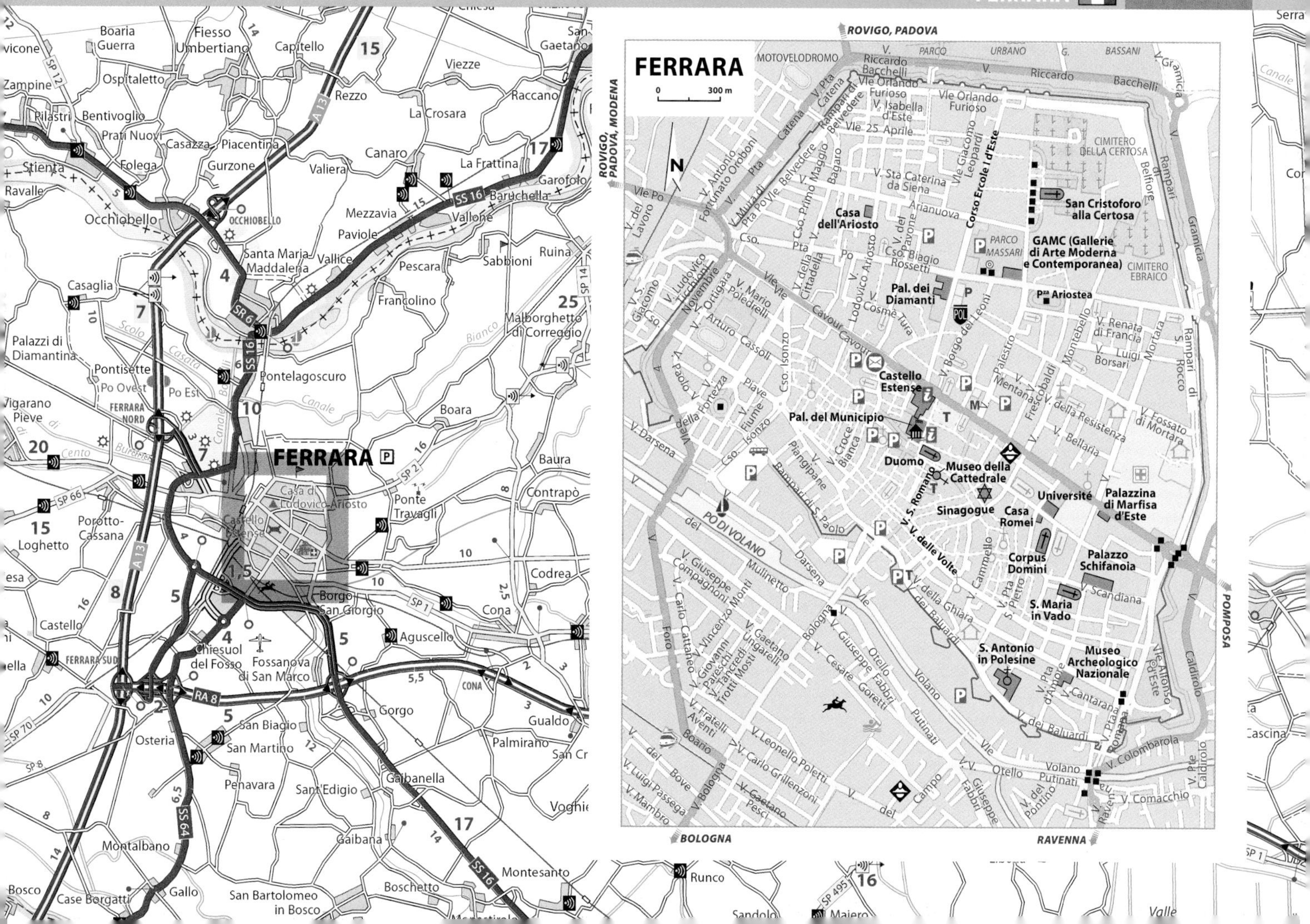

FERRARA

0 — 300 m

ROVIGO, PADOVA
BOLOGNA
RAVENNA

Castello Estense
Pal. del Municipio
Duomo
Museo della Cattedrale
Casa Romei
Sinagogue
Corpus Domini
S. Maria in Vado
S. Antonio in Polesine
Museo Archeologico Nazionale
Palazzo Schifanoia
Palazzina di Marfisa d'Este
Università
Palazzo dei Diamanti
GAMC (Gallerie di Arte Moderna e Contemporanea)
San Cristoforo alla Certosa
Casa dell'Ariosto
CIMITERO DELLA CERTOSA
CIMITERO EBRAICO

FERRARA (regional)

Occhiobello
Pontelagoscuro
FERRARA NORD
FERRARA SUD
Borgo San Giorgio
Fossanova di San Marco
Chiesuol del Fosso
Aguscello
Gaibanella

FIRENZE

BOLOGNA · BOLOGNA
PRATO, PISTOIA
PRATO-CALENZANO
CALENZANO
SETTIMELLO
COLONNATA
QUINTO ALTO
SESTO FIORENTINO
SERPIOLLE
Castello
La Petraia
CASTELLO
RIFREDI
NOVOLI
BROZZI
AMERIGO VESPUCCI
FIRENZE-NORD
L'ISOLOTTO
FIRENZE-SIGNA
SCANDICCI
VINGONE
LE BAGNESE
CASELLINA
PISANA
POGGIO IMPERIALE
ARCETRI
GALLUZZO
POZZOLATICO
Certosa del Galluzzo
FIRENZE-CERTOSA
GRASSINA
PONTE A EMA
SIENA

PRATOLINO
Demidoff
MONTORSOLI
TRESPIANO
COMUNALE
ZONE ARCHEOLOGIQUE
Museo Bandini
Convento di San Francesco
Duomo
FIESOLE
Badia Fiesolana
S. Domenico di Fiesole
MAIANO
COVERCIANO
Cenacolo di S. Salvi
FORLÌ, AREZZO, PONTASSIEVE
ROMA, AREZZO

0 — 1 km

N

Gaggio Montano · Rivabella · Ponte di Verzuno · Burzan
Silla · Pian di Casale · Carpineta
Crociale · Corvella · Prati · Marzolara · Camugnano · San Damiano
Porretta Terme · Berzantina · Casola · Poggio · Belvedere
Santa Maria Maddalena · Le Croci · Terme di Porretta · Lizzo · Costozza · Mogne
Alteacuto dell'Alpi · Il Giardino · Suviana · Baigno
Santuario della Madonna del Faggio · Ponte della Venturina · Bacino di Suviana · Bargi · Parco Laghi Suviana Brasimone
Granaglione · Lustrola · Orti · Pavana · Badi · Stagno
Santuario della Madonna di Calvigi · Piamori · Taviano · Bellavalle · M. Calvi 1283 · Fossato
Calistri · Trogoni · Boschi · Sambuca Pistoiese · Carpineta · Treppio · Gavigno · Cavarzano
Case Boni · Molino del Pallone · Corniolo · Tabernacolo di Gavigno
Biagioni · Posala · 25 · Campanana · Luicciana
Vizzero · Lagacci · Casa Morotti · Casoni · Campaldaio · Torri · L'Acqua · San Pietro
Frassignoni · San Pellegrino · Trebbio
Stabiazzori · 35 · Cantagallo · Santo Stefano
Spedaletto · Monachino · Luogomano · Gricic
Collina · Badia a Taona · L'Acquerino · Carmignan · Masselo · Migliana · Chiusoli · Vaiano
Il Signorino · Croce a Uzzo · Corbezzi · Iano · Baggio · Villa di Baggio · Pracchie · Tobbiana · Schignano · Albiano
La Cugna · Brana · Mengarone · Rotone · Serrantona · Le Pozze · Ponzano · Fognano
La Spagna · Petrucci · Ponte Pabi · Villanova · Valdibrana
Sarripoli · Gello · Candeglia · Ponte Nuovo · Santomato · Montale · La Briglia · Figline
Femminamorta · Arcigliano · Fornace · PISTOIA · San Domenico · Fornacelle · Montemurlo · Freccioni · Bagnolo
La Macchia · Panicagliora · Montagnana · Giampierone · Celle · Torbecchia · PISTOIA · Chiazzano · Le Querce · Maliseti · 44
San Quirico · Sorana · Aramo · Vellano · Avaglio · Petrolo · La Vergine · Pontelungo · Valenta · Sperone · Agliana · Narnali · 41 · PR
Boveglio · Colognora · Pietrabuona · Marliana · Casore del Monte · Pagliaine · Castellina · Giaccherino · Ramini · Tucci · Bottegone · PRATO OVEST · 2
Pracando · Pariana · Fibbialla · Calamari · Goraiolo · Alteto · Serravalle Pistoiese · Collina · Fedi · Pieruccioni · Galciana · Coiano · Villa · Baron
Biecina · Medicina · Macchino · Marrazzano · Chiesina · 15 · Bargi · Vinaceiano · Pierucciani · Ferruccia · Castello Marchetti · Tobbiana · 4
Villa Basilica · Pontoro · Massa · Le Molina · Serravalle Nord · Migliandola · Violeto · Pontassio · Olmi · Le Vanne · Caiffaggio
Bottichino · Seghetto · Rimogno · Montecatini Alto · Pieve a Nievole · Serravalle Sud · Cantagrillo · Rubattorno · Barba · Pinzale · PRATO EST · E76
Guzzano · Monte a Pescia · Vacchereccia · Montecatini Terme · Monsummano Terme · Baco · Fornaci · Casini · Tavola · 4
Collodi · Pescia · Uzzano · Santa Lucia · Grotta Giusti · Montevettolini · Cecina · Mungherino · Quarrata · Montemagno · Seano · Le Cascine
Veneri · Molinaccio · Borgo a Buggiano · Terzo · Pozzarello · Cintolese · Montorio · Tizzana · Capezzano · Poggetto
San Martino in Colle · Alberghi · Forone · Molin Nuovo · 11 · Larciano · Nardi · Luciano · La Fratta · Carmignano · Poggio a Caiano · Sant'Angelo · Bi
Luciani · Pescia morta · Albinatico · Colombaia · Poesilla · Porciano · Bacchereto · Serra · comeana · San Giorgio a Colonica
San Salvatore · Chiesina Uzzanese · Ponte Buggianese · Anchione · San Rocco · Spicchio · Fornello · Signa
Michi · La Capanna · Vione · Puntoni · Lamporecchio · La Berga · Tigliano · Frantolo · Vergherero · Artimino · San Rocco
Micheloni · Checi · Biagioni · Castelletto · Poggioni · Mastromarco · Vitolini · Vinci · Porponi · Poggio alla Malva · Le Sodole · Lastra a Signa
Carbonata · ALTOPASCIO · Quercia · Querce · Ponte di Masino · Lazzaretto · Vinci · Capraia · Bruciano
Dal Cerro · Spianate · Ferretto · Cinelli · Toiano · Sant'Ansano · Castellina · 37 · San Miniatello · Malmantile
Gigioni · Villa Campanile · Gelsa · Pinete · 19 · Morelli · Cerreto Guidi · Villa Alessandri · Limite · Capraia · Fortezza Medicea · Marliano
Orentano · Galleno · 15 · Torre · Massarella · Lungo · Spicchio-Sovigliana · Montelupo Fiorentino · Fibbiana · Rove · Inno
Pianore · Staffoli · Le Vendute · Cioni · Le Cortina · Poggio Tempesti · Àvane · Montelupo Fiorentino
Compito · Tavolaia · Nardoni · Casini · Ponte a Cappiano · Le Botteghe · Colle Alberti · Spicchio-Sovigliana
Castelvecchio · 29 · Case Puntone · Pianore · Lungo

A 11 / E 76 · A 11 / E 35
SS 641 · SS 435 · SS 436

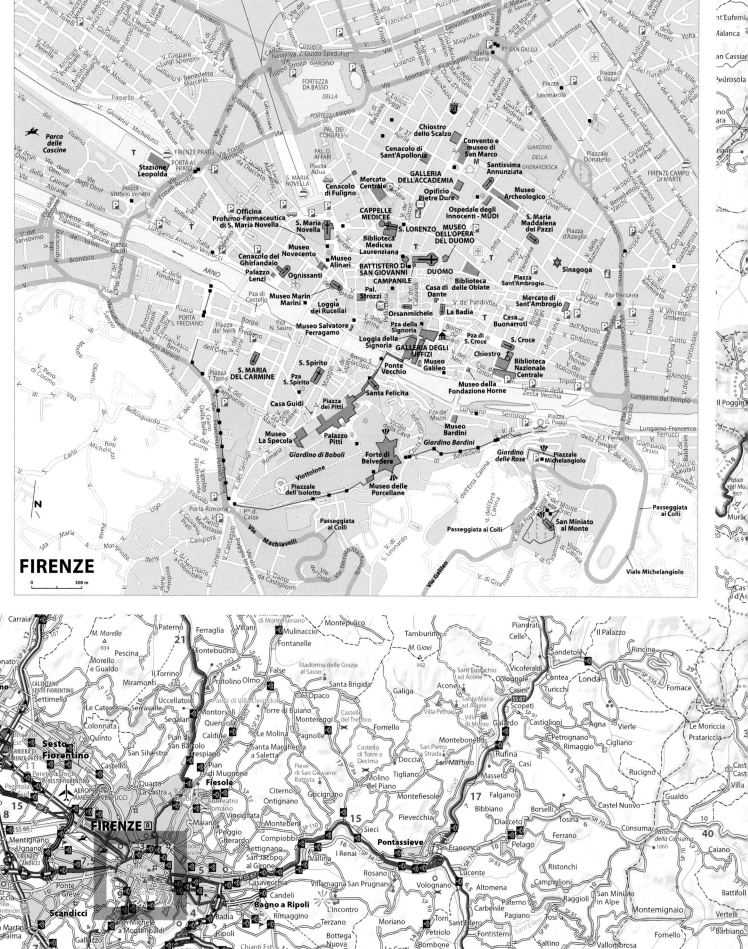

FIRENZE

0   300 m

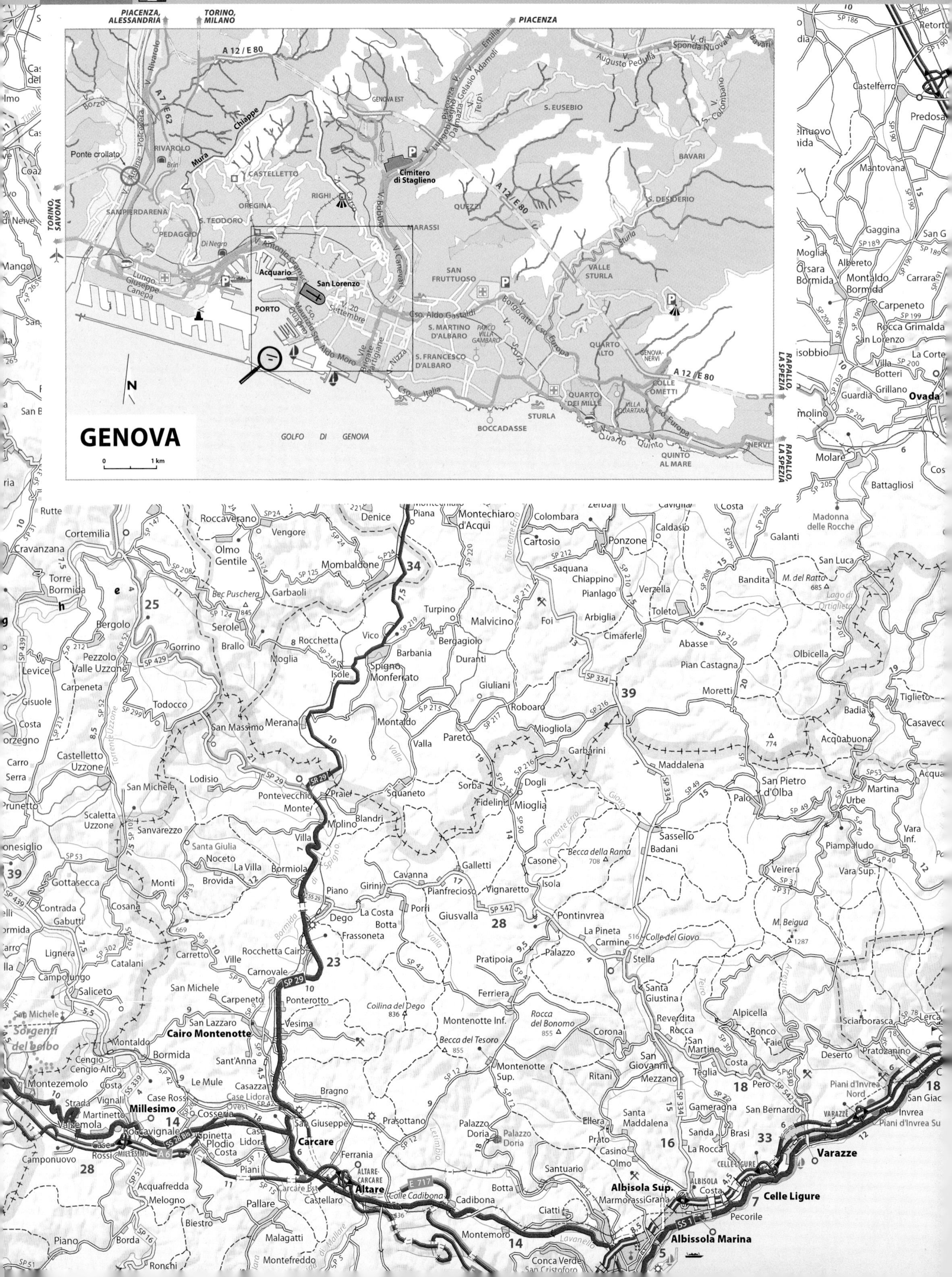

GENOVA

PIACENZA, ALESSANDRIA
TORINO, MILANO
PIACENZA

TORINO, SAVONA

A 12 / E 80
A 7 / E 62
RIVAROLO
Chiappe
Mura
Brin
Ponte crollato
CASTELLETTO
SAMPIERDARENA
OREGINA
S. TEODORO
PEDAGGIO
Di Negro
RIGHI
Cimitero di Staglieno
GENOVA EST
S. EUSEBIO
BAVARI
S. DESIDERIO
QUEZZI
MARASSI
Acquario
San Lorenzo
PORTO
V. 20 Settembre
SAN FRUTTUOSO
VALLE STURLA
S. MARTINO D'ALBARO
PARCO VILLA GAMBARO
QUARTO ALTO
GENOVA-NERVI
A 12 / E 80
S. FRANCESCO D'ALBARO
COLLE OMETTI
RAPALLO, LA SPEZIA
QUARTO DEI MILLE
VILLA QUARTARA
NERVI
RAPALLO, LA SPEZIA
STURLA
BOCCADASSE
Quarto
Quinto
QUINTO AL MARE
GOLFO DI GENOVA

N

0   1 km

Lungo Giuseppe Canepa

Cso. Aldo Gastaldi
Cso. Europa
Borgoratti
V. Nizza
Cso. Italia

Rutte
Cortemilia
Roccaverano
Denice
Montechiaro d'Acqui
Colombara
Costa
Madonna delle Rocche
Cravanzana
Vengore
Piana
Cartosio
Ponzone
Galanti
Olmo Gentile
Mombaldone
34
Caldasio
Torre Bormida
Bec Puschera
Garbaoli
Saquana
Chiappino
Pianlago
Verzella
San Luca
M. del Ratto 685
Lago di Ortiglieto
Bergolo
Serole
Turpino
Malvicino
Foi
Arbiglia
Toleto
25
Gorrino
Bralla
Vico
Barbania
Bergagiolo
Duranti
Cimaferle
Abasse
Olbicella
Pezzolo Valle Uzzone
Moglia
Rocchetta
Isole
Spigno Monferrato
Giuliani
Pian Castagna
Moretti
Levice
Carpeneta
Todocco
San Massimo
Merana
Montaldo
Valla
Pareto
Roboaro
Miogliola
Garbàrini
Maddalena
San Pietro d'Olba
Badia
Casavecc
Gisuole
Costa
Castelletto Uzzone
Lodisio
Pontevecchio
Monte
Praiet
Squaneto
Sorba
Dogli
Palo
Urbe
Piampaludo
Vara Sup.
Acqua
San Michele
Molino
Blandri
Fidelin
Mioglia
Veirera
Vara Inf.
Scaletta Uzzone
Sanvarezzo
Santa Giulia
Noceto
La Villa
Villa
Piano
Galletti
Casone
Sassello
Badani
Becca della Rama 708
Martina
39
Gottasecca
Brovida
Bormiola
Girini
Cavanna
Isola
M. Beigua 1287
Contrada Gabutti
Cosana
Pianfrecioso
Vignaretto
Pontinvrea
Lignera
Carretto
Ville
Rocchetta Cairo
Dego
Frassoneta
La Costa Botta
Porri
Giusvalla
28
La Pineta Carmine
Colle del Giovo 516
Stella
Campolungo
Saliceto
San Michele
Carnovale
SP 29
Ponterotto
Vesima
Ferriera
Pratipoia
Palazzo
Santa Giustina
Reverdita Rocca
Alpicella
Ronco Faie
Sciarborasca
San Michele
Sorgenti del belbo
Montaldo
San Lazzaro
Carpeneto
Cairo Montenotte
Sant'Anna
Bormida
Collina del Dego 836
Montenotte Inf.
Rocca del Bonomo 855
Becca del Tesoro 855
San Martiao
Deserto
Pratozanino
Cengio
Cengio Alto
Le Mule
Casazza
Bragno
Montenotte Sup.
San Giovanni Mezzano
Ritani
Coronata
Teglia
Costa
Pero
Piani d'Invrea Nord
18
Montezemolo
Strada
Vignali
Case Rossi
Case Lidora Ovest
San Giuseppe
Palazzo Doria
Palazzo Doria
Ellera
Santa Maddalena
Gameragna
San Bernardo
Invrea
Piani d'Invrea Su
18
Millesimo
Cosseria
Plodio Costa
Case Lidora
Carcare
Ferrania
Prato
Casino
Olmo
16
Sanda
Brasi
La Rocca
Celle Ligure
Varazze
28
Roccavignale
Spinetta
Piani
Carcare Est
ALTARE-CARCARE
Botta
Santuario
Albisola Sup.
ALBISOLA
Costa
7
Camponuovo
Acquafredda
Melogno
Castellaro
Colle Cadibona
Cadibona
Ciatti
Marmorassi Grana
Pecorile
Celle Ligure
Piano
Borda
Biestro
Pallare
Montemoro
Lavanello
Albissola Marina
5
Ronchi
Montefreddo
Conca Verde
San Cristoforo
14

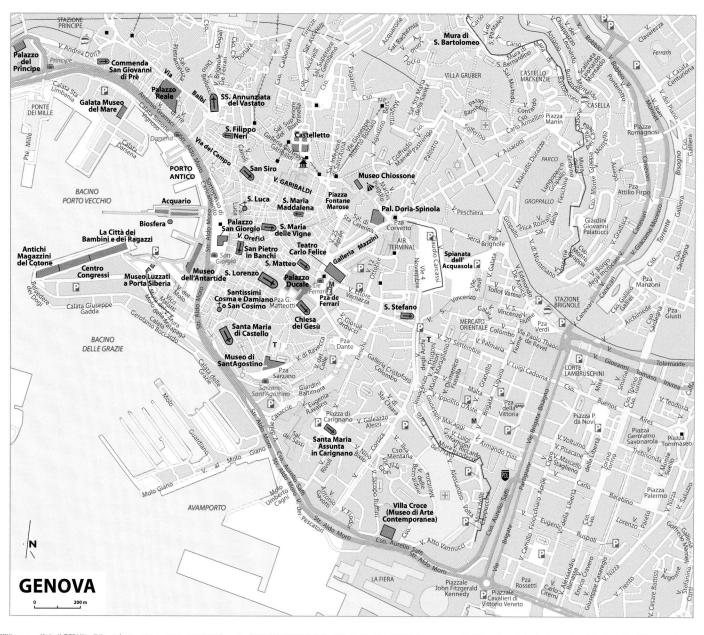

GENOVA

0   200 m

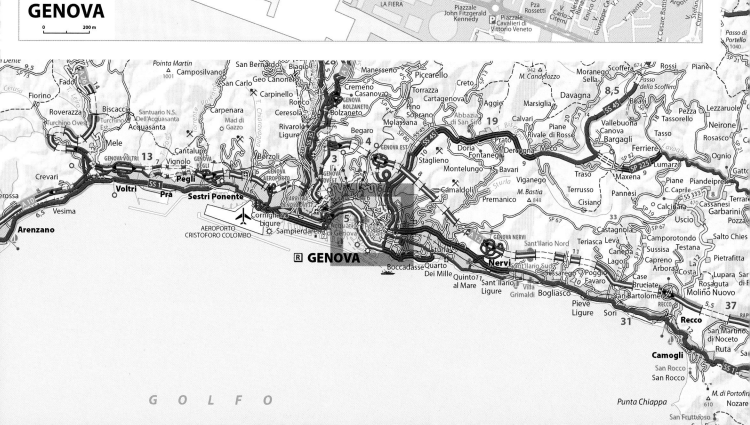

G O L F O

L'AQUILA

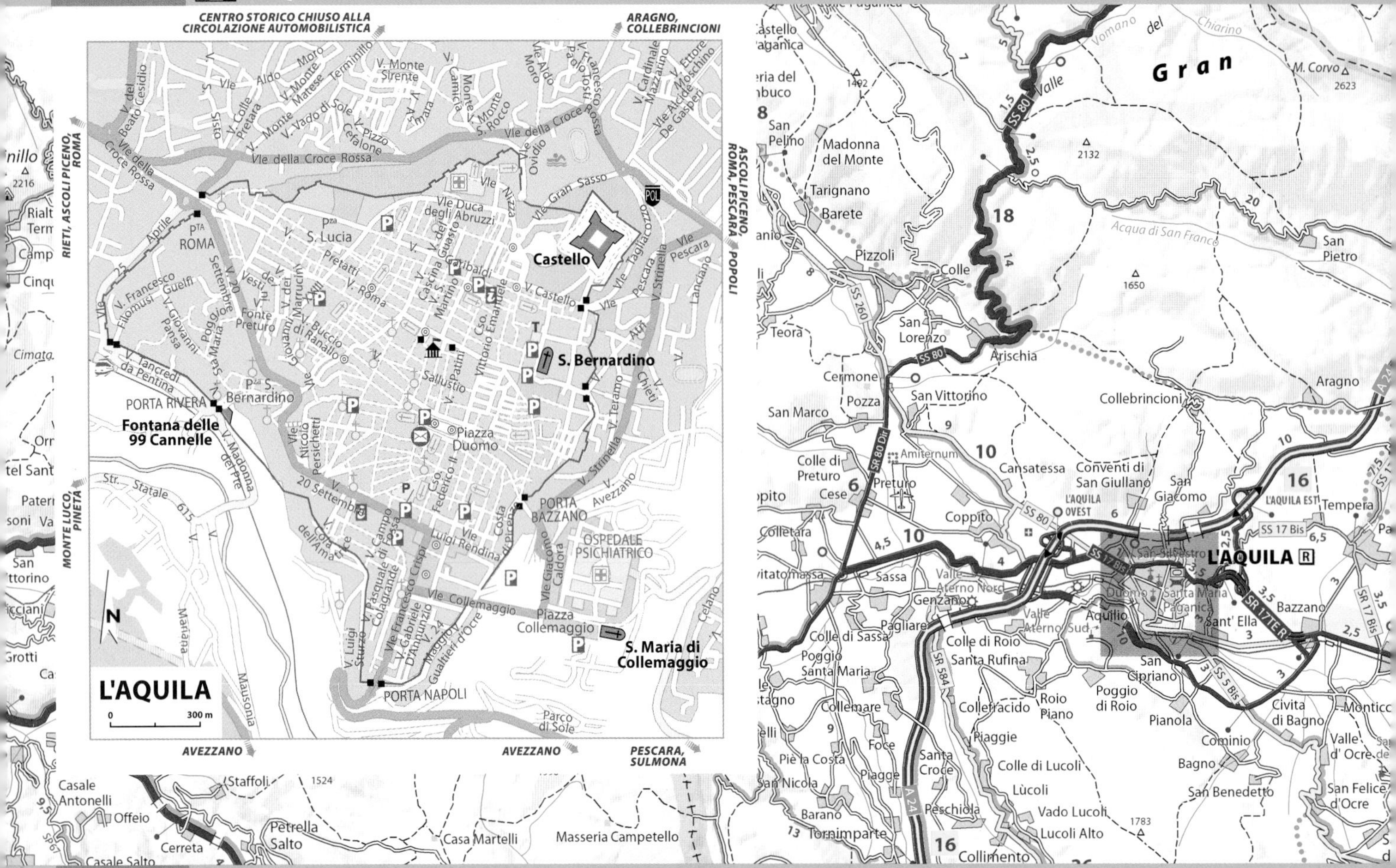

CENTRO STORICO CHIUSO ALLA
CIRCOLAZIONE AUTOMOBILISTICA

ARAGNO,
COLLEBRINCIONI

RIETI, ASCOLI PICENO, ROMA

ASCOLI PICENO, ROMA, PESCARA, POPOLI

MONTELUCO, PINETA

Castello

PTA
ROMA

S. Lucia

S. Bernardino

PORTA RIVERA

Fontana delle
99 Cannelle

Piazza
Duomo

PORTA
BAZZANO

OSPEDALE
PSICHIATRICO

N

Piazza
Collemaggio

S. Maria di
Collemaggio

L'AQUILA

0   300 m

PORTA NAPOLI

Parco
di Sole

AVEZZANO

AVEZZANO

PESCARA,
SULMONA

(Regional map — L'Aquila area)

Gran

M. Corvo
2623

Valle

del

Vomano

Chiarino

Castello
Paganica

M. Corvo

San
Pelino

Madonna
del Monte

2132

Acqua di San Franc

San
Pietro

Tarignano

Barete

18

Pizzoli

Colle

1650

San
Lorenzo

Teora

SS 80

Cermone

Pozza

San Vittorino

Arischia

Collebrincioni

Aragno

San Marco

Amiternum

10

Cansatessa

Conventi di
San Giuliano

16

L'AQUILA EST

Colle di
Preturo

Preturo

Cese

San
Giacomo

L'AQUILA
OVEST

Tempera

Coppito

L'AQUILA

SS 17 Bis

Bazzano

Sassa

Aterno Nord

Genzano

Santa Maria
Paganica

Aquilio

Sant' Ella

Colle di Sassa

Pagliare

Valle
Aterno Sud

Poggio
Santa Maria

Santa Rufina

San
Gipriano

Colle di Roio

Roio
Piano

Poggio
di Roio

Civita
di Bagno

Collemare

Colleraccido

Pianola

Cominio

Valle
d' Ocre

Piaggie

Santa
Croce

Colle di Lucoli

Bagno

San Benedetto

Pie la Costa

Foce

San Nicola

Lùcoli

Vado Lucoli

San Felice
d'Ocre

Barano

Peschiola

1783

Tornimparte

16

Lucoli Alto

Collimento

LECCE

LECCE

Case Simini

Abbazia
Santa Maria
di Cerrate

Borgo Grappa

Frigole

23

Borgo
Piave

Villaggio
Dario

Surbo

Masseria
Olmo

Giorgiolo

Villaggio
del Sole

Villaggio
Wojtila

LECCE

San Ligorio

Zona di ballo

Mezzagrande
Marangi

Villa
Convento

Masseria
Marsello

Zona Erchie
Piccolo

Zona
Marangi

Monteroni
di Lecce

Arnesano

Rosa
Marina

Merine

Magliano

Donadeo

Cavallino

Lizzanello

13

San Pietro
in Lama

Dragoni

San Cesario
di Lecce

Lequile

Copertino

San Donato
di Lecce

Galugnano

Caprarica
di Lecce

12

Martignano

Sternatia

Zollino

Martano

Conca
Specchiulla

Borgane

Frassanito

Villaggio
Altair

Serra Alimini II

Serra Alimini I

Alimini
Grande

15

(City centre map — Lecce)

BARI, BRINDISI

TARENTO

GALLIPOLI

S. Angelo

Porta
Napoli

Pal. del
Governo

Santa Croce

VILLA REALE

Gesù

Pza S.
Oronzo

Pal. del
Seggio

Castello

Sant'
Irene

S. Marco

Pza del
Duomo

MUST

Anfiteatro
Romano

Seminario

Duomo

PORTA RUDIAE

V. G. Libertini

Pal.
Vescovile

Teatro
Romano

S. Matteo

Rosario

S. Francesco
d'Assisi

Museo
Archeologico
Faggiano

PORTA
S. BIAGIO

CARMINE

Museo Provinciale
Sigismondo
Castromediano

LECCE

0   200 m

N

MAGLIE, OTRANTE

MAGLIE, OTRANTE

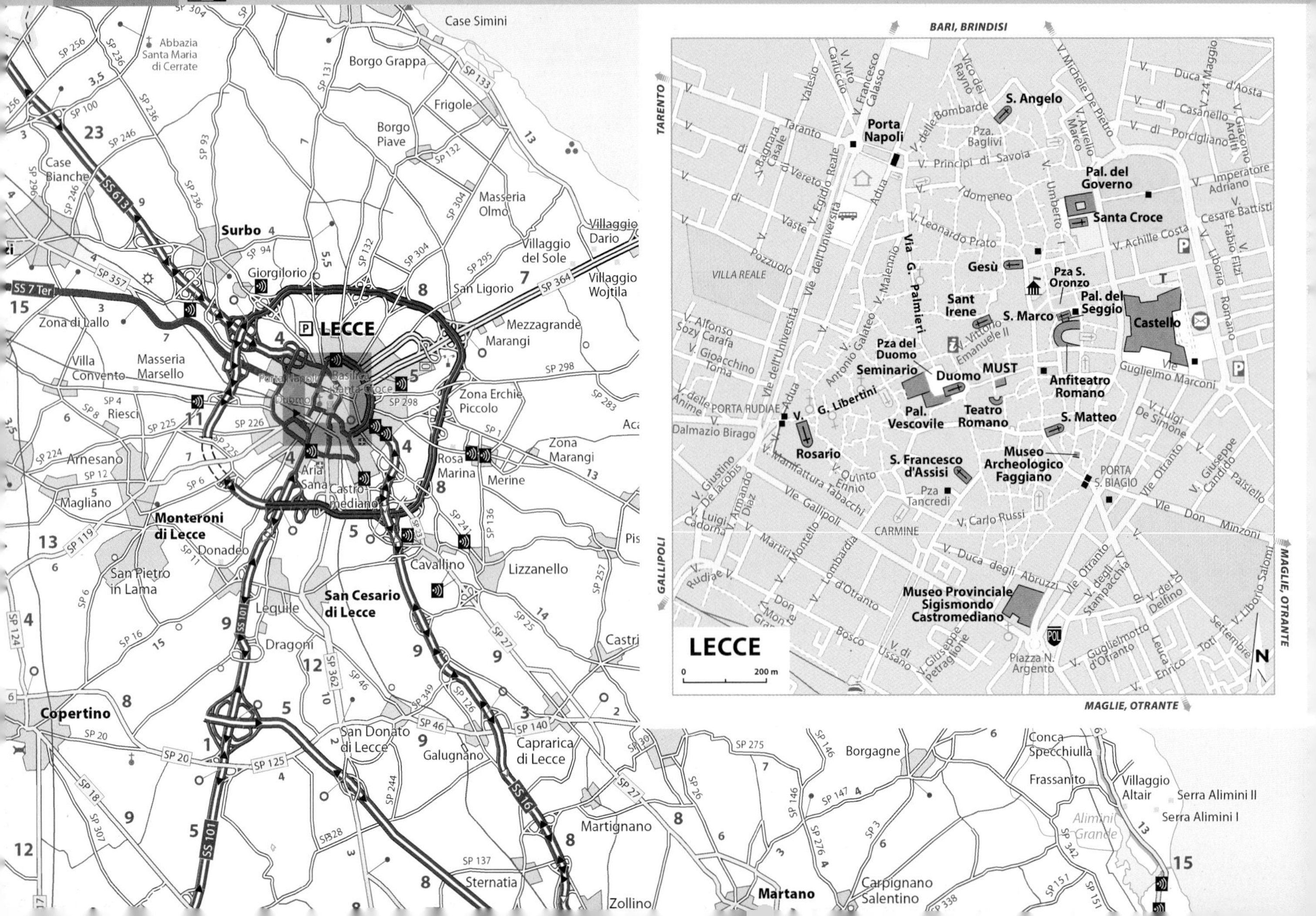

MANTOVA

BRESCIA, VERONA

0   200 m

LAGO SUPERIORE

LAGO DI MEZZO

N

Porta Mulina

Palazzo d'Arco

Museo Diocesano

Duomo

CASTELLO

PALAZZO DUCALE

Piazza Sordello

Palazzo Bonacolsi

Piazza Broletto

Sant'Andrea

Pza delle Erbe

Pza A. Mantegna

Pal. della Ragione

Rotonda di S. Lorenzo

Teatro Scientifico

Pescherie

Palazzo di Giustizia

LAGO INFERIORE

PORTO

CREMONA, PARMA

PADOVA, FERRARA

PALAZZO TE · CASA DEL MANTEGNA

REGGIO EMILIA, MODENA

Pza C. d'Arco

Pza M. di Canossa

Pza Don E. Leoni

Cso. Vittorio Emanuele II

Pza F. Cavaloti

Pza M. di Belfiore

V. del Mulini

Vle Mincio

Passerella Legnago

Vicolo Barche

Regional map

Cisano · Pressenga · Colombare · Calmasino · Sega · Lazise

Sant'Ambrogio di Valpolicella · Pedemonte · Negrar

Santa Maria di Negrar

San Pietro in Cariano · Arbizzano · 14

Bussolengo · Pescantina · Settimo · Parona

ADIGE

Castelnuovo del Garda · Lugagnano · 12 · San Massimo all'Adige

Sandrà · Palazzolo · 19

Sona · VERONA NORD · 16

SOMMACAMPAGNA · A4 · E70

Custoza · Sommacampagna · Monte Baldo Sud · VALERIO CATULLO · 1

Dossobuono · Alpo

Villafranca di Verona · Madonna dell'Uva Secca

Valeggio sul Mincio · Pozzi · Povegliano Veronese · Isolalta

Rosegaferro · San Zeno · Pizzoletta · 28

Grezzano · I Casotti

Campagnola · Foroni · Mazzi · Quaderni · Vanoni

Mozzecane · Quistello · Nogarole Rocca · Trevenzuolo

Remelli · Malavicina · San Bernardino

Le Sei Vie · Belvedere · Tormine · Pradelle · Bagnolo · Roncoleva

Massimbona · Roverbella · Castiglione Mantovano · Corte Prestinari · Canedole · Cortalta · 28

PARCO · Goito · Torre · Villabona · Marengo · Corte Rotta · Castelletto · Santa Lucia

Marmirolo · 11 · San Brizio · Corte Tezzoli · Bigarello

Marsiletti · Calliera · Bertone · Belrolo · Bosco Fontana · Porto Mantovano · Bancole · Villanova · Drasso Maiardina · Ghisiolo · 28

MANTOVA NORD · Stradella · 20

Crocevia · Grazioli · Volta Mantovana · Reale · San Giacomo · Guidizzolo · Foresto · Gatti · Pozzolo · Sfrizzera

Medole · Dosso · Baite · Sassi · Rebecco · Cereta · Tirolo · Cerlongo

Colla · Lodolo · Sant'Anna · Selvarizzo · Birbesi · Castelgrimaldo · Colombare · Vasto di Sopra · Vasto di Sotto

Gambina · Casalpoglio · Berenzi · Bocchere · Ceresara · Tezze · Cortine · Belvedere

Castel Goffredo · Bellaria · Morini · San Martino Gusnago · San Lazzaro · Molino Nuovo · Solarolo · San Lorenzo

Casaloldo · Castelnuovo · Molinello · Malavicina · Villa Cappella · Mussolina · Brolazzo · Maglio

Volongo · Pistoni · Piubega · Sacca · Fossato · 13

Quattro Strade · Negrisoli · Gazzuoli · San Cassiano · Motta · Rodigo · Gazoldo degli Ippoliti · Le Corti · Ripa · Corniano · Belvedere

Mariana Mantovana · San Fermo · Sarginesco · Pilone · Rivalta · Cittadella

Redondesco · Cimbriolo · Gaffuro · Grazie · Castelnuovo · MANTOVA

Acquanegra sul Chiese · Mosio · Pioppino · Carrobbio · Castellucchio · Curtatone · Pietole Vecchie · Formigosa

Pagadelli · Casatico · Ospitaletto · 15 · Montanara · Crocette · San Lorenzo · La Santa · Levata · Virgilio · Pietole

Calvatone · Casazze · San Michele in Bosco · Marcaria · Gabbiana · Pilastro · Balconcello · Cappelletta · San Biagio

Bozzolo · Giardino · Casale · Colombina · 35 · Buscoldo · Serraglio · Ponteventuno · Bellaguarda · Campione · MANTOVA SUD

San Martino dall'Argine · Spineda · Belforte · Campitello · Corte Ronchi · Canicossa · Romanore · San Cataldo · Bagnolo San Vito · Gazzo

Rivarolo Mantovano · San Giacomo Po

LAGO SUPERIORE · LAGO INFERIORE

MESSINA

0 300 m

N

MARE IONIO

MILANO
Monza
Sesto San Giovanni
Cinisello Balsamo
Cusano Milanino
Bresso
Cologno Monzese
Cernusco sul Naviglio
Gorgonzola
Pioltello
Segrate
Melzo
Rho
Pero
Settimo Milanese
Cesano Boscone
Corsico
Buccinasco
Assago
Rozzano
Opera
Pieve Emanuele
San Donato Milanese
San Giuliano Milanese
Peschiera Borromeo
Melegnano
Lodi
Sant'Angelo Lodigiano
Binasco
Lacchiarella
Siziano
Trezzano sul Naviglio
Bollate
Novate Milanese
Garbagnate Milanese
Lainate
Saronno
Cesano Maderno
Seveso
Meda
Seregno
Desio
Lissone
Muggiò
Nova Milanese
Paderno Dugnano
Varedo
Limbiate
Carate Brianza
Giussano
Mariano Comense
Lentate sul Seveso
Cermenate
Arcore
Vimercate
Villasanta
Concorezzo
Agrate Brianza
Brugherio
Merate
Bernareggio
Calusco d'Adda
Trezzo sull'Adda
Cassano d'Adda
Zelo Buon Persico
Linate

MILANO

Cripta di San Sepolcro .... B
Palazzo dei Giureconsulti C
Museo del Duomo ....D
Museo del Novecento.......F

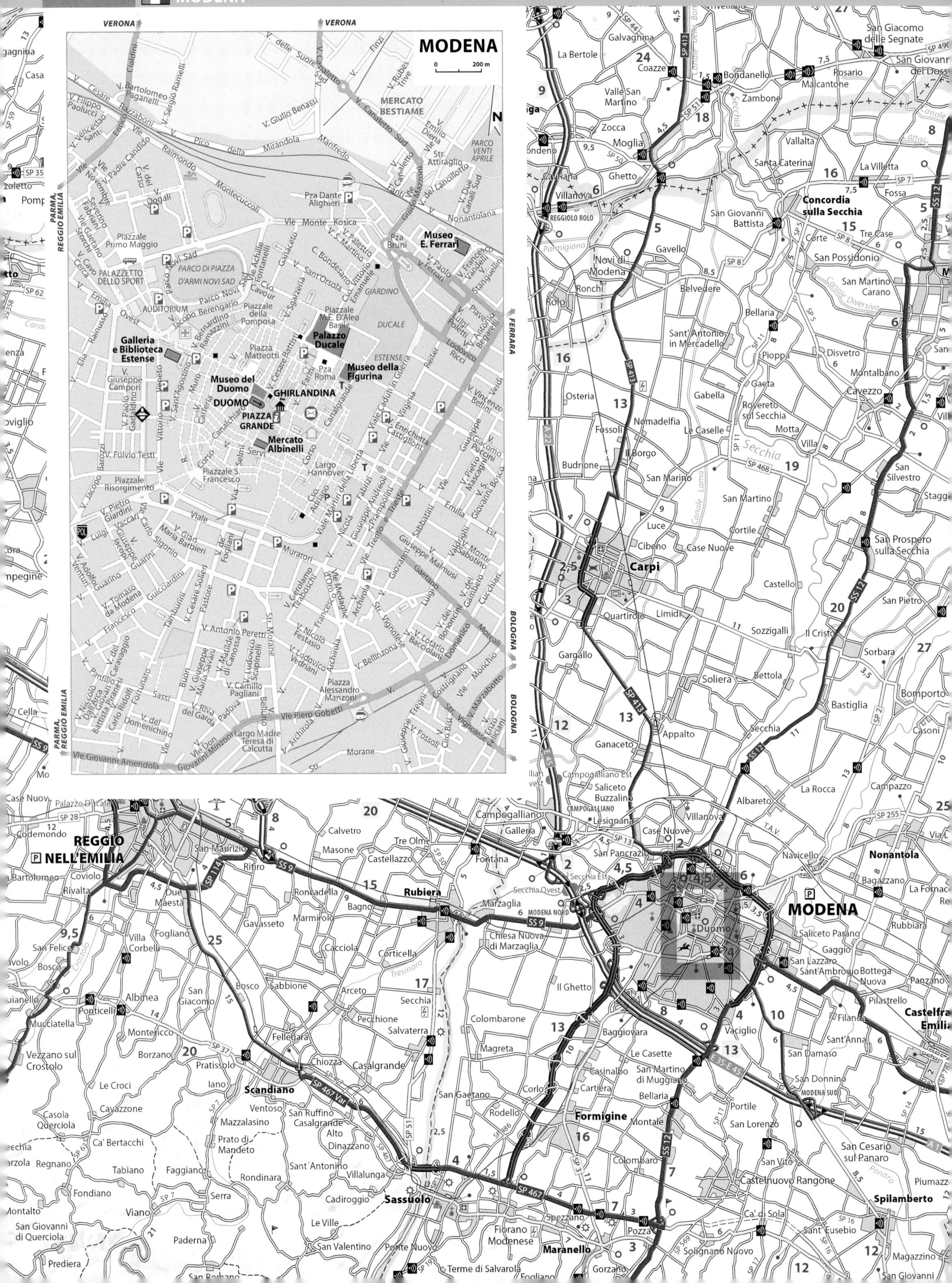

MODENA

0   200 m

N

VERONA
VERONA

MERCATO BESTIAME

PARCO VENTI APRILE

Museo E. Ferrari

Pza Dante Alighieri

Vle Monte Kosica

Piazzale Primo Maggio

PALAZZETTO DELLO SPORT

PARCO DI PIAZZA D'ARMI NOVI SAD

AUDITORIUM

Parco Novi Sad

Galleria e Biblioteca Estense

Piazza della Pomposa

Palazzo Ducale

DUCALE

Piazzale M.E. D'Aleo Basile

ESTENSE

Piazza Matteotti

Museo del Duomo

DUOMO

GHIRLANDINA

Museo della Figurina

PIAZZA GRANDE

Pza Roma

Mercato Albinelli

Largo Hannover

Piazzale S. Francesco

Piazzale Risorgimento

FERRARA

BOLOGNA

BOLOGNA

Piazza Alessandro Manzoni

Largo Madre Teresa di Calcutta

Morane

PARMA, REGGIO EMILIA

Surrounding area

San Giacomo delle Segnate
Galvaghina
La Bertole
Coazze 24
Bondanello
Rosario
San Giovanni del Dosso
Malcantone
Valle San Martino
Zocca
Moglia
Zambone
Vallata
Santa Caterina
La Villetta 16
Fossa
Villanova
Ghetto
Concordia sulla Secchia 15
Tre Case
REGGIOLO ROLO
San Giovanni Battista
San Possidiono
Gavello
San Martino Carano
Novi di Modena
Ronchi
Belvedere
Bellaria
Montalbano
Cavezzo
Rolo
Sant'Antonio in Mercadello
Pioppa
Disvetro
Osteria 13
Nomadelfia
Le Caselle
Gabella
Rovereto sul Secchia
Motta
Fossoli
Il Borgo
Budrione
San Marino
San Martino
Villa
San Silvestro
Luce
Cibeno
Case Nuove
Cortile
San Prospero sulla Secchia
Carpi
Castello
San Pietro
Quartirolo
Limidi
Sozzigalli 20
Il Cristo
Gargallo
Soliera
Bettola
Sorbara 27
Appalto 13
Secchia
Bastiglia
Bomporto
Ganaceto 12
Casoni
Campazzo 25
La Rocca
Albareto
Villanova

REGGIO NELL'EMILIA
Codemondo
San Maurizio
Calvetro
Tre Olmi
Campogalliano
Galleria
Lesignana
Case Nuove
Navicello
Nonantola
Bagazzano
La Fornace
Coviolo
Castellazzo
Masone
Fontana
San Pancrazio
Rivalta
Roncadella
Rubiera
Bagno
Marzaglia
MODENA NORD
Duomo
MODENA
Saliceto Panaro
Rubbiara
Due Maesta
Gavasseto
Marmirolo
Chiesa Nuova di Marzaglia
Saliceto Parano
Gaggio
Villa Corbelli
Fogliano
Cacciola
Il Ghetto
San Lazzaro
Sant'Ambrogio Bottega Nuova
Panzano
San Felice
Bosco
Sabbione
Corticella
Colombarone
Baggiovara
Pilastrello
Filanda
Castelfranco Emilia
Mucchiatella
Monterricco
San Giacomo
Arceto
Secchia
Le Casette
Sant'Anna
Ponticelli
Albinea
Borzano
Fellegara
Pecchione
Salvaterra
Casinalbo
San Martino di Muggiano
San Damaso
Vezzano sul Crostolo
Chiozza
Casalgrande
Magreta
Cartiera
San Donnino
Le Croci
Iano
Pratissolo
Scandiano
Colombaro
Bellaria
Portile
Casola Querciola
Cavazzone
Ventoso
Mazzalasino
Casalgrande Alto
Rodello
Formigine
Montale
San Lorenzo
San Cesario sul Panaro
Tabiano
Faggiano
Rondinara
Sant'Antonio
Villalunga
San Gaetano
Dinazzano
Prato di Mandeto
Spezzano
Pozza
Spilamberto
Fondiano
Viano
Cadiroggio
Le Ville
Ponte Nuovo
Fiorano Modenese
Maranello
Sant'Eusebio
Solignano Nuovo
San Giovanni di Querciola
Paderna
San Valentino
San Romano
Terme di Salvarola
Gorzano
Sassuolo
Predera
Regnano
Montalto
Cella

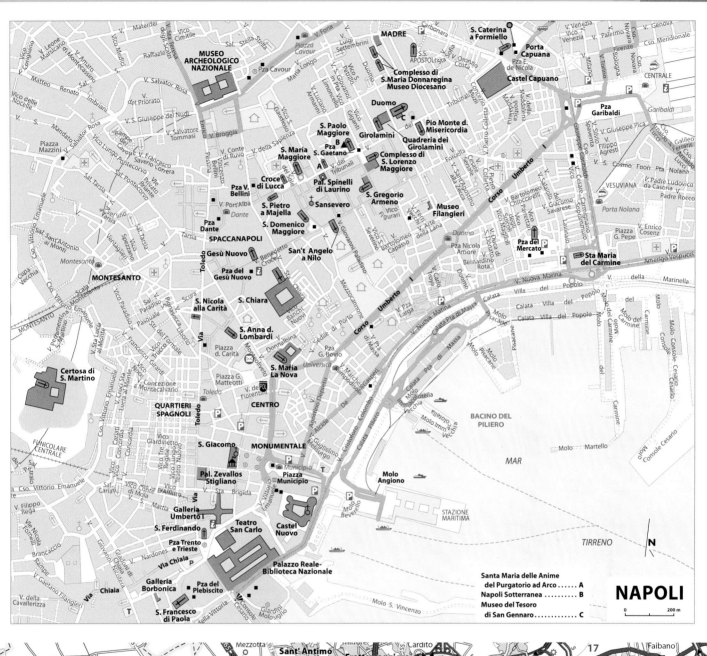

NAPOLI

Santa Maria delle Anime
del Purgatorio ad Arco . . . . . . A
Napoli Sotterranea . . . . B
Museo del Tesoro
di San Gennaro C

0   200 m

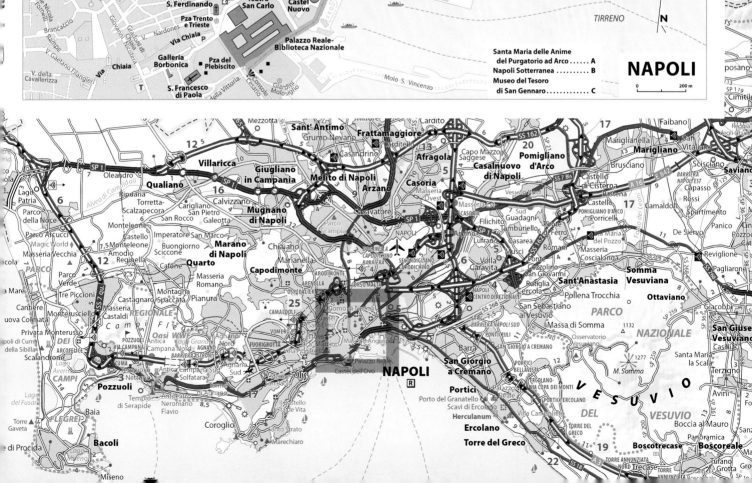

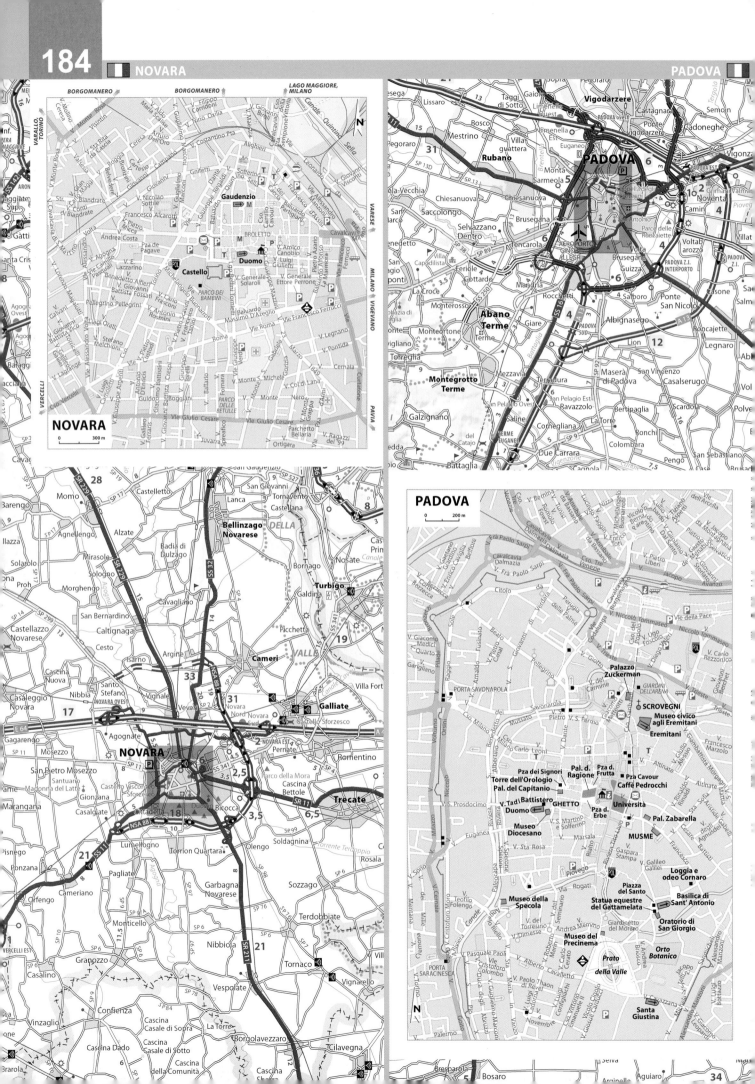

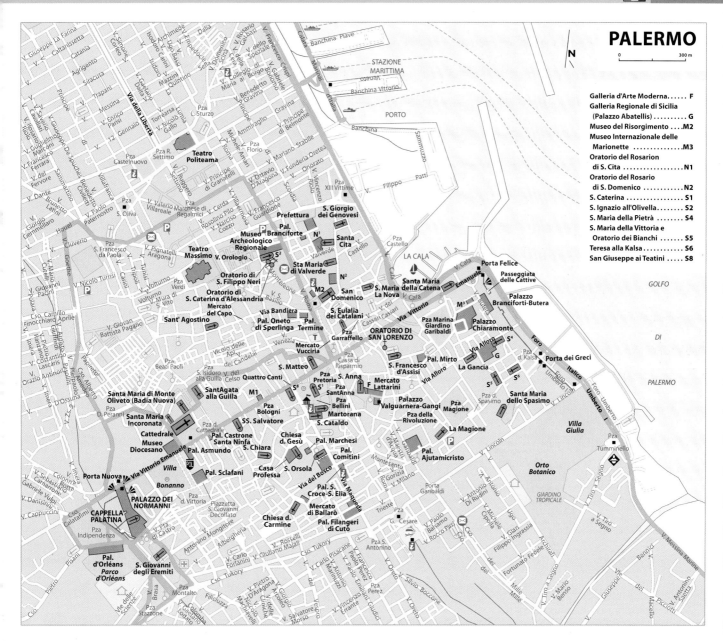

PALERMO

0   300 m

Galleria d'Arte Moderna . . . . . . F
Galleria Regionale di Sicilia
  (Palazzo Abatellis) . . . . G
Museo del Risorgimento M2
Museo Internazionale delle
  Marionette M3
Oratorio del Rosarion
  di S. Cita N1
Oratorio del Rosario
  di S. Domenico N2
S. Caterina S1
S. Ignazio all'Olivella S2
S. Maria della Pietrà S4
S. Maria della Vittoria e
  Oratorio dei Bianchi S5
Teresa alla Kalsa S6
San Giuseppe ai Teatini S8

GOLFO

DI

PALERMO

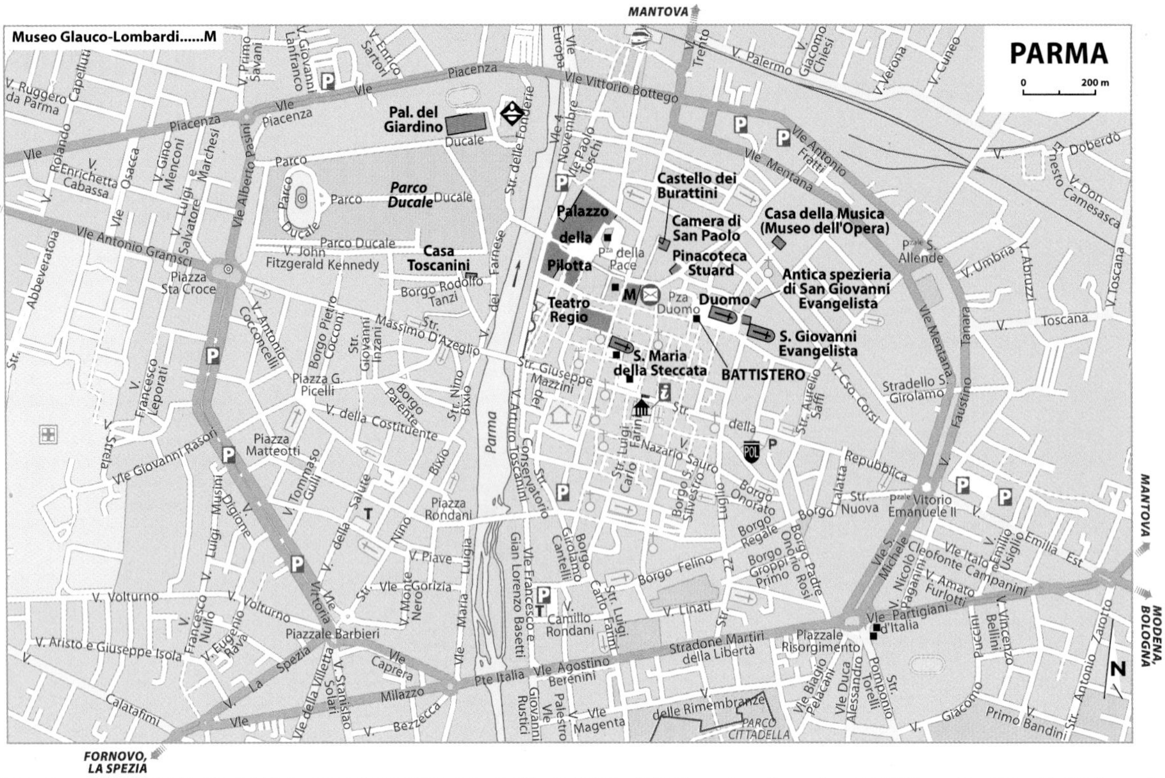
PARMA
0 200 m
Museo Glauco-Lombardi......M
MANTOVA
PIACENZA, FIDENZA
MANTOVA
MODENA, BOLOGNA
FORNOVO, LA SPEZIA
Pal. del Giardino
Parco Ducale
Castello dei Burattini
Camera di San Paolo
Pinacoteca Stuard
Casa della Musica (Museo dell'Opera)
Palazzo della Pilotta
Casa Toscanini
Teatro Regio
Duomo
Antica spezieria di San Giovanni Evangelista
S. Giovanni Evangelista
S. Maria della Steccata
BATTISTERO
Pza Duomo
P.za della Pace
Piazza Sta Croce
Piazza G. Picelli
Piazza Matteotti
Piazza Rondani
Piazzale Barbieri
Piazzale Risorgimento
Vle Vittorio Bottego
Vle Piacenza
Vle Mentana
Vle Antonio Gramsci
Vle Giovanni Rasori
Vle Vittoria
V. Volturno
Stradone Martiri della Libertà
Vle Partigiani d'Italia
Vle delle Rimembranze
PARCO CITTADELLA
Vle Magenta
Vle Fratti
Str. della Repubblica
Borgo Felino
V. Toscana
N

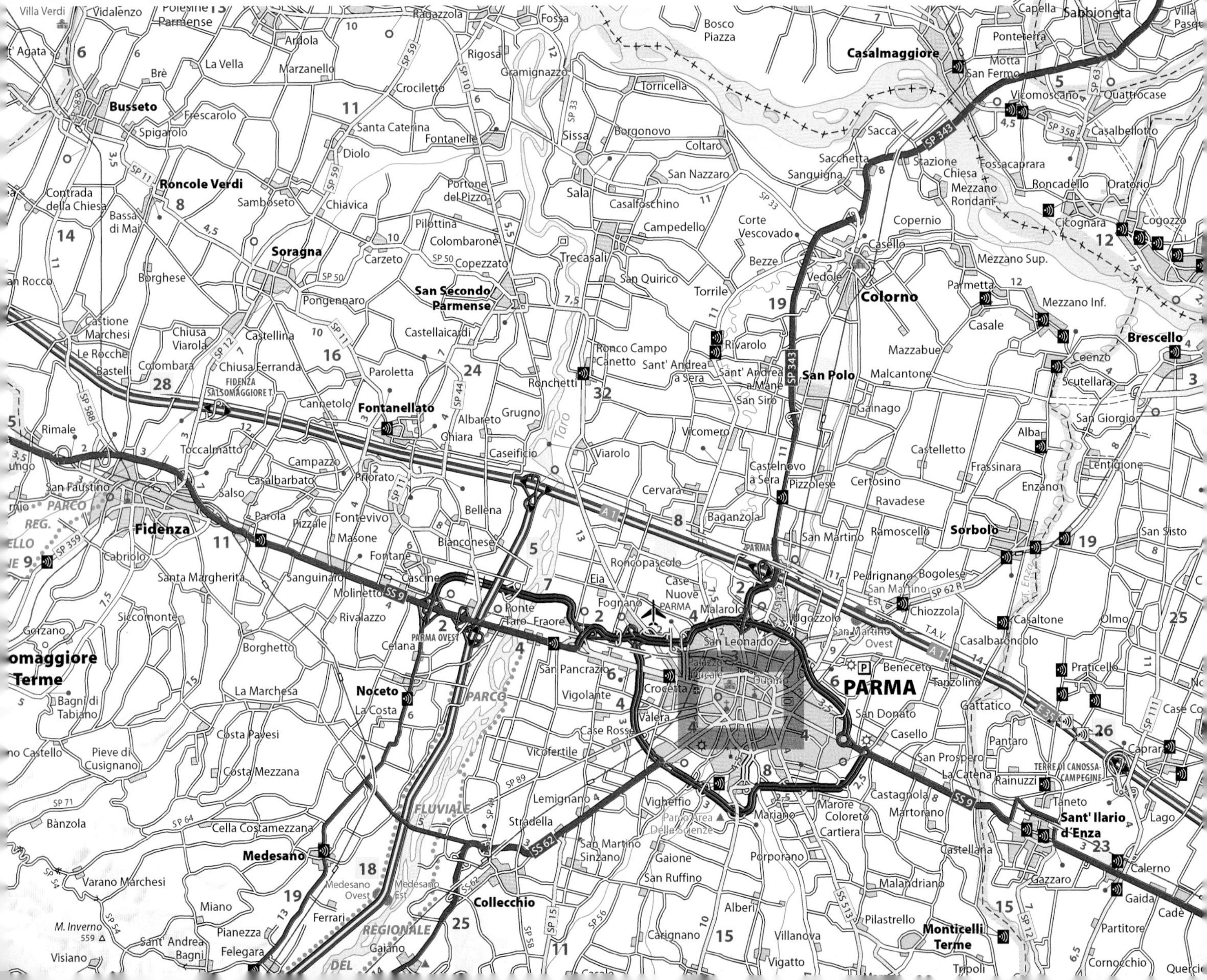
PARMA
Fidenza
Busseto
Roncole Verdi
Soragna
San Secondo Parmense
Fontanellato
Noceto
Medesano
Collecchio
Colorno
San Polo
Sorbolo
Casalmaggiore
Sabbioneta
Brescello
Sant' Ilario d'Enza
Monticelli Terme
Salsomaggiore Terme
Sissa
Trecasali
Torrile
Mezzano Inf.
Mezzano Sup.
PARMA OVEST
FIDENZA SALSOMAGGIORE T.
PARCO FLUVIALE REGIONALE DEL TARO
TERRE DI CANOSSA-CAMPEGINE
A1
SS 9
SS 62
SP 343
M. Inverno 559

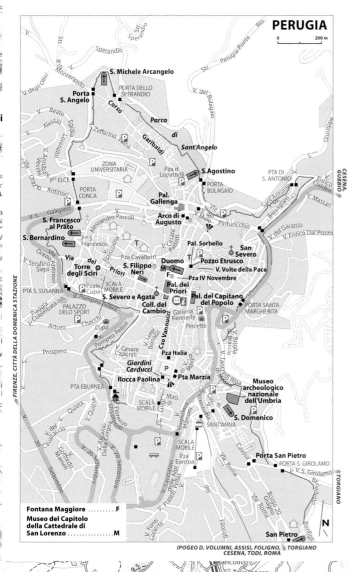

PERUGIA

0 — 200 m

- S. Michele Arcangelo
- Porta S. Angelo
- Corso Garibaldi
- Parco di Sant'Angelo
- PORTA DELLO SPERANDIO
- S. Agostino
- PTA DI S. ANTONIO
- ZONA UNIVERSITARIA
- Pza d. Lupattelli
- PORTA CONCA
- P.TA ELCE
- Pal. Gallenga
- PORTA BULAGAIO
- S. Francesco al Prato
- S. Bernardino
- Arco di Augusto
- Pal. Sorbello
- San Severo
- Via dei Torre degli Sciri
- S. Filippo Neri
- Duomo
- Pozzo Etrusco
- Pza IV Novembre
- V. Volte della Pace
- Pza Cavallotti
- Priori
- Pal. dei Priori
- Pza d. Cupa
- S. Severo e Agata
- Coll. del Cambio
- Pal. del Capitano del Popolo
- PALAZZO DELO SPORT
- SCALA MOBILE
- Galleria Kennedy
- Pincetto
- PORTA SANTA MARGHERITA
- PTA S. SUSANNA
- Pza Italia
- Giardini Carducci
- Rocca Paolina
- Pta Marzia
- Museo archeologico nazionale dell'Umbria
- PTA EBURNEA
- SCALA MOBILE
- S. Domenico
- SANT'ANNA
- Porta San Pietro
- Pza Europa
- PORTA S. GIROLAMO
- San Pietro

FIRENZE, CITTÀ DELLA DOMENICA STAZIONE

CESENA, GUBBIO

TORGIANO

Fontana Maggiore .... F
Museo del Capitolo della Cattedrale di San Lorenzo .... M

IPOGEO D. VOLUMNI, ASSISI, FOLIGNO, TORGIANO
CESENA, TODI, ROMA

N

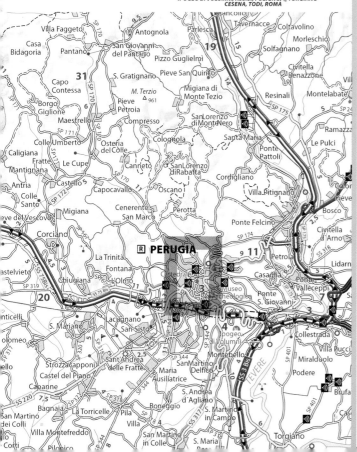

PERUGIA Ⓡ

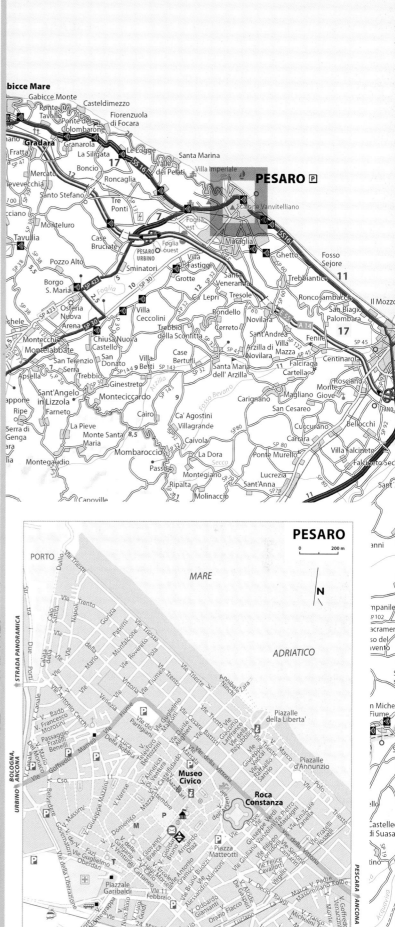

PESARO

0 — 200 m

PORTO

MARE ADRIATICO

N

- Museo Civico
- Roca Constanza
- Piazzale Garibaldi
- Piazza Matteotti
- Piazzale della Liberta'
- Piazzale d'Annunzio

STRADA PANORAMICA

BOLOGNA, ANCONA

URBINO

PESCARA, ANCONA

URBINO

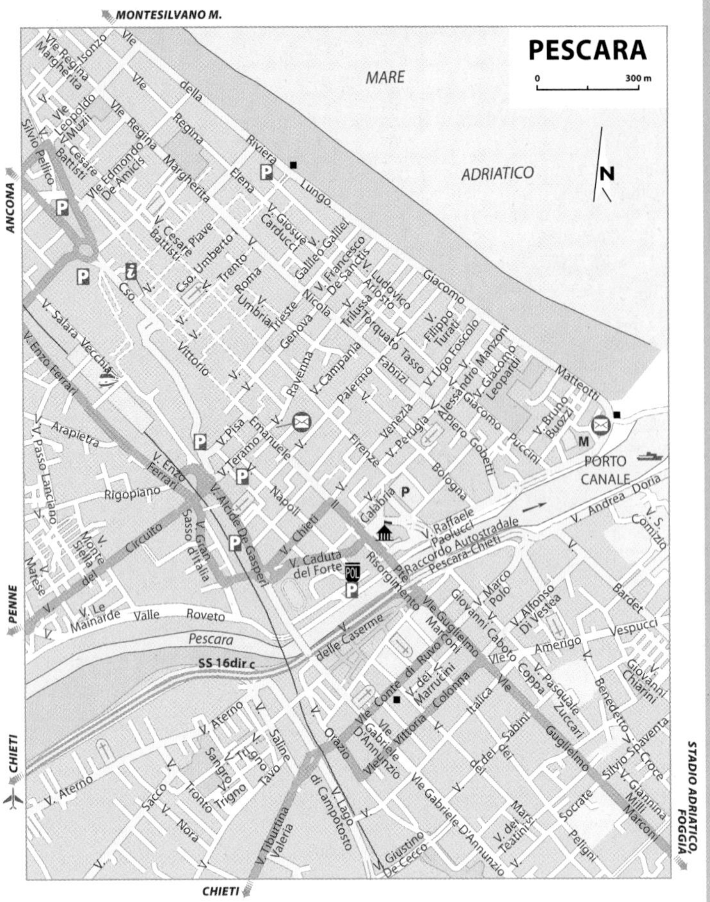

PESCARA

MONTESILVANO M.

MARE
ADRIATICO

0   300 m

N

ANCONA

PENNE

CHIETI

PORTO CANALE

STADIO ADRIATICO, FOGGIA

CHIETI

Silvi Marina

Montesilvano Marina
Montesilvano
Santa Filomena
Colle Marino

PESCARA

Madonna

Spoltore

Pretaro

Francavilla al Mare

Fontanelle
San Silvestro

San Giovanni Teatino

Postilli
Foro

CHIETI

PISA

PARCO

Vecchiano

San Giuliano Terme

Asciano

MIGLIARINO

PISA

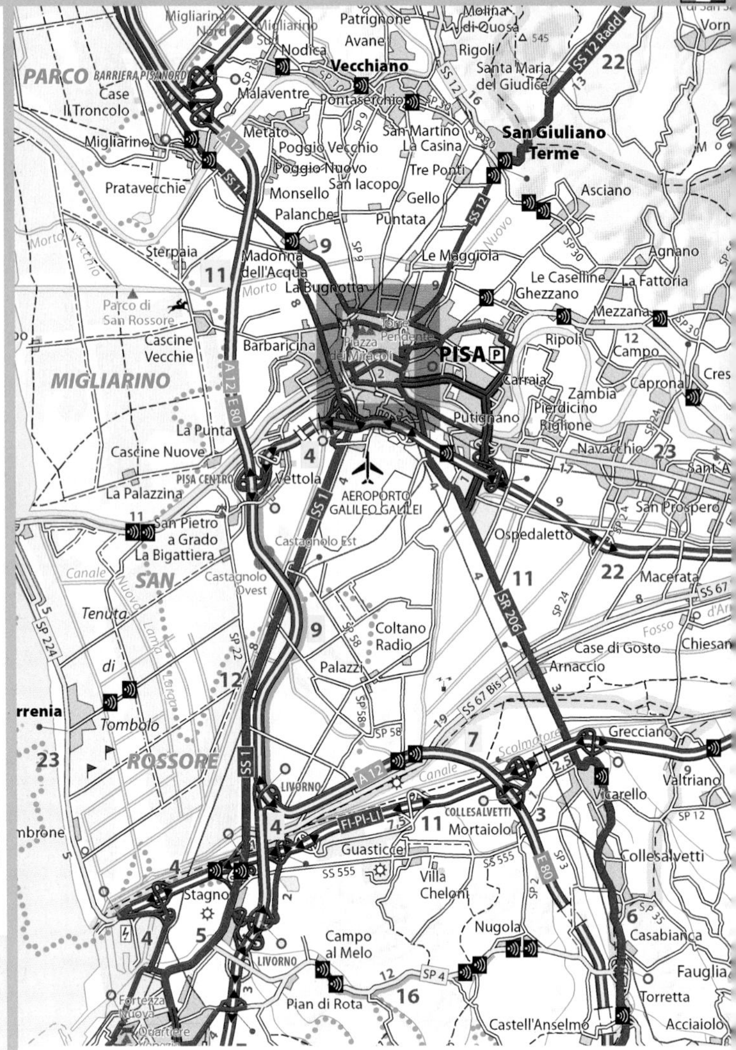

AEROPORTO GALILEO GALILEI

SAN ROSSORE

LIVORNO

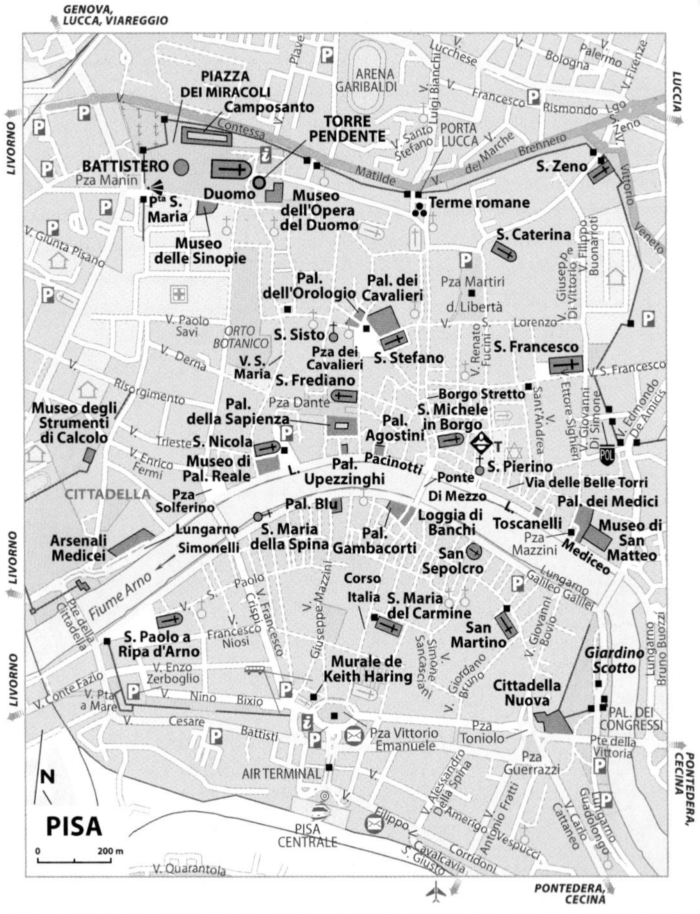

GENOVA, LUCCA, VIAREGGIO

PIAZZA DEI MIRACOLI
Camposanto
TORRE PENDENTE
BATTISTERO
Pza Manin
Duomo
Museo dell'Opera del Duomo
Museo delle Sinopie

Pal. dell'Orologio
Pal. dei Cavalieri
S. Sisto
Pza dei Cavalieri
S. Stefano
S. Frediano

Museo degli Strumenti di Calcolo
Pal. della Sapienza
S. Nicola
Museo di Pal. Reale
Pza Solferino
Pal. Blu

CITTADELLA

Arsenali Medicei
Lungarno Simonelli
S. Maria della Spina

Fiume Arno

S. Paolo a Ripa d'Arno

Murale de Keith Haring

S. Zeno
S. Caterina
S. Francesco

Borgo Stretto
S. Michele in Borgo
Pal. Agostini
Pal. Pacinotti
Upezzinghi
Ponte Di Mezzo
Loggia di Banchi
Pal. Gambacorti
San Sepolcro
Corso Italia
S. Maria del Carmine
San Martino

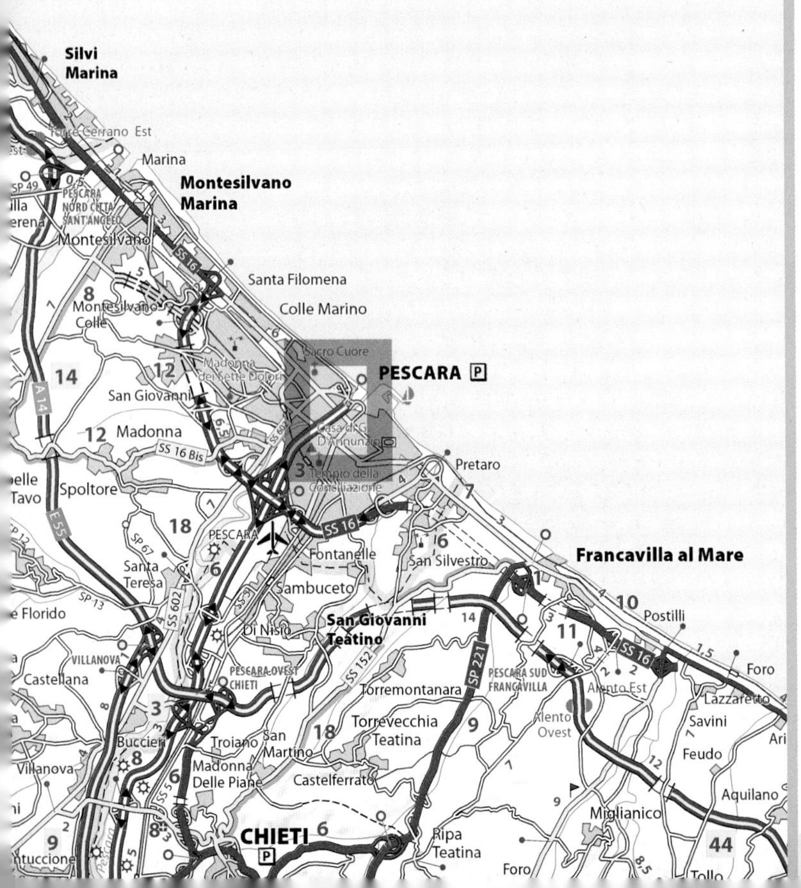

S. Pierino
Via delle Belle Torri
Pal. dei Medici
Toscanelli
Museo di San Matteo
Mediceo

Giardino Scotto
Cittadella Nuova

N

PISA

0   200 m

PISA CENTRALE

PONTEDERA, CECINA

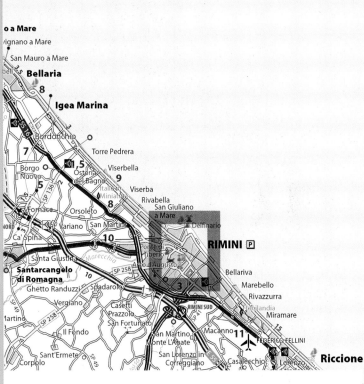

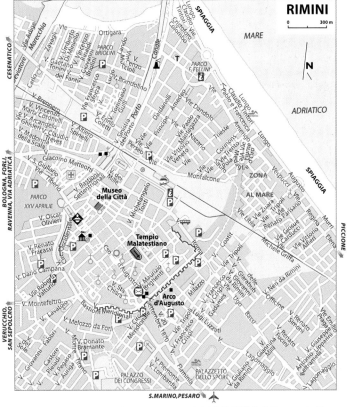

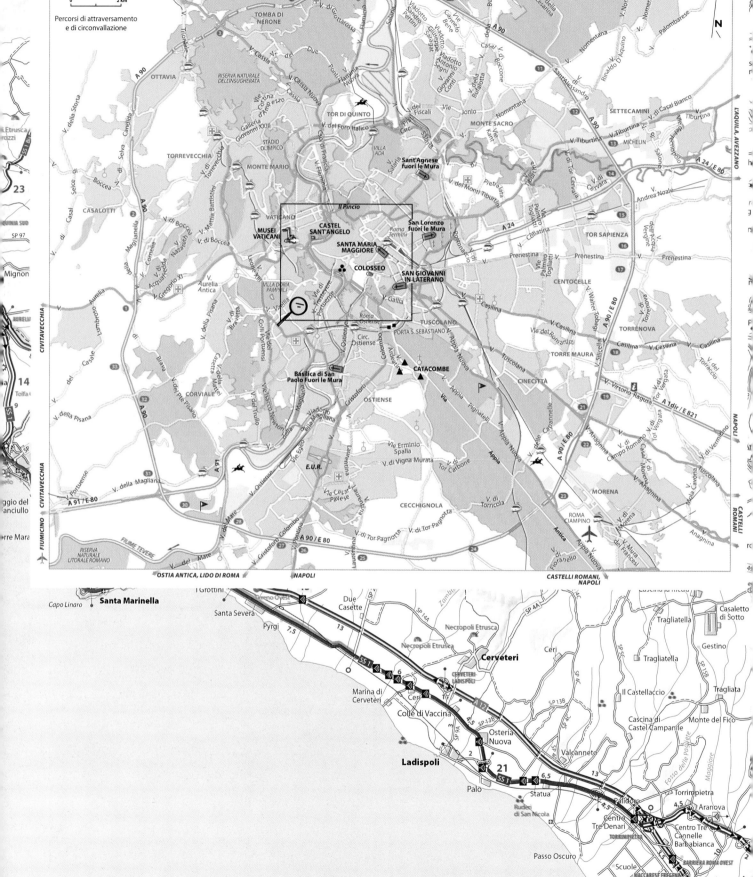

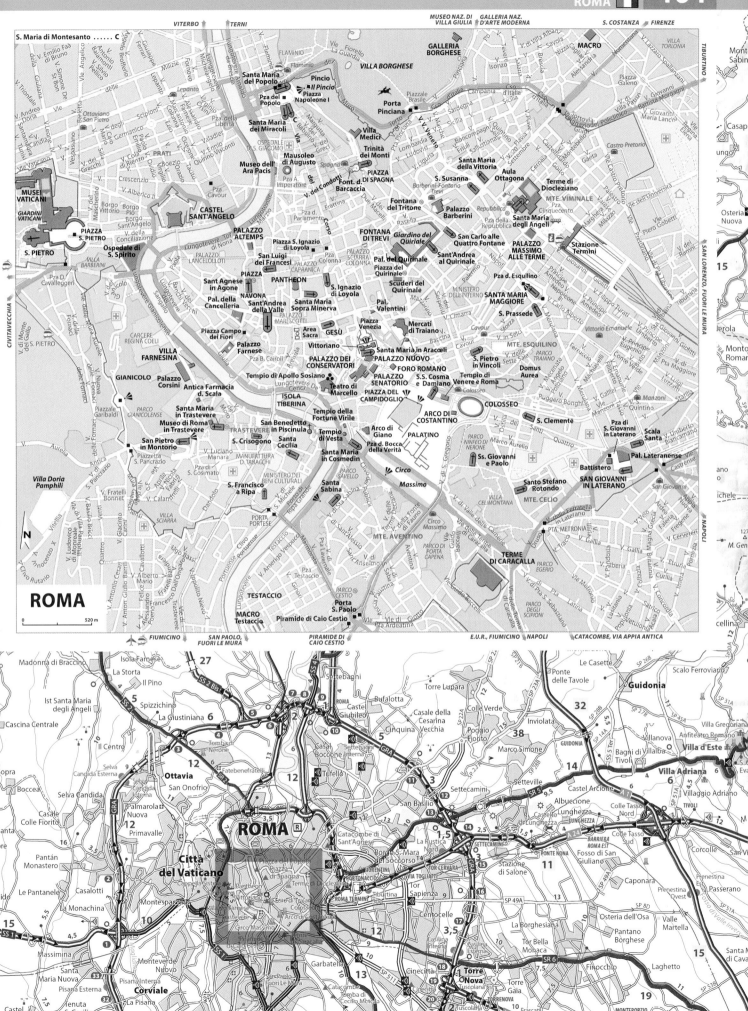

ROMA

0   520 m

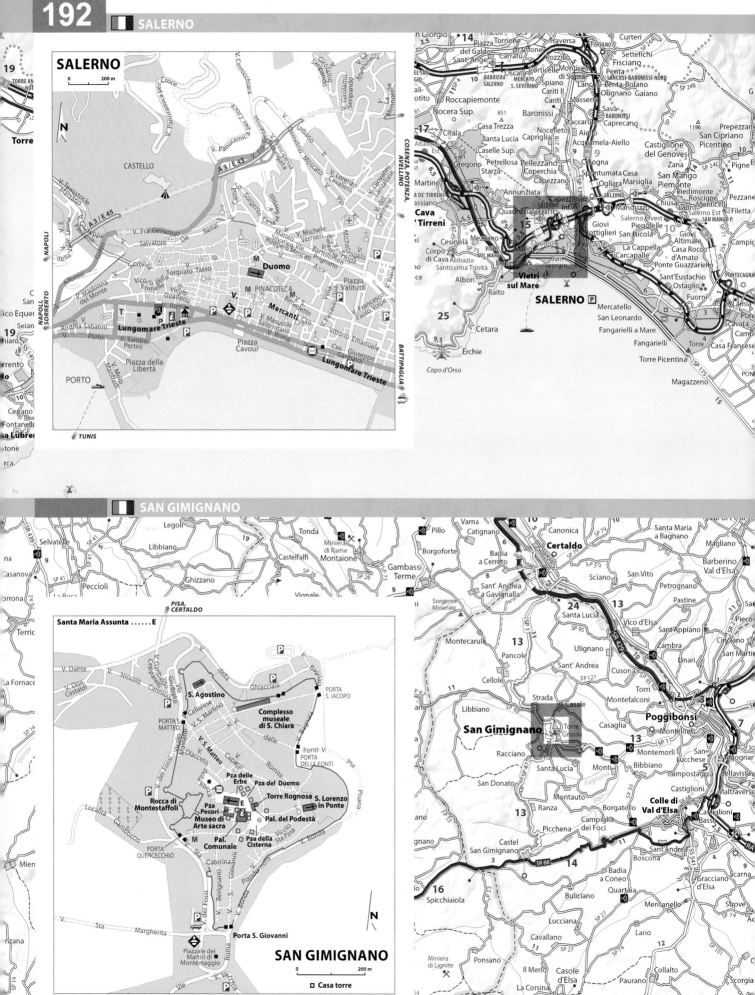

SALERNO

0   200 m

CASTELLO

NAPOLI

A 3 / E 45

NAPOLI, SORRENTO

Duomo

PINACOTECA

Mercanti

Piazza Valitutti

Lungomare Trieste

Piazza Cavour

Piazza della Libertà

PORTO

Lungomare Trieste

BATTIPAGLIA

COSENZA, POTENZA, AVELLINO

TUNIS

Vietri sul Mare

Cava de' Tirreni

SALERNO

Capo d'Orso

Erchie

Cetara

PISA, CERTALDO

Santa Maria Assunta . . . . . . E

S. Agostino

Complesso museale di S. Chiara

PORTA S. IACOPO

PORTA S. MATTEO

V. S. Matteo

PORTA DELLE FONTI

Pza delle Erbe

Pza del Duomo

Torre Rognosa

S. Lorenzo in Ponte

Rocca di Montestaffoli

Pza Pecori

Museo di Arte sacra

Pal. del Podestà

Pal. Comunale

Pza della Cisterna

PORTA QUERCECCHIO

Porta S. Giovanni

Piazzale dei Martiri di Montemaggio

SAN GIMIGNANO

0   200 m

□ Casa torre

POGGIBONSI, SIENA, VOLTERRA, FIRENZE

Certaldo

San Gimignano

Poggibonsi

Colle di Val d'Elsa

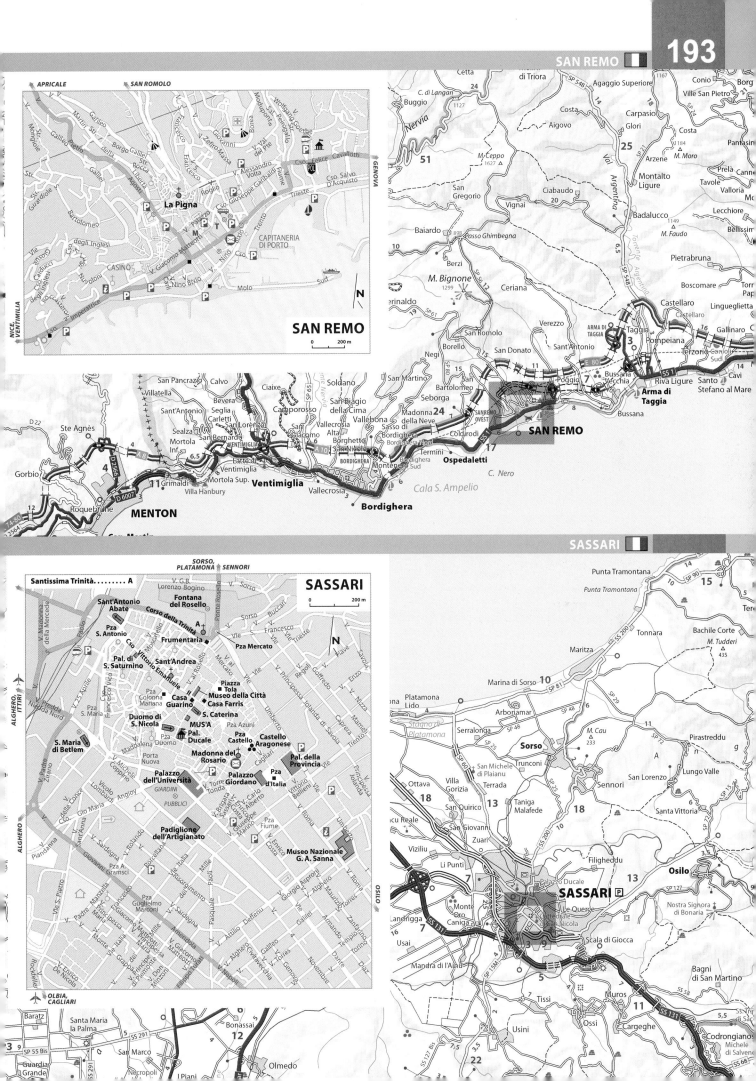

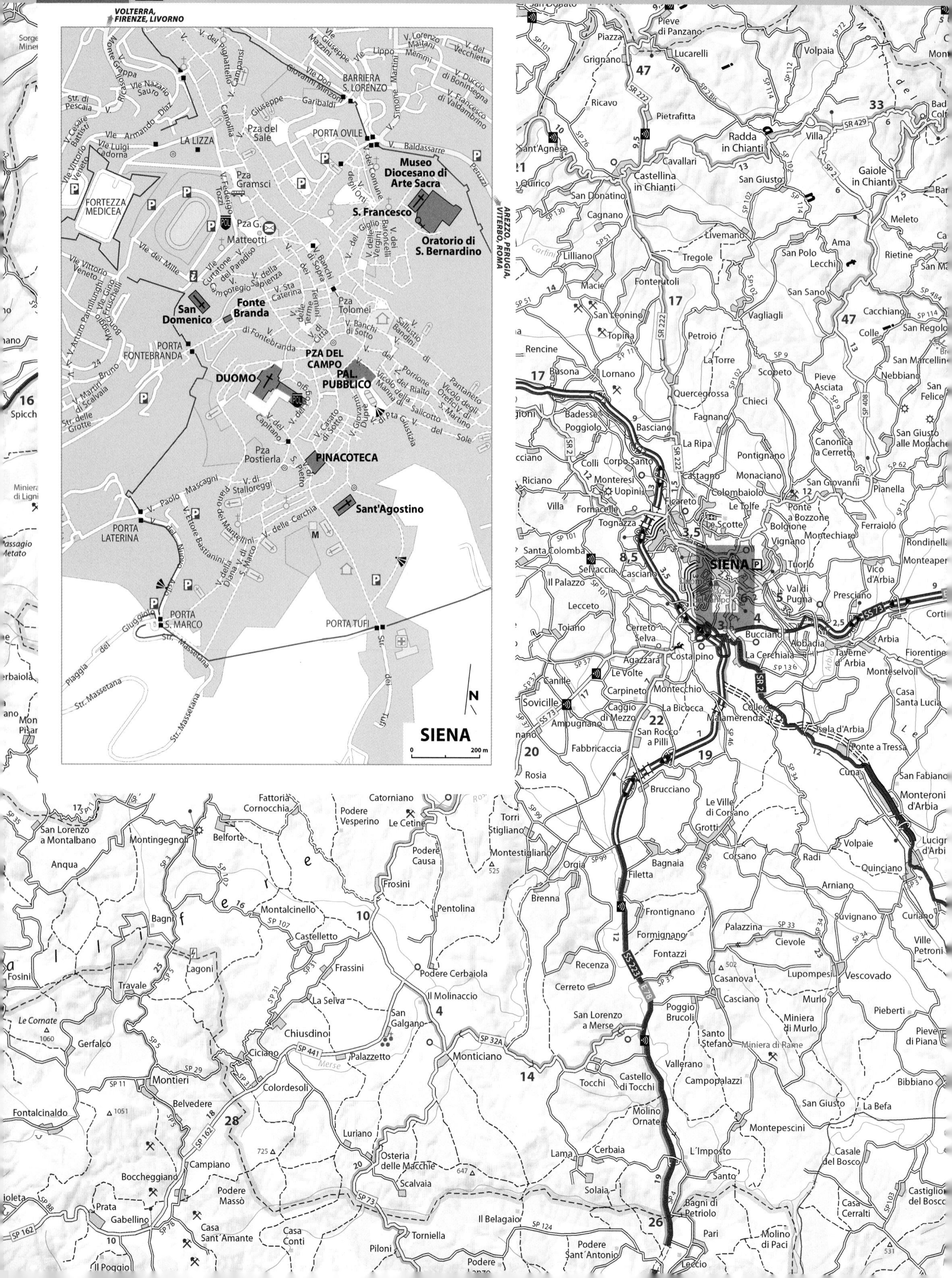

VOLTERRA,
FIRENZE, LIVORNO

AREZZO, PERUGIA, VITERBO, ROMA

Siena city map (inset):

Str. di Pescaia · Ponte Grappa · V. Cesare Battisti · V. Vittorio Veneto · Vle Nazario Sauro · Vle Armando Diaz · V. Luigi Cadorna · LA LIZZA · Camollia · Vle Giuseppe Mazzini · Vle del Pignattello · Vle del Vecchietta · V. Lorenzo Maitani · V. Lorenzo · V. Simone Martini · Lippo Memmi · V. Duccio di Boninsegna · V. Francesco di Valdambrino · BARRIERA S. LORENZO · Giovanni Minzoni · Garibaldi · PORTA OVILE · V. Baldassarre Peruzzi

FORTEZZA MEDICEA · Vle Vittorio Veneto · V. Gino Capponi · V. Gino Cruscoli · V. Arturo Parmilunghi · Pza del Sale · Pza Gramsci · Pza G. Matteotti · Pza del Campo · V. degli Orti · Museo Diocesano di Arte Sacra · S. Francesco · Oratorio di S. Bernardino

San Domenico · Fonte Branda · PORTA FONTEBRANDA · DUOMO · PZA DEL CAMPO · PAL. PUBBLICO · Pza Tolomei · Banchi di Sopra · Banchi di Sotto

V. Martiri di Scalvaia · Str. delle Grotte · PORTA LATERINA · Pza Postierla · PINACOTECA · Sant'Agostino · V. Paolo Mascagni · V. Ettore Bastianini · V. di Stalloreggi · V. delle Cerchia

PORTA S. MARCO · Str. Massetana · Piaggia del · PORTA TUFI · Str. dei Tufi

SIENA
0 — 200 m

N

16 Spicch · 17 · 33 · 47

Regional map labels:

San Donato · Pieve di Panzano · Piazza · Lucarelli · Volpaia · Grignano · Ricavo · Pietrafitta · Radda in Chianti · Villa · Castellina in Chianti · San Giusto · Gaiole in Chianti · Bad Col · Meleto · Cavallari · Sant'Agnese · Quirico · Cagnano · San Donatino · Livemano · San Polo · Lecchi · Ama · Rietine · San Ma · Lilliano · Macie · Fonterutoli · Tregole · San Sano · Vagliagli · Petroio · Cacchiano · Colle · San Regolo · Rencine · La Torre · Scopeto · Pieve Asciata · San Marcellin · Busona · Lornano · Quercegrossa · Chieci · San Felice · Corpo Santo · Fagnano · Pontignano · Canonica a Cerreto · San Giusto alle Monache · Badesse · Poggiolo · Basciano · La Ripa · Castagno · Monaciano · San Giovanni · Pianella · Colli · Monteresi · Uopini · Colombaiolo · Ponte a Bozzone · Bolgione · Montechiaro · Ferraiolo · Fornacelle · Le Tolfe · Vignano · Rondinelli · Tognazza · Le Scotte · Monteaper · Santa Colomba · Selvaccia · Casciano · Tuolo · Vico d'Arbia · Il Palazzo · Val di Pugna · Presciano · **SIENA** · Lecceto · Cerreto Selva · Bucciano · Abbadia · Taverne d'Arbia · Arbia · Corti · Toiano · Costalpino · La Cerchiaia · Fiorentine · Agazzara · Montechio · Colle · Isola d'Arbia · Casa Santa Lucia · Le Volte · La Bicocca · Malamerenda · Canile · Carpineto · Caggio di Mezzo · San Rocco a Pilli · Ponte a Tressa · Sovicille · Ampugnano · Fabbricaccia · Cuna · San Fabiano · Rosia · Brucciano · Le Ville di Corsano · Grotti · Monteroni d'Arbia · Volpaie · Lucignano d'Arbi · Catorniano · Le Cetine · Torri · Stigliano · Montestigliano · Corsano · Radi · Quinciano · Podere Vesperino · Podere Causa · Orgia · Bagnaia · Arniano · Frosini · Brenna · Filetta · Frontignano · Suvignano · Curiano · Pentolina · Formignano · Palazzina · Cievole · Ville Petroni · Montalcinello · Fontazzi · Recenza · Casanova · Lupompesi · Vescovado · Castelletto · Cerreto · Poggio Brucoli · Casciano · Murlo · Pieberti · La Selva · Podere Cerbaiola · Il Molinaccio · San Galgano · San Lorenzo a Merse · Santo Stefano · Miniera di Murlo · Pieve di Piana · Chiusdino · Ciciano · Palazzetto · Monticiano · Vallerano · Campopalazzi · Montepescini · Colordesoli · Luriano · Castello di Tocchi · Molino Ornate · Casa del Bosco · Belvedere · Campiano · Osteria delle Macchie · Scalvaia · Lama · Cerbaia · L'Imposto · Santo · Castiglion del Bosco · Boccheggiano · Podere Massò · Il Belagaio · Torniella · Piloni · Solaia · Bagni di Petriolo · Pari · Molino di Paci · Casa Cerralti · Prata Gabellino · Casa Sant'Amante · Casa Conti · Podere Sant'Antonio · Leccio · Il Poggio

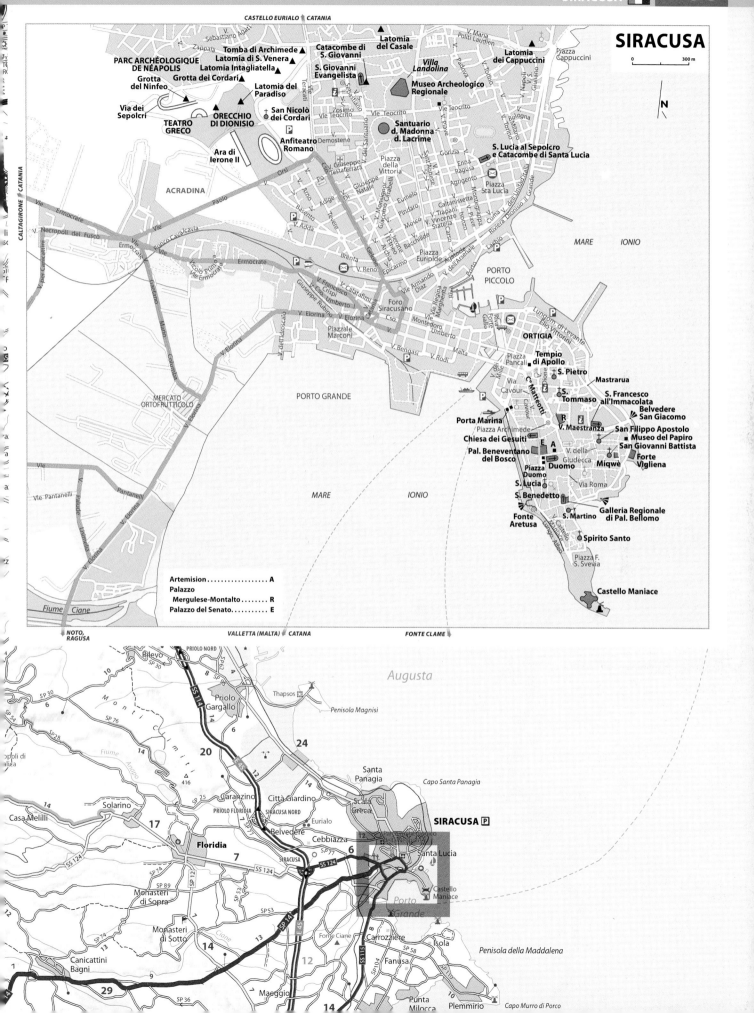

SIRACUSA

0   300 m

N

**PARC ARCHÉOLOGIQUE
DE NÉAPOLIS**

Zappata

V. Sebastiano Agati

Tomba di Archimede

Latomia di S. Venera

Latomia Intagliatella

**Grotta
del Ninfeo**

Grotta dei Cordari

**Latomia del
Paradiso**

**Via dei
Sepolcri**

**TEATRO
GRECO**

**ORECCHIO
DI DIONISIO**

San Nicolò
dei Cordari

**Anfiteatro
Romano**

**Ara di
Ierone II**

ACRADINA

**Catacombe di
S. Giovanni**

**S. Giovanni
Evangelista**

**Latomia
del Casale**

**Villa
Landolina**

**Museo Archeologico
Regionale**

**Latomia
dei Cappuccini**

Piazza
Cappuccini

V. Maria
Politi Laudien

V. Torino

V. Napoli

V. S.
Giuliano

**Santuario
d. Madonna
d. Lacrime**

Vle Teocrito

Vle Teocrito

V. Bologna

**S. Lucia al Sepolcro
e Catacombe di Santa Lucia**

Piazza
Sta Lucia

Piazza
della
Vittoria

Gorizia

Enna

V. Ragusa

Agrigento

Cuma

Riviera Dionisio il Grande

Caltanissetta

V. Trapani

V. Vincenzo
Statella

Montegrappa

Piazza
Euripide

V. dell'Arsenale

MARE   IONIO

**PORTO
PICCOLO**

Lungom. di Levante
Elio Vittorini

ORTIGIA

**Tempio
di Apollo**

Piazza
Pancali

S. Pietro

Mastrarua

**S.
Tommaso**

**S. Francesco
all'Immacolata**

**Belvedere
San Giacomo**

Via
Cavour

C° Matteotti

V. Maestranza

San Filippo Apostolo

Museo del Papiro

San Giovanni Battista

**Forte
Vigliena**

Porta Marina

Piazza Archimede

Chiesa dei Gesuiti

**Pal. Beneventano
del Bosco**

R

E   **A**

V. della
Gludecca

Duomo

Miqwe

Piazza
Duomo

S. Lucia

S. Benedetto

Via Roma

**Galleria Regionale
di Pal. Bellomo**

**Fonte
Aretusa**

S. Martino

Spirito Santo

Piazza F.
S. Svevia

Castello Maniace

MARE   IONIO

PORTO GRANDE

MERCATO
ORTOFRUTTICOLO

Vle Pantanelli

Pantanelli

V. Elorina

Fiume Ciane

Artemision . . . . **A**
Palazzo
  Mergulese-Montalto . . . . **R**
Palazzo del Senato . . . . **E**

Augusta

Rilevo
SP 30

PRIOLO NORD

Thapsos

Penisola Magnisi

**Priolo
Gargallo**

20

24

Capo Santa Panagia

Santa
Panagia

Solarino

17

Caranzino

Città Giardino

PRIOLO FLORIDIA

SIRACUSA NORD

Eurialo

Scala
Greca

SIRACUSA **P**

Casa Melilli

Floridia

7

Belvedere

Cebbiazza

SS 124

6

Santa Lucia

**Castello
Maniace**

Monasteri
di Sopra

*Porto
Grande*

Monasteri
di Sotto

14

12

Fonte Ciane

Carrozziere

Isola

Penisola della Maddalena

Canicattini
Bagni

29

Maeggio

14

Fanusa

Capo Murro di Porco

Plemmirio

Punta
Milocca

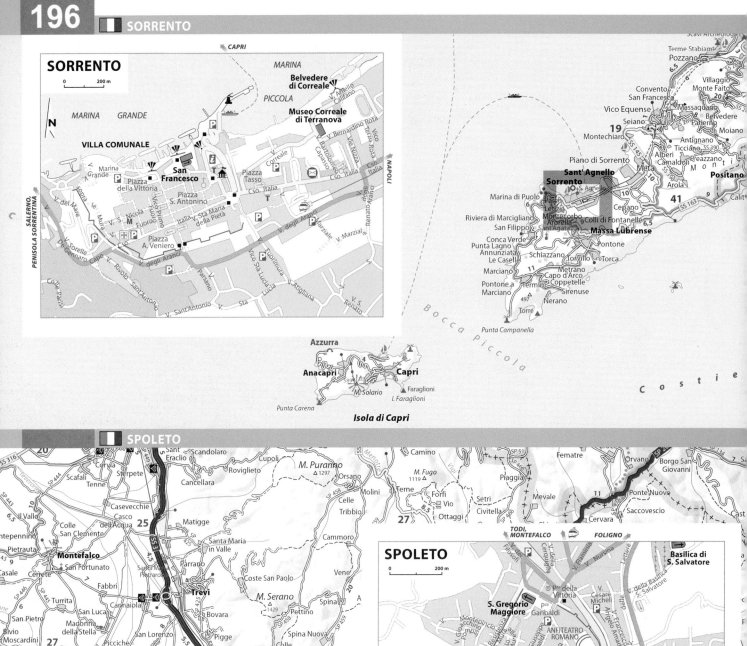

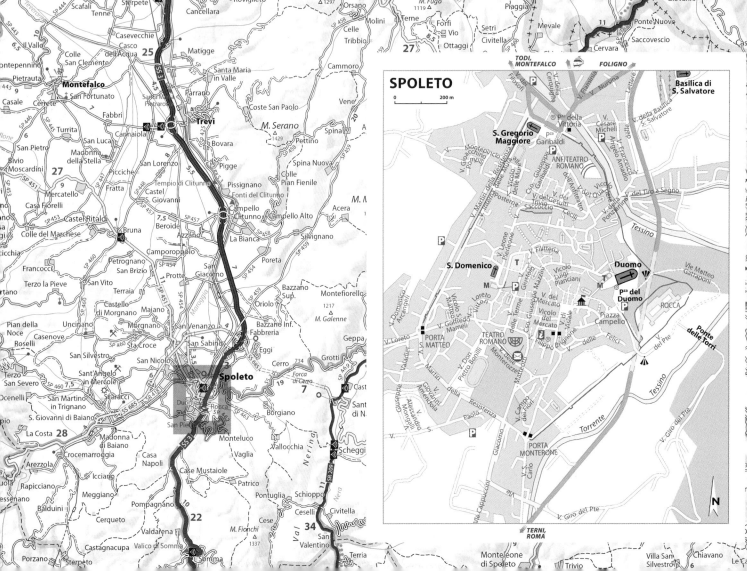

STRESA

0 200 m

N

ISOLA BELLA

CASTELMOLA

MESSINA

Mazzarò

P

MAZZARÒ

RISERVA NATURALE ISOLA BELLA

San Pancrazio

V. Guglielmo Marconi

Pza Annibale di Francia

Piazza S. Pancrazio

Pta Messina
Pal. Corvaja

Thermes

Odeon
S. Caterina

Pza Vittorio Emanuele

Castello

Mad. della Rocca

Naumachie

TEATRO GRECO

Badia Vecchia

Pal. Ciampoli

Pta Catania

V. Roma

Pza IX Aprile

Giardini di Villa Comunale

Museo Siciliano di Arti e tradizioni popolari

Duomo

Pza del Duomo

Isola Bella

S. Antonio Abate

Pal.S. Stefano

Piazzale S. Domenico

M. Crocifissa

BELVEDERE

VILLAGONIA

MARE   IONIO

N

TAORMINA

0   200 m

GARDINI-NAXOS, CATANIA

Valdina
Roccavaldina
Santissimo Salvatore
San Pier Niceto
Monforte
San Giorgio
Chiappi
Vinelli Pellegrino

L O R I

Pizzo della Mod

M. Poverello
1278

M. Scuderi
1253

Pizzo d'Armi
950

Fiumedinisi

43

Elicona

Novara di Sicilia

San Basilio
Vallancazza

Badia
Galluffi
Pagliara
Sciglio

Badiavecchia

Belardo

M

Rimiti

Misitano
Ciccattali
Misserio

Locadi
Roccalu

San Martino
Raccui

Portella Pertusa

Figheri

Misitano Inf.
Morzulli

San Carlo
Fautari

SP 19 Bis
Rogani
ROCCALUMERA
Grotte
Calcare

Pietragrossa
1125

Evangelisti
Rubino

Antillo
Mitta

Pietrabianca

Galvecchio Siculo

Cucco
Sparagonà
Furci Siculo
Savoca

Portella Mandrazzi
1079

47

Bastianello

Fadarechi

SS. Pietro e Paolo

Santa Teresa di Ri

M. Croce Mancine
1341

Borgo Piano Torre
Borgo Pietrapizzola
Borgo Mallitana

Limina

Scifi

Contura Sup.

Santa Teresa di Riva Ovest
Contura Inf.

San Francesco di Pa

Lacco

Santa Teresa di Riva Est

Borgo Schisina

Montagna Grande
1374

Roccafiorita

Sant'Alessio Village

Sant'Alessio Siculo

Borgo Schisina

Borgo San Giovanni

Malvagna

Pantana

Forza d'Agrò

Mongiuffi
Melia

Gallodoro

Capo S. Alessio

Santa Margherita
Fondaco Prete

19

Francavilla di Sicilia

Graniti

Larderia

Letojanni

Roccella Valdemone

Bonvassallo

Moio Alcantara

Motta Camastra

Luppineria

Mazzeo

Domenica Vittoria

Manganielle
Fondaco Motta

TAORMINA
885

Spisone
Mazzarò

Verzella

Vena Imperi
Ficarazzi

San Cataldo
Muscianò-Cupparo

Acqualorto

Lumbia

Castelmola

Villagonia

Taormina

22

Castiglione di Sicilia

Gole di Alcantara

Finaita

Gaggi

Capo Taormina

SS 120

Passopisciaro

Solicchiata

Mitogio

GIARDINI NAXOS
Fiascora

Pali

Giardini-Naxos

Montelaguardia

Moscamento
Cerro

17

Rovittello

Catena

Naxos

Chianchitta-Trappitello

Calatabiano Ovest
Calatabiano

Chianchitt

Chianchitta Pallio

20

Linguaglossa

Terremorte

9

Piedimonte Etneo

Ciollo

Purticato
San Marco

PARCO

M. Santa Maria
1632

40

21

Zappello di Campagna

Presa

Pasteria-Lapide

M. Nero
2049

M. Crisimo
1345

Vena

Notara
FIUMEFREDDO

Civì Passagliastro

Etna
2472

M. Pizzillo
1771

Fiumefreddo di Sicilia

Fondachello

Santa Venera
Portosalvo

Montargano

M O N T E

Rifugio Cirelli

Sant'Antonino

Nunziata

Mascali

3340

E T N A

Puntalazzo

Pagliara

Carrabba

Sant'Anna

REGIONALE

Fornazzo
Praino

Sant' Alfio
Paoli
San Giovanni

Tagliaborsa

Riposto

Giarre

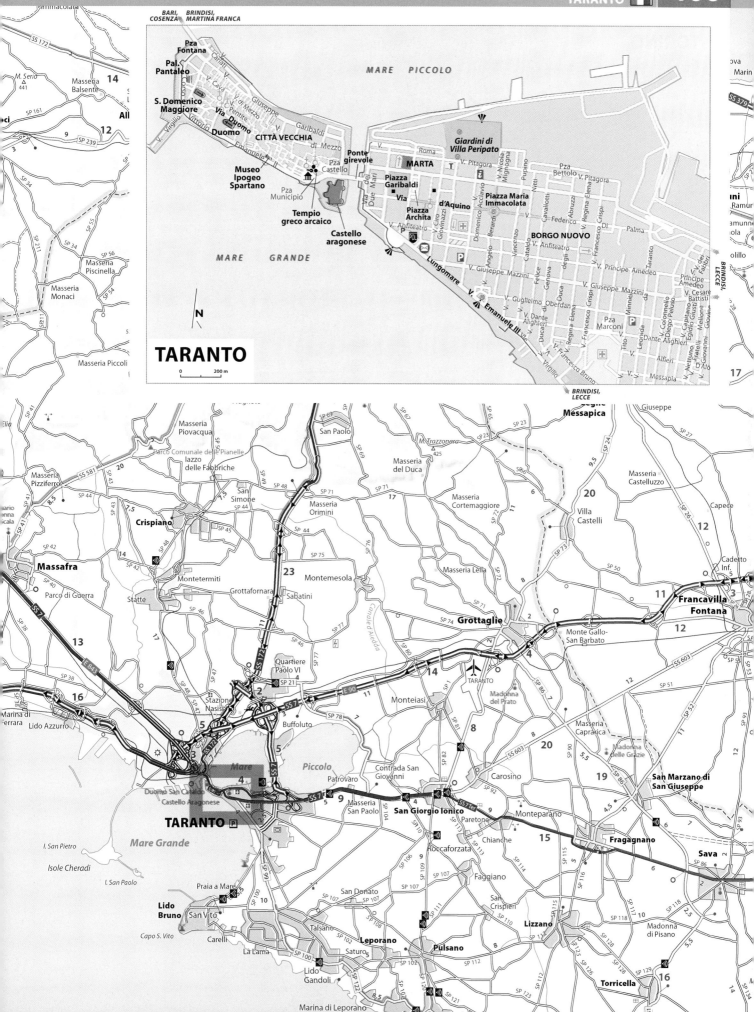

TARANTO

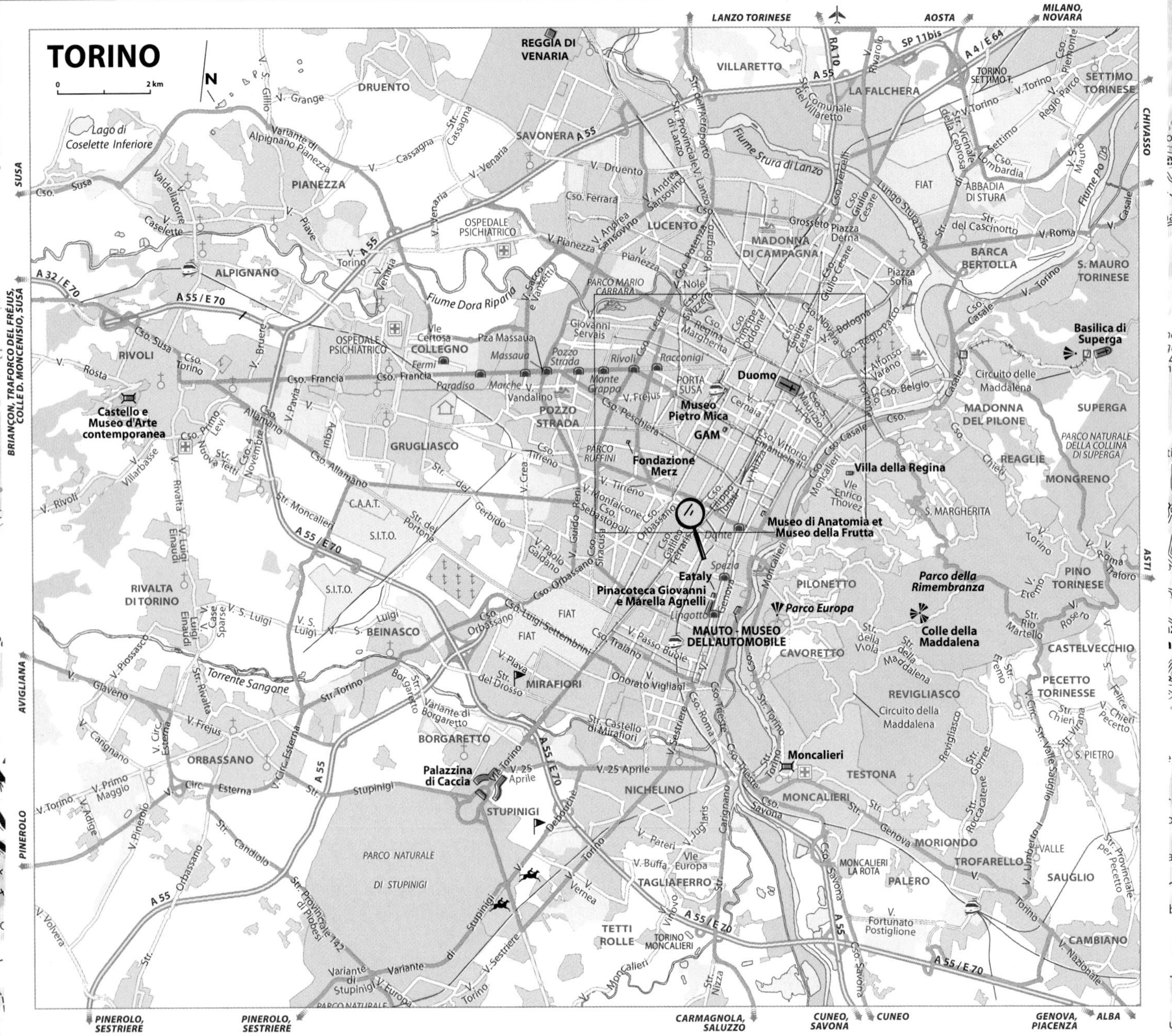

TORINO

N

0   2 km

REGGIA DI VENARIA

LANZO TORINESE   AOSTA   MILANO, NOVARA

VILLARETTO   LA FALCHERA   TORINO SETTIMO T.   SETTIMO TORINESE   CHIVASSO

DRUENTO

SAVONERA   A 55

SUSA

Lago di Coselette Inferiore

V. Grange

Variante di Alpignano Pianezza

PIANEZZA

FIAT   ABBADIA DI STURA

S. MAURO TORINESE

MADONNA DI CAMPAGNA   Piazza Derna   Piazza Sofia   BARCA BERTOLLA

ALPIGNANO

A 32 / E 70   A 55 / E 70

OSPEDALE PSICHIATRICO

LUCENTO

Basilica di Superga

Fiume Dora Riparia

RIVOLI

OSPEDALE PSICHIATRICO

COLLEGNO   Pza Massaua   Massaua

PARCO MARIO CARRARA

PORTA SUSA

Duomo

SUPERGA

MADONNA DEL PILONE   PARCO NATURALE DELLA COLLINA DI SUPERGA   REAGLIE   MONGRENO

Castello e Museo d'Arte contemporanea

PORTA NUOVA

Museo Pietro Mica

GAM

Fondazione Merz

POZZO STRADA

GRUGLIASCO

PARCO RUFFINI

Villa della Regina

S. MARGHERITA

Museo di Anatomia et Museo della Frutta

PILONETTO

Parco della Rimembranza

PINO TORINESE

RIVALTA DI TORINO

C.A.A.T.   S.I.T.O.

Eataly

Pinacoteca Giovanni e Marella Agnelli

Parco Europa

Colle della Maddalena

CAVORETTO

CASTELVECCHIO

PECETTO TORINESE

S. BEINASCO

FIAT   FIAT

MAUTO - MUSEO DELL'AUTOMOBILE

MIRAFIORI

REVIGLIASCO   Circuito della Maddalena

AVIGLIANA

ORBASSANO

BORGARETTO

Moncalieri

MONCALIERI   TESTONA   MORIONDO   TROFARELLO   SAUGLIO

PINEROLO

Palazzina di Caccia

STUPINIGI   NICHELINO

PALERO

CAMBIANO

PARCO NATURALE DI STUPINIGI

TAGLIAFERRO   TETTI ROLLE   TORINO MONCALIERI

Vle Europa

PINEROLO, SESTRIERE   PINEROLO, SESTRIERE   CARMAGNOLA, SALUZZO   CUNEO, SAVONA   CUNEO   GENOVA, PIACENZA   ALBA

Susa   SS 25   SS 24

Gravere   Bastia   Meana di Susa   Mattie

Chiomonte

San Giorgio   Borgone Susa   Condove   Caprie   Novaretto   Almese   Rivera   Miosa

Foresto   Bussoleno   Bruzolo   Rocca   Rubiana   M. Curt

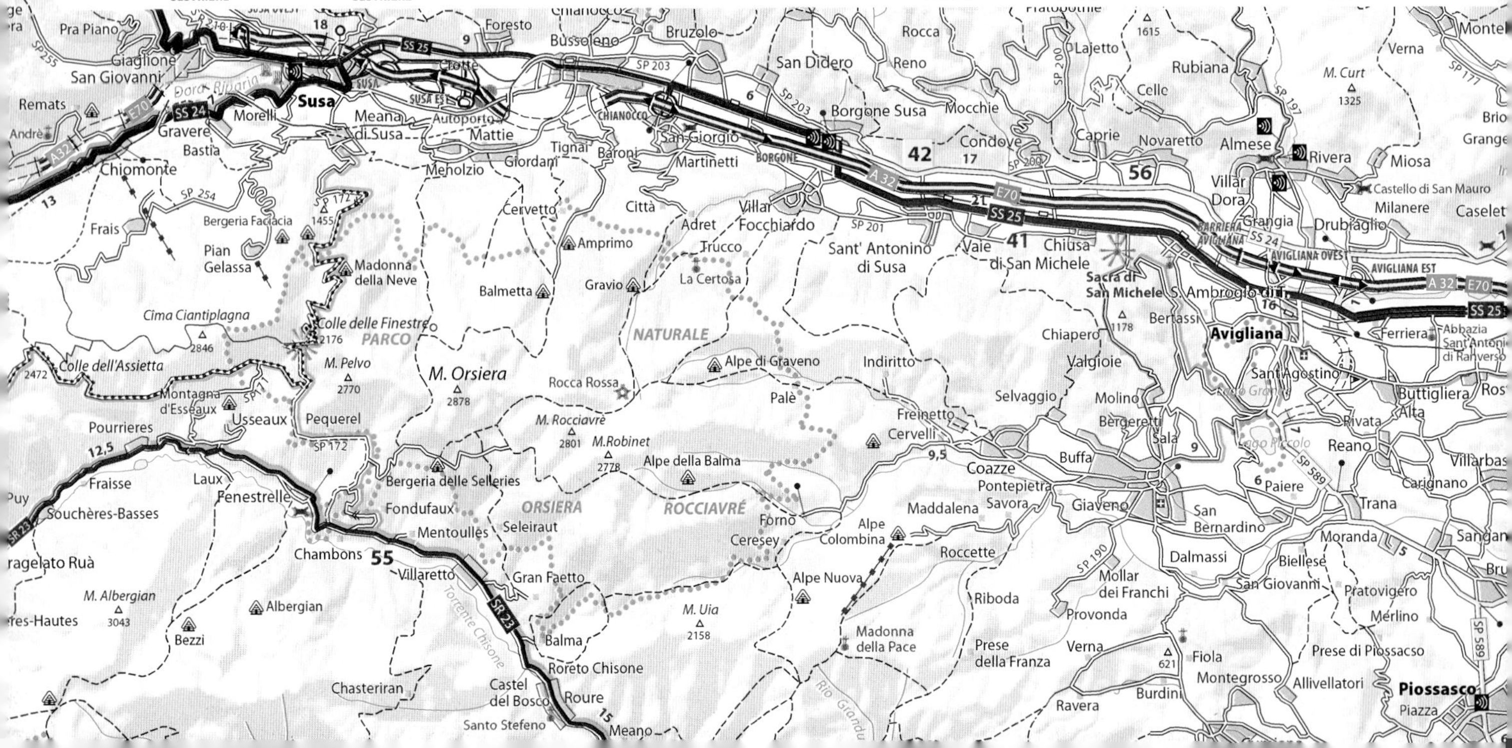

Chianocco   Mompantero

42   56

Borgone   Vaie   Chiusa di San Michele   Avigliana

41   Sacra di San Michele   Ambrogio di

Sant' Antonino di Susa   Villar Focchiardo

PARCO NATURALE ORSIERA ROCCIAVRÉ

M. Orsiera

Colle delle Finestre   2176

Colle dell'Assietta   2472

Usseaux   Pequerel

Pourrieres   Montagna d'Esseaux

Fenestrelle   Mentoulles   Villaretto

55   Chambons   Gran Faetto   Roreto Chisone   Balma

Souchères-Basses   Fraisse

Coazze   Giaveno   San Bernardino   Reano   Trana

Piossasco

SS 23

TORINO

0 — 300 m

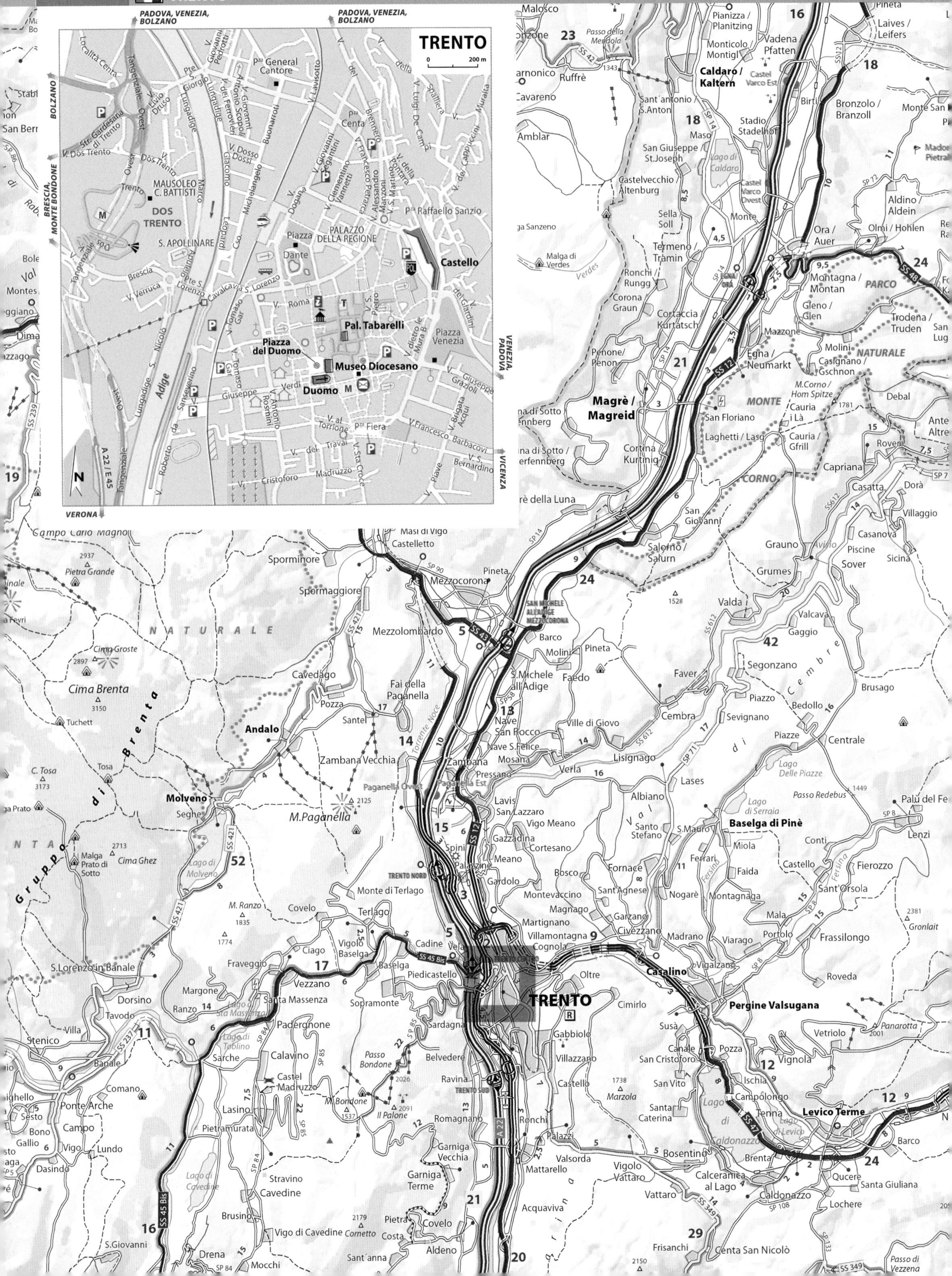

TRENTO

0   200 m

PADOVA, VENEZIA, BOLZANO
PADOVA, VENEZIA, BOLZANO

BRESCIA, MONTE BONDONE

Località Centa
Tangenziale Ovest
V. Giovanni Pedrotti
P.za General Cantore
V. Antonio Scopoli
V. dei Ferrovieri
Str. Gardesana di Trento
V. Elvio Druso
Lungadige
Brennero
V. G. Giacomo
V. Dos Trento
Dos Dossi
V. Michelangelo Buonarroti
V. Dosso Dossi
P.za di Centa
V. della
Muralta
V. Alessandro Manzoni
V. Francesco Petrarca
V. Giovanni a Prato
V. Clementino Vannetti
V. della
V. dei Cappuccini
V. Luigi De Campi

MAUSOLEO C. BATTISTI
DOS TRENTO
S. APOLLINARE
Trento
Tangenziale

Brescia
Ponte S. Lorenzo
Cavalcavia S. Lorenzo
V. Tomaso Gar
V. Verruca
S. Lorenzo
C.so 3 Novembre
P.za Dante
V. Roma
V. S. Pietro
V. Giuseppe Garibaldi
PALAZZO DELLA REGIONE
Castello
P.za Raffaello Sanzio

Pal. Tabarelli
Piazza del Duomo
Museo Diocesano
Duomo
Piazza Venezia
V. dietro le Mura B.
V. della Mura
V. Giuseppe Grazioli
V. Brigata Acqui
V. Francesco Barbacovi
V. Giuseppe Verdi
V. Antonio Rosmini
V. Tomaso Gar
V. al Torrione
P.ta Fiera
V. S. Croce
V. S. Bernardino
V. del Travai
V. S. Giovanni Bosco
Plave
V. Cristoforo Madruzzo

Adige
Lungadige S. Nicolò
V. Roberto da Sanseverino

VERONA
A 22 / E 45
N

VENEZIA, PADOVA
VICENZA

Surrounding area

Malosco
Pianizza / Planitzing
Laives / Leifers
16
23
Passo della Mendola
Monticolo / Montigl
Vadena / Pfatten
18
Ruffrè
Caldaro / Kaltern
Castel Varco Est
Cavareno
Birti
Bronzolo / Branzoll
Monte Pietral
Amblar
San Giuseppe / St.Joseph
Maso
Stadio Stadelhof
10
Castelvecchio / Altenburg
Castel Varco Ovest
Aldino / Aldein
Olmi / Hohlen
Sella Soll
Monte
Ora / Auer
24
PARCO
Termeno / Tramin
9,5
Montagna / Montan
Trodena / Truden
San Lug
Malga di Verdes
Ronchi / Rungg
Gleno / Glen
Verdes
Corona Graun
21
Molini
NATURALE
Egna / Neumarkt
Casignano / Gschnon
Penone / Penon
Cortaccia / Kurtatsch
M.Corno / Hom Spitze 1781
Debal
Cauria i Là
Ante Altre
Magrè / Magreid
3
San Floriano
Cauria / Gfrill
15
Roven
7,5
Laghetti / Lago
Capriana
MONTE
Corina Kurtinig
Casatta
Dorà
na di Sotto / ennberg
CORNO
San Giovanni
Villaggio
na di Sotto / erfennberg
San Salorno / Salurn
Casanova
Piscine
Sicina
rè della Luna
Grauno
Sover
Masi di Vigo
Castelletto
Grumes
Sporminore
SP 90
24
Valda
1528
Valcava
Spormaggiore
Mezzocorona
9
Pineta
Gaggio
42
NATURALE
Mezzolombardo
Barco
Segonzano
2937
Cima Groste
Pietra Grande
5
SS 43
Molini
Pineta
Brusago
2897
Cavedago
11
S.Michele all'Adige
Faver
Piazzo
Cembra
Cima Brenta
Fai della Paganella
SP 58
Bedollo
3150
Pozza
Nave
Piazze
a Fevri
Tuchett
Santel
San Rocco
13
Cembra
Centrale
a Prato
C. Tosa
Andalo
17
Nave S.Felice
14
Sevignano
Lago Delle Piazze
3173
Tosa
14
Zambana Vecchia
Mosana
Verla
Lases
Passo Redebus 1449
Molveno
Zambana
16
Lago di Serraia
Palù del Fe
ga Prato
Seghe
Pressano
Lavis
Albiano
Baselga di Pinè
SP 8
M.Paganella
2125
Paganella Ovest
San Lazzaro
Santo Stefano
S.Mauro
Lenzi
52
Malga Prato di Sotto
2713
Lago di Molveno
Vigo Meano
Val
Miola
Conti
Cima Ghez
SS 421
8
Spini
Gazzadina
Ferrari
Castello
Fierozzo
Covelo
TRENTO NORD
Palazzine
Cortesano
Faida
Sant'Orsola
M. Ranzo
1835
Monte di Terlago
3
Meano
Fornace
Nogarè
2381
Gronlait
1774
Terlago
Gardolo
Bosco
Montagnaga
Mala
Ciago
Vigolo Baselga
5
Cadine
Vela
Martignano
Sant'Agnese
Garzano
Madrano
Viarago
Portolo
Frassilongo
Fraveggio
17
Baselga
Villamontagna
9
Civezzano
Vigalzano
Roveda
Margone
Vezzano
Piedicastello
Cognola
Casalino
SP 8
Dorsino
Santa Massenza
Sopramonte
TRENTO CENTRO
Oltre
Pergine Valsugana
Tavodo
Ranzo
14
Sardagna
TRENTO
R
Cimirlo
Stenico
11
Lago di Santa Massenza
Padergnone
Belvedere
Gabbiolo
Susà
Vetriolo
Panarotta 2001
Villa
SS 237
Calavino
Passo Bondone
Ravina
Villazzano
San Cristoforo
Pozza
12
Vignola
Comano
Lago di Toblino
2026
Castello
1738 Marzola
San Vito
Ischia
12
Ponte Arche
Sarche
Castel Madruzzo
Romagnano
Santa Caterina
Campolongo
Tenna
Levico Terme
Campo
Vigo
7,5
Lasino
M. Bondone
2091
Il Palone
Ronchi
Vigolo Vattaro
Lago di Caldonazzo
24
Lundo
Pietramurata
1537
Palazzi
Valsorda
Acquaviva
Vattaro
Calceranica al Lago
Santa Giuliana
Stravino
Garniga Vecchia
Mattarello
Bosentino
Lochere
16
Cavedine
Garniga Terme
Brenta
Quocere
S.Giovanni
Vigo di Cavedine
Cornetto
2179
Pietra Costa
Centa San Nicolò
Passo di Vezzena
Drena
Covelo
Frisanchi
29
Mocchi
Aldeno
20
2150
SS 349

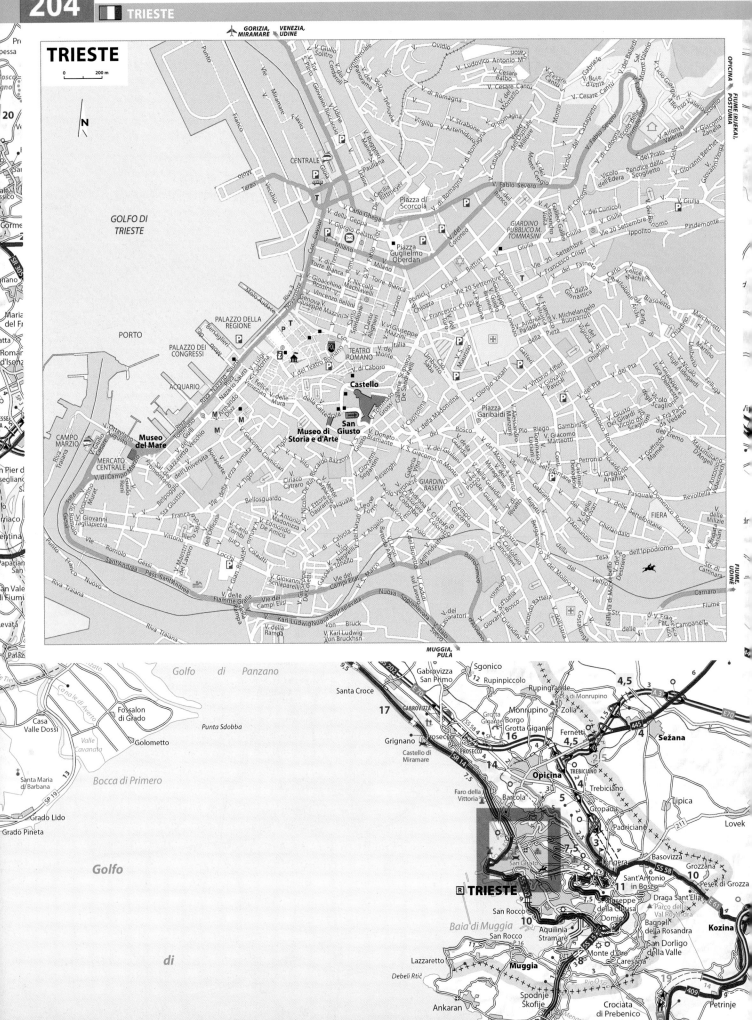

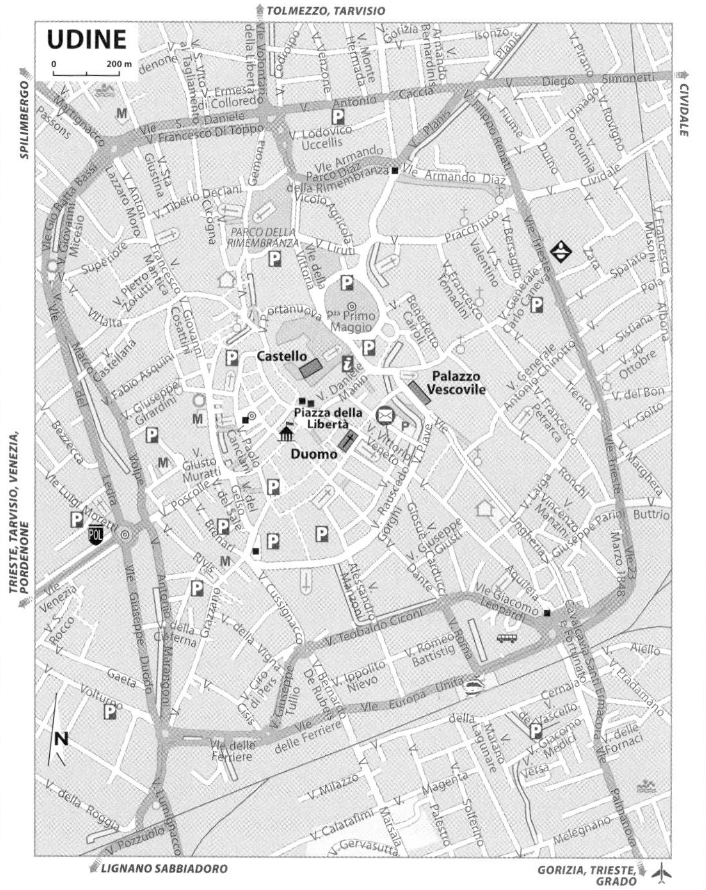

UDINE
200 m
TOLMEZZO, TARVISIO
CIVIDALE
SPILIMBERGO
TRIESTE, TARVISIO, VENEZIA, PORDENONE
LIGNANO SABBIADORO
GORIZIA, TRIESTE, GRADO
Castello
Palazzo Vescovile
Piazza della Libertà
Duomo
PARCO DELLA RIMEMBRANZA
P.zza Primo Maggio
V. Tiberio Deciani
Vle Armando Diaz
V. Teobaldo Ciconi
Vle Europa Unita
Vle delle Ferriere
V. Milazzo
V. Calatafimi
V. Pozzuolo
V. della Roggia
V. Gervasutta
Vle Giacomo Leopardi
V. Manin
V. Vittorio Veneto
V. Cividale
Vle Trieste
V. Marsala
V. Magenta
V. Solferino
V. Palestro
V. Melegnano
V. Aquileia
V. Poscolle
V. Gemona
V. Cussignacco
N

Urbino
Fermignano
Urbania
Fortezza Albornoz
Palazzo Ducale
Maciolla
Montesoffio
San Donato
Il Caldese
San Marino
San Marino d'Urbino
Calpino
Canavaccio
San Giovanni in Crocicchia
San Cipriano
S. Giovanni in Pozzuolo
Ca' la Lagia
Campi Resi
Peglio
Calmazzo
Sant'Apollinare in Gifarco
Gadana
Trassani
La Torre
Pieve di Cagna
Castello di Cavallino
Cavallino
Giardino della Galla
Pallino Secondo
Villa Cal Frate
Montecalende
Miniera
San Patrignano
Schieti
Santa Barbara in Campitelli
San Donato in Taviglione
Ca' Vagnino
Cal Monte
Il Palazzo
Calciuro
Sassocorvaro
Fontanelle
Ca' Mazzasette
Ca' Gallo
Ca' Spezie
Montecalvo in Foglia
San Giorgio
Borgo Massano
Montefabbri
Colbordolo
Pontevecchio
Il Montale
Montespino
Ca' Angelino
Casinina
Auditore
Valle Avellana
San Giovanni
Case Nuove
San Leo
La Celletta
Pantiere
Coldazzo
Riceci
Ponte Armellina
Il Gallo
Bucaferrara
Ca' Labaglia
Petriano
Santa Maria in Calafria
Valzangona
Via Piana
Palazzo del Piano
Valli di Sopra
Ca' la Ninetta
Ca' Lagostina
San Silvestro
Sagrata
Case Nuove
Pianacce
Furlo
Pian dei Conti
Ponte di Ferro
Monte Paganuccio
Acqualagna
Fossato
Corsella
Monte Martello
Bellaria
Ca' Romano Primo
Galeotti
Abbazia di Naro
Abbadia
Montiego
Fratta
Frontino di Naro
Orsaiola
M. dei Torrini 791
Pagino
Metauro
SS 73
SS 73bis
E 78
SP 423
SP 4
SP 3
SP 9
SP 36
56
17
16
12
9,5
10
8,5
18
34

UDINE
Tarcento
Nimis
San Gervasio
Cergneu Inf.
Molmentet
Attimis
Loneriacco
Fraelacco
Qualso
Zompitta
Savorgnano del Torre
Racchiuso
Ravosa
Magredis
Faedis
Marsure di Sopra
Marsure di Sotto
Siacco
Ronchis
Campeglio
Tricesimo
Felettano
Valle
Primulacco
Reana del Roiale
Rizzolo
Ribis
Tavagnacco
Adegliacco
S. Fennardo
Povoletto
Grions del Torre
Zampis
Cavalicco
Godia
Feletto Umberto
Colugna
Beivars
Paderno
San Gottardo
Remanzacco
Moimacco
La Busa del Veris
Laipacco
Cerneglons
Selvis
Orzano
Premariacco
Pradamano
Cussignacco
Vicinale
Paparotti
Lovaria
Buttrio
Moretto
Caminetto
Camino
Pavia di Udine
Manzinello
Lumignacco
Cortello
Selvuzzis
Lauzacco
San Lorenzo
Percoto
Persereano
Risano
Chiasottis
Ronchi
Melarolo
S. Stefano
Soleschiano
Sammardenchia
Pozzuolo del Friuli
Sclaunicco
Santa Maria di Sclaunicco
Galleriano
Carpeneto
Orgnano
Terenzano
Carpaccio
Campoformido
Basaldella
Zugliano
Bressa
Pasian di Prato
Sant'Osvaldo
Nogaredo di Prato
Passons
Bonavilla
Faugnacco
Martignacco
Ceresetto
Torreano
Plaino
Brazzacco
Alnicco
Pagnacco
Lazzacco
Fontanabona
Leonacco
Ara Piccola
Ara Grande
Conoglano
Cassacco
Vendoglio
Martinazzo
Treppo Piccolo
Raspano
Collalto
Segnacco
Borgo Zurini
Collerumiz
Bueriis
Zeglianutto
Molinis
Borgo Ponte
Subit
Passo di M. Croce
Forame
Porzus
Clap
Partistagno
Canal di Grivo
UDINE NORD
UDINE SUD
Zugliano Ovest
Zugliano Est
Grupignano
San Mauro
A 23
E 55
SS 13
SS 54
SR 56
SR 352
SR 353
SR 356
SP 14
SP 104
12
19
25
29
16
14
7,5
5,5
6,5

URBINO
100 m
RIMINI, PESARO
S. BERNARDINO
FANO, PERUGIA
AREZZO
Piazzale Roma
Casa di Raffaello
Fortezza Albornoz
Oratorio di S. Giuseppe
Oratorio di S. Giovanni Battista
Pza S. Francesco
S. Francesco
Collegio Raffaello
Pza della Repubblica
Cattedrale
Museo Diocesano
Pza Duca Federico
Teatro Romano
S. Domenico
PALAZZO DUCALE
Piazza Rinascimento
Palazzo dell'Università
Pza del Mercatale
PORTA VALBONA
PORTA LAVAGINE
PORTA S. LUCIA
Vle Antonio Gramsci
Vle Giuseppe Di Vittorio
Vle Don Giovanni Minzoni
V. dei Morti
V. Niccolò Macchiavelli
V. Urbinate
V. Bocca Trabaria Sud
V. Francesco di Giorgio Martini
V. Luciano Laurana
V. Giacomo Matteotti
V. Mazzini
V. Raffaello
V. Vittorio Veneto
V. Barocci
V. Pave
V. S. Girolamo
V. Sta Maria
V. Santa Chiara
V. del Popolo
V. Fratelli Rosselli
N

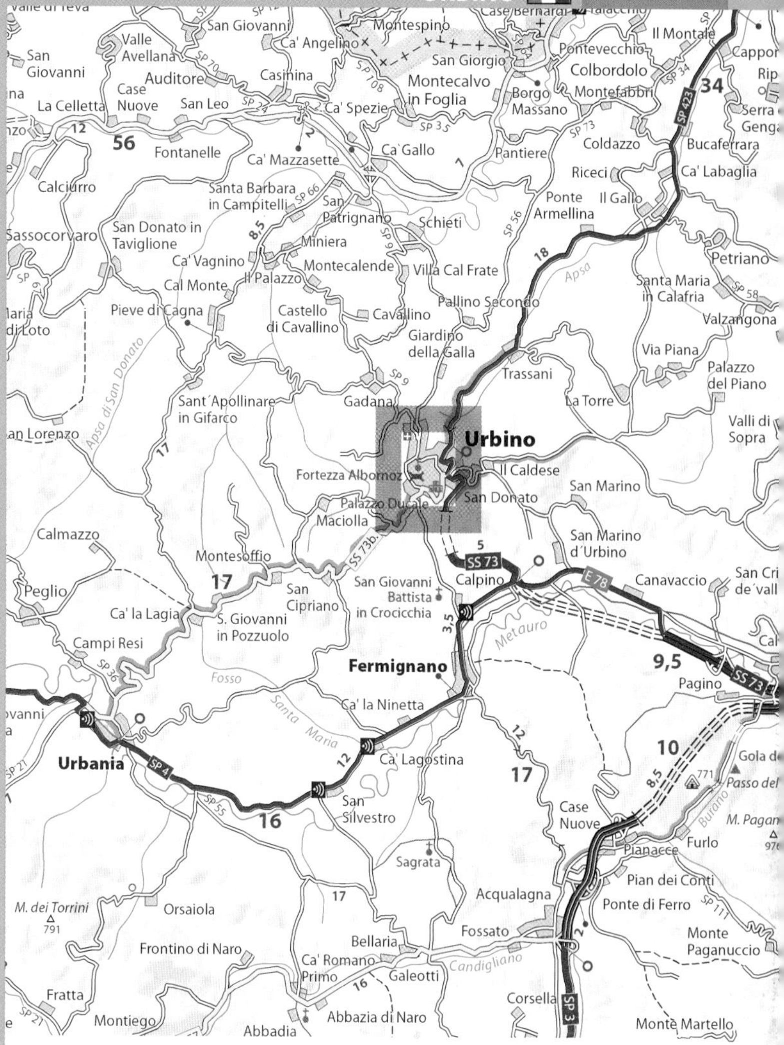

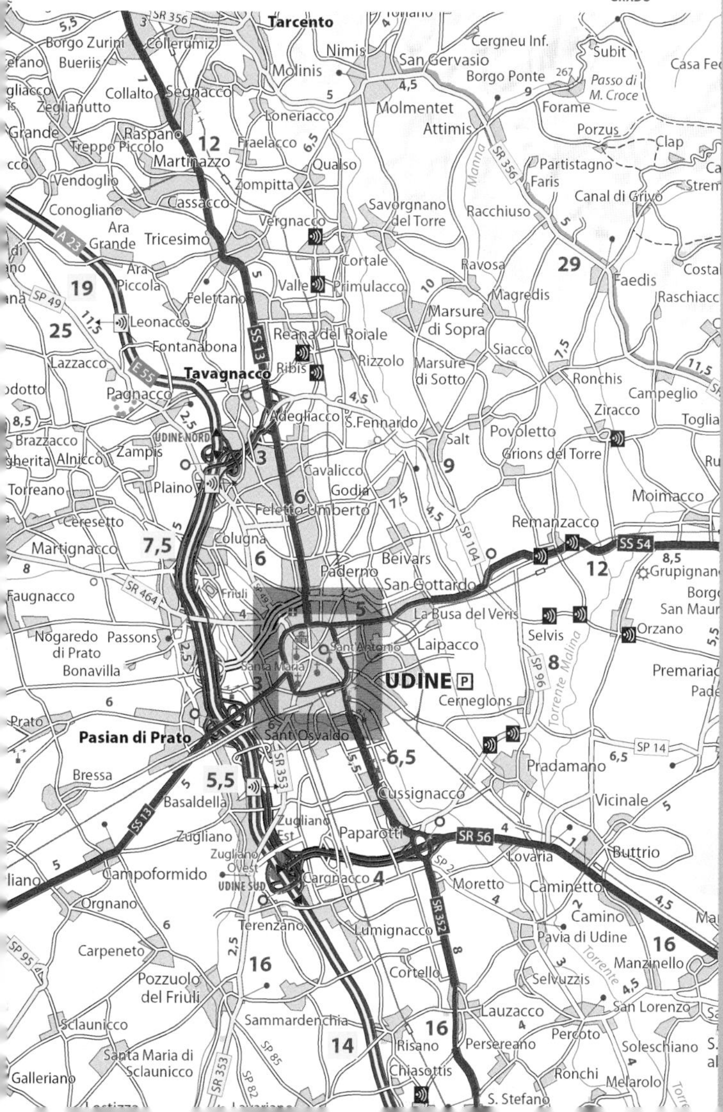

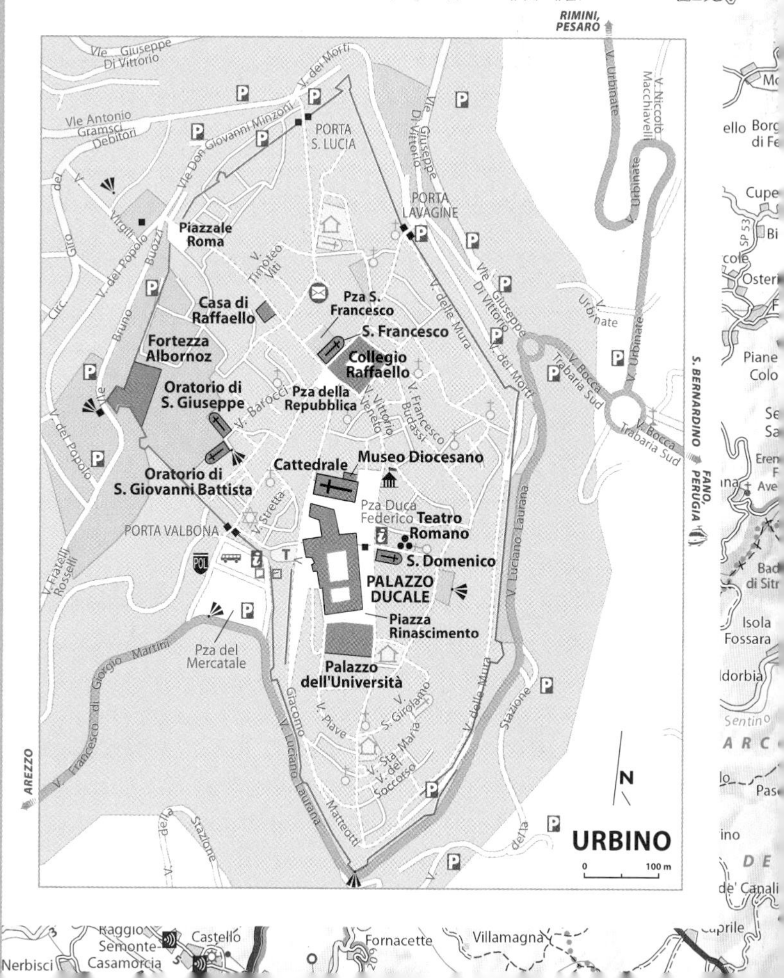

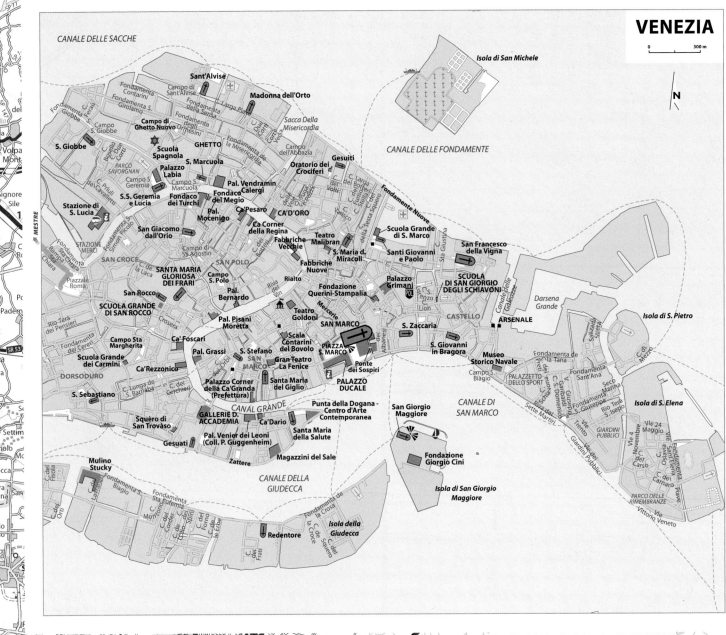

VENEZIA

0   300 m

N

CANALE DELLE SACCHE

Isola di San Michele

CANALE DELLE FONDAMENTE

Sant'Alvise

Madonna dell'Orto

Campo di Sant'Alvise

Fondamenta Contarini

Fondamenta S. Girolamo

Larga Piave

Fondamenta della Sensa

Fondamenta S. Giobbe

Campo S. Giobbe

Campo di Ghetto Nuovo

GHETTO

Sacca Della Misericordia

Campo dell'Abbazia

Gesuiti

S. Giobbe

Scuola Spagnola

S. Marcuola

Oratorio dei Crociferi

Fondamente Nuove

S.S. Geremia e Lucia

Palazzo Labia

Pal. Vendramin Calergi

Campo S. Marcuola

Fondaco del Megio

Ca'Pesaro

Scuola Grande di S. Marco

Stazione di S. Lucia

Fondaco dei Turchi

Pal. Mocenigo

CA'D'ORO

San Francesco della Vigna

STAZIONE MERCI

San Giacomo dall'Orio

Ca Corner della Regina

Santi Giovanni e Paolo

SAN CROCE

SAN POLO

Fabbriche Vecchie

Teatro Malibran

S. Maria d. Miracoli

Santi Giovanni e Paolo

SCUOLA DI SAN GIORGIO DEGLI SCHIAVONI

Piazzale Roma

SANTA MARIA GLORIOSA DEI FRARI

Campo S. Polo

Rialto

Fabbriche Nuove

Palazzo Grimani

Darsena Grande

Isola di S. Pietro

S. Rocco

Pal. Bernardo

Fondazione Querini-Stampalia

CASTELLO

ARSENALE

SCUOLA GRANDE DI SAN ROCCO

Crosera

Pal. Pisani Moretta

Teatro Goldoni

Mercerie

S. Zaccaria

Campo Sta Margherita

Ca' Foscari

Scala Contarini del Bovolo

SAN MARCO

S. Giovanni in Bragora

Museo Storico Navale

Scuola Grande dei Carmini

Pal. Grassi

S. Stefano

PIAZZA S. MARCO

Ponte dei Sospiri

Campo S. Biagio

PALAZZETTO DELLO SPORT

Isola di S. Elena

DORSODURO

Ca'Rezzonico

Gran Teatro La Fenice

Palazzo Corner della Ca'Granda (Prefettura)

Santa Maria del Giglio

PALAZZO DUCALE

GIARDINI PUBBLICI

S. Sebastiano

CANAL GRANDE

Punta della Dogana - Centro d'Arte Contemporanea

San Giorgio Maggiore

CANALE DI SAN MARCO

GALLERIE D. ACCADEMIA

Ca'Dario

PARCO DELLE RIMEMBRANZE

Squèro di San Trovàso

Santa Maria della Salute

Gesuati

Pal. Venier dei Leoni (Coll. P. Guggenheim)

Fondazione Giorgio Cini

Zattere

Magazzini del Sale

Mulino Stucky

CANALE DELLA GIUDECCA

Isola di San Giorgio Maggiore

Redentore

Isola della Giudecca

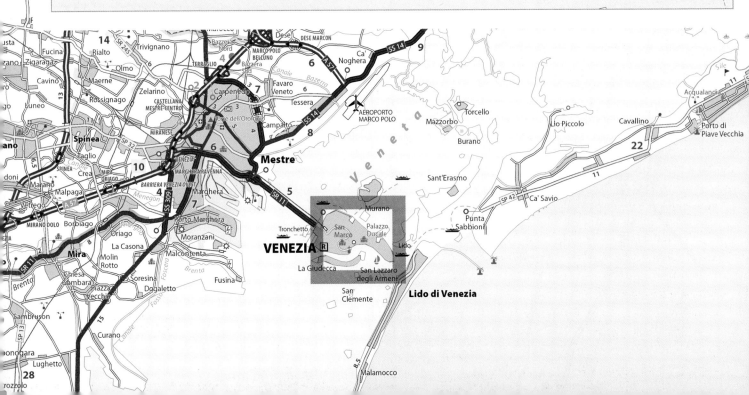

MESTRE

VENEZIA

Murano

Burano

Torcello

AEROPORTO MARCO POLO

Veneta

San Lazzaro degli Armeni

Lido di Venezia

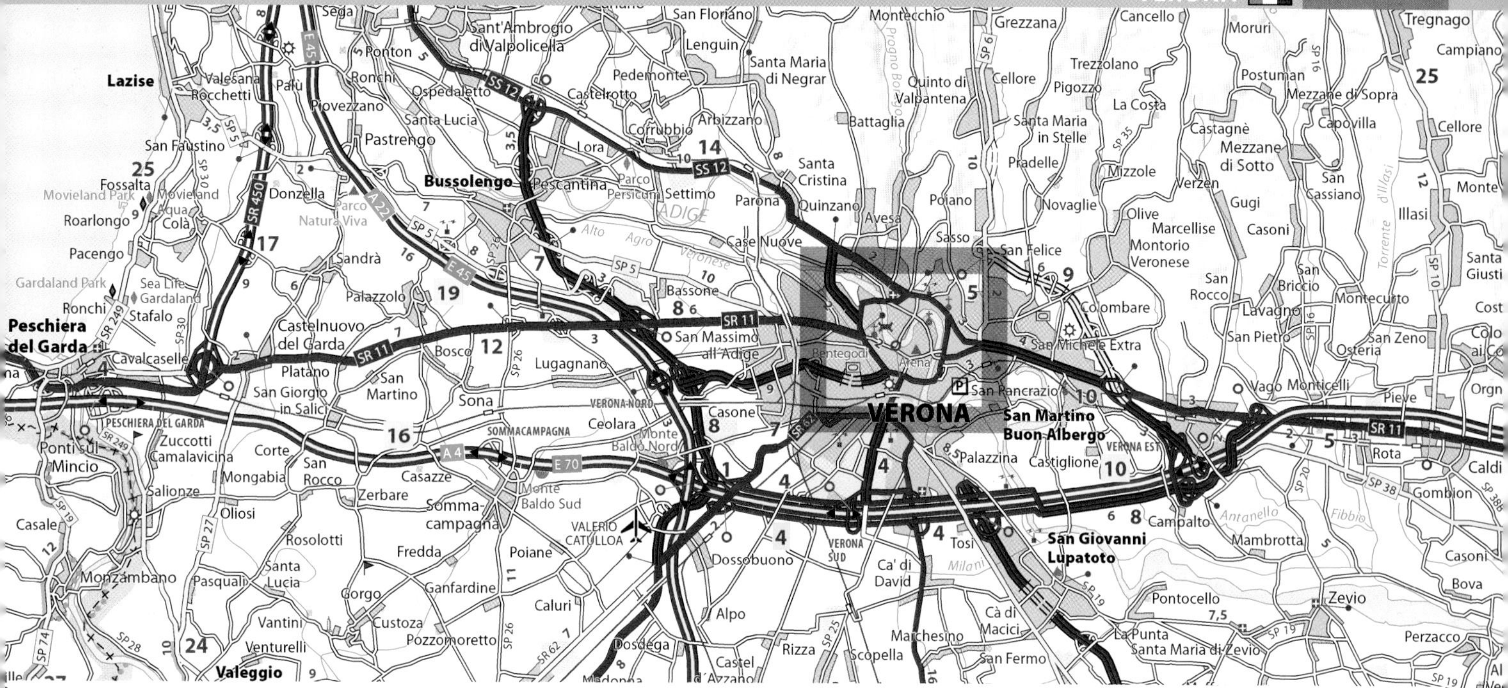

VERONA

Top regional map labels:

Lazise · Valesana · Rocchetti · Parù · Sant'Ambrogio di Valpolicella · San Floriano · Lenguin · Montecchio · Grezzana · Cancello · Moruri · Tregnago · Campiano

Ospedaletto · Castelrotto · Santa Maria di Negrar · Pedemonte · Quinto di Valpantena · Cellore · Pigozzo · Postuman · Mezzane di Sopra · Capovilla · Cellore

Fossalta · Movieland Park · Cola · Donzella · Pastrengo · Santa Lucia · Lora · Corrubbio · Arbizzano · Battaglia · Santa Maria in Stelle · Pradelle · Castagnè · Mezzane di Sotto · Verzen

Bussolengo · Pescantina · Parco · Settimo · Santa Cristina · Parona · Quinzano · Polano · Avesa · Sasso · San Felice · Marcellise · Montorio Veronese · San Rocco · Lavagno · Illasi

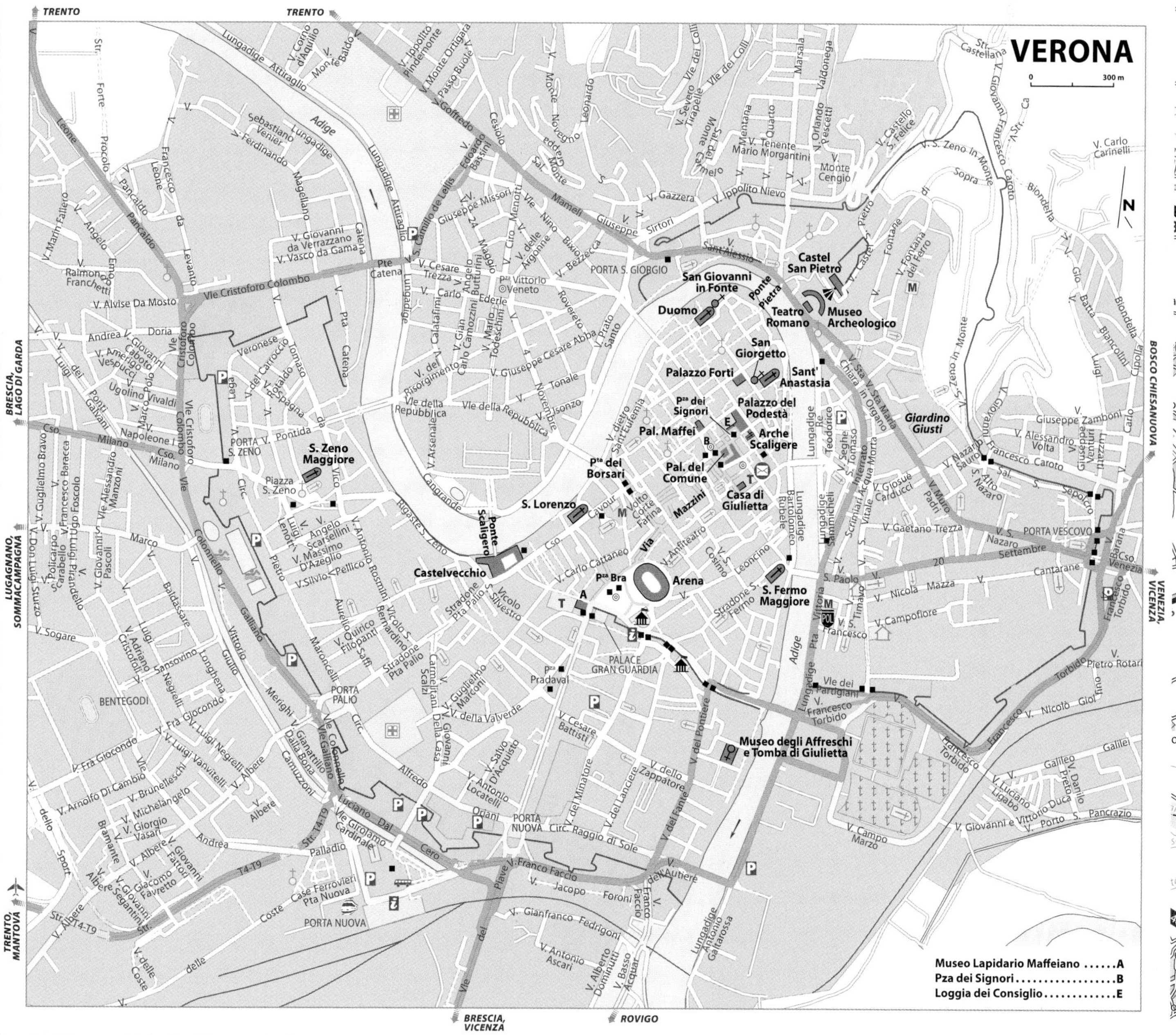

Peschiera del Garda · Gardaland Park · Sea Life · Gardaland · Ronchi · Stafalo · Castelnuovo del Garda · Bosco · Lugagnano · San Massimo all'Adige · Bassone · Colombare · San Michele Extra · San Pietro · San Zeno · Osteria

Cavalcaselle · San Giorgio in Salici · San Martino · Sona · Ceolara · VERONA · San Pancrazio · San Martino Buon Albergo · Verona Est · Vago Monticelli

Ponti sul Mincio · Zuccotti · Camalavicina · Corte · Mongabia · San Rocco · Casazze · SOMMACAMPAGNA · Monte Baldo Nord · Spalazzina · Castiglione · Campalto · Mambrotta · Zevio

Salionze · Oliosi · Zerbare · Sommacampagna · VALERIO CATULLO · Dossobuono · VERONA SUD · Ca' di David · Tosi · San Giovanni Lupatoto · Pontocello · La Punta · Casoni · Bova

Monzambano · Pasquali · Santa Lucia · Fredda · Poiane · Alpo · Cà di Macici · Santa Maria di Zevio · Perzacco

Valeggio · Vantini · Venturelli · Ganfardine · Caluri · Pozzomoretto · Dosdega · Castel d'Azzano · Rizza · Scopella · San Fermo · Madonna

Borgoforte · San Nicolò Po · Bosco · Scorzarolo · Boccadiganda · Portiolo · Bardelle · San Siro · Santa Lucia · Quingentole · La Rotta · Ronchi Casoni

City map labels:

TRENTO · Adige · Lungadige Attiraglio · PORTA S. GIORGIO · Castel San Pietro · San Giovanni in Fonte · Duomo · Teatro Romano · Museo Archeologico · Ponte Pietra · San Giorgetto · Palazzo Forti · Sant'Anastasia · Giardino Giusti · P.za dei Signori · Palazzo del Podestà · Pal. Maffei · Arche Scaligere · P.za dei Borsari · Pal. del Comune · Casa di Giulietta · S. Lorenzo · Ponte Scaligero · Castelvecchio · P.za Bra · Arena · S. Fermo Maggiore · PORTA VESCOVO · S. Zeno Maggiore · PORTA S. ZENO · Piazza S. Zeno · PORTA PALIO · BENTEGODI · PALACE GRAN GUARDIA · Pradaval · PORTA NUOVA · Museo degli Affreschi e Tomba di Giulietta · PORTA NUOVA

BRESCIA, LAGO DI GARDA · LUGAGNANO, SOMMACAMPAGNA · TRENTO, MANTOVA · BRESCIA, VICENZA · ROVIGO · VENEZIA, VICENZA · BOSCO CHIESANUOVA

Legend:

Museo Lapidario Maffeiano . . . . . . A
P.za dei Signori . . . . B
Loggia dei Consiglio . . . . E

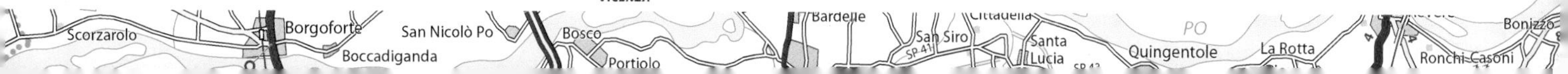

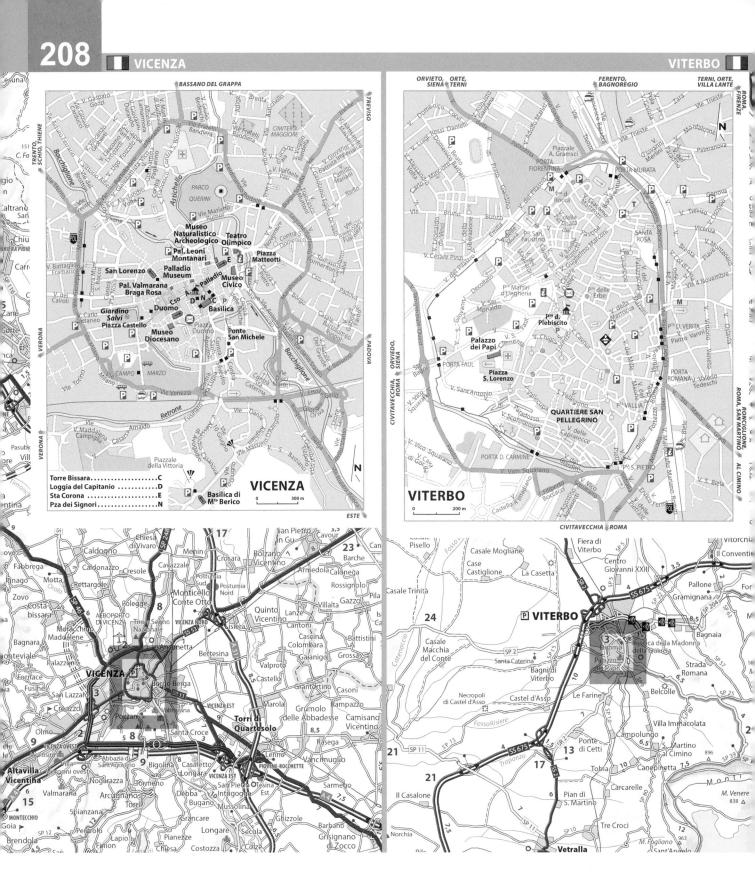

VICENZA

Torre Bissara..................C
Loggia del Capitanio..........D
Sta Corona...................E
Pza dei Signori...............N

0   300 m

VITERBO

0   200 m

Distanze / Tempi di percorrenza - Distances / Temps de parcours - Distances / Driving times
Entfernungen / Fahrzeiten - Afstanden / Reistijden - Distancias / Tiempos de recorrido

Il tempo di percorrenza o la distanza chilometrica tra due località è riportata all'incrocio della fascia orizzontale con quella verticale.
Le temps de parcours ou la distance entre deux localités est indiqué à l'intersection des bandes horizontales et verticales.
The driving time or distance (in km) between two towns is given at the intersection of horizontal and vertical bands / Die Fahrzeit oder die Entfernung in km zwischen zwei Städten ist
an dem Schnittpunkt der waagerechten und der senkrechten Spalten in der Tabelle abzulesen / De reistijd of afstand tussen twee steden vindt u op het snijpunt van de horizontale en verticale stroken.
El tiempo de recorrido o la distancia kilométrica entre dos poblaciones está indicada en el cruce de la franja horizontal con la vertical.

Como ⟷ Parma = 02:11 h
Parma ⟷ Como = 180 km

Temps / Distances

Cities (diagonal axis): Alessandria, Ancona, Aosta, Bari, Bergamo, Bologna, Brennero (Passo del), Brescia, Brindisi, Campobasso, Catanzaro, Civitavecchia, Como, CortinadAmpezzo, Cosenza, Domodossola, Ferrara, Firenze, Foggia, Genova, L'Aquila, La Spezia, Livorno, Milano, Modena, Napoli, Otranto, Padova, Parma, Perugia, Pescara, Piacenza, Potenza, Ravenna, Reggio di Calabria, Roma, Salerno, San Marino, San Remo, Siena, Sondrio, Susa, Taranto, Tarvisio, Torino, Trento, Trieste, Udine, Venezia, Verona